Corrado Augias

I SEGRETI DI ROMA

Storie, luoghi e personaggi di una capitale

MONDADORI

Dello stesso autore
in edizione Mondadori

Il viaggiatore alato
I segreti di Parigi
I segreti di New York
I segreti di Londra

www.librimondadori.it

ISBN 88-04-54399-X

© *2005 Arnoldo Mondadori Editore S.p.A., Milano*
I edizione settembre 2005
XII edizione agosto 2006

INDICE

I SEGRETI DI ROMA

C'est ici un livre de bonne foy, lecteur. ... Je veus qu'on m'y voie en ma façon simple, naturelle et ordinaire ... Ainsi, lecteur, je suis moi-mesmes la matière de mon livre.

Montaigne, *Essais*, «Avertissement au lecteur»

(Questo, lettore, è un libro sincero. ... Voglio che mi si veda qui nel mio modo d'essere semplice, naturale e consueto ... Perché è anche me stesso che ritraggo.)

PREAMBOLO IN DUE QUADRI

Da dove cominciare il racconto di un *universum* qual è Roma? In una città contraddittoria come questa, carica di tutta la gloria, di tutte le rovine e di tutta la polvere che i secoli si sono lasciati dietro, è possibile scorgere le tracce di ogni evento o sentimento umani, l'ardimento e la codardia, la generosità e l'ignavia, l'intraprendenza e la losca mollezza degli infingardi. Non c'è avvenimento della storia conosciuta che non abbia lasciato un segno, una cicatrice, un graffio sulla sua scorza. Roma non sarà mai la città dell'ordine, delle simmetrie, del nitido svolgersi dei fatti secondo un disegno, l'esito coerente di un progetto. Se la storia degli uomini altro non è che violenza e frastuono, Roma è stata nei secoli lo specchio di questa storia, capace di riflettere con dolorosa fedeltà ogni dettaglio, compresi quelli dai quali si distoglierebbe volentieri lo sguardo.

Da dove cominciare, insomma? Ogni storia che si rispetti dovrebbe cominciare dall'inizio, «*ab ovo*», dicevano i latini pensando all'uovo di Leda, posseduta da Giove in forma di cigno. L'uovo da cui nacque Elena, donna di fatale bellezza. Cominciamo pure *ab ovo*, allora, non solo per ragioni di cronologia, ma anche perché proprio la fiaba, il mito delle origini, sembra racchiudere un connotato di fondo ancora oggi riconoscibile dopo le infinite avventure, spesso disavventure, della città: diciamo pure, il suo destino. Quali origini? La leggenda di Romolo e Remo la conoscono tutti. Non tutti però ricordano le varie versioni su come i due leggendari gemelli sarebbero venuti al mondo. La madre pare fosse Rea Silvia, principessa di Alba Longa costretta a monacarsi (avrebbero detto nel XVII secolo), cioè a entrare nel sacro collegio delle vestali, che avevano fra gli altri obblighi la più assoluta castità. A questo la costringe lo zio, usurpatore del trono, per impedirle di generare mettendo a repentaglio la propria dinastia. Invece la giovane donna un giorno si scopre incinta, pare per l'intervento di un dio (una storia che si ripete spesso), potrebbe trattarsi di Marte in persona. Risalendo «per li rami» s'arriva con questa versione ad Ascanio, figlio di Creusa e del pio Enea. C'è da crederci? Ci credette, o così scrisse, Virgilio nel suo poema epico nazionale.

La leggenda, stratificatasi a poco a poco, conosce altre versioni, più imbarazzanti, divulgate da Plutarco nella *Vita di Romolo*. Re Tarchezio di Alba Longa, uomo crudele, assiste un giorno allo strabiliante fenomeno di un gigantesco membro virile che scende dal camino e comincia ad aleggiare per casa. Gli indovini etruschi, anche se non hanno ancora letto Freud, chiariscono che si tratta dello spirito del grande Marte il quale, irritato con il re, vuole generargli un successore. Per accontentare l'irato dio il re dovrà fornirgli una vergine. Tarchezio ordina alla figlia di soddisfare quel coso che continua a svolazzare qua e là, ma la fanciulla, comprensibilmente, rifiuta. Una schiava, alla quale non è consentito negarsi, è chiamata a sostituirla.

Queste le poco onorevoli vicende che portano, nove mesi dopo il surreale incontro, alla nascita dei due fanciulli, che il malvagio re, per non correre comunque rischi, ordina di uccidere. Abbandonati in un cesta sulle rive del Tevere (com'era accaduto a Mosè), i gemelli si salvano perché le acque si ritirano e per di più una lupa, scesa assetata dai monti circostanti, li nutre offrendo loro le sue mammelle. Ma era proprio una lupa? Nella sua storia di Roma, Tito Livio insinua il dubbio che non di una vera lupa si trattasse bensì di una certa Larenzia chiamata «lupa», cioè prostituta, nell'ambiente pastorizio per essere solita vendersi a quelle rudi genti: «*Sunt qui Larentiam volgato corpore lupam inter pastores vocatam putent*» (alcuni ritengono che questa Larenzia, per aver spesso prostituito il suo corpo, fra i pastori fosse chiamata «lupa»). Quando i gerarchi fascisti pensarono di chiamare «figli della lupa» i bambini inquadrati nelle organizzazioni giovanili del partito, non si resero conto, ignari di storia, dell'involontaria comicità di una simile denominazione.

I due ragazzi, di non specchiato lignaggio, crescono mettendo in luce temperamenti diversi. Remo è più risoluto e sembra più adatto al comando. Romolo appare fisicamente più debole, però è molto più astuto. Quando si viene alla fondazione della città, Romolo inganna il fratello sull'esito di una sfida: chi sarà capace d'avvistare per primo degli avvoltoi nella valle Murcia, quella dove più tardi sorgerà il circo Massimo. La sfida degenera; Remo s'infiamma, provocatoriamente salta il solco che si sta tracciando per definire il perimetro della città e viene abbattuto dal colpo di zappa di un sicario etrusco. Eliminato suo fratello, Romolo, infuriato, avrebbe gridato: «*Sic deinde, quicumque alius transiliet moenia mea!*» (Lo stesso accadrà a chiunque altro osi oltrepassare le mie mura).

Deriva da Romolo il nome della città? È possibile, ma non certo. Altre ipotesi indicano l'etrusco *rumon* (fiume), quindi «la città del fiume»; oppure l'osco *ruma* (colle). Anche l'origine del nome è incerta, proprio come il lignaggio dei due gemelli.

Veniamo alla terza fase, poco raccomandabile come le precedenti. Per fondare la sua città Romolo aveva radunato una combriccola di sbandati arrivati da ogni parte. Secondo il racconto di Plutarco, ognuno di loro aveva portato dal suo paese di provenienza una manciata di terra da gettare nella fossa, chiamata *mundus*, scavata al centro del perimetro delle mura. Contemporaneamente, assicura Plutarco, lì vennero gettate anche le primizie «di tutte le cose sancite dalla consuetudine come utili e dalla natura come necessarie alla vita umana». In questo villaggio di manigoldi un solo elemento continuava a mancare tra quelli necessari alla vita: le donne. Si chiese alle fanciulle dei villaggi vicini se per caso avrebbero voluto accasarsi nella nuova città, ma quelle, inorridite, rifiutarono. Per tagliar corto, si ricorse allora al mezzo estremo di rapire le donne dei confinanti sabini e in tal modo Roma poté cominciare davvero a vivere.

Ci volle molto impegno per nobilitare questo fosco racconto di stupri e omicidi. Poiché l'origine divina per opera di Marte appariva barcollante, si pensò di radicare la nascita del nuovo centro in un altro mito illustre, la guerra di Troia, trasformando in qualche modo il pio Enea, figlio di Venere, nel progenitore di Romolo. Ci pensò Virgilio a rifinire la nuova leggenda allacciandosi, nel secolo aureo di Augusto, direttamente a Omero, così creando anche a se stesso, per il tramite dell'*Iliade*, una grande ascendenza letteraria.

In ogni leggenda c'è un fondo di verità, nel caso di Roma questo «fondo» dice che le sue origini furono turbolente, quasi certamente per l'aggressività dei suoi abitanti che si fecero largo con la violenza nel nuovo insediamento strategicamente collocato al confine tra due culture – l'etrusca e l'italica – e all'incrocio di importanti vie commerciali fra la Toscana etrusca e la Campania greca. Ci vollero secoli per costruire non solo la mitologia della città, ma anche un sistema di regole giuridiche e di norme di comportamento che assicurassero una certa equita alla convivenza in un insediamento nato in modo così avventuroso. Per altrettanti secoli quelle norme vennero rispettate e, quanto alla giurisdizione vera e propria, il corpus legislativo romano resta per molti aspetti ancora oggi insuperato, come dimostrano perfino le formule fulminee che riassumono alcuni dei suoi principi fondamentali: *Unicuique suum, Neminen laedere, Dura lex sed lex, Ne bis in eadem, Nemo ad factum cogi potest*, eccetera.

Secoli furono necessari a perfezionare quel progetto, ma la luce del diritto cominciò a brillare a Roma. Numa Pompilio, secondo re della città (siamo tra il 700 e il 600 a.C.), veniva dalla Sabina, ed era il genero del re Tito Tazio. Quando Romolo morì, i romani lo scelsero come sovrano. Religioso e pacifico, mantenne buoni rapporti con tutti i popoli vicini garantendo un lungo periodo di pace. Plutarco, raccontandone la vita, detta un giudizio memorabile, che scavalca i secoli e arriva fino a oggi:

Ma come, dirà qualcuno: Roma non progredì e avanzò grazie alle guerre? Domanda che richiederebbe una lunga risposta per certa gente che pone il progresso nel denaro, nel lusso, nel predominio anziché nella sicurezza, nella gentilezza, nell'indipendenza dagli altri e nella giustizia verso gli altri.

Re Numa dedicò una cura particolare nell'organizzare la vita religiosa della città, consapevole che l'aiuto divino e il timore dell'aldilà sono di grande aiuto quando si tratta di educare una popolazione primitiva al rispetto delle leggi. «La musa di Numa» scrive ancora Plutarco «fu gentile e umana, convertì la città alla pace e alla giustizia placandone i costumi sfrenati e ardenti.» Memore del comportamento oltraggioso che i primi romani avevano tenuto con le donne della sua Sabina, Numa pose un'attenzione particolare nella formazione di un morigerato costume sessuale, reprimendo gli uomini ma, soprattutto, le donne: «Impose a queste un grande riserbo, tolse loro ogni ingerenza negli affari pubblici, le ammonì a esser sobrie abituandole a tacere». Le donne romane si sposavano in età precoce, «a dodici anni e anche meno, perché così portavano allo sposo il corpo e l'anima puri e intatti». La pudicizia imposta a tutte le giovani diventava un obbligo stringente per le vergini vestali il cui ordine Numa aveva fondato. La vergine Vesta, dea custode del fuoco, simboleggiava l'eternità di Roma. Le sue sacerdotesse erano scelte tra le fanciulle romane di età compresa tra sei e dieci anni, appartenenti a famiglie patrizie di provata onestà e obbligate, per trent'anni, a mantenersi vergini. Al termine di questo periodo potevano sposarsi. Oltre all'incarico di custodi del fuoco ebbero con il tempo quello di vegliare sul Palladio, pregare per la salute pubblica, custodire i testamenti e altra documentazione importante. Grandi onori erano loro riservati: i magistrati cedevano il passo e facevano abbassare i fasci consolari al loro passaggio, avevano diritto alla scorta dei *littori* e chi avesse osato insultarle era punito con la morte. La vestale che avesse violato il voto di castità diventava colpevole di *incestum*, il seduttore veniva ucciso a nerbate, lei era condotta nel *campus sceleratum*, dove subiva un tremendo castigo che Plutarco racconta in dettaglio:

Colei che disonora la propria castità viene sepolta viva presso la porta Collina. Lì, all'interno delle mura, si stende per un buon tratto un terrapieno. Al di sotto è preparata una stanza piuttosto piccola, con una scala per scendervi. Dentro mettono un giaciglio e delle coperte, una lucerna accesa, una piccola provvista di cose necessarie alla vita, come pane, acqua in una brocca, latte, olio, quasi che l'uomo voglia sottrarsi alla responsabilità di distruggere per fame un corpo consacrato con i riti più solenni. Quindi pongono la condannata in una lettiga, la coprono e stringono dall'esterno con cinghie, in modo che fuori non si oda la sua voce, e la fanno passare attraverso il Foro. La gente si ritrae silenziosa davanti a lei, e silenziosa la segue in una terribile costernazione: per la città non c'è spettacolo più agghiacciante o giorno più tetro. Appena la lettiga è giunta sul posto, gli inservienti sciolgono i legacci, il sommo sacerdote con le mani alzate al cielo rivolge alcune preghiere segrete agli dei prima del supplizio, quindi fa uscire la donna completamente velata dalla lettiga e la pone sulla scala che porta sottoterra. Fatto ciò, si volta indietro anche lui come gli altri sacerdoti. Appena la donna è scesa, tirano su la scala e nascondono l'ingresso della camera gettandovi sopra terra in gran quantità fino a raggiungere il livello del resto del terrapieno. Questa la punizione riservata alle vestali che violano la castità.

Nel 1972 la Mondadori pubblicò un bellissimo libro di Mario Praz, *Il patto col serpente*. Tra i numerosi saggi il volume ne contiene uno, *La Roma dannunziana*, dove si possono leggere le seguenti righe: «Qualche volta passavo dinanzi al villino decorato a graffito in via Varese, dalle persiane solitamente chiuse, aduggiato da alberi lieti, pini e palme, che qui paion mesti e solenni come alberi del nord, e nessun'altra scena sapevo pensare più acconcia per un romanzo poliziesco». Quando il quotidiano «la Repubblica» s'installò nel palazzo di piazza Indipendenza, dove poi è rimasto per quasi trent'anni, la frase che ho citato mi è tornata alla mente. Ho lavorato nella redazione del giornale e via Varese è dietro l'angolo; il misterioso villino era, ed è, ancora lì, a metà della strada, sulla sinistra venendo dalla piazza. Praz aveva ragione, la casa si presenta misteriosa, ma soprattutto non ha apparentemente niente a che vedere con il quartiere (una volta chiamato «Macao») come siamo abituati a considerarlo oggi con le sue «uggiose, melanconiche strade di derelitto *residential district*, ville decadute a pensioni, scuole e uffici, ordini corinzi degradati, giardinetti strozzati da scatoloni Novecento [qui credo che Praz alludesse proprio all'edificio che sarebbe diventato la redazione della «Repubblica»] e solo qua e là un angolo che serba qualche impronta di distinzione».

Basta però osservare più attentamente e le «impronte» cui

Praz accenna diventano chiaramente visibili. Quelle strade, una volta, erano al centro di una vita che, pur scomparendo, ha lasciato memoria di sé. Ne testimoniano le sparse architetture superstiti, certi fregi, alcuni scorci che s'intravedono dietro alte cancellate, ne riferiscono alcuni libri letti ormai da pochi. Non *Il piacere*, opera principe del periodo immediatamente successivo al 1870 di cui parlerò più avanti, nemmeno la rivista «Cronaca bizantina» nel fugace periodo estetizzante in cui a dirigerla fu d'Annunzio in persona (1885-86). Ma, per esempio, un libricino di poche pagine, scritto dall'antiquario Alberto Arduini, dall'accattivante titolo *Dame al Macao*, uscito nel 1945 e mai più ristampato. Intanto, perché Macao? Che c'entra Roma con l'ex colonia portoghese nel Mar Cinese meridionale, luogo deputato di «*belles dames sans merci*» e di esotiche avventure? Il nome derivava da un seminario dei gesuiti, costruito su parte dei terreni del Castro Pretorio, dove fin dal XVI secolo venivano formati i missionari destinati all'Estremo Oriente.

Proprio in quell'area i piemontesi pensarono di erigere un quartiere residenziale nonché i principali ministeri del neonato Regno d'Italia. Ragione principale della scelta la comodità d'avere a due passi la stazione delle ferrovie. Poi l'altitudine: quella è la parte più elevata di Roma, detta fin dall'antichità *alta semita*; ha un'aria più salubre grazie agli ottanta o cento metri in più rispetto alle malsane bassure racchiuse nell'ansa del fiume. Lì i nuovi amministratori progettarono un quartiere moderno, razionale e laico fin dall'impianto delle sue strade ortogonali, destinato a villini e palazzine per la nuova classe dirigente, le alte gerarchie dello Stato, senza nemmeno una chiesa (in questo, unico a Roma con l'eccezione che vedremo nell'ultimo capitolo).

Per le strade del Macao si aggirarono statisti e letterati, finanzieri e giornalisti, le belle dame alle quali Arduini dedica il titolo: «Al mattino il quartiere, pigro, si svegliava tardi. Camerieri in rigatino, cocchieri che lavavano con gran scroscio d'acque le carrozze, giardinieri armati di cesoie e annaffiatoio. Più tardi, cavalieri e amazzoni in tubino, parlamentari in pelliccia. Dopo il mezzogiorno, patetiche partenze per il Pincio. Alle cinque il viandante intravedeva, dietro balconi velati da tende di pizzo, luci tenui che profilavano dame col sellino, pallide ragazze ben educate, gentiluomini attillati in finanziere riservatissime. Si serviva il tè in giardini d'inverno ... in un'atmosfera profumata, ma dove non mancava mai una sottile punta di odor di gas».

Probabilmente il Macao come lo descrive Arduini non è mai esistito; vero che alcune di quelle piccole ville eleganti sono ancora lì, ma l'atmosfera da lui descritta ha tutta l'aria d'essere, più che una realtà, il portato della fantasia o del desiderio. Roma non assomiglierà mai a Bloomsbury né a certe piccole strade quiete del quartiere parigino di Neuilly o del XVI arrondissement; la sua aria è diversa, può essere indolente o tragica, lo è sempre stata. (Arduini stesso doveva incontrare una fine violenta, assassinato da un militare americano nei mesi dopo la Liberazione per un litigio forse legato a un rapporto finito male.) Ma anche se quel Macao non c'è mai stato, quando il Regno d'Italia fu finalmente completato, si tentò, anche grazie a quartieri di quel livello, d'aggiungere Roma al numero delle grandi metropoli europee, Parigi, Londra, Berlino, togliendola finalmente dal suo isolamento politico e civile.

La Roma arcaica dei tempi di Romolo e la Roma sparita di fine Ottocento, sono state entrambe risucchiate dal gorgo e dalla polvere della storia. Se dovessi indicare per la capitale un solo connotato punterei proprio su questo: la compresenza di tante città incastrate una dentro l'altra, sovrapposte in tre, quattro, cinque strati pronti a svelarsi appena si abbia voglia di guardare oltre la rumorosa corteccia del presente.

Nei Fori, dopo una giornata di forte pioggia, si vedono baluginare a terra miriadi di pietruzze: sono frantumi, poco più che polvere, dei marmi variopinti che molti secoli fa arrivavano qui da ogni angolo della terra. Ogni scavo nel centro storico, si tratti delle fondazioni di un edificio o di una galleria della metropolitana, fa inevitabilmente affiorare i resti di una vita precedente. Lo ha sperimentato Renzo Piano durante la costruzione della nuova Città della musica, lo ha immaginato Federico Fellini nel suo film *Roma*: un affresco romano viene alla luce nelle viscere d'una galleria, ma è la stessa luce, in un attimo, a bruciarlo facendolo svanire per sempre.

A Roma accade che la Domus aurea, una delle regge più grandiose mai costruite, dopo pochi anni di splendore finisca interrata a fare da fondazione per le terme di un nuovo imperatore; che l'androne di un palazzo costruito nel 1909 sia sostenuto da un contrafforte del circo di Nerone; che le colonne d'una chiesa cristiana provengano da un tempio dedicato a Venere. Queste stratificazioni multiple documentano la storia fluita senza interruzione attraverso la città, cancellando e aggiungendo un qualche tratto con l'ostinazione ora morbida ora violenta dell'onda che torna a battere, in una sfida senza fine, lo stesso tratto di costa. Emile Zola nel romanzo *Roma* coglie bene quest'aspetto facendo fare al suo protagonista riflessioni come questa:

La Roma pagana resuscitava nella Roma cristiana. Facendo di questa, la Roma cattolica, il nuovo centro politico, gerarchizzato e dominatore nel governo dei popoli. Ma era mai stata davvero cristiana Roma, dopo l'età primitiva delle catacombe? Affioravano sempre più insistenti i pensieri che aveva già avuto al Palatino, sulla via Appia e a San Pietro. Quella mattina stessa, nella cappella Sistina e nella stanza della Segnatura, stordito dall'ammirazione, credeva d'aver ben capito ciò che di nuovo il genio aveva apportato. Con Michelangelo e Raffaello il paganesimo indubbiamente ricompariva trasformato nello spirito cristiano. Ma non si fondava forse anche questo sulla stessa base? Forse le nudità gigantesche del primo non venivano dal cielo terribile di Jehovà filtrate attraverso l'Olimpo? E le figure ideali dell'altro non facevano forse balenare sotto il casto velo della Vergine le carni divine e desiderabili di Venere?

Questa compresenza è il fascino di Roma, ma è anche il peso che la città sopporta. Gravata dal suo passato non è stato né sarà mai facile per lei liberarsi dei propri fantasmi. Non dico New York, che reinventa di continuo la sua dimensione, ma nemmeno Parigi ha legami così fitti con la sua storia. Quasi fino all'anno 1000, la capitale francese, *Lutetia Parisiorum* come la chiamarono i romani, fu poco più di un villaggio fortificato sull'*Ile de la cité*, importante soprattutto per la sua posizione a valle della confluenza con la Marna. Millesettecento anni meno di Roma. Si sentono, e si vedono

Questo libro non è una storia né una guida di Roma, piuttosto una raccolta di vicende legate ora a una strada, ora a un palazzo o a un monumento, in qualche caso alla biografia dell'autore, voglio dire a incontri e accostamenti spero significativi, ma anche casuali com'è spesso la vita. Posti dove ho vissuto, che ho visto in condizioni diverse dalle attuali perché anche Roma cambia, o di cui ho appreso sui libri o dai racconti di persone vicine. Descrivendo alcuni luoghi della città è stato inevitabile ripercorrere certe pagine della sua storia così travagliata, mai diventata davvero tranquilla nemmeno dopo il 1870.

Talvolta mi sorprendo a pensare quale destino Roma avrebbe potuto avere se, nel corso di altri secoli, per esempio tra il XV e il XVI, si fosse riusciti a farla diventare il centro di un regno sottraendola al dominio pontificio per trasformarla in una vera capitale moderna. In quei due secoli la penisola ha conosciuto uno slancio economico e intellettuale senza uguali in Europa e se allora il disegno unificante, il sogno di Machiavelli e di Guicciardini, avesse potuto realizzarsi, certamente il destino di Roma sarebbe stato diverso, probabilmente migliore. Il progetto però venne frenato da una complessa articolazione cittadina e regionale; detto in termini più brutali, da interessi ed egoismi locali. Roma è sì diventata capitale, ma solo alla fine dell'Ottocento, nel momento in cui l'Italia attraversava una fase d'incontestabile rarefazione culturale, sociale e produttiva, e contava pochissimo sulla scena internazionale. Anche di questo continua a portare il peso.

Nel libro racconto però almeno due momenti in cui la città è sembrata scuotersi di dosso la rassegnazione di secoli. Il primo, che ha cancellato la memoria delle umiliazioni subite dopo l'Impero, il sangue e le lotte del Medioevo, e la repressione seguita alla riforma luterana, è il tentativo, glorioso e futile, di costituire nel 1849 una repubblica democratica fondata sulla Legge. L'altro momento, che ha riscattato l'oltraggiosa pacchianeria del Ventennio, è il movimento di Resistenza durante i nove mesi dell'occupazione nazifascista. Per il resto il lettore troverà racconti e resoconti, personaggi ed episodi che intendono restituire l'immagine complessiva di una città, la quale s'è trovata ad affrontare eredità molto, forse troppo, impegnative: l'Impero romano, il monoteismo ebraico poi rielaborato dal cristianesimo, e secoli d'inerzia civile, di feroce anarchia, d'assuefazione all'arbitrio dei potenti. Eppure, anche questa mollezza, questa rassegnazione diventata spesso indifferenza hanno probabilmente contribuito al fatto che tanti vivessero Roma come casa propria: Belisario e Totila, i re dell'Oriente e il barbaro Teodorico, Carlo Magno e Ottone di Germania, Goethe e Montaigne, Dumas e Zola, Stendhal e Gogol, Henry James e Corot, schiere di visitatori, di pellegrini, di artisti. Fra tutte le grandi città del mondo antico, Ninive, Babilonia, Alessandria, Tiro, Atene, Cartagine, Antiochia, Roma è la sola che abbia continuato ininterrottamente a esistere, mai ridotta a villaggio semiabbandonato, anzi, trovandosi spesso al centro di avvenimenti di portata mondiale e pagandone altrettanto spesso il prezzo. Da più di duemilasettecento anni l'Urbe continua ad affacciarsi sulle acque limacciose del suo fiume, qui abbellita dal malinconico fascino delle sue rovine, là deturpata dall'ignavia dei suoi abitanti. Numerose volte violata da eserciti, meta di disordinate immigrazioni, talvolta protagonista, talaltra succuba, capace di conservare di ogni passaggio, di ogni periodo, una qualche traccia e di mantenere, a dispetto di tante difficoltà o forse proprio grazie a esse, la sua immensa capacità illusionistica e «teatrale».

I

TRA SPAZIO E TEMPO

Nel 1957 uscì una raccolta di poesie che fece sensazione: *Le ceneri di Gramsci* di Pier Paolo Pasolini. Per la prima volta un poeta che si proclamava filocomunista metteva in crisi la sua cultura politica di riferimento esprimendo un desiderio di giustizia non limitato alle sole disparità economiche. Nella sua bella biografia del poeta, Enzo Siciliano scrive: «Nel quadro dell'ideologia di sinistra, cui Pasolini partecipava, era del tutto inascoltata la domanda per un'etica della persona – una morale nuova, dove l'individuo fosse recuperato nella interezza, nella sua specificità». La specificità del poeta Pasolini era di essere omosessuale e di patirne, da cattolico, la colpa e i rimorsi. Egli chiede, anzi grida, alla sinistra il bisogno di una nuova morale.

In quegli anni certe cose non le diceva ancora nessuno, anche se oggi può sembrare impensabile. Nessuno parlava di *gay pride*, l'omosessualità era una malattia, una vergogna da nascondere. Pasolini fu il primo a esibirla dolorosamente, a proclamarla nei suoi scritti. Gli piovvero addosso i vituperi dei «benpensanti» (lo accompagneranno per tutta la vita), ma ci fu molto imbarazzo anche nella sinistra; come ce ne sarà nel 1968 quando il poeta difese i poliziotti «figli del popolo» attaccati a Valle Giulia dagli studenti «figli della borghesia».

Cesare Garboli è stato fra i primi a tracciare un parallelo fra «l'esperienza eversiva di Pasolini romano» e il Caravaggio, fattosi anche lui romano, anche lui eversore. Pasolini con i film e i romanzi, l'altro, il pittore, nelle tele dove «bacchini» e «garzoni» rispondono sfrontati allo sguardo di chi li fissa, mostrandosi ignudi non con l'innocenza degli angeli, bensì con la malizia ammiccante di chi conosce il valore in contanti del proprio corpo.

Ma il poemetto di Pasolini aveva anche un altro pregio, eleggeva per la prima volta a intenso luogo poetico il cimitero detto «degli inglesi» o degli «acattolici» alla Piramide Cestia, un piccolo Père Lachaise raccolto e severo nella sua compostezza che è romantica e neoclassica insieme, incastonato nei margini della Roma barocca e cattolica:

... Spande una mortale
pace, disamorata come i nostri destini,
tra le vecchie muraglie l'autunnale
maggio. In esso c'è il grigiore del mondo,
la fine del decennio in cui ci appare
tra le macerie finito il profondo
e ingenuo sforzo di rifare la vita.

Era di maggio dunque, ma era come se fosse d'autunno, quando Pasolini si fermò davanti all'urna di Antonio Gramsci che reca l'iscrizione *Cinera Antonii Gramscii*. Quel grigiore rende evidente quanto «profondo e ingenuo» fosse stato lo sforzo «di rifare la vita». Lì sono chiuse le ceneri del grande pensatore politico, esiguo spazio sul «terreno cereo» delimitato da due nodosi pitosfori; sull'urna un'iscrizione latina sbagliata (non *cinera* dovrebbe essere ma *cineres*). Il lontano ideale additato dalla «magra mano» non illumina più il silenzio, solo sopravvivono i sentimenti che la vera politica sa suscitare:

Uno straccetto rosso, come quello
arrotolato al collo dei partigiani
e, presso l'urna, sul terreno cereo,
diversamente rossi, due gerani.

Poi c'è il cimitero e intorno alle sue mura il quartiere di Testaccio con le officine e le carrozzerie, i cui rumori lambiscono la tomba:

... Sbiadito,
solo ti giunge qualche colpo d'incudine
dalle officine di Testaccio, sopito
nel vespro; tra misere tettoie, nudi
mucchi di latta, ferrivecchi, dove
cantando vizioso un garzone già chiude
la sua giornata, mentre intorno spiove.

Quel poemetto, per molti della mia generazione, rappre
sentò la scoperta di un grande poeta e di un modo nuovo di
nutrire ideali politici privi della connotazione ideologica allora comune. Pasolini con la sinistra discusse senza sosta, protestò, litigò, ne portò alla luce i ritardi; ricordando sempre, però
da quali idealità, nell'Italia arretrata di allora, quel movimen
to era mosso. *Le ceneri di Gramsci* ha versi quasi ottocenteschi
di identificazione con gli umili:

> ... La luce
> del futuro non cessa un solo istante
> di ferirci: è qui, che brucia
> in ogni nostro atto quotidiano,
> angoscia anche nella fiducia
> che ci dà vita, nell'impeto gobettiano
> verso questi operai, che muti innalzano,
> nel rione dell'altro fronte umano
> il loro rosso straccio di speranza.

Ma il poemetto rappresentò per molti di noi anche la scoper
ta di uno degli angoli di Roma più degni di considerazione. Intorno alla piramide che il tribuno Caio Cestio Epulo aveva voluto innalzare a sua memoria, con una certa pompa, c'erano,
fino all'inizio dell'Ottocento, i campi e i celebri (allora) «prati
del popolo romano», dove brucavano le greggi. A poco a poco
si cominciarono a seppellire in quel luogo i non cattolici, tedeschi e inglesi soprattutto, ai quali, come alle prostitute, era proibito riposare in terra consacrata. Le cerimonie funebri erano
permesse solo di notte, probabilmente per non risvegliare il fanatismo della plebe alla vista di sacerdoti di fede non cattolica.
Sappiamo che quando nel 1821 a sir Walter Synnod fu consentito di seppellire la figlia in pieno giorno, il prefetto di polizia
predispose una scorta di gendarmi a cavallo per «proteggerlo
da eventuali oltraggi». Essendoci poco più oltre le osterie di Testaccio, non era infrequente che gli ubriachi, o qualche fanatico,
si soffermassero nottetempo a scempiare le tombe.

Nel 1817 i rappresentanti di Prussia, Russia e dell'Elettorato
di Hannover chiesero al segretario di Stato cardinale Consalvi
il permesso di erigere a proprie spese un muro di cinta. Ci vollero quattro anni e le aspre proteste del parlamento inglese

perché il cardinale, finalmente, cominciasse a prendere in considerazione la richiesta. La sua riluttanza, spiegò, derivava dal timore che il muro ostacolasse l'accesso alla piramide. Era però disposto a cedere un terreno confinante e questo venne infine recintato a spese dell'amministrazione pontificia. Comunque, dovettero passare parecchi altri anni perché la «parte antica» del cimitero fosse interamente chiusa con un muro. Durante gli scavi venne anche alla luce un buon tratto della *via Ostiensis*, oggi visibile nel fossato tra la piramide e il vecchio cimitero. Dopo il 1870 lo spazio fu portato alle dimensioni e alla dignità attuali. Fino a quando le autorità papali ebbero giurisdizione su quei terreni, rimasero in vigore una serie di divieti: proibito accennare alla beatitudine eterna perché non era ammessa salvezza per chi non fosse cattolico, vietate le croci sulle tombe, vietate perfino le iscrizioni che accennassero alla benevolenza divina, per esempio *God is Love* oppure *Hier ruht in Gott*.

Qui sono sepolti fra gli altri due grandi poeti inglesi, Shelley e Keats. La lapide senza nome di quest'ultimo reca una celebre iscrizione funeraria, capolavoro romantico:

This Grave / contains all that was Mortal, / of a / YOUNG ENGLISH POET, */ Who, / on his Death Bed, / in the Bitterness of his Heart / at the Malicious Power of his Enemies, / Desired / these Words to be engraven / on his Tomb Stone / «Here lies One / Whose Name was writ in Water» / Feb 24th 1821.*

(Questa tomba / racchiude i resti mortali / di un / giovane poeta inglese / che / sul suo letto di morte / nell'amarezza del suo cuore / per il malevolo potere dei suoi nemici / chiese che queste parole fossero incise / sulla sua pietra tombale: / «Qui giace colui / il cui nome fu scritto sull'acqua». 24 febbraio 1821.)

Risponde a questa un'altra scritta su una piccola lastra commemorativa murata in una parete poco lontana. Dice: «*Keats! If thy cherished name be "writ in water" / Each drops has fallen from some mourner's cheek*» (Keats! Se il tuo caro nome fu scritto sull'acqua, ogni goccia è caduta dal volto di chi ti piange). Amoroso, commovente dialogo di trapassati in uno dei luoghi di Roma dove meglio si fondono, soprattutto nella parte antica, il modello romantico e quel tentativo di semplicità e di compostezza che fu il movimento neoclassico.

Sono vissuto a lungo, tra infanzia e prima giovinezza, nei pressi di porta Latina e della via Appia Antica. Giocare tra i sepolcri romani toglie spensieratezza ai passatempi infantili? Non più di quanto ne tolga giocare con le bombe a mano o con proiettili d'artiglieria inesplosi. La campagna tutt'intorno a Roma ne è rimasta largamente e a lungo disseminata dopo la guerra; svuotare della carica i grossi calibri era un divertimento; ma anche i piccoli calibri (pistole, moschetti) davano agli irrequieti ragazzi di cui facevo parte parecchie soddisfazioni. I bossoli, privati del proiettile e dell'esplosivo, li mettevamo uno accanto all'altro sulle rotaie: al passaggio del tram scoppiavano con un entusiasmante effetto di raffica che spaventava molto i passeggeri aumentando lo spasso dei piccoli teppisti appostati lì intorno. Nei telegiornali di oggi si vedono a volte i bambini dei paesi in guerra che fanno più o meno le stesse cose; immagino che le loro reazioni non siano molto dissimili dalle nostre di allora.

La via Appia, in quegli anni, era uno dei luoghi più frequentati e si presentava con i caratteri dell'avventura. Fino alla tomba di Cecilia Metella si arrivava agevolmente in bicicletta, poche le auto, un silenzio profondo avvolgeva le rade costruzioni, i ruderi, i filari di cipressi, il basolato dove, guardando bene, si distinguevano i solchi scavati secoli prima dalle ruote cerchiate dei carri. Cecilia Metella suonava come un nome misterioso e il gigantesco sepolcro, a forma di cilindro o tamburo coronato di merli, ci appariva come un castello delle favole, misterioso e altissimo.

La strada si allungava dritta come una lama; strizzando gli occhi sembrava di poterne cogliere il prolungamento rettilineo sulla gobba azzurrina dei colli lontani. Ma c'erano anche affascinanti deviazioni, sentieri in terra battuta che finivano chissà dove, l'improvvisa comparsa d'un monumento funebre dietro un sambuco, un'iscrizione di poche parole che pareva impossibile tradurre.

Proprio le lapidi, prima ancora dello scenario circostante o del miracolo d'ingegneria che l'Appia rappresenta, sono state la chiave che mi ha permesso di cominciare a capire in quale luogo stavamo vivendo. Murata nel pronao della minuscola chiesa protocristiana di San Giovanni a porta Latina, c'è per esempio un'iscrizione che dice con secca bellezza: «*Titiena uxor viro*» (La moglie Tiziena al suo uomo): a suo marito, come in tedesco *mein Mann*, il mio uomo o mio marito; tutto è detto in tre sole parole. Ho letto un'altra iscrizione, sulla tomba di una bambina, ancora più commovente nella sua pudica concisione: «*Terra sis illi laevis / fuit illa tibi*» (Terra, sii leggera su di lei, lo fu lei su di te). Anche nella retorica funeraria i romani raggiunsero un'espressività altissima. Sulla tomba di un cane si legge: «*Raedarum custos, numquam latravit inepte; nunc silet et cineres vindicat umbra suos*» (Guardiano dei carri, non abbaiò mai invano; ora tace, un'ombra amica veglia sulle sue ceneri – ho aggiunto io l'aggettivo «amica» perché il latino è severo ma l'italiano chiede un'espansività maggiore).

Appena fuori di porta San Sebastiano, la via Appia Antica si apre con un sarcofago diventato la vasca di una fontanella Si può bere, sciacquarsi le mani, giocare a schizzarsi con l'acqua che vi è contenuta, sotto i consunti volti marmorei dei due sposi defunti che, quando li fecero scolpire, pensavano alla salute eterna, certo non ai futili passatempi dei viandanti. In altre occasioni, però, proprio dei viandanti ci si preoccupava. Le tombe erano allineate lungo le strade consolari, esposte al pubblico e anche agli oltraggi, poiché i teppisti non sono mai mancati. Per questo si può leggere su una di esse: «*Qui hic minxerit aut cacarit habeat deos Superos et Inferos iratos*» (Chiunque venga qui a pisciare o a cacare si scontri con l'ira degli dei superi e inferi). Per restare in tema, nel *Satyricon* di Petronio arbitro leggiamo che Trimalcione, alterato dal vino, comincia durante il banchetto a dettare le disposizioni per i suoi funerali; a un certo punto esclama con la bella franchezza degli ubriachi: «Affiderò a un mio liberto la custodia del sepolcro, *ne in monumentum meum populus cacatum currat*» (perché la gente non vada a farci la cacca sopra).

Nel passaggio dei secoli questa strada ha corso ben altri pericoli che un po' di cacca. Depredata dei suoi monumenti, oltraggiata da scempi vandalici nell'ultimo dopoguerra, imbottita di costruzioni abusive, devastata dal traffico, la più gloriosa strada del mondo è l'ombra non solo di ciò che è stata, ma anche di ciò che ancora oggi avrebbe potuto essere. Già alla metà del XV secolo, Enea Silvio Piccolomini (il futuro Pio II), mentre la percorreva, dovette redarguire un contadino che stava facendo a pezzi antiche pietre per costruirsi una casetta. Alla fine del secolo successivo il Senato di Roma concesse a Ippolito d'Este il permesso di demolire la tomba di Cecilia Metella per ricavarne materiale con cui edificare la sua villa di Tivoli (villa d'Este, appunto), ben altro guasto rispetto a quello del contadino con il suo misero piccone. Ci volle un illuminato conservatore capitolino, Paolo Lancellotti, per revocare il permesso, intanto però il rivestimento in travertino della base era stato asportato, e questo è lo stato in cui oggi il monumento si presenta.

La strada era stata voluta dal censore Appio Claudio («Cieco»), celebre anche per aver fatto realizzare il primo acquedotto. La magnifica arteria partiva dall'isola Tiberina, attraversava la valle del circo Massimo, usciva da porta Capena (mura repubblicane), percorreva l'attuale Passeggiata archeologica, si separava subito dopo piazzale Numa Pompilio dalla via Latina (il bivio è ancora lì, all'apparenza insignificante) e prendeva a correre, grazie a successivi prolungamenti, fino a Brindisi. Miracolo d'ingegneria, ho scritto; infatti l'Appia venne costruita con il criterio di un'autostrada: lunghi rettifili che puntano dritto alla meta, scavalcando vallette ed evitando i centri abitati. La cosiddetta «Fettuccia di Terracina», decine di chilometri senza una curva, è un buon esempio di un tale progetto fatto sistema perché bisognava poter raggiungere Capua nel minor tempo possibile, come imponevano ragioni sia commerciali sia militari. Quasi duecento chilometri coperti in cinque giorni di cammino, un'ottima media. Plinio il Vecchio, alla vanità edificatoria di egiziani e greci, contrapponeva con orgoglio: «Noi romani eccelliamo in tre cose che i greci hanno trascurato: la costruzione di acquedotti, di fogne e soprattutto di strade».

Chi volesse farsi un'idea di che cosa significasse andare da Roma a Brindisi lungo l'Appia rilegga la *Satira* I, 5 di Orazio, vivacissima cronaca di quel viaggio. Il primo giorno da Roma ad Ariccia, 25 chilometri circa; il secondo 40 chilometri fino a

Forappio e così via fra cento episodi grotteschi e maliziosi, con qualche breve momento d'incanto. Sentite questi versi: «*Iam nox inducere terris / umbras et coelo diffundere signa parabat*» (Già si preparava la notte a stendere ombre sulla terra e a cospargere di stelle il cielo). Si potrebbe pensare all'apertura di un lirico «notturno». Niente affatto, è solo un trucco retorico subito interrotto in anticlimax da un grossolano litigio tra servi e marinai. Grandioso Orazio!

La strada è stata percorsa da re e imperatori, da eserciti di tutte le specie e in ogni secolo fino alle avanguardie corazzate della V Armata americana che il 4 giugno 1944, arrivando anche loro dall'Appia Antica, misero fine all'occupazione nazista.

Strada di legioni che la percorsero nel clangore delle loro armi tornando da una qualche vittoria in Oriente. Così la mise in musica Ottorino Respighi nel poema sinfonico *I pini di Roma* del 1924. I pini della via Appia sono connotati da un gagliardo «tempo di marcia», introdotto da una didascalia esplicita come la musica che la esprime: «Alba nebbiosa sulla via Appia. La campagna tragica è vigilata da pini solitari ... Alla fantasia del poeta appare una visione di antiche glorie; squillano le buccine e un esercito consolare irrompe, nel fulgore del nuovo sole, verso la via Sacra, per ascendere al trionfo del Campidoglio».

Potrei dedicare l'intero capitolo, forse l'intero libro, alle storie antiche e moderne di questa mitica strada. Ma Roma è grande, perciò accenno solo a tre luoghi molto evocatori. A meno di un chilometro di distanza da porta San Sebastiano c'è, sulla destra, un notevole esempio di archeologia industriale, l'ex Cartiera Latina. Fino all'ultima guerra utilizzava l'acqua di un fiumicello, l'Almone, che le scorre a fianco e sotto (ora bisogna affacciarsi per scorgere il modesto corso d'acqua sprofondato nel suo letto). I romani lo identificavano con uno spirito divino, il dio Almone, protagonista di un importante culto orientale. Nel 1944 i tedeschi in fuga avevano fatto saltare il breve tratto di strada che lo scavalca per ritardare l'arrivo degli americani. Bambinetto alla mano di mio padre, ero lì e guardavo a bocca aperta gli enormi carri armati alleati che avanzavano sferragliando. Di fronte alla breve voragine i carri si fermarono fino a quando, dal fondo della colonna, si fece avanti un cingolato che caricava sul dorso, come chele ripiegate, due rotaie d'acciaio. Le sollevò, le fece ruotare, le abbatté sul fosso creato dall'esplosione. Pochi minuti e la colonna si rimise in moto, i carristi – per lo più neri - si sporgevano dalle torrette lanciando divertiti strane caramelle con un buco in mezzo e strisce di una pasta gommosa che avremmo imparato a masticare. Minuti dettagli ingombrano la memoria e popolano i sogni, tendono con gli anni a diventare lancinanti: le saldature rugose delle corazze, una stella bianca un po' scrostata su una fiancata, il solco profondo di un cingolo su una zolla, il sorriso di un carrista nero contento di essere a Roma, vivo. La gente, magra e misera come me, che applaudiva con le lacrime agli occhi.

Poche centinaia di metri più avanti ci si imbatte in una specie di trivio: la via Ardeatina sulla destra, a seguire la via Appia e, più piccola rispetto alle altre, via della Caffarella. Proprio lì c'è una cappelletta a pianta circolare il cui aspetto negletto non deve trarre in inganno. Risale alla metà del Cinquecento e la fece erigere il cardinale inglese Reginald Pole come ringraziamento per essere scampato in quel punto esatto a un agguato tesogli da sicari di re Enrico VIII. Geloso della religione anglicana che aveva appena fondato, il superbo re non poteva tollerare che un suddito inglese fosse diventato cardinale di Santa Romana Chiesa. (Di Reginald Pole, straordinaria figura, mi occupo nel capitolo dedicato a Michelangelo, nelle cui vicende ebbe parte.)

Proseguendo sull'Appia s'incontra, trecento metri prima della tomba di Cecilia Metella, il circo di Massenzio. È una delle più impressionanti costruzioni romane, immensa, con tribune per diecimila spettatori, un asse di trecento metri, un edificio di mezzo chilometro. Per colmare l'avvallamento in cui sorge venne sbancata una collina. Qui fu trovato l'obelisco con il quale Bernini ornerà la fontana dei Fiumi a piazza Navona. Storia curiosa che ebbe come protagonista l'erudito e avventuriero inglese William Petty (Alexandra Lapierre ne ha scritto la biografia). Egli avvistò l'obelisco che giaceva in pezzi, semisepolto dalla vegetazione, nel 1636. Subito lo acquistò

dall'amministrazione pontificia con l'intenzione di trasportarlo in Inghilterra dove era già pronto un compratore appassionato di antichità. In extremis, però, papa Urbano VIII (Maffeo
Barberini) ne bloccò l'esportazione. A quel punto intervenne
Bernini che vide nell'obelisco il giusto ornamento per la sua
nuova fontana.

Quello del papa fu sicuramente un gesto accorto e preveg-
gente anche se non bastò certo a interrompere la sciagurata
abitudine di depredare le antichità. Più di un secolo dopo, nel
1756, Giovan Battista Piranesi scriveva nella sua opera *Antichità romane* queste parole: «Vedendo che i resti degli antichi
edifici di Roma, sparsi in gran parte negli orti e in altri luoghi
coltivati, diminuiscono giorno per giorno o per l'ingiuria del
tempo o per l'avarizia dei proprietari che con barbara licenza
li distruggono clandestinamente e ne vendono i pezzi per costruire edifici moderni, ho deciso di fissarli nelle mie stampe».

Di quella che fu la dimora di Massenzio si scorgono i resti
sull'alto d'una collinetta, un porticato la univa al circo; più
avanzata verso l'Appia c'è invece la tomba di suo figlio Romolo. Tutto qui è grandioso. E tragico. Massenzio sfidò Costantino nella celebre battaglia di ponte Milvio del 312 d.C.
Perse, cercò la salvezza gettandosi a nuoto nel Tevere, morì
annegato o trafitto. Resta la sua «basilica», queste imponenti
rovine, testimonianza e memoria della fine di un'epoca, il paganesimo.

C'è un altro modo di vedere la fine del paganesimo, per così dire il suo «controcampo», ovvero le prime testimonianze
cristiane. Lasciamo l'Appia, spostiamoci sull'Aventino. Anche
se a Roma non mancano certo le basiliche protocristiane, poche (o nessuna) richiamano l'inizio della nuova religione come le chiese di via di Santa Sabina, in assoluto una delle strade più affascinanti della città. Il colle, che strapiomba con il
suo fianco occidentale nel Tevere, fronteggia il Gianicolo e vede ai suoi piedi la conca dov'è adagiata la parte più antica del
nucleo urbano. In origine la zona aveva carattere popolare e
ospitava le case della plebe; in epoca monarchica le popolazioni laziali vi avevano edificato un tempio dedicato a Diana

ed è possibile che il famigerato ratto delle Sabine sia avvenuto a pochi passi da qui, nella valletta dove poi è sorto il circo Massimo.

Nel Medioevo l'Aventino divenne sede di conventi e di chiese, mentre i terreni mantenevano una destinazione per lo più agricola. Anche se in minima parte, questa impronta è rimasta, bisogna però saperla scorgere. La basilica di Santa Sabina è il perfetto esempio di una basilica del V secolo, modello della primitiva concezione cristiana. Le colonne sono d'epoca romana, il portale maggiore ha battenti in cipresso intagliati finemente e suddivisi in riquadri. La scena della crocifissione che compare in uno di essi è una delle più antiche rappresentazioni dedicate a questo soggetto. All'interno della chiesa, un frammento degli antichi mosaici richiama il concilio di Efeso del 431.

La chiesa successiva è dedicata a sant'Alessio. Antica anche questa, meno però della precedente poiché risale «soltanto» all'VIII secolo, è stata eretta sul luogo di una più antica costruzione sacra, varie volte rimaneggiata. La chiesa ha una cripta romanica, unica in città, con altare a baldacchino contenente sacre reliquie. C'è chi ritiene, ma è leggenda, che la colonna sotto la cripta sia quella del martirio di san Sebastiano.

Chiude la strada una delle piazzette più belle di Roma per il decoro, gli ornati e il raccoglimento che la caratterizzano. Dedicato all'Ordine dei cavalieri di Malta, lo slargo è recintato da un muro scandito da obelischi, edicole, stele con emblemi navali e religiosi in una precoce visione neoclassica che Giovan Battista Piranesi concepì nel 1764 su incarico del cardinale Rezzonico. Nella piazzetta c'è anche il portale con il famoso buco della serratura dal quale s'inquadra perfettamente, al fondo d'una galleria di verzura, la cupola di San Pietro. Poco oltre, un cancello introduce al priorato dei cavalieri con la chiesa di Santa Maria del Priorato, disegnata anch'essa da Piranesi e all'interno della quale si trova la sua tomba. La chiesa non è particolarmente bella, l'interno ha una sola navata, è carico di stucchi e conserva alcuni monumenti funebri. Più bello è, però, lo spazio intorno, il giardino curatissimo, il movimento degli edifici, il pozzo dei templari risalente al XIII secolo una piccola lapide che non bisognerebbe lasciarsi sfuggire. Richiama una visita fatta da Pio IX nel 1854 per osservare il restauro della chiesa rimasta danneggiata dalle cannonate francesi durante l'assedio del 1849. La villa del priorato, eretta nel 939 come monastero benedettino (ne fu abate Oddone di Cluny), era passata poi ai templari, quindi ai gerosolimitani. Questi passaggi, l'eco del tempo, la sua aura si colgono ancora. Da qui si riesce anche a immaginare facilmente come doveva apparire la città dal vertiginoso affaccio sulla valle sottostante. In questo piccolo spazio, tra piazza, giardino e chiesa, Piranesi, magistrale disegnatore di antichità, acquafortista eccelso, ci ha dato la sua sola opera «costruita».

Quasi di fronte, sulla via di porta Lavernale s'incontra infine la chiesa di Sant'Anselmo, recente rispetto alle altre poiché risale a fine Ottocento, dove, però, si possono ascoltare belle esecuzioni di canto gregoriano. Il sottostante bastione di Paolo III venne eretto da Giuliano da Sangallo alla metà del Cinquecento in vista del progetto, poi abbandonato, di rafforzare le mura per meglio difendere Roma da un eventuale attacco musulmano.

A questo punto non posso non accennare a un'altra basilica di analogo periodo e di uguale fascino che si trova non lontano da qui, sull'opposto colle del Celio. Per arrivarvi si deve percorrere via San Paolo della Croce passando sotto il possente arco di Dolabella, struttura che risale ai primi anni della nostra era e che forse riprende la porta Celimontana delle antichissime mura serviane. L'ascetica via raggiunge la basilica dei Santi Giovanni e Paolo. Al termine dell'ultima guerra mondiale il cardinale di New York Francis Spellman volle che la chiesa fosse restituita alle sue caratteristiche originarie che nel corso dei secoli erano state profondamente alterate. Questo sacro edificio è arrivato fino a noi dalla profondità di tempi molto remoti. Giovanni e Paolo ai quali è dedicata erano due ufficiali cristiani fatti trucidare da Giuliano l'Apostata durante il suo breve regno. Il primo nucleo venne eretto nel 398, ma dopo solo una dozzina d'anni fu danneggiato da Alarico, re dei visigoti, che, invasa Roma, lasciò libertà di saccheggio alle sue truppe. La chiesa venne nuovamente depredata nel

1084 dalla soldataglia normanna di Roberto il Guiscardo, poi ancora manomessa, alterata, adattata al gusto di epoche successive, nell'ininterrotta serie di alterne vicende che fanno la storia di Roma.

Da questo drammatico passato viene il toccante documento che abbiamo sotto gli occhi. Dal fondo della navata di destra si scende in un sotterraneo scoperto alla fine dell'Ottocento, una ventina di ambienti, alcuni finemente affrescati, distribuiti su tre piani, che comprendono un edificio pagano, uno cristiano e alcuni oratori legati al culto originario dei due martiri. È una vi- sita dalla quale si emerge profondamente commossi: in pochi altri luoghi Roma fa toccare con mano una storia dipanatasi nel corso di lunghi secoli turbolenti. Ma la veneranda basilica emoziona anche perché dà la misura addirittura fisica di quanto la Chiesa cattolica, guadagnando in sfarzo e pompa barocca, si sia allontanata dalla spoglia austerità delle origini. Se un tale cambiamento abbia avuto o no conseguenze anche sulla sua spiritualità è questione della quale ognuno deve giudicare da sé.

Per tornare sull'Aventino si deve solo attraversare la valle Murcia o del circo Massimo. Oltre alle basiliche cui ho accennato, sul colle c'è una magnifica terrazza dalla quale la vista spazia sulla città, sui tetti e le cupole, le altane, le torbide acque del Tevere. Dei due panorami di Roma possibili grazie ad alture naturali, quello del Gianicolo guarda verso oriente, quello dell'Aventino nella direzione opposta. Personalmente preferisco quest'ultimo colle, soprattutto per tutto ciò che circonda l'osservatore, per le tante testimonianze che rendono struggente la visione della città. Se c'è un luogo dove la religione cristiana ha cominciato a trionfare e a espandersi, questo luogo è qui. Nel 313 a Milano l'imperatore Costantino proclama il cristianesimo *religio licita*; nel 350 suo figlio Costanzo II lo decreta religione ufficiale dell'Impero. Nel 391 un altro imperatore, Teodosio, conferma il cristianesimo religione di Stato mettendo al bando ogni altro culto, perfino quello domestico degli antenati. In poco più di sessant'anni, il mondo civilizzato passa da un blando e tollerante politeismo a un monoteismo esclusivo.

La vicenda tante volte raccontata di come il cristianesimo nella versione cattolico-romana sia progressivamente riuscito a imporsi su ogni altra religione, comprese le decine di correnti nate al suo interno e via via liquidate come «eretiche», è davvero una delle più impressionanti della storia umana. Una combinazione forse unica di accortezza politica, spregiudicato adattamento allo spirito dei tempi e alle scoperte della scienza, allontanamento e soppressione fisica degli avversari più pericolosi. Sono le immutabili regole che sorreggono ogni potere, e non c'è istituto che possa sottrarvisi. Nel caso della Chiesa di Roma queste regole si sono spesso combinate con un sincero slancio spirituale che ha ulteriormente rafforzato struttura e immagine della nuova istituzione. Le chiese dell'Aventino rimandano a quegli anni, a quelle lotte, a quella finale vittoria. Del resto è proprio dalla terrazza alta su questo colle che si può scorgere, sulla linea lontana dell'orizzonte, l'icona che meglio racchiude il senso del trionfo: la rotondità superba della cupola di San Pietro. Nikolaj Gogol, che la guardava dai colli Albani nella luce morente del giorno, la descrisse così nel suo lungo racconto *Roma*: «La maestosa cupola di San Pietro che ingigantisce quanto più ci si allontana, per restare infine sovranamente sola su tutto quell'arco d'orizzonte, quando ormai l'intera città è scomparsa».

In una città che ha risuonato così spesso di invocazioni e di grida, dove tante morti violente si sono consumate, non mancano i luoghi che la morte evocano o che a essa sono dedicati. Non parlo dei cimiteri, ma di luoghi più appartati e meno noti, anche se opera talvolta di artisti sommi. Per esempio, la chiesa di San Giacomo in Settimiana che si trova in via della Lungara. È una piccola chiesa raccolta che custodisce, a destra del presbiterio, un curiosissimo monumento di Gian Lorenzo Bernini: la *Memoria funebre di Ippolito Merenda*, un giurista, raffigurata con uno scheletro alato che si libra sorreggendo con le adunche dita e con i denti il cartiglio commemorativo del defunto. Un altro dettaglio di macabro realismo Bernini lo inserì nel monumento funebre di papa Alessandro VII (al secolo Fabio Chigi) in San Pietro. In cima all'elaborata e sontuosa macchina scenica si vede il pontefice assorto in preghiera. Sotto di lui si distende un prezioso sudario; al centro, dissimulata ma solo in parte, la porta della Morte da cui fuoriesce uno scheletro che tiene in mano una clessidra per avvertire il papa che il suo tempo è venuto.

Con il monumento funebre ad Alessandro VII Bernini aveva equilibrato l'altro monumento, collocato nella tribuna alle spalle dell'altare papale, dedicato a Paolo III (Alessandro Farnese), da molti considerato il capolavoro di Guglielmo Della Porta e che merita una breve digressione dal tema che stiamo inseguendo.

Paolo III, collocato alla sommità, appare maestoso e assorto; ai suoi piedi le due statue (inizialmente erano addirittura quattro) della Giustizia (a sinistra) e della Prudenza (a destra). Si vuole che le due figure ritraggano la prima le sembianze di Giulia Farnese, sorella del papa e amante bambina di Alessandro VI (Rodrigo Borgia), l'altra, sua madre Giovannella Caetani, tutto mescolando, lussuria e santità, affetti familiari e riconoscenza politica. La tomba venne inaugurata nel 1575 alla presenza di un altro Alessandro Farnese, nipote del papa lì sepolto. Qualche anno e cinque papi dopo, Clemente VIII, rendendosi conto che il nudo della Giustizia era molto provocante, fece di quella statua il primo bersaglio d'una campagna di moralizzazione dell'arte postconcilio di Trento, ordinando che «le statue della tomba di papa Paolo III di felice memoria siano levate oppure vengano coperte in modo più decente». La disposizione censoria parla di «zinne, petto et altre parti che dicevano fossero troppo lussuriose», accenna a «una coscia scoperta fino all'orlo del vaso naturale». Insomma, davvero troppo.

C'è di più: la leggenda si colora oscenamente quando comincia a circolare la voce che un pellegrino o turista era stato sorpreso a masturbarsi eccitato da quelle nudità. La voce sarà ripresa da Giuseppe Gioacchino Belli che in un sonetto del maggio 1833 così la riferisce:

È tanta bella ch'un signore ingrese
'Na vorta un sampietrino ce lo prese
In atto sconcio e co l'uscello in mano.

Allora er Papa ch'era Papa allora
Je fece fà cor bronzo la camicia
Che ce se vede ai tempi nostri ancora.

Lo storico Roberto Zappieri ha lungamente lavorato su Paolo III e sulla storia di quegli anni. È possibile, sostiene, che il bersaglio vero del Belli fossero i turisti inglesi del gran tour che giungevano a Roma e ne ripartivano con gli stessi pregiudizi con cui erano arrivati. Non mi vorrei però allontanare troppo dal centro del racconto. A noi basta sapere che la diceria riprendeva in realtà un'altra leggenda nata dalla bellezza di membra che Prassitele aveva dato alla sua Venere di Cnido. Tale la perfezione di quelle forme marmoree che un visitatore s'era fatto rinchiudere nel tempio per poter fare l'amore con lei.

Come vedremo meglio nel capitolo *La più bella dama di Roma*, della venustà di Giulia Farnese, giovanissima amante di papa Borgia, si parlava ovunque. Fu grazie a lei se suo fratello Alessandro venne fatto cardinale. Lutero incluse questo mercato nel suo pamphlet scrivendo: «Papa Paolo III aveva una sorella che prima di diventare papa dette al papa per amante, guadagnandosi così la nomina a cardinale». Anche Antonio Soriano, ambasciatore di Venezia a Roma, seppe della cosa e ne scrisse al suo governo: «La sua promozione al cardinalato non fu molto onesta, essendo proceduta per causa oscena; cioè dall'amore e dalla familiarità che aveva papa Alessandro VI con la signora Giulia sua sorella; dal che nacque che per lungo tempo fu chiamato il cardinal Fregnese». Una fonte ancora più antica (XV secolo) è quella dell'Infessura, che nella sua *Cronaca di Roma* elenca i cardinali nominati il 20 settembre 1493 dal papa includendovi «*unum de domo Farnesia, consanguineum concubinae suae, Iuliae bellae*» (uno di casa Farnese, consanguineo della sua concubina, la bella Giulia).

Nel 1595 la statua della Giustizia venne coperta con una coltre di metallo poi dipinta in modo da simulare il marmo. A lungo si disse che i guardiani della basilica, dietro compenso di uno zecchino, erano disposti a sollevare per qualche istante il lenzuolo per far ammirare le sottostanti beltà. Visto che siamo in tema, aggiungo che una cosa simile accadde con le quattro Naiadi della fontana di piazza della Repubblica (Esedra) scolpite nel 1901 da Mario Rutelli. Pare che l'artista per raffigurare quella florida opulenza di forme avesse preso a modella una nota cortigiana. Anche in quel caso l'allusivo realismo delle posture alimentò pettegolezzi e desideri; non potendo velare le statue s'impose ai seminaristi che dovevano attraversare la piazza di distogliere lo sguardo da quelle voluttuose, umide, figure.

Torno al tema della morte. L'insistita raffigurazione di scheletri, alcuni muniti di clessidra e falce fienaia, era uno stereotipo nel Seicento controriformista. Nella navata di sinistra della basilica di San Pietro in Vincoli ce ne sono addirittura due, di buona fattura e molto impressionanti; ma quasi sempre nelle chiese di questo periodo la morte viene incontro al visitatore nel modo più lugubre, rivestita di nero oppure abbagliante nel candore delle nude ossa, oppure lo guarda con le vuote orbite di un teschio o addirittura di due teschi appaiati come se ne possono vedere nella chiesa di Santa Maria del Priorato all'Aventino. Lungo tutto il secolo del manierismo barocco e della Controriforma, la rappresentazione della morte assurge a massimo simbolo ammonitore della vanità del mondo, delle eterne pene che attendono i peccatori.

Uno dei più alti vertici del macabro si tocca quando gli scheletri sono non scolpiti abilmente nel marmo, ma vere ossa di morti, miseri resti, grigia spugna di persone che furono vive e mosse, come ricorda Amleto, da emozioni e desideri, vibranti di sentimenti, agitate dalle passioni. L'ossario ipogeo dei cappuccini in via Veneto è uno dei più eloquenti esempi di questo culto della morte. Bisogna immaginare la chiesa che lo ospita (Santa Maria della Concezione) non ai piedi della strada che Fellini ha reso celebre, ma com'era nella sua collocazione originale. Via Veneto è una creazione recente; prima che l'arteria venisse costruita, davanti al tempio c'era soltanto una piazzetta ornata da una doppia fila di olmi che discendevano verso l'adiacente piazza Barberini con la bella fontana berniniana del Tritone. Nel convento dei cappuccini si conserva un *San Francesco* di Caravaggio, ma il maggiore motivo di «attrazione» del luogo è costituito dai sotterranei, dove sono accumulate e disposte con maniacale ingegno decorativo le ossa d circa quattromila frati morti tra il Sei e l'Ottocento, esumate e composte dai loro confratelli. Furono necessarie trecento carrette per trasportare fin qui, da un antico cenobio alle falde del Quirinale, il sinistro carico. Lo spirito ammonitore dell'ossario è riassunto in un severo cartiglio: «Sei ciò che fummo, sarai ciò che siamo».

Un'altra chiesa dedicata con rigonfia enfasi barocca alla morte è quella di Santa Maria dell'orazione e morte, in via Giulia. È ancora più antica della precedente (risale alla fine del Cinquecento) ed era nota come sede della Compagnia della buona morte, un'associazione di «volontariato», come diremmo oggi. Persone pie si dedicavano a raccogliere i cadaveri degli insepolti sia nelle vie cittadine sia nell'agro romano, e nei suoi sotterranei sono stati inumati in circa tre secoli e fino alla metà dell'Ottocento quasi ottomila cadaveri ora decorosamente composti.

Quando anni fa dovetti occuparmi per ragioni giornalistiche del palazzo del Quirinale (insieme a Versailles la più bella reggia d'Europa), scoprii che le salme dei papi, prima dell'imbalsamazione, venivano eviscerate nella grande sala che si trova dietro il balcone che dà sulla piazza. Finito lo svuotamento, le viscere chiamate oltraggiosamente dal popolino «sacre budella», venivano sigillate in un canopo e trasportate solennemente nella chiesa dei Santi Vincenzo e Anastasio che si trova all'angolo di piazza Fontana di Trevi con via del Lavatore. La tradizione fu iniziata da Sisto V (1585-1590) primo papa a prendere alloggio al Quirinale, e durò per quasi tre secoli, fino a Leone XIII. Ancora oggi il luogo conserva i precordi di ben ventidue pontefici. L'opera di imbalsamazione viene descritta nei dettagli da una cronaca tardo settecentesca: «Morto il papa, lo speziale e i detti frati della bolla, gli chiuderanno la bocca, le narici e le orecchie con mirra, incenso e aloè se si può avere ... da ultimo anche il volto sia stropicciato e si unga con balsamo buono, e ancora le mani». Fu Benedetto XIV, nel 1757, a far costruire una cappella sotterranea sotto l'altare di quella chiesa per conservarvi i precordi pontifici.

Ecco le battute di un dialogo sull'argomento tra due popo-

Iani come lo immaginò il Belli nel sonetto *San Vincenz'e Ssatanassio a Ttrevi* (22 aprile 1835):

Morto un Papa, sparato e sprofumato,
L'interiori santissimi in vettina
Se conzeggneno in mano der curato

E llui co li su' bboni fratiscelli
L'alloca in una specie de cantina
Ch'è un museo de corate e de sciorcelli.

Anche la chiesa dei Santi Vincenzo e Anastasio ha una storia curiosa. L'edificio è antico, ma nel corso del XVII secolo venne profondamente ristrutturato per volontà del famoso cardinale d'origine abruzzese Giulio Mazzarino, che divenne poi ministro di Francia. Egli fu cardinale senza essere mai stato ordinato sacerdote, amante e forse sposo segreto della regina di Francia, uomo di sterminata capacità diplomatica e d'intrigo. Il suo ricco stemma troneggia sulla facciata della chiesa sorretto non da due, ma da ben quattro angeli.

Non posso chiudere questo breve excursus senza citare un altro luogo dedicato non tanto alla morte quanto all'atrocità della sofferenza. È la chiesa di Santo Stefano Rotondo, sulle pendici del Celio. Alla fine del Cinquecento, il Pomarancio e Antonio Tempesta affrescarono le pareti di questa antichissima chiesa (più volte rimaneggiata) con trentaquattro riquadri, dove sono raffigurati altrettanti martìri subiti dai santi nel corso di varie persecuzioni anticristiane. Si era in piena Controriforma e la spaventosa esposizione di sadismo aveva un fine edificante. Nel campionario di torture si vedono poveri esseri sbranati dalle belve, affogati con una pietra al collo, arsi vivi, accecati, strangolati, mutilati, lapidati. C'è perfino un carnefice nell'atto di strappare il seno a una giovane vergine (scena che, si dice, turbò lo stesso marchese de Sade quando la vide nel 1775).

C'è un quartiere a Roma a lungo considerato tipicamente popolare: caseggiati operai, piccole botteghe, artigiani che lavorano il marmo, il ferro, ora anche la plastica. Si chiama San Lorenzo, nei pressi del Verano, il più antico e grande cimitero di Roma, sorto nel 1804 dopo il celebre editto di Napoleone, che dette anche spunto al Foscolo per *I sepolcri*. Il nome gli viene dalla sua antica chiesa, una delle cinque basiliche patriarcali. Nel luglio 1943 il quartiere fu pesantemente bombardato dagli anglo-americani. Oggi San Lorenzo, risorto dalle macerie, è diventato quasi di moda e ha assunto i caratteri di tutti i quartieri europei molto frequentati dai giovani. Le sue strade conservano, però, ancora qualche traccia del tragico evento. Guardando con attenzione si notano alcune dissimmetrie nelle altezze dei fabbricati, spazi lasciati vuoti dove una volta sorgevano case, muri smozzicati, costruzioni nuove accanto ad altre sicuramente più vecchie. Poi ci sono i ricordi degli anziani che la mattina dell'attacco erano lì e che da allora hanno ripetuto infinite volte la storia di quei momenti fino a non sapere più bene essi stessi quanto ci sia di vero e d'immaginato nelle loro parole.

Il 10 luglio 1943 gli americani erano sbarcati in Sicilia incontrando una debole resistenza. Nove giorni dopo, il bombardamento di Roma ebbe un doppio scopo, militare e politico: colpire la capitale sarebbe stato il segno evidente che il regime fascista aveva ormai perso tutto. Gli Alleati avevano messo insieme una gigantesca formazione, la più grande flotta aerea che mai avesse solcato i cieli italiani, 662 bombardieri scortati da 268 caccia. Poco meno di 1000 aerei tra i quali i famosi B-17 *flying fortress*, i B-24, i B-26 Marauder, i Liberator, i caccia P-38 Lightning, strumenti poderosi, quanto di meglio sfornasse l'industria bellica degli Stati Uniti. Arrivarono su Roma alla quota di 20.000 piedi (in codice: *twenty angels*) equivalenti a oltre 6000 metri.

Lunedì 19 luglio 1943, 1134° giorno di guerra, era una giornata calda, senza vento, di luminosità perfetta. La temperatura era già alta al mattino, alle 14.00 il termometro sfiorava i 40 gradi. La prima bomba cadde sullo scalo di San Lorenzo alle 11.03. Era stata sganciata dalla fortezza volante B-17 battezzata *Lucky Lady*, signora fortunata. L'aereo era il *flight leader*, il primo di quella spaventosa schiera, suddivisa in sei ondate, che avrebbe martellato Roma con oltre 1000 tonnellate di esplosivo, uccidendo più di 2000 persone e causando immense distruzioni materiali, comprese quella alla basilica di San

Lorenzo. La capitale rimase sotto le bombe per 152 minuti, dalle 11.03 alle 13.35. Col procedere delle ondate, le nubi di fumo e di polvere ostacolarono la mira dei puntatori. Furono colpiti, oltre allo scalo, centinaia di abitazioni, l'università e il policlinico. All'Istituto dei tumori due équipe chirurgiche continuarono a operare mentre i muri tremavano per le esplosioni. Le fioraie del cimitero del Verano vennero spazzate via a decine dalle prime bombe. Il comandante generale dei carabinieri Azolino Hazon, che era accorso per rendersi conto dei danni, fu sorpreso dalla seconda ondata. Uno spezzone lo incenerì nell'auto insieme al suo aiutante e all'autista.

Obiettivi militari dell'incursione erano gli aeroporti del Littorio (oggi dell'Urbe) sulla Salaria e di Ciampino sull'Appia, oltre allo scalo ferroviario di San Lorenzo. Ai piloti, nel corso di briefing preparatori, erano state date istruzioni categoriche di sganciare esclusivamente su quei bersagli. Dalla missione erano stati esentati i protestanti più accesi (in quanto antipapisti). Per motivi opposti, i comandanti avevano fatto sapere che gli aviatori cattolici che avessero invocato ragioni di coscienza, sarebbero stati ascoltati.

Lo scopo strategico era la disarticolazione del sistema di trasporti per intralciare il traffico dei rifornimenti diretti in Sicilia, dove si stava combattendo dal giorno dello sbarco. A quei 930 aerei superarmati, supercorazzati, scortati da velocissimi caccia, gli italiani opposero una contraerea superata, con pezzi che risalivano talvolta alla Prima guerra mondiale, e un pugno di aerei pilotati da autentici eroi. Si alzarono in volo sapendo di avere buone probabilità di non tornare. Gli americani, che conoscevano la situazione italiana, avevano preventivato perdite intorno all'1 per cento. Furono molto inferiori: 0,26. Uno dei comandanti, interrogato al rientro su com'era andata la missione, rispose: «*Too easy*», troppo facile.

Per due volte, nei giorni precedenti, aerei americani avevano sorvolato Roma sganciando migliaia di manifestini. La seconda volta fu nella notte di sabato 17. I volantini, firmati da Churchill e da Roosevelt, dicevano: «Questo è un messaggio rivolto al popolo italiano dal presidente degli Stati Uniti e dal primo ministro della Gran Bretagna. In questo momento le forze associate degli Stati Uniti, della Gran Bretagna e del Canada stanno portando la guerra nel cuore del vostro paese ... Mussolini vi ha trascinato in questa guerra come paese satellite di un distruttore brutale di popoli e di libertà». Dato che molti avevano letto quei foglietti, i giornali vennero autorizzati a pubblicarne il testo. Per la prima volta dopo vent'anni, sia pure sotto forma di un messaggio del nemico, comparirono in prima pagina frasi come: «La guerra è il risultato diretto della politica vergognosa che Mussolini e il regime fascista vi hanno imposto».

Re Vittorio Emanuele III osservò il bombardamento dalla terrazza di villa Savoia portando spesso agli occhi un binocolo Zeiss. Papa Pio XII vide le nubi di fuoco e di fumo da una finestra dei suoi appartamenti, avendo accanto il sostituto della segreteria di Stato Giovan Battista Montini. Nel pomeriggio si recherà a pregare tra le macerie. Mussolini, quel lunedì, non era a Roma. Si trovava a Feltre per incontrare Hitler. Aveva promesso ai suoi: «Questa volta gliele canto chiare». In realtà Hitler urlò tutto il tempo e lui quasi non aprì bocca.

Roma è stata violata più volte nel corso della sua storia, dai goti e dagli unni, da Roberto il Guiscardo e dai lanzichenecchi nel 1527, dagli americani in quella mattina di luglio e dai tedeschi dopo l'8 settembre del terribile 1943. L'attacco del 19 luglio raggiunse tutti gli obiettivi previsti. Lo scalo merci venne annientato. Una settimana dopo, nella notte tra sabato 24 e domenica 25, il fascismo crollava su se stesso come un tronco tarlato.

Per molto tempo dopo la guerra è circolata la storiella del soldato americano che attraversando in jeep piazza del Colosseo esclama esterrefatto a un collega: «Mio dio, abbiamo bombardato anche questo!». Nessuno ha mai saputo se l'episodio sia vero. A Roma ci sono rovine che sembrano appena uscite da un bombardamento. Non sono tanto quelle del Colosseo, bensì i ruderi delle terme di Caracalla. Quei resti giganteschi dicono molto sulla capacità costruttiva romana oltre che sulle ambizioni del giovane imperatore. Sono niente però, rovine appunto, ruderi derelitti, in confronto allo splendore che le terme avevano quando vennero erette. Comprensibile che quei resti smozzicati oggi stupiscano per il loro malinconico fascino, ma ben altra doveva essere la stupefazione di chi li vide al colmo del loro splendore. Ortega y Gasset nella *Ribellione delle masse* scrive:

Quando agli inizi dell'Impero, qualche provinciale di mente fine giungeva a Roma – Lucano, per esempio, o Seneca – e vedeva le maestose costruzioni imperiali, simbolo di un potere definitivo, sentiva stringersi il cuore. Ormai nulla di nuovo poteva accadere al mondo, Roma era eterna. E, se ora c'è una malinconia delle rovine che si leva da esse come l'esalazione delle acque morte, il provinciale sensibile percepiva allora una malinconia non meno penosa, sebbene di significato inverso: la malinconia degli edifici eterni.

Al rifornimento delle acque provvedeva un ramo dell'acquedotto antoniniano, che scavalcava l'Appia sull'arco detto di Druso. Furono i goti di Totila a tagliare gli acquedotti, favorendo così il formarsi di un'area malarica nella zona. Poi, per secoli le terme sono state depredate, spogliate di tutto, trasformate in un'inesauribile cava di materiali da costruzione. La colonna di granito che sorge a Firenze in piazza della Santissima Trinità viene da qui, asportata nel 1561 da Cosimo de' Medici. Vengono da qui anche le due magnifiche vasche di granito grigio che, trasformate in fontane, ornano piazza Farnese a Roma. Autore di quell'ennesima ruberia fu Odoardo Farnese, nel 1612. Solo all'inizio del Novecento con la creazione della passeggiata archeologica, voluta dal ministro della Pubblica istruzione Guido Baccelli, cominciò una vera azione di tutela delle terme.

Giosue Carducci le vide nella primavera del 1887 rimanendone come folgorato, tale doveva essere la sua meraviglia nello scorgere quei monconi possenti. Quelle immani rovine, drizzate nel mezzo di una vegetazione ridiventata per più aspetti selvaggia, sembravano dare finalmente corpo e muscoli al fantasma della romanità che il poeta aveva lungamente covato. Il metro scandito e aulico delle sue *Odi barbare*, così gonfie e tonanti, gli parve il più adatto a raccontarle. A metà tra fantasia e ricordo, il poeta descrive una tempestosa giornata d'aprile: «Corron tra 'l Celio e l'Aventino / le nubi: il venti dal pian tristo move / umido: in fondo stanno i monti Albani / bianchi di neve». Non so se in quella lontana primavera sui colli ci fosse ancora la neve. So per certo che i colli albani dalle terme non si vedono. Il poeta li scorse con lo sguardo dell'immaginazione e li collocò lì, incappucciati, a completare un quadro nel quale sentiva il bisogno d'aggiungere un po' di bianco. Vide anche una turista inglese intenta a cercare sul suo Baedeker notizie su quei ruderi: «Nel libro una britanna cerca / queste minacce di romane mura / al cielo e al tempo». Vide uno stormo di corvi «densi, neri, crocidanti» fluttuare nel cielo. Vide soprattutto le impressionanti rovine: «Vecchi giganti – par che insista irato / l'augure stormo – a che tentate il cielo? / Grave per l'aure vien da Laterano / suon di campane».

Non sono versi sublimi, me ne rendo conto, sublime semmai è quella metrica «barbarica», cioè greco-romana, così adatta a lui. Tuttavia i vecchi giganti che tentano il cielo, un'idea di grandezza, di quella religiosità civile amata dal poeta, la danno. La stessa idea di grandezza dovette averla l'imperatore Caracalla quando le inaugurò nel 217 in tutta la loro magnificenza: undici ettari di suolo, la capacità d'accogliere tutte insieme fino a milleseicento persone, vasche calde e fredde, palestre, biblioteche, ambulacri, pavimenti in mosaico, affreschi alle pareti, sculture (tra le quali l'*Ercole* poi detto Farnese), sotterranei così vasti che perfino i carri potevano percorrerli; intorno giardini, fontane ornamentali, boschetti cedui, are.

Nel suo breve periodo di dominio (211-217) Marco Aurelio Antonino Bassiano, detto Caracalla dal suo mantello celtico con cappuccio, fu grandioso in tutto, compresa la ferocia. Era nato a Lione nel 188; quando raggiunse il dominio, acclamato dalle legioni, aveva solo ventitré anni. A lui e al fratello minore Geta, il padre Settimio Severo (suo l'ultimo arco trionfale nel Foro) aveva lasciato morendo un solo ammonimento: «Assicuratevi che l'esercito stia bene e sia fedele, trascurate pure il resto». Sperava, illudendosi, che i due ragazzi sarebbero andati d'accordo. Caracalla pugnalò a morte Geta tra le braccia della madre: fu il primo di una serie di delitti che lo resero famoso, temuto, e di cui si vantava. Si calcola che furono ventimila le persone da lui mandate a morte, alcune solo perché s'erano mostrate addolorate per la morte di Geta, anche se forse gli storici (tutti di parte senatoria) hanno esagerato. Comunque, memore dell'ammonimento paterno, Caracalla raddoppiò la paga ai soldati. Per compensare le maggiori uscite dell'erario intensificò le confische di beni e redditi degli avversari politici, fece coniare una nuova moneta (l'*antoninianus*) con un contenuto piuttosto alto d'argento che fu però costretto progressivamente a ridurre, data l'inflazione.

Il suo gesto politico più clamoroso fu la concessione nel 212 della cittadinanza romana (*Constitutio antoniniana*) a tutti gli abitanti liberi dell'Impero. Gesto sicuramente rivoluzionario, di grande apertura, anche se ispirato probabilmente da astuzia e convenienza. Con quella legge accresceva, diremmo oggi, la base impositiva fiscale. Questo almeno ipotizzò lo storico Dione Cassio. Ma può darsi che Caracalla abbia osato tanto per motivi ancora diversi: livellare tutti i sudditi rispetto alla monarchia, infliggendo un altro colpo mortale all'aristocrazia senatoriale di cui diffidava, ricambiato. Che si sappia, fallì in un progetto solo. Voleva prendere in moglie la figlia del re dei Parti, con ciò realizzando il grande sogno di Alessandro di unire in un unico impero Oriente e Occidente. Il suocero potenziale, il re dei re, non credette però nel progetto, o in lui, o in entrambe le cose, e le nozze sfumarono.

Caracalla aveva contato sull'esercito, ma fu proprio un soldato a farsi strumento della sua morte. Partì per l'Oriente, inseguendo ancora una volta le gesta di Alessandro Magno, e lì uno dei suoi legionari, spinto da Macrino, prefetto del Pretorio, lo passò a fil di spada. Non aveva nemmeno trent'anni.

Devo una breve spiegazione sul perché abbia scelto di dedicare, fra le cento possibilità che Roma offre, queste righe a Caracalla e alle sue terme. L'intero libro – e questo capitolo iniziale in modo particolare – si basa in prevalenza su scelte dettate dalla mia biografia, cioè arbitrarie. Ebbene, il caso ha voluto che passassi alcuni anni della mia infanzia alle terme di Caracalla. Intendo, «dentro» le terme, esplorandole in lungo e in largo, sopra e sotto, sotterranei compresi, con un ricordo rimasto vivido negli anni: sterminate gallerie, buie per lo più, interrotte solo qua e là da una lama di luce precipitata a picco da un'apertura nel soffitto. Abitando nei pressi, le rovine delle terme sono state il naturale terreno di gioco di un gruppo di bambini che stavano per toccare, in quegli anni inquieti, l'adolescenza. Sui fianchi delle gallerie si aprivano stanze, talvolta ampie, talaltra anguste, misteriosi cunicoli, recessi che si perdevano in un'oscurità assoluta dove non osavamo inoltrarci. Le pareti presentavano spesso dei fori a varie altezze, che solo dopo anni capii essere i condotti delle acque. Una fine polvere giallastra, impalpabile, più volatile della cipria, ricopriva il fondo dei condotti e nella nostra fantasia, accesa come quella di tutti i ragazzi, immaginavamo che fosse la polvere dei morti, uomini uccisi in uno dei tanti giochi crudeli raffigurati nei libri di lettura. Capimmo molto più tardi che le immagini si riferivano ai primi cristiani sacrificati nel cruento delirio dei *circenses* e che non bisognava confondere le terme con il Colosseo.

Un giorno, credo d'autunno, in una di quelle stanze rischiarate a malapena scoprimmo un gruppetto di uomini, chi in piedi chi seduto, intenti a confabulare. Noi eravamo forse tre o quattro, sbucammo all'improvviso dal corridoio e li sorprendemmo poiché né loro avevano udito i nostri passi, né noi le loro voci. Seguì un lungo momento d'imbarazzo, poi uno degli uomini prese l'iniziativa, salutò gli altri con un cenno e s'avviò verso l'uscita. Nel momento di superarci m'arruffò i capelli con la mano in un gesto tra ruvido e affettuoso. Per anni ho cancellato il ricordo. Quando è riaffiorato ho pensato che gli uomini fossero membri d'una cellula partigiana intenti a qualche loro piano e che si sciolsero nel vederci, o perché avevano finito di discutere o per prudenza. Chissà chi erano in realtà.

Il mio amore per Parigi e la Francia, che considero la mia seconda patria e dove, se sarà possibile, mi piacerebbe morire, è nato a Roma complici alcune letture e alcune canzoni. Le canzoni erano essenzialmente di Georges Brassens, le letture furono, all'inizio, le memorie di Chateaubriand, che mi hanno aperto le porte della letteratura e della storia francesi. Quando la Einaudi-Gallimard ha pubblicato nel 1995 una splendida edizione italiana dei *Mémoires d'outre-tombe* a cura di Ivanna Rosi, Cesare Garboli mi ha fatto capire la ragione di quella malia. Scrive nella prefazione: «Leggere è lasciarsi trasportare, cambiare tempo e spazio, non essere dove si è. Nessuno sa prendere per il collo il lettore e sprofondarlo nei fatti storici come Chateaubriand». Sprofondai anch'io cambiando tempo e spazio. Le poche strade fra piazza di Spagna e piazza del Popolo, Margutta, il Babuino, i Condotti, diventarono per me l'equivalente di certi angoli di Saint-Germain-des-Près, allora in voga, e i fanciulleschi tentativi di mimesi si spinsero fino alle Gauloises *gros calibre*, pessime sigarette, un fumo da spaccare il petto, però inconfondibili, le fumava perfino Jean Gabin. Via Margutta, che era parte fondamentale di questa illusoria Parigi, all'inizio era solo il retro dei palazzi del Babuino, dove c'erano le scuderie e si posteggiavano i carretti, abitata da piccoli artigiani prima di diventare sede di atelier come certe stradine arrampicate di Montmartre. Poi c'era l'antico caffè Greco in via Condotti, aperto da un levantino alla fine del Settecento, uno dei pochi locali ad aver conservato gli arredi ottocenteschi in una città che nemmeno nell'arredo dei bar riesce a tenere viva una qualche tradizione.

La Francia ha sempre avuto una presenza forte a Roma. A partire dalla cinquecentesca villa Medici, sede di un'accademia, offerta come alloggio privilegiato ai vincitori del Prix de Rome; stanze che hanno avuto ospiti Ingres, Bizet, Berlioz, Debussy per citarne solo alcuni. Poi palazzo Farnese, la più bella sede diplomatica del mondo, che l'amministrazione della République (e quella della Repubblica italiana) mantiene in maniera impeccabile. Il Centro culturale francese di piazza Campitelli, oggi ceduto all'università di Roma Tre (la più vivace della capitale), che un tempo rappresentava un vero punto d'orientamento per studi di francesistica di qualunque tipo, musica compresa. Poi, ancora, San Luigi dei Francesi, chiesa nazionale di Francia dove, dopo questo minuscolo giro, si ritorna a Chateaubriand. A San Luigi infatti riposa, fra gli altri, Pauline de Beaumont, morta di tisi a Roma nel 1805 a trentasette anni, il cui sepolcro venne curato proprio da Chateaubriand, suo premuroso amante. Vorrei ricordare come lo scrittore racconta la loro ultima uscita:

Un giorno la portai al Colosseo; era uno di quei giorni d'ottobre come se ne vedono solo a Roma. Riuscì a scendere e andò a sedersi su una pietra, di fronte a uno degli altari disposti intorno all'edificio. Alzò gli occhi: li portò lentamente su quei portici morti a loro volta da tanti anni, che avevano assistito a tante morti; le rovine erano ornate di rovi e di aquilegie ingiallite dall'autunno e immerse nella luce. Poi la moribonda abbassò di gradino in gradino fino all'arena gli occhi che abbandonavano il sole, li fermò sulla croce dell'altare, e mi disse: «Andiamo; ho freddo». La ricondussi a casa· si mise a letto per non rialzarsi più.

Questo libro su Roma è quasi per intero costruito come questo capitolo: scoperte progressive, sorprese, luoghi legati al lavoro, a qualche amore, in definitiva al caso. Solo una città dove si è vissuti a lungo, diventata parte della propria vita, può essere raccontata in modo così arbitrario. Nelle città che si visitano, nelle città straniere, comprese quelle dove si è abitato magari per anni, un preciso criterio, almeno all'inizio, guida i movimenti, indirizza i passi verso un quartiere, un monumento, una strada. Nelle città straniere è possibile provare l'ebbrezza di non sapere dove ci si trova, e così trasformarle per un tempo imprecisato in un dedalo, un universo ignoto, persino una giungla, la famosa «giungla d'asfalto» che è anche il titolo di un indimenticabile film di John Huston.

È curioso come una metropoli, massima espressione della convivenza civilizzata, possa farsi metafora della vita selvaggia, luogo d'agguati e di tranelli. Per un verso, incarnazione della razionalità con i suoi viali, i giardini e le piazze affollate e rassicuranti; per un altro, luogo dell'irragionevolezza, della solitudine e del pericolo. I simbolisti – e più d'ogni altro Charles Baudelaire nei suoi *Fiori del male* – videro gli opposti aspetti della realtà urbana capace di ospitare la vita in ogni sua forma. «*Fourmillante cité, cité pleine de rêves, / Où le spectre en plein jour raccroche le passant. / Les mystères partout roulent comme des sèves / Dans les canaux étroits du colosse puissant*» (Città brulicante, piena di sogni, dove gli spettri adescano i passanti in pieno giorno. Nel colosso possente colano per le vene, come vischiosi umori, i misteri). Oppure: «*Voici le soir charmant, ami du criminel; / Il vient comme un complice, à pas de loup; le ciel / Se ferme lentement comme une grande alcôve, / Et l'homme impatient se change en bête fauve»* (Incantevole sera, amica del delitto, eccola arrivare a complici passi di lupo. Lentamente si chiude l'orizzonte come un'immensa alcova, l'uomo impaziente si trasforma in belva).

A me pare che Roma conosca solo in parte la ferocia delle moderne metropoli. Si verificano ovviamente anche a Roma episodi raccapriccianti, gesti spietati, omicidi senza soluzione; accade ovunque, dunque anche qui. Ma non è questo tipo di ferocia il carattere dominante della città. Ammesso che sia possibile isolare una nota prevalente, direi che a Roma si oscilla tra due possibilità lontane fra loro: la neutralità di un presente «globalizzato», dove molte cose tendono ad assomigliare a quelle che accadono o esistono in ogni altra metropoli; e, al contrario, il peso di un passato fattosi così remoto da poter essere evocato solo in un ambito narrativo. Per il resto nuvole, cupole, palme, colonne, e una convivenza quasi sempre difficile col presente. Forse è per questo che la «romanità» oggi viene utilizzata per lo più come ambiente o sfondo per romanzi o film. Tra il Settecento e l'Ottocento Roma ha ancora rappresentato, credo per l'ultima volta, un ideale modello civile, letterario, iconografico. Esaurito il periodo neoclassico, disperse le ultime eco del romanticismo, sembra che di Roma si possa parlare ormai solo in termini di fantasia romanzesca. Lo dimostra del resto, sia pure per contrasto, l'esperienza del fascismo, che tentò un'applicazione politica di massa del mito, impero compreso, facendolo naufragare in una ridicola parodia di cartone dorato e spade di latta.

Potrebbe non essere un male questa riduzione della città alle sue dimensioni fantastiche o illusorie. La qualità di un luogo, il suo «spirito», alcuni dicono la sua «anima», sta sempre più nell'immaginazione che nella realtà delle cose. In un passo dello *Zibaldone*, alla data del 30 novembre 1828, Giacomo Leopardi annota un pensiero che ho già citato nei *Segreti di Londra*, ma che volentieri torno a trascrivere: «All'uomo sensibile e immaginoso che viva, come io sono vissuto gran tempo, sentendo di continuo e immaginando, il mondo e gli oggetti sono in certo modo doppi. Egli vedrà cogli occhi una torre, una campagna; udrà cogli orecchi un suono di campana; e nel tempo stesso con l'immaginazione vedrà un'altra torre, un'altra campagna, udrà un altro suono. In questo secondo genere di obietti sta tutto il bello e il piacevole delle cose». Accade sempre così quando si vuole davvero vedere qualcosa. Do un solo esempio. Ecco come, nel suo racconto, il russo Nikolaj Gogol vide Roma, tra realtà e immaginazione innamorata, un attimo prima del tramonto:

Davanti a lui, in prodigioso fulgido panorama, stava la Città eterna. Tutto il lucente ammasso di case, chiese, cupole e guglie era intensamente illuminato dal bagliore del sole declinante. A gruppi e isolate, una dietro l'altra spuntavano case, tetti, statue, ariose terrazze e gallerie; laggiù l'insieme iridescente brulicava di campanili dai pinnacoli sottili e di cupole dalle lanterne capricciosamente arabescate; laggiù la cupola piatta del Pantheon; laggiù la sommità decorata della colonna Antonina col capitello e la statua dell'apostolo Paolo; più a destra innalzavano le cime gli edifici capitolini con cavalli e statue; più a destra ancora, sopra l'ammasso rutilante delle case e dei tetti, maestosa e austera sorgeva nella sua cupa ampiezza la mole del Colosseo; laggiù di nuovo una moltitudine lucente di mura terrazze e cupole, avvolta dallo splendore abbagliante del sole. E sopra tutta la massa sfolgorante scurivano in lontananza con la loro nera verzura le cime dei lecci di villa Ludovisi e di villa Medici, e sopra di esse, in un intero filare si stagliavano nell'aria le cupole dei pini romani sorrette da tronchi affusolati. E poi ancora, lungo l'intera estensione del quadro, si ergevano, azzurri, i monti diafani, leggeri come l'aria, soffusi di una luce quasi fosforescente.

Villa Ludovisi era una delle meraviglie di Roma. In una guida della città di Antonio Nibby del 1865 è così descritta: «Nel parco sonovi statue, busti, bassorilievi, urne, ecc. Fra questi marmi si rende osservabile un satiro di superba scultura ... ivi presso, due platani orientali di straordinaria grandezza». Villa Ludovisi non c'è più, è stato uno dei primi delitti urbanistici commessi dopo l'Unità. Henry James, che fece in tempo a vederla, esclamò sbalordito: «I've never seen anything so beautiful». Marc Augé, nel suo bel libro Rovine e macerie; il senso del tempo scrive: «Siamo posti oggi dinanzi alla necessità di reimparare a sentire il tempo per riprendere coscienza della storia. Mentre tutto concorre a farci credere che la storia sia finita e che il mon do sia uno spettacolo nel quale questa fine viene rappresentata, abbiamo bisogno di ritrovare il tempo per credere alla storia. Questa potrebbe essere oggi la vocazione pedagogica delle rovine». Vorrei, se non m'illudo, che fosse questo il senso e, forse, la possibile utilità di questo libro. Infatti Roma, almeno in parte, è ancora lì, basta saperla guardare.

II

VEDO LE MURA E GLI ARCHI..

La storia che racconto in questo capitolo si estende lungo l'arco di molti secoli, comprende la più bella porta nelle mura di Roma e la vicenda, chiusa tragicamente, del gerarca fascista Ettore Muti. È, per la parte finale, una storia quasi dimenticata, nemmeno una recente biografia di Muti ha dato segno di ricordarla. Ho intitolato il capitolo con il verso iniziale della canzone *All'Italia* di Leopardi:

O patria mia, vedo le mura e gli archi
E le colonne e i simulacri e l'erme
Torri degli avi nostri.
Ma la gloria non vedo,
Non vedo il lauro e il ferro ond'eran carchi
I nostri padri antichi ...

Quante volte nella storia di Roma e dell'Italia questi versi sono diventati non invocazione ma cronaca: «Oimé quante ferite, che lividor, che sangue». I fatti che sto per raccontare credo li rendano ancora una volta adeguati alle circostanze.

La porta maestosa da cui la storia comincia prende nome dalla basilica di San Sebastiano. Il suo vero nome in origine era «porta Appia» perché scavalca e lancia verso la campagna la regina delle strade. In epoca cristiana però si preferì intitolarla alla basilica che si trova poco più lontano. Ho detto per brevità che è la più bella, ma l'aggettivo è inadeguato, qualifica solo l'aspetto esterno. In realtà l'imponente manufatto, di nobile aspetto nonostante il traffico che lo assedia, racchiude un tale concentrato di eventi da risultare, per chi ne conosca le vicende, quasi una macchina del tempo.

La storia delle mura cittadine è strana. Quelle della Roma

arcaica, che circondavano in pratica il solo Palatino, sono qua
si scomparse, ridotte a pochi isolati frammenti. Nel IV secolь
a.c. sorsero altre mura, dette «serviane» con riferimento al re
Servio Tullio, costruite per lo più in blocchi di tufo. Anche
queste, però, già in età imperiale vennero in parte demolite o
tagliate o utilizzate per altri scopi. La porta Celimontana (arco
di Dolabella) cui ho accennato nel capitolo precedente era par
te di questa cinta che si sviluppava per undici chilometri e in
pratica recingeva i sette colli. Le vere mura che ancora oggi
identificano Roma sono, però, quelle ordinate nel 270 della
nostra era dall'imperatore Aureliano, completate dal successore Marco Aurelio Probo, poi rimaneggiate e rafforzate numerose volte. È un'opera notevole dal punto di vista dell'ingegneria; si snoda lungo un tracciato di circa 19 chilometri
cinge i colli ma scavalca anche il fiume per guadagnare parte
della riva destra. Le porte sono numerose e in genere coinci-
dono con le vie consolari. Di tanto in tanto, poi, si aprono delle *posterule*, piccoli varchi facilmente controllabili che permet-
tevano il piccolo traffico locale da e per il contado.

Roma, unica tra le città antiche, non ha avuto bisogno di
mura salvo che nei primi anni della sua esistenza e alla fine,
cioè nella fragilità degli inizi e nelle angosce del declino. Per la
maggior parte della sua storia i confini della città hanno coin-
ciso con quelli dell'Impero, e l'Impero era vasto quasi quanto
il mondo conosciuto sul quale, per sei secoli, Roma ha esercitato il suo dominio. Quanto alle frequenti guerre civili, si com-
battevano o in una lontana provincia o all'interno stesso della
città e dei suoi palazzi e avevano tutte, come sempre accade,
un orribile seguito di assassinii, proscrizioni, tradimenti, sequestro di beni. All'inizio delle sue *Storie* Tacito rende con cru-
dezza questa atmosfera politica. Cominciando a raccontare gli
anni che vanno da Galba a Domiziano (dal 69 al 96) li annuncia così:

Mi accingo a trattare una materia ricca di avvenimenti, funestata da
guerre, agitata da rivolte, resa orribile anche dalla pace. ... anche la capitale fu devastata da incendi, con la distruzione di antichissimi sacrari,
e addirittura il Campidoglio incendiati da cittadini. Riti profanati, innumerevoli adultèri; il mare pieno di esuli, gli scogli macchiati di sangue

dei delitti. La ferocia nella capitale fu più spietata: nobiltà, ricchezze, titoli, era un delitto rifiutarli quanto accettarli, e per i valorosi la morte violenta era garantita ... corrotti i servi contro i loro padroni, i liberti contro chi li aveva liberati, perfino chi non aveva nemici fu schiacciato grazie agli amici.

Nello splendido latino di Tacito, che solo Machiavelli sarà capace di riprodurre in italiano, l'ultima frase suona: «*Et quibus deerat inimucs, per amicos oppressi*». In questo tipo di guerre, quando il male viene da dentro, una cinta di mura non protegge né serve ad alcunché.

I diciannove chilometri delle Aureliane vennero costruiti con molta perizia e assai velocemente. Alla morte dell'imperatore (275), il perimetro era quasi completato. Molto aiutarono l'esigua altezza della cinta, lo spregiudicato impiego di asperità naturali e manufatti già esistenti: dalla piramide di Caio Cestio agli archi degli acquedotti di porta Maggiore e di porta Tiburtina, tratti di mura del Castro Pretorio, nonché un percorso che sfruttava il più possibile la cresta delle colline di modo che l'elevazione naturale supplisse alla modesta misura della costruzione. Anche il fiume venne inserito nel progetto e fiancheggiato da mura per un certo tratto lungo la riva sinistra, per poi essere scavalcato e includere Trastevere, mentre un saliente di forma triangolare arrivava a cingere il colle del Gianicolo. A nord venne incluso il muraglione di sostegno dei giardini dei Domizi e degli Acilii (oggi Muro Torto).

La muratura aveva un andamento molto regolare: ogni tre metri si apriva una feritoia per gli arcieri, ogni trenta metri (100 piedi romani: ancora oggi la misura anglosassone del «piede» vale circa 33 centimetri) sporgevano massicce torri quadrate che aggettando di circa tre metri consentivano di colpire d'infilata gli assalitori. La distanza tra una torre e l'altra era calcolata sulla gittata delle macchine per il lancio di pietre dette *ballistae*.

Questa prima opera, tuttavia, si rivelò presto insufficiente. Le minacce contro l'ex capitale del mondo, ormai non più all'altezza dei suoi domini, diventarono via via così pericolose che il generale di origini vandale Stilicone convinse l'imperatore Onorio (384-423) ad aumentarne sia lo spessore sia l'al-

tezza. Il doppio intervento venne rapidamente concluso an
che se non impedirà ai visigoti di mettere a sacco la città nel
410 (una delle date fatali di Roma).

L'intenzione comunque era giusta, e si è trasformata per no.
posteri in un'ulteriore ragione d'interesse. Da porta San Sebastiano si può partire per una passeggiata lungo la sommità
della cinta che permette d'arrivare, scavalcando la via Cri
stoforo Colombo, fino al poderoso bastione del Sangallo. Durante il cammino si distinguono molto bene qua e là i punti di
giunzione tra la costruzione vecchia e quella più recente, nonché l'attacco delle elevazioni che sovrapposero a quello esistente un più elevato cammino di ronda. Ci furono molte altre
aggiunte e manomissioni nel corso dei secoli, ma il momento
più conturbante resta quello iniziale. Nel volgere di non molti
anni, infatti, si passò dall'assenza di mura a una cerchia poco
più che simbolica, a una nuova cinta poderosamente fortifica
ta e tuttavia insufficiente, rivelatasi una diga di carta di fronte
alla pressione, al sentimento di rivalsa, al nascente orgoglio
«nazionale» delle popolazioni dell'Impero, alla «fame» di bot
tino che da ogni provincia spingeva verso l'antica capitale.

Eppure queste mura restano insigni non solo perché sono
un potente documento del passato, ma anche perché dimostrano come i romani, fiaccati che fossero negli anni del decadimento economico e politico, seppero mantenere fino all'ultimo una straordinaria capacità organizzativa e pratica.

Pochi decenni prima che le mura venissero costruite, lo
scrittore Elio Aristide nel suo *Encomio di Roma* scriveva: «Per
la propria salvezza basta essere romani, o meglio, uno dei vo-
stri sudditi. Veramente voi avete dato realtà al detto di Omero
che la terra è proprietà di tutti: avete misurato l'intero mondo,
avete gettato ponti d'ogni genere attraverso i fiumi, scavato le
montagne per fare strade piane al viandante, riempito spazi
desolati di campi e reso più facile la vita col provvedere alle
sue necessità nella legge e nell'ordine». Forse il greco esagera
esternando in modo così enfatico, insieme al consueto reper-
torio delle *laudes Romae*, la sua gratitudine alla città che l'ha
accolto.

Ci sono comunque numerosi documenti che mostrano

quanto grande e autentico fosse il dolore in chi si rese conto di quanto grave fosse la situazione, quanto numerosi i segni di un declino che diventava di anno in anno più evidente.

Nel 415, cinque anni dopo il sacco dei visigoti di Alarico che le mura non avevano impedito, Claudio Rutilio Namaziano, un patrizio pagano che aveva coperto la carica di *praefectus Urbi*, decise di tornare nella natia Gallia, a Tolosa, fuggendo da quelle rovine. Nella piccola parte giunta fino a noi, della sua opera (intitolata per convenzione *De reditu suo*) l'autore si dimostra consapevole d'intraprendere un viaggio senza ritorno; Roma si allontana per sempre così come sembra allontanarsi, anzi sprofondare, la civiltà che essa ha incarnato. Lo scrittore constata che alla generosa tolleranza del paganesimo capace di ammettere nei suoi templi ogni culto, si sostituiscono monaci cristiani invasi da una fede che ai suoi occhi appare una regressione allo stadio ferino. Lasciata la città, canta la grandezza della civiltà romana, ma al contrario di Virgilio che l'ha rivestita d'eroismo – «*Tu regere imperio populos, romane, memento. Hae tibi erunt artes, pacisque imponere morem, parcere subiectis, debellare superbos*» (Tu, romano, ricorda di reggere col comando i popoli: queste saranno le tue arti, e di dare norme alla pace, di perdonare i vinti, di stroncare i ribelli, *Eneide*, VI) – Rutilio la vede con lo sguardo intriso di commozione, presago del tramonto incombente. Nei suoi versi le *laudes Romae* acquistano accenti di accorata sincerità. Gli scrittori latini della decadenza sono ingiustamente trascurati; pensare che la loro sensibilità, l'inclinazione alla tenerezza, le aperture verso i sentimenti, la comprensione per i moti dell'animo li renderebbero così vicini al nostro modo di sentire e di reagire; mostrano gli stessi dubbi, le stesse angosce, che caratterizzano i nostri anni terribili e vacui. L'addio a Roma di Rutilio, la sua «preghiera», è un brano magistrale nel quale abilità retorica e sincerità d'ispirazione si fondono perfettamente in versi rimasti memorabili: «*Fecisti patriam diversis gentibus unam ... urbem fecisti quod prius orbis erat*».

Roma è la regina del mondo, la sua maestà non svanirà dal cuore degli uomini finché il sole stesso non sarà spento. Il suo progresso non fu arrestato né dal deserto infuocato né dal gelo del Settentrione; ovunque la Natura abbia generato la vita, lì Roma è arrivata. Di molte nazioni essa ha fatto una sola patria. Sempre la sua clemenza seppe temperare la potenza guerriera. Ciò che prima era l'orbe, Roma l'ha mutata in un'Urbe che offre ai vinti uguaglianza secondo la legge ... Nonostante il dolore, le ferite saranno risanate e le membra torneranno forti; dall'avversità nascerà la prosperità, dalla rovina la ricchezza.

Il sovrintendente al Museo delle mura, che ha sede a porta San Sebastiano, mi faceva notare un giorno, indicandomele, come siano ancora nettamente visibili le differenze tra le varie mani che eseguirono la costruzione e la diversa perizia delle maestranze, per esempio nel modo in cui venne steso lo strato di malta, il suo spessore tra due file di mattoni, oppure la diversa qualità dei materiali o anche certi giochi compositivi che rappresentano le «firme» delle varie ditte che avevano in appalto questo o quel tratto delle mura.

Nella parte interna della porta, a circa dieci metri di distanza, si erge un rudere imponente detto «arco di Druso». In realtà si tratta di un fornice, dalle dimensioni monumentali, dell'acquedotto che scavalcando l'Appia riforniva le non lontane terme di Caracalla. In un periodo successivo l'arco è stato utilizzato come controporta delimitando in questo modo una corte che trasformava quello spazio interno in una vera fortezza. Molte altre porte di Roma vennero attrezzate nello stesso modo, ma San Sebastiano resta la più spettacolare. Venne in parte rivestita, nella porzione inferiore, con materiali marmorei provenienti da altri monumenti e da sepolcri in disuso della vicina via Appia.

Tralascio molti particolari che si possono osservare direttamente o di cui comunque si trova con facilità riscontro sulle guide: gli eloquenti graffiti che testimoniano di eventi memorabili, i ferri di sostegno incorporati nelle mura, anch'essi pieni di significato, certe spettacolari e suggestive incisioni e figure. Vale invece la pena di descrivere l'interno della porta, cui si può accedere utilizzando l'ingresso del Museo delle mura che si apre nel bastione di destra. Alcune rampe di scale portano all'altezza della prima galleria che sovrasta la strada, dove ci aspettano delle sorprese. Ci troviamo infatti nella «camera di manovra» dalla quale venivano azionati i congegni per aprire e chiudere il varco sottostante: un cancello grigliato a movimento verticale e una gigantesca porta a due battenti.

Una fessura vetrata nel pavimento della galleria consente di osservare le scanalature nel marmo che guidavano il movimento del cancello.

I locali sono occupati da pannelli, plastici, fotografie corredate da didascalie che danno notizie sulle mura, sulle fasi della costruzione, su alcune curiosità. L'occhio del visitatore è però attirato da due mosaici che si trovano uno sul pavimento di questa galleria e uno, di forma circolare, all'interno del bastione. Si tratta di composizioni a tesserine bianche e nere, in stile romano, di buona fattura. Quello circolare rappresenta una cerva inseguita da tigri e sul punto di essere dilaniata. Quello nella galleria, più grande e di forma rettangolare, è dominato al centro dalla figura di un cavaliere d'aspetto autorevole; attorno, militi armati di gladio si battono contro alcuni nemici. Fa da cornice un fregio di spade e di rami d'alloro.

Mosaici romani? L'aspetto è quello. Ma poiché l'augusto cavaliere ha un volto che ricorda quello di Mussolini, l'equivoco dura poco. I mosaici risalgono infatti agli anni Trenta del Novecento e viene quindi da chiedersi che cosa ci facciano due opere d'epoca fascista in un manufatto del III secolo. La risposta è semplice: si trovano lì perché porta San Sebastiano fu in quel periodo la residenza di Ettore Muti, uno dei massimi gerarchi del fascismo.

Su Muti e su questa sua stravagante dimora conservo un vivido ricordo personale. In un pomeriggio d'autunno di tanti anni fa stavo giocando, bambino, con alcuni coetanei nei pressi di porta Latina. A un certo punto ci rendemmo conto che dalla vicina porta San Sebastiano arrivava una fila di persone cariche degli oggetti più disparati: chi con un tappeto arrotolato sulle spalle, chi con due sedie, chi con alcune pentole, due o tre che trasportano faticosamente un tavolo. Incuriositi, risalimmo la corrente e giungemmo rapidamente alla porta. Una piccola folla si assiepava davanti a un minuscolo ingresso che si trovava (e tuttora si trova, anche se in disuso) nel bastione ai sinistra per chi è all'interno della cinta. L'andirivieni era affannoso, ostacolato dal fatto che, nello stretto passaggio, chi cercava di uscire carico di un qualche bottino era impedito da chi tentava furiosamente d'entrare per rubare a sua volta qualcosa. Dopo un po', prima che imbrunisse, l'arrivo di una pattuglia di militari, forse tedeschi, mise fine al saccheggio. Due soldati si piazzarono ai lati della porta, altri salirono. Il flusso dei predatori venne interrotto e soltanto una ragazza, dopo aver parlottato con le sentinelle, venne lasciata passare. Molti nella folla si chiesero a mezza voce perché si fosse permessa quell'eccezione e anche, con l'aggiunta di qualche sorriso malizioso, che fine avrebbe fatto la ragazza. Solo parecchi anni più tardi riuscii a inquadrare correttamente la scena che lì per lì mi aveva dato unicamente un'opprimente sensazione di rischio. Il saccheggio dev'essere avvenuto nel periodo a cavallo dell'8 settembre 1943, cioè una decina o una quindicina di giorni dopo che Muti, nella pineta di Fregene, era stato ucciso nelle circostanze che vedremo.

Ettore Muti era nato a Ravenna nel 1902. Il padre era un modesto impiegato comunale; la vera figura dominante della famiglia era la madre, Celestina, forse di natali nobili, sicuramente molto ambiziosa, adorante quel figlio maschio irrequieto e spaccone, svelto di mano, coraggioso, refrattario allo studio (e infatti avviato alle scuole tecniche), alto, robusto, bello di viso, di una bellezza facile e spavalda, quasi cinematografica. Una delle letture giovanili del tempo era il settimanale «L'Esploratore», giornaletto d'avventure il cui protagonista era un ragazzo di nome Gim, nome che Muti scelse per sé: il soprannome gli resterà per tutta la vita anche nella versione completata da d'Annunzio, «Gim dagli occhi verdi».

Quando l'Italia entra nella Grande guerra, Ettore freme. La scuola lo annoia, l'avventura della guerra lo esalta. Nell'autunno del 1917 fugge di casa e si arruola volontario nei gruppi d'assalto, mentendo sulla sua età. Al fronte dà tali prove di ardimento che viene proposto per una medaglia d'argento; lui però rifiuta, soprattutto per non dover svelare i suoi quindici anni. Quando torna a casa «Il Resto del Carlino» gli dedica un lungo articolo definendolo, a giusto titolo, «il più giovane soldato d'Italia». Rientra anche a scuola, ma dura poco. Quando d'Annunzio occupa Fiume, Muti sente il richiamo del frastuono e del disordine che s'accompagna a quell'impresa ribalda. Insieme ad altri quattro o cinque ex arditi parte per raggiungere i legionari radunati dal Vate. Dovrebbe essere l'anno del diploma tecnico, ma la vita l'ha ormai afferrato; di scuola non si parlerà più e anche le letture resteranno scarse per tutta la vita. Tra le eccezioni, Salgari, cui si appassiona al punto che chiamerà Jolanda una sua figlia, come omaggio non a casa Savoia ma alla figlia del Corsaro Nero.

Su ciò che l'impresa fiumana ha rappresentato quale terreno d'incubazione del fascismo è stato scritto molto. Con questi rapidi cenni mi limito a sottolineare che Ettore Muti incarna con una tale aderenza il modello dell'uomo fascista da poterne essere considerato il prototipo. Nei mesi turbolenti che precedono la marcia su Roma, si segnala per imprese squadriste: assalti alle sedi socialiste, gesti beffardi come far ingurgitare a forza olio di ricino a un avversario e poi piegarsi in due dalle risate nel vederlo torcersi in preda agli spasmi intestinali, spedizioni punitive contro le case del Popolo col pugnale alla cintura, colpi di revolver, lanci di bombe a mano. Fascista puro, disinteressato, non compiva quelle imprese pensando alla carriera, ma solo perché così dettavano l'istinto, l'aggressività, una visione della vita come atto eroico, bello in sé, un'ardita scommessa premio a se stessa.

Ma un personaggio con un simile carattere e una tale irruenza ed energia, forte della sua carica di simpatia, grossolana ma genuina, non incarnava soltanto l'ideale dell'uomo fascista. Per molte donne di allora (forse anche di oggi) Ettore Muti rappresentava l'ideale di uomo tout court: il compagno con il quale condividere l'avventura di una folle corsa a cento all'ora sulla sua Maserati 2300, una bottiglia di champagne, una notte al Grand Hotel. Sposato a Ravenna, padre di una bambina, separato di fatto, Muti viene a vivere a Roma dove ha, fra i tanti, un amore più duraturo. Lei si chiama Araceli Ansaldo y Cabrera; è soprano dilettante, cugina spagnola del giornalista Giovanni Ansaldo, ma soprattutto figlia di un grande di Spagna. Quando Araceli (familiarmente Ara) vede Muti per la prima volta ha diciannove anni e la testa piena dei sogni tipici di quell'età. Annota nel diario questo esaltato scorcio di serata romana: «Usciti dal teatro Quirino andammo a cenare nel ristorante Roma in piazza Poli. ... a un tratto entrò lui, oh Dei! Fu come se fosse entrata una grande potenza magnetica. Ero talmente emozionata che non riuscivo a capire se erano le sue vibrazioni a essere entrate in me o le mie in lui, perché mi fissò per un attimo. Il volto e la figura erano di una bellezza classica, una divinità dell'Olimpo...». Eccetera.

Fu un amore degno di figurare in uno dei romanzi di Liala o di Luciana Peverelli, che proprio in quel periodo cominciavano ad avere successo. Perfino il rude Ettore, inebriato dall'avventura, sembra rinunciare alla sua abituale burbanza per sostituirla con battute a metà strada fra un degradato d'Annunzio e un racconto «rosa»: «Il nostro amore è registrato nella sinfonia acustica del cielo in questo altare di cristallo e luna che mi offri»; oppure: «Ho fatto un nodo di seta con i nostri due singhiozzi». Ara lo ricambia annotando i suoi ricordi con lo stesso zuccheroso linguaggio. I due amanti si trovano a Trento all'albergo Aurora. Scrive Ara: «Una notte – ricordo che la mia veste da camera era bianca – uscii sul balcone per ammirare i giochi di luce che la luna brillante e piena faceva con i fiori e l'acqua zampillante dai putti ... Non lo sentii entrare, poi la sua voce: "Divina! Luminosa! Non muoverti, Giulietta". Stando allo scherzo risposi: "Romeo, ti aspettavo al balcone!". "Certo, eccomi." Se non lo trattenevo sarebbe corso in giardino e sarebbe entrato dal balcone...». È un'atmosfera cinematografica quella che Araceli ricorda, sembra tratta di peso da uno di quei film che di lì a poco saranno chiamati dei «telefoni bianchi».

Sul valore militare di Muti e sulla sua voglia di menare le mani, comunque non ci sono dubbi: spericolato pilota durante la guerra d'Africa, poi alla guerra di Spagna dove comanda un reparto corazzato che entra con le avanguardie fasciste a Madrid, poi ancora in Albania dove riesce ad atterrare a Tirana tra i primi. Appena toccata terra lascia l'aereo, si precipita su un'auto, corre a palazzo reale (re Zog nel frattempo è fuggito), lo occupa praticamente da solo, s'inerpica sulla torre, vi issa il tricolore.

Verso la fine del 1939 Muti viene nominato dal duce segretario del Partito nazionale fascista in sostituzione di Starace La lettera con la quale Mussolini comunica a Starace il «cambio della guardia» è di impressionante secchezza: «Caro Starace, la mia scelta è caduta definitivamente su Muti ... L'ultima guerra, quella di Spagna, conferisce alla sua nomina un significato speciale. Voi passate alla Milizia. Mussolini». Non una parola di ringraziamento per quell'uomo – sia pure goffo, ridicolo a volte – che l'ha servito per anni con la più cieca fedeltà. Ma questa è un'altra storia.

Mussolini non ha capito che mettere al comando di un'organizzazione complessa, burocratica, impigrita, un uomo così irrequieto e di quella tempra non può che peggiorare le cose. Muti ama l'azione, gli sono ignote le mediazioni e le astuzie della politica. La nomina del resto è un capolavoro del ministro degli Esteri, nonché genero di Mussolini, Galeazzo Ciano. È lui a insinuare che Muti sarebbe la scelta migliore. Il 4 ottobre 1939, annota nel suo diario: «Mussolini mi parla per la prima volta in sei anni di liquidare Starace. Lo incoraggio su questa buona strada e si fa il nome di Muti per la successione Muti è un valoroso e un fedele, ancor inesperto della cosa pubblica, ma pieno di ingegno naturale e volitivo. Se verrà nominato farà bene. Comunque il successore di Starace avrà un grande successo iniziale, se non altro per il fatto che è il successore di Starace, così odiato e spregiato dagli italiani». Qualche giorno dopo, il 7: «Ho dato al Duce un *curriculum vitae* di Muti; gli ha fatto impressione. È degno di un guerriero dell'alto Medioevo».

Nel nuovo gabinetto entrano molti amici e pupilli di Ciano, ma proprio da questo punto di vista Muti delude il giovane e ambizioso ministro. Fa di testa sua, dà prova di eccessiva sicurezza che diventa spesso eccentricità controproducente, non rispetta le forme, ignora gerarchie e vecchi privilegi, e questo sarebbe già grave, per di più lo fa spensieratamente, d'istinto, senza un disegno, e questo è ancora più grave.

Il ministro dell'Educazione nazionale Giuseppe Bottai è subito ostile al nuovo segretario. Il direttore di «Critica fascista» è un uomo colto, raffinato, che dimostrerà un certo temperamento: la notte del 24 luglio 1943 contribuisce alla caduta di Mussolini, subito dopo si salva dalle vendette fuggendo in modo rocambolesco per arruolarsi nella Legione straniera. Nei confronti di Muti prova un sincero disprezzo, lo irritano la sua rozzezza, la sua modestia intellettuale. L'11 gennaio 1940 annota nel suo diario: «Muti mi riceve in maniche di camicia nella sua stanza caldissima, afosa. Un colloquio scucito e inconcludente intorno ai problemi sollevati dal Centro di preparazione dei giovani ... Muti è un eroe, non è un soldato. Sente l'atto di valore· non la formazione di valori medi comuni, sociali».

Un giorno, mentre Bottai è in visita a Palermo, arriva all'improvviso Muti, festoso come sempre, eterno ragazzone. Annota il ministro: «Sono a Palermo da ieri per il convegno della Scuola rurale. Piomba dal cielo Muti, inaspettato. A colazione mi fa: "Non sapevo che tu fossi qui. Non te ne meravigliare, non leggo mai i giornali. Da ragazzo in Romagna me ne capitò uno in mano. Mi ha tanto annoiato che non ci ho più provato"». Si può immaginare quale effetto facciano tali sciocchezze su un uomo come Bottai. La sua impressione è talmente negativa che, nell'agosto 1943, darà di Muti questo impressionante ritratto: «Sulla sua testa piccola, tonda, e soda, rapata secondo il costume dei tedeschi e dei boxeurs, quel suo sguardo infossato sotto le orbite prominenti, così destituite d'ogni nerbo di meditazione, d'osservazione, di comprensione da apparire senza colore, neutre, d'un grigio mimetico, quella sua fronte bassa, d'una bassezza impressionante al punto da parer subito, al primo incontro, un segno sinistro».

Nell'agosto del 1940, Bottai è al mare, a Fregene, insieme a Ciano. A sera riporta nel diario: «Con Galeazzo e Starace al Lido. L'avversione a Muti si accresce; siamo sul limitare dell'odio, al disprezzo ... mi mostrano, tra la pineta di Castel Fusano e il mare, una vasta lussuosa capanna coloniale, con tetti spioventi di saggina, con una bella veranda all'inglese a fior di terra; mi dicono che è stata montata su, arredata, contornata di palme e d'aiole a spese del Governatorato per Muti, che vi conduce la sua allegra brigata di clienti e di donne. Al Governatore, in cambio, si sarebbe retrodatata la tessera del Pnf al 1919. Grande scandalo i due ne fanno; e mi dicono che Mussolini sa della losca faccenda». Per la prima volta compare nel diario di un protagonista un cenno alla villetta, o «lussuosa capanna» che, come vedremo, farà da sfondo al tragico e misterioso finale.

Muti, «l'aiutante del boia» come i due lo hanno beffardamente soprannominato per il suo aspetto spavaldo e grossolano, dura poco nella carica. Fa il segretario del partito allo stesso modo in cui ha fatto il soldato, con impeto, con ardimento, senza troppo chiedersi quali conseguenze avrà una sua decisione, chi potrà infastidire. Ha assunto l'incarico dichiarando di voler «ripulire gli angolini» e agisce di conseguenza: allontana molti dirigenti periferici, scopre e denuncia alla magistratura i loro imbrogli, ignora le richieste dei potenti gerarchi che vengono a raccomandare questo o quello, stabilisce l'incompatibilità tra carica di partito e altre attività remunerate. Il malcontento in una formazione impigrita dal lungo dominio, i cui incarichi sono considerati da molti una comoda e lucrosa sinecura, dilaga.

Probabilmente Muti avrebbe potuto resistere all'irritazione crescente di quadri medi e piccoli se avesse almeno saputo conservare un rapporto solido con chi a quella posizione lo aveva proposto. Invece, per spensieratezza, candore o arroganza, trascura anche Galeazzo Ciano. È questo a perderlo. Proprio Ciano, che all'inizio lo aveva con insistenza lodato davanti al duce, si adopera per troncargli la carriera quando si rende conto che dall'uomo non può aspettarsi niente. Scrive: «Muti ha più fegato che cervello ... Senza volere agisce di sua testa e mi ascolta sempre meno». Poi, non senza soddisfazione, alla data del 4 ottobre annota: «In treno lungo colloquio col Duce il quale tra breve allontanerà Muti perché inetto e affarista». Fine della segreteria del partito.

Ben altri avvenimenti stanno incalzando. L'andamento disastroso della guerra, i bombardamenti alleati sulle principali città, compresa Roma, hanno fiaccato l'animo degli italiani. La notte tra il 24 e il 25 luglio 1943 il Gran Consiglio del fascismo sfiducia Mussolini con un ordine del giorno preparato dal presidente della Camera Dino Grandi, che in pratica fa cadere Mussolini mentre lo invita «a pregare la Maestà del Re di assumere con l'effettivo comando delle Forze Armate quella suprema iniziativa di decisione che le nostre istituzioni a lui attribuiscono». Raffinatissimo colpo di pugnale che il duce deve in pratica darsi da solo. Spogliarsi della carica di comandante supremo equivale per lui ad ammettere di non aver saputo condurre la guerra che aveva voluto a ogni costo, nonostante conoscesse l'impreparazione del paese, e per di più a fianco degli alleati sbagliati.

Muti in quei giorni è in Spagna con la sua seconda moglie Araceli. Nelle settimane precedenti, a Roma, non ha nascosto la sua delusione nei confronti di Mussolini; messo al corrente dell'ordine del giorno in preparazione ha esclamato con la sua consueta irruenza e ricorrendo al natio dialetto romagnolo: «Ma quale Ordine del giorno, se volete il Duce *a l'amazz me!*».

Saputo che gli avvenimenti incalzano, cerca di rientrare a Roma con un aereo dell'Ala Littoria (la compagnia dalla quale, a guerra finita, nascerà l'Alitalia). Il velivolo è però costretto da velivoli nemici ad atterrare a Marsiglia. Muti prosegue in treno, il percorso è accidentato: scontri a fuoco, ponti saltati, attacchi dal cielo. Si ferma a Bologna, fa una rapida visita a Ravenna per salutare la prima moglie e il 24 mattina, un sabato, riparte alla volta di Roma. La riunione del Gran Consiglio è fissata per le ore 18, ma il percorso tra Bologna e Roma è così accidentato che Muti riesce a raggiungere la capitale solo nella mattinata di domenica, quando tutti i giochi sono fatti e Mussolini si prepara ad andare a villa Savoia per riferire al re, che lo farà arrestare.

Come avrebbe votato se fosse stato presente? La questione è controversa. Nel dopoguerra i neofascisti hanno fatto di lui, alla luce della sua tragica fine, il protomartire della loro causa. In realtà gli avvenimenti si prestano a diverse interpretazioni e se dobbiamo credere alla sua esclamazione «*a l'amazz me!*» è verosimile credere che Ettore Muti avrebbe aggiunto la sua firma al famoso Ordine del giorno Grandi portando a 20 su 29 il conteggio finale dei voti (il risultato ufficiale fu 19 su 28).

Dopo l'arresto di Mussolini i congiurati sono presi da grande spavento, temono l'arresto, hanno paura di essere pugnalati da uomini dei battaglioni M, fedeli a Mussolini fino alla morte, almeno sulla carta. Muti prende con sé il capo dei congiurati, lo spaventatissimo Grandi, e gli dà alloggio prima nel suo *buen retiro* di porta San Sebastiano, poi nella «lussuosa capanna» di Fregene.

Proprio nella villetta si consuma il finale della sua storia. Muti passa i mesi estivi in quell'amena località non lontana da Roma, rinfrescata dal mare e dalla magnifica pineta. Sono con lui un attendente, una cameriera e un vecchio amico ravennate. Lo rallegra la compagnia di una soubrette cecoslovacca nota come Dana Havlowa (all'anagrafe Edith Fischerowa, nata il 4 maggio 1921), che con lui trascorre le vacanze dopo aver recitato con la compagnia di Odoardo Spadaro nella rivista *Mani in tasca, naso al vento*.

Secondo fonti non verificate, la giovane donna avrebbe anche lavorato come spia per i tedeschi. Dopo l'8 settembre si rifugerà in Spagna. Finirà uccisa a colpi di pistola negli anni Sessanta. Per alcuni, il suo assassino sarebbe stato l'ultimo dei suoi numerosi amanti; altri sostengono che la donna avesse denunciato molti ebrei durante l'occupazione e che i servizi segreti israeliani le avessero dato la caccia.

Perché fra tutti i gerarchi, quelli che fuggirono in Portogallo, quelli che cercarono rifugio in Germania, quelli che si fecero clandestini, perché proprio a Muti toccò una fine così tragica e ambigua? Dal giorno in cui i fatti sono avvenuti circolano sul suo assassinio due versioni. Essendo entrambe motivate politicamente ed essendo la cronaca degli avvenimenti incompleta, anche il mistero di questa morte, al pari di tante altre, è destinato a rimanere insoluto. Noi possiamo soltanto riassumere i fatti, o meglio i brandelli dei fatti giunti fino a noi.

Nei giorni successivi al colpo di mano del 25 luglio, mentre Mussolini crede ancora di potersi ritirare con la famiglia a Rocca delle Caminate come un tranquillo pensionato, cominciano a circolare voci su un complotto per restaurarne il potere. Muti non sembra darsene molto pensiero. Di tanto in tanto viene a Roma dove è notato nei bar di via Veneto; si comporta con la consueta disinvoltura, come se niente fosse accaduto, crede di averla scampata, ignora che i suoi giorni sono contati.

Badoglio intanto, capo del governo, viene informato dal generale Giacomo Carboni, capo dei servizi segreti, di un possibile complotto per ricollocare al suo posto Mussolini. Chi è interessato a mettere in giro quella voce infondata? Si è ipotizzato che lo stesso Badoglio abbia fatto circolare la fantasiosa diceria perché, temendo che il re volesse sbarazzarsi di lui, intendeva porre al sicuro la sua carica. Oppure che sia stato il generale Carboni per spaventare Badoglio, spingerlo a mettersi in salvo e sostituirlo nella carica.

Che cosa pensasse Muti in quei giorni non lo sappiamo con certezza. C'è chi lo descrive stanco del fascismo e di Mussolini e comunque desideroso di non occuparsi più di politica; chi dice che incontrò con molta cordialità Badoglio; chi invece assicura (il generale Carboni) che Badoglio vide in lui il capo del complotto e che nei suoi confronti provasse un vero «terrore fisico». C'è chi sostiene che fu Badoglio a dare l'ordine di arrestare Muti e che la sua esecuzione venne affidata al tenente colonnello dei carabinieri Giovanni Frignani perché particolarmente adatto a incarichi di tale delicatezza (si tratta dello stesso ufficiale che aveva arrestato Mussolini a villa Savoia). Per la cronaca, aggiungo che il colonnello, poi entrato a far parte della Resistenza, venne arrestato nel gennaio 1944 da una squadra tedesca al comando del capitano Priebke e trucidato alle Fosse Ardeatine nel massacro nazista di rappresaglia.

Muti doveva essere solo arrestato o direttamente ucciso? Anche su questo punto, come su tutto il resto, le fonti divergono. La notte tra il 23 e il 24 agosto un drappello di carabinieri al comando del tenente Ezio Taddei, uomo robusto e di modi spicci, si presenta verso le due del mattino al civico 12 di via Palombina, la villetta a un piano abitata da Muti. L'ex segretario del Pnf li accoglie a torso nudo con addosso i soli pantaloni del pigiama. Quando il tenente spiega che ha l'ordine di arrestarlo, Muti infastidito replica che mandare un tenente per arrestare un colonnello è fuori delle regole. Cercherà anche di opporsi all'ingresso di Taddei in camera da letto dove Dana, risvegliata dal fracasso, tenta di coprirsi alla meglio. Infine, di fronte al gruppo di uomini minacciosi e armati, cede, indossa l'uniforme estiva dell'aeronautica e, con calma ostentata, s'incammina insieme al gruppo. La sua tranquillità, nonostante le preoccupanti circostanze dell'arresto, potrebbe essere derivata dal fatto che nei giorni precedenti il capo della polizia Carmine Senise lo ha più volte rassicurato sulla sua sorte. Uscendo di casa Muti mette il berretto d'ordinanza dandogli la consueta inclinazione spavalda sulle «ventitré», dettaglio che, come vedremo, avrà la sua importanza.

Invece di prendere la strada che conduce a Fregene, sulla quale erano rimasti gli automezzi, la comitiva si avvia verso la pineta. Un certo Attilio Contiero, ex carabiniere che aveva preso parte alla spedizione, riferì più tardi in quale formazione il gruppetto s'era avviato: «Avanti Muti con al suo fianco destro il maresciallo della squadra speciale, a sinistra il carabiniere Frau Salvatore, della caserma di Maccarese. Alle spalle il famoso uomo in tuta kaki. Più indietro, alla distanza di circa dieci-quindici passi, seguiva il gruppo dei carabinieri del quale facevo parte, con al centro il tenente Taddei e il brigadiere Barolat». Il sinistro gruppetto, nel quale fa spicco il misterioso personaggio in tuta kaki che imbraccia un mitra – un uomo basso, stempiato, sulla quarantina, che parla con accento napoletano (sarà identificato come un certo Abate) –, s'incammina nella pineta buia (la notte, dicono i verbali, era «illune») lungo un sentiero malamente tracciato. Da questo momento sappiamo solo ciò che alcuni dei presenti riferirono ai giudici nel corso delle varie inchieste sull'episodio, comunque non nell'immediatezza del fatto. Contiero per esempio, interrogato sia durante la guerra sia dopo, dette versioni molto diverse l'una dall'altra.

Mentre il gruppetto procede, d'improvviso si odono dei colpi d'arma da fuoco sparati dalla macchia. Si teme un attacco poiché tutti dicono che, a poca distanza, è accampata una compagnia di paracadutisti tedeschi o forse i serventi d'una batteria costiera. I carabinieri rispondono, ma il tenente Taddei, temendo gli effetti del cosiddetto «fuoco amico», ordina di smettere immediatamente. A questo punto – continua la versione dei presenti – Muti comincia a correre come se volesse fuggire; una raffica lo ferma, uccidendolo. Secondo un'altra versione Muti non cercò affatto di fuggire. Accadde solo che al termine della breve sparatoria, un pretesto per coprire i colpi diretti contro il gerarca, lo si vide giacere a terra, morto. Erano circa le tre del mattino del 24 agosto.

A quale versione dobbiamo credere? Il colonnello Antonio Quartulli, alto magistrato militare, venne chiamato a esaminare il cadavere all'ospedale militare del Celio già la mattina successiva. Riferì: «Due proiettili di mitra avevano attraversato il cranio dal basso verso l'alto riunendosi così da formare un unico foro ed erano usciti insieme dalla fronte aprendo una vasta breccia di dieci centimetri circa e la frattura multipla delle ossa della volta e della base del cranio con il rammollimento traumatico della sostanza cerebrale». Veniva anche precisato che i colpi avevano forato la visiera del berretto. Quel berretto venne consegnato dal maggiore Moci, amico di Muti, alla moglie del gerarca, Fernanda che, arrivata di corsa a Roma, aveva preso alloggio all'Hotel Plaza. «Lo conservi sempre» disse il maggiore nell'atto di porgerglielo. Infatti il berretto è stato conservato diventando un cimelio; mostra un foro d'entrata nella parte posteriore e, anteriormente, un foro d'uscita. Non c'è traccia dell'alone caratteristico dei colpi a bruciapelo, sorprende però la precisione della mira, difficilmente compatibile con spari esplosi quasi alla cieca contro un uomo in fuga nella notte «illune».

Si trattò di un delitto premeditato? O l'azione sfuggì di mano ai suoi esecutori? La presenza dell'uomo in kaki può far propendere per la prima ipotesi dal momento che i carabinieri avrebbero difficilmente accettato di prendere parte a una «esecuzione». Il colonnello Frignani, interrogato dai magistrati il 7 settembre, disse di aver ricevuto l'ordine di arrestare Muti, non di ucciderlo. Era stato il gerarca, tentando la fuga, a provocare gli spari? Il magistrato Quartulli fece sua questa versione decidendo per l'archiviazione dato che «in forza del Regio Decreto 18 giugno 1941 l'uso delle armi era autorizzato se costretti dalla necessità di impedire la fuga di un prigioniero».

La versione di parte neofascista è che l'uccisione (poiché di questo in ogni caso si tratta) fece di Muti il primo martire di

Salò dopo la caduta di Mussolini e che con la sua morte ebbe inizio la «guerra civile» che insanguinerà l'Italia fino all'aprile del 1945.

Il capo della polizia Carmine Senise, negli anni del dopoguerra, sostenne invece che si trattò solo di un «incidente»: difficilmente i carabinieri avrebbero combinato un tale «pasticcio» se davvero si fosse loro ordinato di eliminare l'autore di un complotto contro lo Stato. Aggiunse che «c'erano mille altri sistemi più comodi, meno chiassosi e infinitamente più sicuri».

La mattina del 24 l'agenzia di stampa Stefani lancia il seguente laconico dispaccio: «Questa notte, nei dintorni di Roma, è deceduto l'ex segretario del disciolto Partito fascista, Ettore Muti, medaglia d'oro al valor militare della guerra di Spagna». Nell'apprendere la notizia, riferiscono più fonti, «il maresciallo Badoglio dette segni di grande soddisfazione», secondo altri addirittura di «esultanza». Dopo l'8 settembre, la neonata Repubblica di Salò, bisognosa di figure rappresentative, fece di Muti un simbolo mitico. Nel gennaio 1944 le sue spoglie vennero esumate dal cimitero del Verano e trasportate a Ravenna dove, con una grandiosa cerimonia pubblica, furono tumulate nella chiesa di San Francesco, la stessa dove si conservano le ossa di Dante. Il segretario del Partito fascista repubblicano, Alessandro Pavolini, disse nell'elogio funebre che Muti era stato «il più valoroso dei nostri soldati, il più bel guerriero della nostra razza, ... gerarca e squadrista, portava innumeri segni della morte sfidata in combattimento». Nel nome di Muti venne perfino organizzata una legione che si macchiò di crimini spaventosi in Piemonte, mettendosi al servizio dei nazisti nei rastrellamenti e nella più feroce repressione della Resistenza.

Nel 1951 una nuova inchiesta della magistratura si chiuse con un'ordinanza d'archiviazione nella quale si può leggere che fu il generale Carboni ad alimentare nel maresciallo Badoglio i timori di un possibile complotto; a quali fini i magistrati non lo precisano, benché lo si possa ugualmente intuire. L'ordinanza in ogni caso esclude che sia stato Badoglio a decretare l'uccisione del colonnello Muti anche perché non fu lui a prescriverne l'arresto bensì lo stesso generale Carboni, capo dei servizi segreti militari. Carboni ne ordinò anche l'assassinio? Con i dati che conosciamo, nessuna risposta certa è possibile.

Il 26 agosto, quarantotto ore dopo i fatti, Bottai annota nel suo diario: «Due giorni fa, martedì, nella pineta di Fregene, Ettore Muti è stato assassinato. Se il verbo sia giusto, non so; e per un pezzo non si saprà. Ucciso, di certo, da una pattuglia di carabinieri andati per arrestarlo in una sua casetta sul mare. Uccisione legale contro un tentativo di fuga? Pare l'ipotesi più certa. Ma già circolano altre voci, o che sia stato spacciato perché "sapeva"; o che fosse implicato in scandali finanziari dell'Agip, dove operavano suoi fidi; o che a lui facesse capo un complotto ... Lo ricordo in Africa, al campo di Macallè, aviatore. Là io lo conobbi per la prima volta ché con questo squadrismo da sicari i miei contatti furono sempre occasionali, reciprocamente diffidenti. Anche laggiù quel loro modo di fare la guerra, com'una partita sportiva, con un coraggio che snaturava il sentimento umano fino a cancellarvi ogni traccia di commozione, di religiosa "pena", d'attonito stupore dinanzi alla morte data o ricevuta, mi ripugnava ... Ora Muti è morto. Penso alla sua fine tragica con malinconia». Un duro epicedio per un uomo che, secondo Bottai, nella foga spensierata dell'azione, nell'indiscutibile ardimento, aveva perso quasi completamente di vista ogni altro valore umano.

Mentre preparavo questo capitolo ho voluto visitare anche la tomba di Muti nel cimitero di Ravenna. È modesta, in pietra grigia, sulla lapide la sobria iscrizione: «Ettore Muti, medaglia d'oro al valor militare – 22.5.1902 / 24.8.1943». Sotto, la sagoma di un aereo trimotore. Una piccola placca marmorea reca la scritta dedicatoria: «Gli arditi di guerra all'indimenticabile eroe». Unica curiosità, la tomba sorge proprio alle spalle della cappella della famiglia Gardini che, colmo di discrezione, non ha alcuna iscrizione all'esterno.

E porta San Sebastiano? A un certo punto della sua brillante traiettoria, Muti sentì il bisogno di avere un alloggio adeguato all'altezza degli incarichi raggiunti e della sua vita tumultuosa. Scelse l'antica porta nelle mura aureliane che consentiva numerosi vantaggi, tra i quali un panorama straordinario dall'alto dei torrioni, in gran parte visibile anche oggi. Panorama a parte, l'eccezionale dimora consentiva quella discrezione fondamentale per un uomo in vista circondato da un notevole via vai di amanti di cui il duce veniva regolarmente informato. Per la sistemazione della porta, il gerarca chiese aiuto a Luigi Moretti, uno dei grandi architetti del Novecento (1907-1973), uomo di cultura, appassionato bibliofilo, raffinato conoscitore d'arte antica e contemporanea, morto d'infarto, a sessantasei anni mentre veleggiava con la sua barca al largo dell'isola di Capraia.

Tra le opere di Moretti, per citarne solo alcune, la Casa della Gil a Trastevere, la Casa delle armi e la Palestra del Duce al Foro italico. La Casa delle armi, detta anche «Palazzina della scherma», negli anni Settanta è stata scempiata per ricavarne un'aula giudiziaria da destinare a processi a rischio. A nulla valsero le proteste, le invocazioni, i richiami al fatto che si trattava di uno dei capolavori dell'architettura italiana del Novecento. Nei primi anni di questo secolo si è cominciato a parlare del suo restauro.

Dopo un periodo di oscuramento dovuto ai suoi forti legami con il fascismo, nel dopoguerra Moretti riprese a progettare, anche grazie al rapporto con la Società immobiliare e con ambienti vicini al Vaticano, e realizzò veri capolavori anche all'estero, tra cui il famoso albergo del Watergate a Washington, legato alla rovina politica di Nixon. Moretti svolse comunque la parte più rilevante della sua attività durante il regime fascista. Incontrava spesso Mussolini, che lo aveva in simpatia e lo fece nominare direttore tecnico dell'Opera nazionale Balilla. Anche grazie a questo incarico divenne amico di Muti e, quasi per divertimento, accettò di arredargli quel curioso alloggio.

Dopo la morte di Muti e il saccheggio di cui ho raccontato sopra, non è ovviamente rimasta più traccia della sistemazione escogitata dal geniale architetto. Oggi le mura di porta San Sebastiano si presentano nude, ma per fortuna sono sopravvissute le fotografie custodite all'Archivio centrale dello Stato, alcune delle quali sono riprodotte in questo libro. Dalle foto e dall'osservazione in loco emergono due caratteristiche del lavoro di Moretti. La prima è che l'architetto intervenne il meno possibile sulle strutture dei locali; il poco che aggiunse per permettere la vivibilità lo inserì in modo da non alterare troppo le mura del torrione. Tra le rare eccezioni gli attacchi, ancora oggi visibili, degli scarichi per i servizi igienici seminascosti in un recesso. Seconda caratteristica, gli arredi veri e propri sembrano progettati per ricalcare, anche con una sottolineatura ironica, il temperamento avventuroso e fatuo di chi quei locali avrebbe abitato: sontuosi e pesanti drappeggi, grandi letti ricoperti di pelli tigrate, un certo fasto più da set cinematografico che da alloggio privato. Bottai aveva definito sprezzantemente la dimora di porta San Sebastiano «una garçonnière». Non in modo sprezzante, anzi con eleganza e divertimento, Moretti sembra essere andato nella stessa direzione.

Né il gerarca Muti né l'architetto Moretti sapevano, il giorno in cui la dimora venne inaugurata, quanto poco il suo inquilino ne avrebbe goduto, quale sinistra fine egli avrebbe incontrato, di quali orrori avrebbero coperto la sua memoria coloro che dicevano di combattere in suo nome.

III
QUEI VENTITRÉ COLPI DI PUGNALE

Omicidi politici Roma ne ha visti molti dopo il primo dal quale lei stessa ebbe origine. Stiletti nella semioscurità di un corridoio, veleni in una coppa di prezioso metallo, assalti improvvisi sulla scalea d un palazzo, esecuzioni in piazza legittimate dalla presenza di uomini del potere: toghe, ermellini, vesti scarlatte di cardinali, tutti impassibili, riparati da una sentenza, un testo sacro, un sigillo. Cristiani, schiavi, prigionieri di guerra dilaniati dalle belve nel circo. Sono stati omicidi politici tutti quelli perpetrati per sostenere una linea di governo, rafforzare il favore popolare verso un potente, distrarre le masse da una preoccupazione incombente. Il suolo di Roma è intriso di quel sangue. Ma un delitto in particolare è diventato modello per ogni altro assassinio commesso per ragioni politiche. Quello di Caio Giulio Cesare, ovviamente.

Ogni volta che visito il Foro, torno a chiedermi se sia mai esistito altrove uno spazio che, come questo, abbia rappresentato per secoli l'ombelico del mondo, che abbia evocato anche da un punto di vista geografico, fisico, il fatto straordinario che Roma era il centro dell'universo e il Foro il centro di Roma, e che dunque lì, su quel terreno, ai piedi di quei templi e di quelle statue, alle falde di due colli fatali, Palatino e Campidoglio, s'incrociavano le grandi coordinate planetarie della civilizzazione umana e del trionfo del diritto. Nei pressi dell'arco di Settimio Severo esiste ancora una base circolare che contrassegnava e sosteneva l'*umbilicus Urbis*, l'ombelico della città, cioè del mondo. Sorgeva poco lontano da lì il *miliarium aureum*, una colonna rivestita in bronzo che dava il punto zero di tutte le grandi vie imperiali irradiantisi dal Foro per ogni dove: le gelide foreste del nord, gli infuocati deserti africani, le steppe asiatiche che si perdevano in uno spaventoso ignoto, eterna sfida per le legioni e per la stessa dimensione del pianeta.

Il Foro è oggi un insieme di resti smozzicati, ciò che è sopravvissuto alle distruzioni degli invasori, alle calamità naturali, ai saccheggi dei suoi stessi cittadini: le statue sono state spezzate, le colonne abbattute, le strade disselciate; gli edifici sono stati ridotti a cumuli di rovine, i marmi cotti nei calderoni per farne calce, le decorazioni e gli ornamenti sono stati rubati e dispersi per il mondo. Ciò che rimane è cenere, nude mura, minuscoli detriti multicolori, una moneta alle volte o un dado da gioco, un piccolo monile. Nel Foro si trovano, però, non soltanto questi minimi resti, ma anche precise indicazioni di luogo e di tempo, puntuali riferimenti alle vicende degli uomini, compresi coloro che, nel passato, stringevano tra le mani i destini del mondo. Giulio Cesare fu uno di costoro e proprio qui ebbe inizio il suo ultimo giorno, da qui mosse gli ultimi passi per recarsi al fatale appuntamento con i suoi assassini.

È tutto sommato un piccolo spazio quello del Foro, in termini topografici, e in un'ottica attuale, non c'è nulla di grandioso in questa bassa pianura, un'ex palude bonificata alcuni secoli prima di Cristo grazie a un'imponente opera idraulica (*cloaca maxima*). L'affollamento, la contiguità dei monumenti, degli edifici, delle basiliche dà una sensazione quasi di soffocamento, restituisce molto bene quella che doveva essere la vita d'ogni giorno a Roma, piena di frastuono e di caos. Questo era il luogo in cui convergeva la massima rappresentanza cittadina, politica, statale, mercantile: qui si esercitava la democrazia fino a quando è durata, qui avvenivano gli affari, gli scambi, gli incontri amichevoli o casuali così ben raccontati da Orazio nella famosa satira dal celebre attacco: «*Ibam forte via sacra, sicut meus est mos, nescio quid meditans nugarum, totus in illis*» (Me ne andavo a zonzo per la via Sacra come faccio sempre, tutto assorto in certe sciocchezze). Qui, lungo la via Sacra sfilavano le solenni processioni laiche e i trion salivano al tempio dei templi, quello dedicato a lino, sulla vetta del colle dove tutto era comincia pio di Antonino e Faustina (oggi San Lorenzo forse la costruzione più imponente per dimensioni, insieme alla Curia, e con una storia curiosa. Lei, Faustina, premorì al marito che volle divinizzarla e ne onorò la memoria con questa magnifica costruzione. Poi, nel 161 d.C., anche Antonino venne a morte. L'avevano chiamato «Pio» perché aveva cercato d'essere giusto; ebbe come figlio adottivo un altro grande imperatore, Marco Aurelio, che sposerà sua figlia. Nel VII secolo il tempio di Antonino e Faustina venne trasformato in una chiesa, ma nel 1536 le superfetazioni cristiane furono rimosse perché papa Paolo III volle far colpo sull'imperatore Carlo V mostrandogli ciò che restava della gloria di Roma. Carlo era arrivato, in solenne visita di riconciliazione, nove anni dopo i disastri che i suoi lanzichenecchi avevano provocato. Se Mussolini fece costruire una nuova stazione ferroviaria (Ostiense) per accogliere Hitler, Paolo III, per fare bella figura con l'imperatore, fece spogliare una chiesa e aprire, là dove vi era solo un viottolo tra le rovine, una bella strada piena di suggestione: via San Gregorio.

Il tempio è imponente e lo si vede anche dall'esterno; credo però che l'idea più compiuta di che cosa fosse l'architettura romana si possa avere non tanto qui, ma quasi all'altro capo di Roma, sulla via Nomentana, nel mausoleo di Costanza. Eretto all'inizio del IV secolo per Costanza ed Elena, figlie di Costantino, l'edificio ha conservato la struttura (e la luminosità) di un tempio romano, anche se qualche secolo dopo è stato trasformato in una chiesa. Chi vi entra per la prima volta ha il privilegio di un'emozione vivissima: la pianta circolare, la cupola, lo spazio scandito da dodici paia di colonne di granito coronate da magnifici capitelli. Poi, nell'ambulacro che avvolge tutt'intorno lo spazio, una volta rivestita da alcuni tra i mosaici più belli e antichi (IV secolo, come la basilica) che possano vedersi a Roma: fondo bianco, motivi ornamentali, intrecci di foglie e di tralci, figure di piccoli animali, alle due estremità le immagini di Costanza e di suo marito Annibaliano. L'intero complesso è eccezionale. Pochi passi più in là, la basilica di Sant'Agnese (nel sottosuolo si trovano estesissime catacombe) è un esempio insigne di architettura protocristiana d'influenza bizantina.

Tornando al Foro, un'altra curiosità è rappresentata da due paia di magnifici portali di bronzo. Il primo chiude l'edificio della Curia (a fianco dell'arco di Settimio Severo) ed è una copia del portale originale che Francesco Borromini fece rimuovere per trasportarlo a San Giovanni in Laterano, dove si trova oggi. Il secondo chiude il tempio di Romolo o dei Penati, accanto al tempio di Antonino e Faustina. Il Romolo a cui è dedicato non va ovviamente confuso con il fondatore della città; si tratta del figlio di Massenzio, morto nel 309, che il padre volle sepolto sull'Appia, di fronte al suo circo. Colpisce pensare che i due immensi battenti di Romolo siano stati fusi nel bronzo, ornati e collocati dove si trovano in un passato tanto lontano; soprattutto che siano riusciti miracolosamente a sopravvivere a secoli di saccheggi e incuria.

Tra i numerosi luoghi che nel Foro ricordano Cesare e la sua morte c'è la cosiddetta «ara», che a lui dedicò Ottaviano nel 29 a.C. Dinanzi al tempio, non lontano dalla bella casa delle Vestali, fu costruita una terrazza o tribuna ornata con i rostri delle navi egizie che Ottaviano aveva catturato ad Azio due anni prima. Lì il corpo del dittatore venne cremato, come raccontò un paio di secoli più tardi il greco Appiano nella sua *Storia romana*: «Disposero le sue spoglie nel Foro, là dove si trova l'antica reggia dei romani e vi accumularono sopra tavole, sedili e quanto altro legname vi era ... accesero il fuoco e tutto il popolo assistette al rogo durante la notte. In quel luogo venne eretta un'ara. Ora vi è il tempio dello stesso Cesare nel quale egli è onorato come un dio». Svetonio nella *Vita di Cesare* aggiunge: «Davanti ai Rostri fu costruita un'edicola aurea, ispirata alle forme del tempio di Venere genitrice, e in essa fu collocato un cataletto d'avorio ricoperto di porpora e d'oro, con a capo, esposta su di un trofeo, la veste che Cesare indossava al momento del suo assassinio».

Poco lontano dall'ara si trovano le rovine di quella «Domus publica» che è la dimora dove il dittatore, dopo aver abitato a lungo in una modesta casa nella Suburra, consumò l'ultima parte della sua vita prima che il destino lo travolgesse. I suoi ultimi giorni furono inquieti, pieni nello stesso tempo di progetti, di promesse (com'era stata quasi per intero la sua esistenza), ma anche di sinistri presagi. È arrivato il momento di raccontarli.

La notte tra il 14 e il 15 marzo Caio Giulio Cesare dormì poco; appena alzato ebbe un attacco di vertigini, male antico, ora però divenuto particolarmente fastidioso e frequente. In mattinata deve presiedere l'assemblea dei senatori alla Curia di Pompeo, ma non ha alcuna voglia di andarci, anche perché non è soltanto il disturbo ad affliggerlo. Negli ultimi giorni ha avuto strani presagi e, pur non essendo uomo da lasciarsi influenzare dalle superstizioni, i segnali sono stati numerosi e stranamente univoci. Da giovane, quando si era trattato di scalare implacabilmente il *cursus honorum*, s'era beffato dei presagi. Ogni volta che, per l'inizio di un'attività o l'inaugurazione di una carica, era necessario che il cielo desse indicazioni, magari con un lampo o un chiarore improvviso, aveva fatto sì che quei «segnali», in qualche modo, arrivassero. Sacerdoti e funzionari zelanti s'erano adoperati per accontentarlo. Se il segnale, per esempio, era un bagliore benaugurante, c'era sempre stato qualcuno del seguito che giurava d'averlo visto proprio là dov'era previsto che apparisse.

Ora è diverso, si sono visti uomini avvolti dalle fiamme che però non bruciavano, un uccello con un rametto d'alloro nel becco aggredito e dilaniato da certi rapaci, nella reggia dove sono custoditi, gli scudi di Marte si sono urtati provocando un sinistro clangore bronzeo. E ancora: qualche giorno prima l'aruspice Spurinna, che Cesare detesta, è venuto a fargli visita e questa volta ha parlato con forza, come se le sue parole fossero dettate non da chissà quale ispirazione divina, ma da assai concrete informazioni. «Guardati Cesare» ha detto «dalle idi di marzo.» Appena uscito Spurinna, anche Cornelio Balbo è tornato sull'argomento: «Quando andrai alla Curia di Pompeo, Cesare, ti scongiuro, assicurati d'avere intorno la fedele guardia ispanica». Ai piedi della statua di Lucio Bruto qualcuno ha lasciato un cartello con queste parole: «Se tu fossi vivo, o Bruto, uccideresti il tiranno». E all'altro Bruto, suo figlio adottivo (o forse naturale), è stata ricordata la discendenza dal grande Bruto che, per amore della Repubblica, ha ucciso il re Tarquinio. Voci girano per la città, tutte inquietanti: che Cesare preferisca i barbari ai romani, che concederà il laticlavio ai galli e, soprattutto, che voglia attentare alle istituzioni facendosi re. Sarebbe un colpo di Stato per il quale è prevista la pena di morte. «Il popolo detesta l'idea stessa della monarchia» ripetono i consiglieri, lui ascolta paziente quei fastidiosi ronzii, sarebbe fatica vana spiegare che la Repubblica ormai è morta, che della Repubblica sono rimaste solo le vestigia, le bucce e che tanto varrebbe gettare via anche quelle. Poi c'è Calpurnia, la sua quarta moglie, che umilmente lo ama e tutto gli perdona. Da alcune notti smania nel sonno e lungamente geme.

La sera prima è andato a casa di Marco Lepido che dava una cena. Steso sul triclinio ha bevuto vino, cosa che raramente si concede. Tra i commensali ha scorto Decimo Bruto Albino, fa parte dei suoi nemici e, se avesse più coraggio, uscirebbe allo scoperto. Invece ha alzato il calice in un gesto augurale e nello stesso tempo gli ha lanciato un'obliqua domanda di sapore filosofico: «Quale sarebbe per te la morte migliore, Cesare?». Ha risposto con prontezza, com'è suo costume: «Ho letto in Senofonte che il re Ciro, gravemente malato, aveva disposto ogni cosa per i propri funerali. Io non vorrei una morte alla quale ci si possa preparare. La morte migliore è quella improvvisa». Ogni conversazione s'era interrotta e non solo perché Cesare stava parlando, ma perché quelle brevi battute s'erano lasciate dietro l'eco di un'inquietudine. Di quel silenzio aveva approfittato per alzarsi e uscire. Adesso è mattina, l'assemblea dei senatori incombe, forse sarebbe davvero meglio non andare.

Che uomo è quello che si tormenta tra presagi così inquietanti? È un uomo quasi onnipotente, padrone di Roma, cioè del mondo, ancora vigoroso per i suoi cinquantasei (forse cinquantasette) anni, che ha passato la maggior parte della vita impegnato in combattimenti, dalle gelide selve dell'Inghilterra ai deserti dell'Africa, per terra e per mare, dotato di un'energia fisica indomabile, di una prontezza mentale che gli ha consentito di dettare contemporaneamente agli scrivani quattro o cinque lettere di contenuto delicatissimo. Un uomo audace, spavaldo, un dandy che ha amato spendere a piene mani anche quando i denari non c'erano, non bello, anzi deriso dai soldati per la calvizie e tuttavia dotato di un'aura capace di soggiogare chiunque. Ha lo stile del grande uomo di Stato, emana un carisma sovrano. Ma è anche l'uomo di cui s'è scritto (Cicerone, per esempio) che era capace di calpestare ogni principio, sia umano sia divino. O anche (Catone Uticense, questa volta) che per servire la propria ambizione sarebbe stato capace di violare ogni legge. Sicuramente è un uomo che ha calpestato le istituzioni romane, che ha sì conquistato la Gallia ma, per interesse personale, ha fatto scoppiare una guerra civile dalla quale sono derivati lutti e rovine. In una parola, Cesare è l'uomo che, sedici secoli prima che Machiavelli la teorizzasse, ha messo in pratica l'autonomia della grande politica dalla morale corrente.

Autonomia morale della politica non vuol dire mettersi in tasca i denari dell'erario, ma stabilire un obiettivo che tenga conto dell'interesse generale ed essere capaci di perseguirlo anche se per raggiungerlo bisogna battere vie traverse. A Roma non c'è stato governatore di provincia che non abbia derubato i suoi amministrati, l'ha fatto anche Cesare, ma con una grandiosità di disegno che incute timore. Con arrogante e sovrana serenità ha calpestato le leggi; concentrato, serio, implacabile, ha passato in armi il confine della patria varcando il Rubicone, è diventato nemico della Repubblica perché tra la via riformista al cambiamento e quella rivoluzionaria ha scelto, per impazienza e per calcolo, quest'ultima. La sua immoralità è consistita nel sentirsi esente dalle attese morali alle quali un aristocratico romano avrebbe dovuto rispondere in nome della tradizione e del diritto. La sua grandezza non sta certo nell'obbedienza, piuttosto nell'essere riuscito quasi sempre a fare l'interesse dello Stato senza trascurare il proprio.

La sua carriera politica è un susseguirsi di mosse abilmente calcolate, spesso benedette anche dalla fortuna. Sceglie fin dall'inizio di appoggiarsi alla plebe e all'esercito. Del popolo pensa ciò che pensano tutti: che le masse non hanno maggiore discernimento d'un bambino e che hanno quindi bisogno di qualcuno che le guidi. Lui è un aristocratico, rampollo di una delle più illustri famiglie della romanità, ci tiene ad affermare che tra i suoi avi c'è Ascanio, figlio di Enea e di Creusa, nipote di Venere. Pronunciando l'orazione funebre per la zia Giulia dirà senza mezzi termini: «Per parte di madre la mia famiglia è di ascendenza regale, per parte di padre trae la sua origine dagli dei immortali». A trent'anni ha già chiaro che nella vita politica le bugie più sono sfacciate più aiutano, purché siano dette con la dovuta sfrontatezza. Comunque, tra gli oligarchi e la plebe sceglie la plebe, che a Roma è diventata ciò che oggi chiameremmo «proletariato urbano», masse irrequiete che bisogna distrarre con i giochi, tenere a bada con le pubbliche elargizioni, il clientelismo.

Sulla sua strada incontra altri due uomini influenti: uno si chiama Gneo Pompeo, l'altro Marco Licinio Crasso. Il primo è un grande generale, grande quanto Cesare, del quale è più anziano di sei anni. Quando i pirati minacciano i rifornimenti di grano in modo così grave da far temere una carestia, a Pompeo viene ordinato di mettersi alla loro caccia. L'ardire di quei fuorilegge è ormai provocatorio: depredano i convogli, sbarcano sulle coste, mettono a sacco i villaggi, violentano e rapiscono. Pompeo non dà loro tregua, in tre mesi li sbaraglia: 10 mila vengono uccisi, 20 mila catturati insieme a ottocento navi. Lo stesso successo gli arride contro Mitridate, re del Ponto, acceso nemico di Roma: ne sconfigge l'esercito e lo costringe prima a fuggire, quindi a uccidersi.

Crasso non è da meno. È ricchissimo, avendo la concessione per lo sfruttamento di miniere pubbliche, specula sulle costruzioni, le sue entrate sono mostruose; quando Cesare si candiderà per la carica di *pontifex maximus*, gli finanzierà largamente la campagna elettorale, facendolo stravincere. Ma è anche un ottimo generale: doma la rivolta degli schiavi guidati da Spartaco, e non è impresa da poco; ci vollero due anni di tempo e da sei a otto legioni per avere ragione di quei ribelli votati alla morte. Crasso li sconfigge sul campo; i superstiti li fa crocifiggere lungo la via Appia. A migliaia agonizzano per giorni, appesi a quegli orrendi patiboli, perché a nessuno venga più in mente di tentare una tale impresa: sfidare Roma, il suo ordine sociale, la sua economia.

Pompeo e Crasso nel 70 salgono insieme al consolato. Crasso ha quarantacinque anni ed è facoltoso, Pompeo trentasei ed è carico di gloria; Cesare di anni ne ha trenta e li tiene d'occhio, sa che i due, al di là della formale alleanza, si detestano e che gli oligarchi li giocano uno contro l'altro temendoli entrambi; valuta di potersi aggiungere alla coppia diventandone l'elemento d'equilibrio. Crasso ha bisogno della popolarità immensa di Pompeo; questi ha bisogno dell'influenza che Crasso esercita, grazie ai suoi denari, sul Senato; Cesare gode di vaste simpatie presso l'inquieta plebe di Roma, i soldati che hanno combattuto con lui lo adorano.

Un episodio illuminante sulla qualità della vita pubblica romana e sulla complessa personalità di Cesare è quello che va sotto il nome di «congiura di Catilina». Una specie di eccezionale romanzo politico con giganteschi protagonisti: Cesare, Cicerone, Catone e, nella parte del *vilain*, Lucio Sergio Catilina. Il più enigmatico dei quattro è sicuramente quest'ultimo; il più ambiguo è lui, Giulio Cesare. Poi c'è Marco Porcio Catone l'Uticense, pronipote di quel Catone, detto il Censore, rimasto nella storia per il rigore dei costumi e per la cocciuta convinzione che fosse necessario distruggere Cartagine («*Carthago delenda est*»). Marco Porcio difende con altrettanta convinzione l'ideale repubblicano e la funzione senatoria. Chi attenta alle istituzioni se lo trova contro: Silla, Catilina, gli uomini del primo triumvirato (Cesare, Crasso, Pompeo). Quando scoppia la guerra civile tra Cesare e Pompeo si schiera a favore di Pompeo ritenendolo meno pericoloso per la Repubblica. Dopo l'inizio degli scontri, in segno di lutto per la patria così lacerata, non si taglia più né barba né capelli. Sconfitti i pompeiani, viene esiliato a Utica dove si uccide.

Catone l'Uticense è una figura grandiosa, di cui s'è purtroppo persa la memoria. Ezio Raimondi gli attribuisce i tratti «dell'eroe romano sommati a quelli del patriarca biblico». Dante lo colloca sulla spiaggia dell'antipurgatorio, custode dei luoghi, il volto illuminato dalle «quattro luci sante», le virtù cardinali (Prudenza, Giustizia, Fortezza, Temperanza) che sono in lui anche senza la grazia della Rivelazione. Virgilio, presentandogli il poeta, così si esprime (*Purgatorio*, I, 70-75):

Or ti piaccia gradir la sua venuta:
libertà va cercando, ch'è sì cara,
come sa chi per lei vita rifiuta.
Tu 'l sai, ché non ti fu per lei amara
in Utica la morte, ove lasciasti
la vesta ch'al gran dì sarà sì chiara.

Dante fa di Catone un simbolo di libertà morale, di fermezza di carattere, di senso della giustizia, di dedizione al bene comune. Di fronte alla sua grande moralità, il fatto che fosse un pagano e un suicida diventa giustamente trascurabile. Nel *Convivio* aveva scritto:

Furono dunque filosofi molto antichi, de li quali primo e prencipe fu Zenone, che videro e credettero questo fine de la vita umana essere solamente la rigida onestade; cioè rigidamente, sanza respetto alcuno, la verità e la giustizia seguire ... E costoro e la loro setta chiamati furono Stoici, e fu di loro quello glorioso Catone.

Anche a Catone tuttavia si può muovere un rimprovero. Lo fa il Mommsen definendolo un «conservatore», cioè uno di quelli che «conservarono la Repubblica principalmente per farla morire».

Come e perché nacque la congiura? Per tre volte Catilina aveva tentato di concorrere alla carica di console e sempre, con pretesti e brogli, era stato battuto, grazie anche alle astute trame ordite da Cicerone. Nelle elezioni del 64 erano candidati con le maggiori probabilità di vittoria lo stesso Cicerone, che competeva, diremmo oggi, per il partito degli aristocratici e, sul fronte opposto, Catilina e Caio Antonio Ibrida sostenuti (ufficialmente), oltre che dalla plebe, anche dalla grande influenza che Cesare e il ricchissimo Crasso potevano esercitare. Dei due *populares*, Ibrida era il più debole e proprio per questo Cicerone gli promette segretamente di far convergere su di lui anche un po' dei voti di cui dispone. Così fu. Ibrida viene eletto e Catilina risulta, con linguaggio attuale, il primo degli esclusi.
Che ruolo ebbero Cesare e Crasso nella *combine*? È probabile che abbiano agevolato la vittoria di Ibrida ritenendolo, una volta eletto, uno strumento più docile dell'irrequieto ed ener-

gico Catilina, uomo dotato di un fascino canagliesco di larga presa sulle masse. Questo infatti è il punto: chi era davvero Catilina? Il ribelle senza scrupoli che tramava contro lo Stato o un acceso riformatore odiato dal partito dei conservatori incarnato da Cicerone? L'ipotesi più probabile è che sia stato quello che oggi chiameremmo un «demagogo populista», una figura capace di concentrare contemporaneamente in sé elementi progressisti e di conservazione. Una delle sue promesse, nel caso fosse stato eletto, era stata di azzerare i debiti. Proposta che molti avevano accolto con favore in una società nella quale il prestito a usura tendeva a diventare vero strozzinaggio, dove sia i ricchi sia i poveri erano spesso pesantemente indebitati, dove non si badava a spese per concorrere alle cariche pubbliche, certi di potersi rifare una volta al potere Quel particolare punto del «programma» (diremmo oggi) potrebbe aver spinto Crasso a farlo battere, essendo lui tra coloro che praticavano su larga scala l'usura. Altri punti programmatici erano una redistribuzione delle terre, che avrebbe colpito i latifondisti, e la concessione di alcuni diritti alle donne e agli schiavi, tutti aggiustamenti sicuramente necessari, ma che in una società conservatrice come quella romana avevano fatto temere effetti destabilizzanti. Con queste proposte Catilina aveva chiesto il voto ai piccoli commercianti sull'orlo del fallimento, ai diseredati e alla plebe. Cicerone e Sallustio hanno fatto di tutto per dipingere i suoi sostenitori come la feccia della società e non c'è dubbio che attorno a Catilina si raccogliessero anche avventurieri e quelle teste calde sempre presenti quando si profila la possibilità di un tumulto. Ma se fossero stati solo «feccia», non avrebbero fatto la fine in certo modo epica di cui invece furono capaci.

Nel 63 Catilina si candidò nuovamente, con un programma decisamente di «sinistra». Era un aristocratico, sia pure di piccola nobiltà: mai un patrizio romano s'era schierato così apertamente a favore della plebe. Non bisogna però pensare a lui come a un idealista, una specie di profeta *ante litteram* del socialismo ottocentesco. Catilina era un uomo ambizioso, pronto anche a uccidere per la conquista del potere, determinato fino alla ferocia, coraggioso (lo dimostrerà), ma capace, come gli altri del resto, di cercare il proprio vantaggio in ogni possibile manovra. La sua campagna elettorale fu probabilmente goffa, scoperta, condotta con impeto eccessivo, priva di quell'abilità politica e «manovriera» che Cesare dispiegherà qualche anno dopo giocando più o meno le stesse carte al mercato dei voti. Catilina peccò di «estremismo», questo facilitò le manovre di Cicerone che, agevolato dalla sua posizione di console, riuscì ancora una volta a portargli via parte dei sostenitori.

Alle elezioni vinsero naturalmente i due candidati appoggiati da Cesare e da Crasso e ancora una volta Catilina risultò primo dei non eletti. La congiura cominciò in quel momento ed è in quel momento che il candidato eternamente battuto, deciso a giocare ormai la sua stessa vita, si trasforma in un rivoluzionario idealista. In un certo senso si redime, quanto meno agli occhi degli studiosi che sostengono questa tesi. Fu una donna, Fulvia, la prima a svelare il complotto. Ricevute (o carpite) le confidenze di un amante, pensò di poterne trarre profitto andandole a riferire a Cicerone. «Ella non volle tenere celato» scrive Sallustio nel *De coniuratione Catilinae* «questo così grande pericolo per la Repubblica.» In realtà pare che il motivo della delazione fosse assai meno nobile. L'amante sarebbe stato a corto di denaro e per ravvivare un rapporto languente avrebbe accennato a futuri possibili arricchimenti. Messo alle strette dalle domande di lei, incuriosita, avrebbe raccontato tutto. Si apprese così che i congiurati stavano organizzando un piano di omicidi in città e che questi sarebbero stati accompagnati da movimenti di truppe ribelli. Altre informazioni le fornì Cesare, che s'aggirava ai margini della congiura, in attesa di possibili esiti, attento a non farsene troppo coinvolgere qualora le cose non fossero andate per il loro verso. Anche Crasso dette un aiuto: esibì lettere minacciose che vennero ritenute prove convincenti nonostante fossero anonime, forse scritte da lui medesimo o da suoi fedeli.

Cicerone, console, ottiene dal Senato i pieni poteri e nello stesso tempo, uomo pavido, si fa proteggere da una tale scorta che, a dire di Plutarco nella biografia che gli dedica, «quando entrava nel Foro lo riempiva quasi per intero con il suo seguito». L'8 novembre il Senato si riunisce presso il tempio di Giove Statore, ai piedi del Palatino, massicciamente presidiato. Con gesto insolente o per smentire con la sua presenza ogni complicità nella rivolta in atto in Etruria, Catilina si presenta all'assemblea, dove però siede isolato da tutti gli altri. Ancora non sa che Cicerone, prendendo di lì a poco la parola, pronuncerà un atto d'accusa che lo consegnerà alla *damnatio memoriae*, oltre a rappresentare uno dei picchi della retorica politica e giudiziaria di ogni tempo: «*Quo usque tandem abutere, Catilina, patientia nostra? quam diu etiam furor iste tuus nos eludet? quem ad finem sese effrenata iactabit audacia?*» (Fino a quando Catilina abuserai della nostra pazienza? Fino a quando questo tuo furore si prenderà gioco di noi? Fino a quando si manifesterà la tua audacia sfrenata?). Parole memorabili, delle quali però Catilina non parve tenere gran conto, tanto più che il console si guardò bene dall'ordinarne l'arresto, forse per motivi d'ordine pubblico. Se dobbiamo credere a Sallustio, il ribelle replicò con una frase di aperta sfida: «Poiché, accerchiato dai nemici, mi si vuole ridurre alla disperazione, spegnerò sotto un cumulo di rovine l'incendio acceso contro di me» E uscì dal Senato per raggiungere le sue «truppe» a Fiesole.

Nel frattempo i congiurati a lui fedeli programmano il colpo di Stato per il 17 dicembre, giorno d'inizio delle feste dei Saturnali. Catilina si comporta come se ignorasse che contro le sue «truppe» stanno marciando le legioni di Roma e che un complotto come quello, ormai svelato con tale clamore, non vale più niente, non è nemmeno più un complotto, ma solo il preambolo di un massacro. Come mai un comportamento apparentemente così illogico? Non conosciamo la risposta; ogni ipotesi resta speculativa e ciascuno può immaginare ciò che gli sembra più convincente. Una delle congetture è che il ribelle fosse consapevole che restando a Roma sarebbe stato di sicuro assassinato. Allontanandosi come se volesse andare in esilio stimava invece di avere maggiori possibilità di sopravvivere.

La fine fu miseranda ed epica nello stesso tempo. I cinque congiurati rimasti a Roma furono arrestati e strangolati in carcere dopo un acceso dibattito in Senato. Qualche giorno più tardi, in una fredda mattina del gennaio 62, Catilina affrontò i pretoriani in Toscana, nei pressi di Pistoia. La battaglia fu accanita e non breve. Alla fine il corpo del ribelle fu trovato, ancora palpitante, in mezzo a un mucchio di cadaveri e si ordinò che fosse decapitato. «Finito lo scontro» scrive Sallustio «si vide quanta audacia e quanta energia regnassero fra i soldati di Catilina. Ognuno di essi, dopo morto, copriva con il proprio corpo il posto dove, da vivo, aveva combattuto».

E Cesare? Che il suo comportamento fosse ambiguo fu evidente fin dal 5 dicembre, giorno in cui si discuteva in Senato la sorte dei cinque congiurati rinchiusi nel carcere Mamertino. In qualità di pretore designato, egli prese la parola e, racconta ancora Sallustio, esordì condannando senza mezzi termini Catilina e i suoi adepti; poi continuò dicendo che per un tale crimine non esisteva punizione bastante e che in ogni caso il Senato era sovrano nelle sue decisioni. A questo punto sostenne, con un raffinato sofisma, che gli dei immortali hanno concepito la morte come fine naturale della vita e non come punizione. Quindi la morte dei catilinari andava evitata anche perché, insieme alla vita, sarebbe finita la loro punizione. Attirò l'attenzione dell'assemblea sul pericolo reale che alle esecuzioni seguissero tumulti e agitazioni. E concluse che esisteva una pena assai più dura della morte: l'ergastolo.

Il suo discorso è ancora oggi ritenuto, giustamente, un capolavoro oratorio. Anche se prove certe di un suo coinvolgimento nella congiura non c'erano, tutti sapevano che Cesare l'aveva osservata con interesse. La sua posizione in aula era molto difficile: se si fosse unito alla richiesta di morte avrebbe rinnegato esponenti del partito al quale tradizionalmente s'appoggiava; se si fosse opposto avrebbe reso consistenti i sospetti su di lui. Con grande abilità se la cavò aggirando il problema, sostenendo fra l'altro l'incostituzionalità di condannare a morte un cittadino romano senza garantirgli la possibilità d'appellarsi al popolo. L'abilità della mossa fu nello schierarsi per una pena di tale severità da far ritenere la morte un castigo inadeguato. Da una parte riconosceva al Senato il diritto di punire i colpevoli anche con la morte, dall'altro argomentava per impedirlo, agitando il pericolo di sommosse davanti a uomini per lo più timorosi (a cominciare da Cicerone). In definitiva riuscì a confondere il loro giudizio smorzando l'apparente determinazione con cui la seduta s'era aperta. Solo lui poteva riuscire in un'operazione di tale difficoltà. Crasso per esempio, sospettato anch'egli di aver guardato con simpatia alla congiura, quel giorno non si fece nemmeno vedere. L'effetto del discorso fu straordinario: tutti coloro che intervennero dopo di lui si allinearono alla sua proposta; ci fu anzi chi, trascinato dalle sue parole, pensò addirittura di scavalcarlo proponendo di catturare Catilina vivo e di ricondurlo in Senato per un'audizione.

A questo punto si verifica, però, un colpo di scena. Da uno degli ultimi banchi si alza a parlare Marco Catone, tribuno della plebe designato. Ha trentadue anni, cinque meno di Cesare. Il suo intervento è pari per grandezza a quello del rivale. Catone critica insieme Cesare e la pavidità del Senato, dice che su un complotto tanto grave non si possono avere esitazioni, che la morte è la sola pena adeguata alla dimensione del crimine, che il precedente di una pena inflitta con mano tremante sarebbe rovinoso per la Repubblica. Così parlando, scuote le coscienze dei senatori, le mette alla frusta con efficacia tanto che quelli, a uno a uno, si alzano e gli si mettono accanto, anticipando in tal modo le intenzioni di voto. L'atmosfera vibrante suscitata dalle sue parole si spezza soltanto quando, avendo visto che a Cesare viene consegnato un messaggio, Catone coglie l'occasione per accusarlo di farsi raggiungere perfino in Senato dalle comunicazioni dei nemici dello Stato. È un passo falso che permette a Cesare di segnare un piccolo punto: egli mostra lo scritto, che risulta essere un bigliettino amoroso della sua amante Servilia, fra l'altro sorellastra di Catone.

È la prima volta che Cesare e il suo più importante avversario si scontrano. Nonostante la gaffe, Catone riesce a prevalere; nemmeno lui sa che con quella vittoria sta segnando il suo destino. Sallustio colloca i due rivali quasi alla stessa altezza per capacità oratorie e *magnitudo animi*. Scrive:

Cesare era considerato grande per le sue elargizioni e la sua munificenza, Catone per l'integrità della sua vita. Quello divenne famoso per la sua clemenza e la sua pietà, questi raggiunse il suo rango grazie al rigore. Cesare ottenne la fama col dare, con l'aiutare, col perdonare. Catone con la sua capacità di non dissipare alcunché. Nell'uno i poveri trovarono il loro rifugio, nell'altro i malvagi la loro rovina.

Pochi anni dopo, nel 59, Cesare, eletto console in coppia con Marco Calpurnio Bibulo, fa sua un'iniziativa popolare proponendo una legge di riforma agraria con la quale si requisiranno terreni a favore dei veterani di Pompeo e dei poveri di Roma. Bibulo, intimo di Catone, tenta di opporsi facendo leva sui senatori, Cesare però li scavalca e porta la proposta direttamente all'assemblea popolare. Nella notte che precede la votazione, i suoi seguaci occupano il Foro e quando il mattino dopo Bibulo arriva, riesce a stento a farsi largo fra la folla che lo insulta; tenta di parlare ma non glielo consentono, ai littori vengono spezzati i fasci, simboli della potestà consolare. Il giorno seguente Bibulo va in Senato a riferire su quelle violenze, ma non succede niente. L'indignazione era grande, diranno gli storici, ma la paura altrettanto. Quella seduta serve solo a dimostrare che i vecchi ordinamenti della Repubblica ormai non reggono più le forti sollecitazioni dei nuovi tempi. Bibulo si ritira sdegnato nella sua casa e annuncia che non la lascerà più. Vorrebbe dimostrare che il diritto è morto e che a Roma non c'è più libertà; date le circostanze, offre solo la dimensione della propria impotenza. Il popolo ha preteso che la riforma agraria venga approvata e il Senato cede; i nemici di Cesare spargono la voce che ormai i consoli non sono Cesare e Bibulo, bensì Giulio e Cesare.

Passano gli anni e con Pompeo finì come finì perché nemmeno Roma era grande abbastanza per entrambi. Crasso muore combattendo contro i parti, Cesare, dopo l'infelice esito della spedizione in Britannia, attraversa un momento di debolezza; il suo avversario storico, Marco Porcio Catone, insiste perché, alla scadenza del mandato nelle Gallie, egli venga messo in stato d'accusa per avere, con il suo comportamento, infranto la legge romana. Pompeo s'è molto avvicinato agli oligarchi; sua moglie Giulia, figlia di Cesare, è morta e questo ha contribuito ad allentare ulteriormente il legame tra i due, quasi non bastassero le rispettive ambizioni, entrate ormai in aperto conflitto. Cesare si trova nelle Gallie, gli chiedono di rientrare, ma lui non intende tornare a Roma come semplice generale; teme il Senato e Catone, e vuole una carica elettiva che gli garantisca l'immunità mettendolo al riparo dagli attacchi. La soluzione non c'è e nessuno a Roma s'affanna troppo a trovarla, così le tensioni aumentano e le cose cominciano a precipitare sospinte dall'inerzia. Quando il partito aristocratico riesce a convincere Pompeo a schierarsi apertamente contro Cesare, il Senato tira il fiato: tutti i tentativi di mediazione sono falliti, si ordina al generale ribelle di deporre le armi. È il gennaio del 49, Cesare ha atteso l'esito del dibattito accampato ai bordi di un fiumiciattolo, il Rubicone. Insignificante che sia, quel minuscolo corso d'acqua segna però l'invalicabile confine della Repubblica. Il generale deve decidere e decide consegnando alla storia un altro dei suoi slogan fulminei: «*Alea iacta est*» (il dado è tratto). La guerra civile è cominciata, il suo teatro sarà vastissimo: prima la Spagna, poi la Grecia, infine l'Africa. La battaglia decisiva sarà nella Tessaglia meridionale, a Farsalo. Settantamila uomini si scontrano, Cesare vince grazie a un impeccabile schieramento tattico costringendo il rivale alla fuga. Pompeo chiede asilo al re d'Egitto, Tolomeo, ma quello, per ingraziarsi il vincitore, lo fa assassinare. Quando Cesare entra ad Alessandria, il 2 ottobre del 48, trova il cadavere del rivale e la cosa non gli piace. L'infido Tolomeo ha fatto male i conti: voleva offrire a Cesare la testa del suo nemico, ignaro di quali complessi sentimenti legassero i due romani al di là dell'inimicizia che li aveva sanguinosamente opposti. Né può immaginare che sua sorella Cleopatra accenderà nel generale una delle passioni più forti della sua vita.

Nel vigore fisico di Cesare rientra anche l'energia amorosa, spesa senza risparmio. Svetonio ha tentato un elenco, molto incompleto, delle matrone da lui sedotte: Postumia, moglie di Servio Sulpicio; Lollia, moglie di Aulo Gabinio; Tertulla, moglie di Marco Crasso; Mucia, moglie di Pompeo. L'elenco non comprende le vergini, le schiave, le barbare, né i due o forse tre grandi amori della sua vita, primo fra tutti quello per Servilia, che in vent'anni Cesare ha colmato di doni, compresa una perla d'inaudito valore: sei milioni di sesterzi. Servilia è la madre di Marco Bruto e non è impossibile che quel figlio l'abbia concepito proprio con Cesare, così almeno si sussurrò a Roma per molto tempo. Quando Servilia ha scorto nel suo amante qualche segno di stanchezza, lei stessa, forse, gli ha spinto nel letto la giovanissima figlia Terzia, raddoppiando così il legame «parentale» con Bruto, che ha avuto in Cesare un padre e un cognato.

Poi c'è stata Cleopatra, la leggenda, l'Oriente, il lusso, la politica mescolata all'amore e l'amore vissuto come un'esplosione di sensualità, con le ambizioni reciproche e i comuni interessi che raddoppiavano il piacere degli abbracci. Quando Cesare giunge ad Alessandria e conosce Cleopatra è già un uomo maturo di cinquantadue anni; lei ne ha solo venti, ma quanto a sapienza amorosa potrebbe gareggiare con la stessa Venere. Cleopatra e suo fratello Tolomeo XIV si stanno sbranando per la successione al trono. Questi Tolomei sono gli esausti eredi dell'Egitto dei faraoni, una famiglia sanguinaria che per garantirsi il potere non si fa scrupolo di ricorrere al matrimonio tra consanguinei, cioè all'incesto. Tolomeo X aveva sposato sua figlia Berenice dopo che questa era stata moglie di suo fratello Tolomeo XI. Cleopatra, ventenne, aveva sposato suo fratello Tolomeo quando costui aveva tredici anni. Anche il suicidio veniva largamente praticato in famiglia e lo dimostrerà la stessa Cleopatra facendosi pungere, pare, da un aspide dopo essere stata l'amante di Cesare e di Marco Antonio, e dopo aver tentato invano di sedurre anche Ottaviano. Vero che le sue grazie non erano più quelle d'un tempo, ma è anche vero che Ottaviano Augusto aveva una ferrea scala di priorità; Cleopatra semplicemente non ne faceva parte.

Quando Cesare vi arriva, nella reggia di Alessandria si aggira anche un'altra sorella, Arsinoe, non meno assetata di potere degli altri Tolomei. Il generale romano tenta di riconciliare i rissosi fratelli con una spartizione concordata del potere, ma senza esito. Anzi, sfugge a stento a un attentato, e i suoi nemici arrivano perfino ad avvelenare l'acqua nella sua residenza. Deve quindi affrontare Tolomeo e sbaragliarlo sul campo. Arsinoe viene condotta a Roma in catene e Cleopatra, certa ormai del trono, concede al suo amante vittorioso il viaggio di nozze più bello che mai uomo abbia goduto. Secondo Svetonio (forse malevolo), Cesare era talmente ammaliato dalle sue grazie, dalla sua inesausta capacità d'accendere la lussuria, che sarebbe stato capace di accompagnarla fino in Etiopia, se non avesse capito in tempo che i suoi soldati, per una volta, non l'avrebbero seguito. Si limita a risalire con lei il Nilo su una nave mollemente sospinta dai rematori; l'intera poppa è stata trasformata in una fastosa camera nuziale. È l'aprile del 47, le brezze rinfrescano l'aria, verdeggiano le coste del grande fiume dove s'alternano palmeti, pozzi, piccoli villaggi, le imponenti moli dorate di templi antichissimi, vestigia d'una misteriosa religione. Una piccola flotta di battelli scorta la nave ammiraglia, assicura i rifornimenti e gli sbarchi per qualche sosta, per una breve battuta di caccia. Due mesi si consumano in questa malia. Cleopatra dirà poi che in quelle settimane è stato concepito suo figlio, che chiamerà Cesarione.

Di colpo però l'incanto finisce, le notizie che raggiungono il generale sono preoccupanti, la situazione richiede d'urgenza il suo intervento. Farnace, figlio di Mitridate, re del Ponto (oggi Turchia) e accanito nemico di Roma, ha battuto sul campo il luogotenente di Cesare; la sconfitta va immediatamente cancellata perché il Ponto è una provincia romana, perderla sarebbe un pericoloso segnale di debolezza, tanto più che Farnace fa mettere a morte nel modo più atroce i cittadini romani che ha catturato. Cesare si scioglie dall'abbraccio di Cleopatra, raggiunge a marce forzate il Ponto e pianta l'accampamento a meno di un chilometro da Zela, la piazzaforte in cui Farnace s'è asserragliato. Si rende subito conto che quel piccolo despota è uno stratega da niente: le sue truppe mal guidate sono mandate al macello. Promette ai suoi soldati l'intero bottino della città e prende Zela in meno di cinque giorni. Quindi fa recapitare a Roma il più conciso, il più orgoglioso messaggio che mai generale abbia inviato: «Veni, vidi, vici» (venni, vidi, vinsi).

Quel dispaccio leggendario ci introduce a un'altra caratteristica dell'uomo: la sua genialità nella comunicazione, la sua straordinaria capacità di dare sempre di sé l'immagine più convincente sottolineando ogni circostanza favorevole, dissimulando abilmente gli eventi negativi. Le sue opere letterarie e i resoconti delle sue campagne sono dei capolavori non solo per la qualità della scrittura, ma anche per l'abilità con la quale piegano la storia alle sue esigenze di propaganda. Solo Napoleone sarà capace di fare altrettanto: dare sempre di sé la rappresentazione più lusinghiera, comunicare al governo vittorie clamorose anche quando le sue truppe erano devastate dalla dissenteria e gli scontri sul campo erano in realtà scaramucce con qualche sparuta banda di predoni. Cesare non si comportò in modo diverso. Quando nel 61 parte per governare la Spagna Ulteriore, sa che da quell'incarico ricaverà denaro sufficiente a saldare gli enormi debiti accumulati. Ma dall'ufficio vuole anche altro: la gloria militare, che gli serve per bilanciare quella di Gneo Pompeo. Comincia così a guerreggiare per motivi talvolta validi, più spesso pretestuosi, come nel caso dei montanari della Sierra Estrella ai quali ordina, senza valide ragioni, di trasferirsi in massa nella pianura e, poiché quelli rifiutano, li attacca e ne fa strage inseguendoli perfino in mare.

Morto Pompeo, la guerra con i suoi seguaci continua e bisognerà arrivare allo scontro di Tapso (nell'attuale Tunisia) del 46, perché i pompeiani vengano severamente battuti. Catone, che non ha nemmeno cinquant'anni e si è rifugiato a Utica, capisce che tutto è perduto e si uccide. Tornano i malinconici versi di Dante:

> libertà va cercando, ch'è sì cara,
> come sa chi per lei vita rifiuta.
> Tu 'l sai, ché non ti fu per lei amara
> in Utica la morte...

Al vincitore il Senato decreta onori senza precedenti. Per giorni interi si svolgono a Roma le cerimonie e ben quattro trionfi per Cesare: le vittorie sulla Gallia, sull'Egitto, sul Ponto e sull'Africa. Nel primo compare, incatenato dietro il carro di Cesare, Vercingetorige, giovane nobile che era riuscito a unire sotto una sola bandiera le sparse tribù della Gallia e ad Alesia, nel 52, lo aveva impegnato in una delle sue battaglie più aspre. Per sei anni Cesare lo ha tenuto prigioniero prima di esibirlo al suo trionfo e poi farlo uccidere. Al secondo trionfo viene invitata Cleopatra, madre (ufficialmente) del suo unico figlio, la cui massima gioia è veder sfilare in catene Arsinoe, la sorella-nemica. I cortei partono dal Campo Marzio, costeggiano il circo Flaminio, attraversano il Velabro e la via Sacra per concludersi al tempio di Giove *Optimus Maximus*. Nelle strade gremite di una folla rumorosa, eccitata, che si pigia ondeggiando, sfilano lunghe colonne che esibiscono gli oggetti del bottino, tavole dipinte con momenti di questa o quella battaglia, o che illustrano i luoghi dove si sono svolte (si calcolava che Cesare avesse combattuto in cinquanta battaglie, uccidendo più di un milione di nemici). Poi vengono i prigionieri, sorreggendo le proprie catene; la presenza di una donna, Arsinoe, era una vera novità che fece scandalo (anche se Cesare le risparmiò la vita, mentre fece strangolare Vercingetorige in quanto ribelle e traditore). Poi ancora venivano i littori con i loro fasci ornati da fronde d'alloro. Solo a questo punto, accolto da alte grida di giubilo, compare il carro del vincitore trainato da pariglie di cavalli bianchi. Il trionfatore indossa una toga scarlatta, ha il capo cinto d'alloro, il volto dipinto di minio perché rappresenta Giove alla cui protezione deve la vittoria. Nella destra stringe uno scettro sormontato dall'aquila di Roma, dietro a lui uno schiavo gli tiene sospesa sul capo una corona d'oro mentre gli sussurra all'orecchio: «Ricordati che sei un uomo». Seguono il carro del trionfatore i legionari che hanno combattuto con lui; a loro è consentito rivolgere al comandante anche parole di divertita presa in giro.

Nel caso di Cesare lo scherno si concentrava sulla sua calvizie non meno che sulla sua fama di donnaiolo: «Cittadini tenete a bada le vostre donne. Noi seguiamo l'amante dalla testa pelata». Un altro sfottò, che invece infastidiva Cesare al punto che lo proibì, riguardava un suo trascorso giovanile in Bitinia. In una delle sue prime missioni all'estero, aveva dovuto recarsi in Asia minore da Nicomede, raffinato sovrano che regnava sulla Bitinia, lembo di terra affacciato sul Mar di Marmara e sul Mar Nero, per convincerlo a fornire alcune navi che dovevano partecipare con Roma al blocco di Mitilene. Nicomede aveva acconsentito, però nicchiava e le navi tardavano ad arrivare. Cesare riuscì a farle salpare, ma nel periodo in cui si trattenne nella reggia, Nicomede fece di lui il suo amante. Alcuni mercanti romani che si trovavano sul posto quando giunsero a Roma diffusero la notizia che Cesare era diventato la «regina di Bitinia». I legionari scandivano irridenti un *couplet* satirico che diceva più o meno: «Trionfa Cesare che sottomise i Galli; non trionfa Nicomede che sottomise Cesare». Perfino Cicerone gli rinfacciò quell'episodio.

Ai trionfi seguirono rappresentazioni fastose sia al circo sia a teatro. Famosi gladiatori si sfidarono nell'arena, mentre sui vari palcoscenici disseminati in città andavano in scena drammi e commedie recitate in tutte le lingue dell'Impero; un sistema di tendaggi ricopriva per intero la via Sacra riparando il pubblico dalla sferza del sole, ventimila tavole erano state imbandite perché tutti potessero saziarsi. Per cinque giorni si susseguirono combattimenti all'ultimo sangue fra prigionieri e condannati a morte: mille uomini, sessanta cavalieri, quaranta elefanti e, curiosità massima, un animale mai visto a Roma, una giraffa che strappava alla folla grida di meraviglia e applausi. Il Campo Marzio era stato allagato creando uno stagno artificiale sul quale due gruppi di navi s'affrontarono come in una vera battaglia. Svetonio racconta che a Roma era convenuta una tale quantità di persone che molti dormivano sotto tende provvisorie o direttamente in strada e che «più volte nella calca qualcuno finì schiacciato e tra questi due senatori». Alla fine venne spartito il bottino. Nel biennio 46-44 si calcola che Cesare abbia fatto coniare circa venti milioni di monete d'oro ricavate dai bottini di guerra. Ai veterani andarono cospicui compensi, somme più piccole furono elargite alla massa dei diseredati.

Nel marzo del 45 a Munda, in Spagna, vennero liquidati gli ultimi pompeiani e da quel momento Cesare non ebbe più rivali. Il Senato eccede in riconoscimenti: la sua persona viene dichiarata inviolabile, gli si conferisce per dieci anni il titolo di dittatore con potere di nomina per le cariche più importanti. Affrancato da ogni impegno militare, può dedicarsi a un'attività legislativa che conduce con il consueto ritmo frenetico: scopo complessivo dei provvedimenti, eliminare o ridurre le disparità decretate dagli oligarchi ai danni della plebe. Fa promulgare una legge che proibisce l'ostentazione eccessiva delle ricchezze e la fa applicare con tale puntiglio che si arriva perfino a requisire tavole già imbandite; si adopera per trovare lavoro ai veterani; stabilisce che sia limitato a due anni il comando nelle province al fine di contenere il fenomeno della corruzione, nello stesso tempo combatte favoritismi e corruttela elettorale, che del resto conosce a menadito per essersene a lungo giovato. Avvia progetti edilizi per ridurre il caos urbanistico della capitale, promuove opere di bonifica nelle paludi a sud di Roma e la costruzione di strade e ponti, ordina la progettazione di un grande teatro. Il progetto resterà incompleto e sarà Augusto a portarlo a termine: si chiamerà teatro di Marcello. Fino a quel momento i romani hanno avuto un calendario lunare: ogni due anni dovevano aggiungere un mese intermedio e spesso l'aggiornamento rispetto al moto degli astri era stato trascurato. Cesare istituisce l'anno solare di 365 giorni con un giorno bisestile ogni quattro anni.

Si può immaginare che cosa fosse la giornata di un uomo impegnato in progetti di tale grandiosità, quale atmosfera lo circondasse, con quali ritmi dovessero lavorare la sua segreteria e l'ufficio dei suoi cancellieri. Raccontano che perfino a teatro leggesse e che rispondesse velocemente e senza apparente fatica a lettere, suppliche, petizioni. Assorbito dal suo lavoro, ogni giorno più consapevole della statura che va assumendo, considera le istituzioni della Repubblica alla stregua di impacci. Anche per questo, probabilmente, accresce da seicento a novecento il numero dei senatori: vuole che si sfiniscano in dispute inconcludenti lasciando a lui la fatica e la gioia di decidere e di operare. Apprezza, è vero, il consiglio di alcuni di loro; ciò che gli riesce intollerabile è l'istituto nel suo insieme, un organo di cui più volte, nel corso della vita, ha saggiato la vigliaccheria o l'inutilità.

Un solo assillo lo affligge: il potente regno dei parti, al di là dell'Eufrate, al confine con la provincia di Siria. Nel 53 Crasso è andato a muovergli guerra ed essi lo hanno sconfitto e ucciso. Ora la situazione è diventata ancora più difficile, anche perché la Siria è in mano a un ribelle pompeiano. Dicono che il progetto che andava maturando fosse grandioso, che volesse condurre una spedizione di tale audacia da farla sembrare un lampo abbagliante, una fiammata capace di oscurare la fama di Alessandro Magno. Il 1° gennaio del 44 Cesare dichiara che prima di partire da Roma deporrà ogni carica. Ignora d'avere meno di ottanta giorni di vita.

Il suo ultimo testamento è del settembre del 45. Vi nomina erede principale un suo pronipote di diciotto anni che sembra molto promettente nonostante la salute cagionevole: si chiama Caio Ottavio. A lui trasmette il proprio nome e buona parte del patrimonio. Ancora una volta ha visto giusto. Quel giovinetto malaticcio diventerà Ottaviano Augusto imperatore, il più grande di tutti. Tra la fine del 45 e l'inizio del 44 il Senato attribuisce a Cesare una serie di nuovi onori non giustificati da alcuna vittoria militare. Gli viene consentito di indossare sempre le vesti trionfali e i fasci dei suoi littori possono essere sempre ornati con fronde d'alloro; riceve il titolo di *pater patriae*; il giorno del suo compleanno diventa una festività pubblica e il mese della sua nascita viene battezzato col suo nome (*Julius*, luglio); le sue statue devono ornare tutti i templi; durante le assemblee in Senato siederà su un seggio d'oro e potrà cingere la corona aurea dei re etruschi. Infine, la sua dittatura viene prorogata a vita. La sua è diventata, di fatto, una monarchia, anzi, più che una monarchia, un culto. A quella particolare gestione del potere darà il suo nome: cesarismo.

La sua figura supera quella di ogni altro condottiero e uomo politico; accanto a lui reggono il confronto solo Napoleone, Augusto, Alessandro Magno, pochissimi altri. Lo aiutarono a toccare quel culmine la vastità delle imprese, il genio fulminante, le doti di scrittore, la fortuna che in modo quasi oltraggioso gli fu al fianco, fino a quando ci fu. Ma ebbe un peso anche la sua articolata concezione della cosa pubblica e del potere, così flessibile, così ambigua.

È possibile che l'accusa rivoltagli di volersi far nominare re fosse ingiustificata. È poco probabile che Cesare aspirasse al trono e certo non perché se ne stimasse indegno. Piuttosto per un motivo pratico: preferiva conservare il titolo di dittatore a vita che gli consentiva di esercitare in esclusiva il potere senza obblighi e impacci dinastici. Insieme al potere voleva mantenere l'amore del popolo, gli piaceva l'abile intreccio che era riuscito a creare tra controllo dell'esercito, blanda repressione poliziesca, populismo: una pericolosa forma di autorità fondata sulla demagogia e sul carisma personale, che ha avuto molti imitatori in ogni epoca, compresa la nostra, e che nella sostanza è l'opposto della democrazia. Il «dittatore democratico» non governa contro il popolo; ha indubbiamente bisogno di una polizia fedele, di «servizi segreti» che abbiano occhi e orecchie dove serve, di denaro per corrompere e di delatori per sapere. Ma è anche un uomo che può comparire in pubblico senza timore, sicuro anzi di raccogliere l'ovazione d'una folla che lui si compiace di salutare, da una tribuna, da un balcone, da uno schermo della TV, con un gesto benedicente ampio e calmo. Il dittatore democratico non è il tiranno occhiuto che fa eliminare senza pietà gli avversari, sul quale s'impreca a mezza bocca, che al passaggio è seguito da un coro di maledizioni; il suo potere si colloca a metà tra repressione e consenso, imposizione della volontà e ascolto delle profonde esigenze popolari, culto della personalità, totale identificazione (confusione) dei suoi interessi personali con quelli dello Stato. Il funzionamento della democrazia è macchinoso, lento, costoso; il dittatore democratico taglia i costi, accelera le decisioni eliminando gli equilibri tra i poteri, offre certi vantaggi; in cambio si sente autorizzato a limitare le libertà, a imporre il suo volere come il solo legittimo, vuole essere temuto, ma non per questo rinuncia a essere anche amato. Il dittatore democratico si sente il padre del suo popolo e come un padre si riserva di premiare e di punire a suo giudizio. Il contrario della democrazia, appunto.

Che Cesare si compiacesse dell'eccesso di riconoscimenti che negli ultimi mesi gli vengono tributati è comprensibile. Meno lo sono le ragioni per le quali il Senato si prostrò in tal modo. Fu eccesso di viltà da parte dei senatori? O fu un modo subdolo e obliquo per perderlo? Nell'antichità nessuno sapeva bene dove si collocasse il confine tra gli uomini e gli dei. Rendendo Cesare simile più a un dio che a un re, i senatori volevano forse fargli raggiungere un'altezza così vertiginosa da rendere probabile una rovinosa caduta? Più in alto il «dittatore» saliva, più frequenti diventavano i segni d'insofferenza, non tanto nel popolo, inebriato dalle elargizioni e dagli spettacoli, quanto tra i cavalieri e alcuni intellettuali. Sono sempre le minoranze pensanti ad avvertire per prime i segni del cedimento dello Stato e a soffrirne, sommando ai guasti presenti quelli che immancabilmente verranno. Fu così anche nel caso di Cesare: pochi si preoccuparono, la maggioranza si limitò a godere ignara i benefici elargiti dal dittatore democratico. Nel pieno vigore della Repubblica il *populus* era stato uno dei due pilastri del potere costituito, insieme al *senatus*. Ora non è più così, poco è rimasto di quella coscienza e di quella funzione; il *populus* è per lo più ridotto a inconsapevole *plebs*.

Un solo titolo mancava a Cesare per completare tale cumulo di onori: quello di re. Più volte ci furono segni che in qualche modo lo evocavano. Un giorno la sua statua sulla tribuna degli oratori venne ornata con un diadema; nel mese di gennaio, mentre entrava in città a cavallo, dalla folla si levarono grida che lo acclamavano «*Rex, rex!*». Egli rispose che il suo nome era Cesare, non *rex*. Anche se Rex era in effetti il cognome della famiglia di sua nonna. Fatta la precisazione, impedì comunque che quei popolani, subito fermati dalla polizia, venissero puniti. L'episodio più significativo avvenne, però, alla metà di febbraio, un mese prima del suo assassinio, durante i festeggiamenti chiamati *Lupercalia*. I sacerdoti dell'antica divinità Fauno Luperco celebravano riti per propiziare la fecondità femminile risalenti al mito di Romolo e Remo allattati dalla leggendaria lupa. Cesare presiedeva i festeggiamenti avvolto in un manto purpureo. Mentre lui siede sul seggio dorato, il collega di consolato Marco Antonio, che ha preso parte alla tradizionale corsa dei *luperci*, il corpo nudo cinto solo da una striscia di pelle alla vita, gli si avvicina e tenta per due volte di porgli una corona sul capo; per due volte Cesare allontana il simbolo e il riconoscimento che esso comporta.

Che significato ebbe il gesto? E il rifiuto? Le interpretazioni sono state le più diverse. Marco Antonio, fedelissimo di Cesare, compì un gesto spontaneo? Oppure, presentendo il pericolo, volle provocare il dittatore per saggiarne la volontà? O anche: fu Cesare a proporgli quel gesto per controllare quale reazione la folla avrebbe avuto? Oppure: Cesare spinse il suo collega al gesto per poter pubblicamente rifiutare la corona, allontanando così i sospetti? Non bisogna dimenticare che nella Repubblica era prevista la pena di morte per chi volesse farsi re. Cesare in quel momento disponeva già di poteri regali, il loro riconoscimento formale avrebbe aggiunto poco, nei fatti. Ma esso sarebbe stato importante da un punto di vista dinastico, ed era proprio questa una delle maggiori preoccupazioni dei suoi alleati. In quel periodo Cleopatra era a Roma, risiedeva nei giardini di Cesare al di là del Tevere e aveva con sé Cesarione, l'unico figlio che il dittatore avesse mai avuto, se si esclude la possibile paternità carnale di Bruto. Il gesto, il rifiuto, furono commentati con vivacità. Si ripeté con insistenza che ai lupercali s'era trattato solo di una «prova», che la proposta vera sarebbe arrivata un mese dopo, alla seduta senatoriale delle idi di marzo.

Non tutti i moventi del suo assassinio sono chiari, così come non lo è il comportamento che egli tenne negli ultimi giorni. Anche questo fa parte del fascino che l'uccisione di Cesare continua a esercitare. I delitti che presentano aspetti mai interamente chiariti (e che mai lo saranno) sono quelli più intensi, dal punto di vista narrativo.

È plausibile che un politico astuto come lui, esperto di ogni possibile manovra, non si sia reso conto che quella pioggia di riconoscimenti lo stava rendendo odioso? Anche se non li sollecitò, perché permise che gli venissero tributati? È ragionevole credere che un uomo della sua esperienza, ormai avanti negli anni, avesse perso fino a quel punto il senso della misura? Che si fosse fatto inebriare dagli onori? O invece confidava di riuscire, proprio attraverso quei riconoscimenti, a guadagnarsi la memoria perenne dei romani, cioè la sola vera forma d'immortalità in cui allora si credeva? O non potrebbe il suo comportamento essere la prova ultima che la vanità degli uomini non ha limiti?

E se l'ipotesi vera, tra le tante che sono state fatte, fosse una pulsione quasi inconsapevole del temperamento? Una motivazione tutta esistenziale in un uomo ormai logorato da una vita vissuta a un ritmo insostenibile per chiunque altro? Che non stesse bene, che fosse stanco, sembrava evidente. Secondo Cicerone, dalla guerra contro i parti non sarebbe mai tornato, come Crasso. Forse ne era cosciente anche lui, o lo sospettava; è un fatto che in quegli ultimi giorni parve comportarsi con un fatalismo di tipo orientale. Sapeva d'essere circondato da pericoli, tuttavia licenziò la fedele guardia ispanica che lo scortava durante gli spostamenti. A meno che, scartata ogni altra possibilità, quel recarsi senza scorta in un luogo pericoloso non sia stato una sfida, un gesto sprezzante verso i congiurati, come se avesse voluto dire: vediamo se osate.

Circa sessanta persone presero parte alla congiura. Tra loro, come in ogni complotto politico, c'era di tutto: pompeiani che volevano vendicare il loro capo, ex cesariani che l'avevano abbandonato anche per risentimento personale, mestatori professionisti, difensori della Repubblica. Ne divennero i capi Cassio Longino e Marco Bruto. Quest'ultimo era nipote di Catone, forse figlio di Cesare; in ogni caso, sua madre ne era stata per anni l'amante preferita, e così sua sorella. Si può capire che nei riguardi del dittatore Bruto nutrisse sentimenti complessi. Dante lo caccerà nell'inferno (canto XXXIV, vv. 64-65) tra i massimi traditori; Shakespeare ne farà invece un eroe della libertà. Sentimenti a parte, si può dire che i congiurati erano quasi tutti uomini retti, che si mossero per sincero amore della Repubblica, anche se Cicerone, nella sua cinica saggezza, scrisse che agirono «con animo virile, ma con intelligenza infantile». La loro idea era che, ucciso il tiranno, la Repubblica sarebbe tornata allo splendore antico, all'austerità dei costumi, a quell'intransigente e rustica moralità che aveva fatto grande Roma. Cesare aveva visto più lontano; sapeva che quella Repubblica non sarebbe mai più tornata e che tanto valeva affidare Roma a uomini che fossero di per sé grandi: egli medesimo e il figlio adottivo Caio Ottavio (Ottaviano Augusto).

Nei congiurati non furono miopi solo i calcoli politici, ma anche quelli militari. Tra i fedeli del dittatore c'erano Marco Antonio, che era il console, e Lepido suo rappresentante quale *dictator*. Insieme disponevano di parecchie legioni, anche senza contare i veterani che Cesare aveva beneficato con elargizioni di terre e di denaro. Poiché nei calcoli della politica conta solo l'esito finale, bisogna dire che il risultato di quell'assassinio (sarà giudicato, più ancora che un delitto, un errore) furono altri quindici anni di guerra civile per Roma, chiusi solo nel 27 con il conferimento a Ottaviano del titolo di Augusto.

Forse Cesare presagiva tutto questo in quella mattina di marzo del 44; certo non il corso degli eventi, e nemmeno la sua morte prossima, ma la sua solitudine, il peso della sua esistenza, il gravame della guerra tremenda che di lì a pochi giorni avrebbe affrontato. Mentre si lascia vestire dagli schiavi, entra Calpurnia che lo abbraccia, anzi lo stringe a sé; è sgomenta, trema. Di nuovo ha sognato che la casa veniva scoperchiata dalla tempesta, ha visto il corpo del marito coperto di sangue. Cesare forse medita davvero di non andare in Senato; ma in quel momento irrompe Decimo Bruto che lo esorta a non oltraggiare di nuovo i padri coscritti disertando un'assemblea da lui stesso convocata. Allora ordina che sia portata la lettiga e s'avvia. Forse urtata da uno schiavo, la sua statua, collocata accanto alla porta, cade e si spezza. Calpurnia grida, Cesare la ignora e ordina agli schiavi di proseguire. Attraversa per l'ultima volta le vie di Roma che Jérôme Carcopino ha rievocato con tanta vivacità nel suo *Vita quotidiana a Roma*: «Le *tabernae* coi loro banchi in mostra sulla strada sono affollate non appena aperte; qui i barbieri radono i loro clienti in mezzo alla strada ... altrove i bettolieri, arrochiti a forza di chiamare una clientela che finge di non sentire, esibiscono salsicce fumanti nelle casseruole calde ... da una parte un cambiavalute fa risuonare su una tavoletta sudicia la sua raccolta di monete ... tremolano le voci dei mendicanti, ricordando le loro disgrazie cercano d'intenerire i passanti ... è tutto un mondo, all'ombra o al sole, che va, viene, grida, s'accalca, si spinge, si urta».

Cesare spia dalle tendine la città che per tanta parte ha contribuito a plasmare. Chi lo riconosce grida «*Imperator!*», «*Dictator!*»; un uomo s'avvicina, porgendogli una pergamena, dice che il suo padrone, Artemidoro di Cnido, chiede che la legga e poiché Cesare fa il gesto di consegnarla a un segretario, insiste: «Leggi subito, da solo!». Era un'esortazione a stare in guardia, venne ignorata. Cesare attraversa più o meno quella che oggi è piazza Venezia, prosegue sul tracciato dell'attuale via delle Botteghe Oscure, arriva a largo di Torre Argentina, alla Curia di Pompeo (la cui statua ha ordinato di non abbattere) sul margine della piazza dove oggi vi sono gli scavi con resti imponenti. Scorge l'indovino Spurinna che aveva evocato le idi di marzo con il suo fare lugubre e gli si rivolge scherzoso: mi avevi parlato delle idi di marzo, come vedi sono arrivate. «Ma non sono ancora passate» risponde quello, sinistro.

I senatori affollano l'emiciclo avvolti nelle loro tuniche candide, una folla spaventosa, se non fosse imbelle, di novecento persone, quasi tutti presenti per l'occasione. Mentre incede e sta per arrivare alla statua di Pompeo, Tullio Cimbro gli si para davanti, s'inginocchia afferrandogli la toga, chiede il perdono per suo fratello. Cesare si volge, adesso ha intorno Cassio, Bruto, Casca, Trebonio, Ponzio Aquila. Tullio Cimbro gli stringe le braccia, non è più un'invocazione, è una violenza. Prima lentamente poi con furia gli altri snudano le lame e cominciano a colpire. Cesare tenta una reazione estrema, ha in mano solo lo stilo, lo pianta da qualche parte, non basta, sente il sangue colare, il dolore dei colpi, alla schiena, al collo, all'inguine. Si addossa alla statua di Pompeo per avere almeno un lato protetto e da quella posizione scorge il figlio Bruto che sta alzando il pugnale, fa a tempo a pronunciare l'ultimo dei suoi messaggi, consegnando anche questo alla storia: «*Tu quoque, fili mi*» (anche tu, figlio mio). Allora si copre il volto con la toga, e crolla.

L'ispezione del cadavere permise di accertare il numero delle trafitture, ventitré in totale, e di stabilire che solo uno dei colpi, quello al petto, fu mortale. Agli altri sarebbe sopravvissuto. Così Svetonio:

> Gli furono inferte ventitré pugnalate e solo al primo colpo emise un gemito senza dire parola ... Quando tutti gli assassini furono fuggiti in disordine, rimase a lungo a terra, morto, poi venne deposto su una barella e tre schiavi lo portarono a casa. Morì nel suo cinquantaseiesimo anno d'età e fu annoverato tra gli dei ... Quanto ai suoi assassini, nessuno gli sopravvisse per più di tre anni e nessuno perì per cause naturali ... Alcuni si diedero la morte con lo stesso pugnale col quale avevano osato trafiggerlo.

IV

L'ALTRO MICHELANGELO

Tra i privilegi offerti da Roma c'è la possibilità d'ammirare liberamente, come se fossero normali tele da cappella, alcuni tra i maggiori capolavori di Caravaggio. Ovunque nel mondo basterebbe questo a dare fama a una città. A Roma, invece, i sei Caravaggio «gratuiti» (non considero quelli presenti in varie gallerie e musei) si confondono col resto delle meraviglie. L'itinerario caravaggesco può cominciare da piazza del Popolo. Subito prima della porta omonima, sorge la chiesa di Santa Maria del Popolo, fondata nell'anno 1099 con lo scopo, dice una leggenda, di esorcizzare il fantasma di Nerone che vagava inquieto nei pressi della tomba di famiglia. Nella chiesa si trovano opere di Bramante e Pinturicchio, Raffaello e Sebastiano del Piombo, Bernini e Sansovino, per tacere d'altri. Noi però non avremo occhi che per le due tele di Caravaggio della cappella Cerasi, a sinistra dell'altare maggiore. Sono la *Crocifissione di san Pietro* e la *Conversione di san Paolo*. Guardate quel san Pietro: un vecchio, vigoroso anche se provato dalla vita. Guardate i suoi carnefici: faticano come bestie a issare quel fardello e l'opprimente legno della croce; poveri cristi dai piedi sudici che fanno il mestiere di aguzzini come potrebbero tirar su un muro o vangare un campo. Siamo nel 1601, il maestro, ormai trentenne, ha raggiunto il successo e quel quadro inaugura un nuovo stile nella sua arte. Guardate san Paolo nell'altra tela: schiantato a terra, le braccia al cielo, atterrito, vinto dalla fede. Lo sovrasta il suo cavallo, uno dei più bei cavalli dell'intera storia della pittura.

Come tappa successiva propongo la chiesa cinquecentesca di San Luigi dei Francesi. Neanche qui mancano i capolavori

(Domenichino, Guido Reni), ma noi andremo dritti alla cappella Contarelli o di San Matteo dove ci sono ben tre Caravaggio: *San Matteo e l'Angelo*, *Vocazione di san Matteo*, *Martirio di san Matteo*. Raffigurazioni possenti per il brutale realismo del martirio, per la magia della composizione accentuata dal taglio drammatico della luce, per il carattere dei personaggi, a cominciare dal protagonista, ritratto nel momento in cui sta per abbandonare la professione di esattore delle imposte e farsi discepolo di Cristo. Colto in quell'attimo decisivo, si indica stupefatto col dito: io? Vuoi proprio me, Signore?

Infine la chiesa di Sant'Agostino a due passi da piazza Navona, la cui facciata venne rivestita con lastre di travertino prelevate dal Colosseo. Qui si può ammirare la *Madonna dei pellegrini*, uno dei quadri più conturbanti del maestro. Anche a un profano salta all'occhio la visione straordinaria di quella Vergine, che è in realtà una qualunque donna romana col bambino in braccio, bellezza popolana come lo era la modella Lena che per il quadro posò, collocata in posizione appena sopraelevata rispetto ai due pellegrini: slanciata nella statura, forse lievemente fuori scala, intenta ad ascoltare la preghiera dei viandanti, il capo inclinato verso di loro. Davanti a lei, un rozzo giovane offre a chi guarda il suo voluminoso deretano, i piedi grossi e sporchi da contadino; gli è accanto una vecchia rugosa, una povera vecchia qualunque, con i capelli raccolti dentro un sudicio cencio. Bisognerà arrivare all'Ottocento perché questo tipo di realismo, intenso fino alla visionarietà eppure spoglio, impronti di sé un'intera corrente.

Avrebbe potuto esserci di questo straordinario artista anche una settima tela collocata in un'altra chiesa, per la precisione Santa Maria della Scala in Trastevere. Le cose andarono però in un certo modo e oggi quel supremo capolavoro si trova a Parigi, al museo del Louvre.

Raccontare perché Caravaggio dipingeva in tal modo e come arrivò a quella pittura significa addentrarsi in una delle vicende più affascinanti dell'intera storia dell'arte. Lo sfondo è Roma negli anni a cavallo tra la fine del Cinquecento e l'inizio del secolo successivo: disordine, ferocia, miracoli e atrocità della fede, una continua turbolenza, una città agitata da cento problemi pratici e religiosi, piena di rischi, di cui la vita di Michelangelo Merisi, detto il Caravaggio, diventa specchio. Di lui ci sono note soprattutto le intemperanze, l'alterigia, l'incostanza, i colpi inaspettati. Questa sua cattiva fama viene dalla frammentarietà delle notizie che lo riguardano? O non piuttosto dal carattere stesso della sua pittura, dal fondo oscuro del suo realismo? In un'epoca in cui la Chiesa cattolica, sgomenta di fronte al dilagare delle confessioni protestanti, cerca d'imporre un'arte edificante, idealizzata, fortemente ideologica, Caravaggio dipinge come se le crude verità della vita si rivelassero per la prima volta: i santi e le vergini non fissano rapiti il cielo, non sono sormontati da ghirlande angeliche, non congiungono estatici le mani nella preghiera. Nella gloria o nel martirio restano in primo luogo esseri umani, e dei loro corpi umani mostrano i segni: la fatica, la vecchiaia, la malattia, la miseria e il peso della carne. Ci sono la tortura e la morte in quei quadri, le vittime riverse a terra nel loro sangue e gli assassini con la lama in pugno mentre stanno per assestare il colpo.

Quando Michelangelo Merisi da Caravaggio arriva a Roma, nell'autunno del 1592, ha poco più di vent'anni e nessuna reputazione. Un tal Luca, barbiere, lo descrive così: «È un giovenaccio grande di vinti o vinticinque anni con poco di barba negra, grassotto con ciglia grosse ed occhio negro che va vestito di negro non troppo ben in ordine, che portava un paro di calzette negre un poco stracciate, che porta li capelli grandi longhi dinanzi». Sono parole prese da un «verbale di polizia giudiziaria», come lo chiameremmo oggi, seguito inevitabile di una delle risse nelle quali il giovane pittore si trovava coinvolto: un precipitoso scalpiccio, assalti repentini e poi corse a perdifiato, richiami soffocati nelle concitate notti romane, grida, vicoli oscuri dalle mura sbrecciate, solcati da rigagnoli di sospetta origine. Sull'oscurità del suo colore molti hanno scritto; c'è chi, esagerando, attribuisce alle sue «ciglia grosse ed occhio negro» il carattere delle opere. Giovan Pietro Bellori, intellettuale e intenditore d'arte (1613-1696) scrive nel suo *Vite de' pittori e scultori moderni*: «Il modo del Caravaggio corrispondeva all'apparenza sua ovvero fisionomia; egli aveva complessione oscura ed occhi oscuri, il ciglio e la chioma erano neri, sì che tale colore specchiavasi nella sua pittura».

Michelangelo nasce nel 1571, anno fatale nel quale, a Lepanto, la flotta della coalizione cristiana infrange il mito dell'invincibilità saracena. Va a bottega a Milano, forse frequenta Venezia, ma quando ha poco più di vent'anni è a Roma, meta preferita di ogni artista di talento così come lo saranno Parigi alla fine del XIX secolo, New York alla fine del XX. Si tratta di cominciare come apprendista da un tal Giuseppe Cesari, detto il Cavalier d'Arpino. Non si potrebbe immaginare un maggior contrasto di temperamento; i due sono quasi coetanei, Cesari è di appena tre anni più anziano, ha avuto un'infanzia misera, figlio com'è di un mediocre disegnatore di ex voto; in compenso s'è affermato subito perché sa come trovare le protezioni giuste, compresa quella del papa. Si produce in una pittura elegante, decorativa, facile, quindi molto ricercata. Il successo lo tiene in buona salute rendendolo «allegro, faceto, libero di sentimento». Solo negli ultimi anni di una vita piuttosto lunga (1568-1640) lo si vedrà inclinare verso la malinconia, ma sono cose che, nei vecchi, non stupiscono.

Vivacissima era la sua bottega dalle parti di piazza della Torretta. Vi lavoravano molti ragazzi, italiani e del Nordeuropa. Atteggiandosi a erede di Raffaello, il Cavaliere distribuiva gli incarichi a quella folla di discepoli e lavoranti: a uno la cornice ornamentale, a un altro finiture di poco conto, a chi qualche fiore, a chi un frutto. Il ventenne Caravaggio fa parte della bottega, vi trova anche alloggio, benché si tratti, pare, solo d'un pagliericcio collocato in un angolo. Fiori e frutta toccano anche a lui. Secondo il Bellori «fu applicato a dipinger fiori e frutti sì bene contraffatti che da lui vennero a frequentarsi a quella maggior vaghezza che tanto hoggi diletta». Durò così per nove mesi circa, poi ci fu un incidente, o una rissa, che gli ridusse una gamba a mal partito; dovette ricoverarsi all'ospedale della Consolazione e, una volta risanato, del Cavaliere e della sua bottega non volle più saperne. Dei tanti frutti che dovette dipingere resta comunque traccia insigne sia nel *Bacchino malato* sia nel *Fanciullo con canestra di frutta*, anche se, in entrambi, sono le figure umane a dare il connotato principale e nei lineamenti dei due giovinetti c'è già tutto Caravaggio.

Quale Roma il geniale e inquieto ventenne conobbe? Alla fine del Cinquecento la capitale della Chiesa cattolica era poco più di un villaggio attraversato dalle greggi e disseminato di maestose rovine. I palazzi principeschi levavano la loro mole su una distesa di casupole per lo più a due soli piani, edificate con materiali miseri, abitate da gente ancora più misera. La popolazione superava di poco i centomila abitanti; subito al di là delle mura, spesso anche al loro interno, vaste zone s'erano coperte di fitta vegetazione, qua e là interrotta dallo sperone o dalla cuspide di un'antica maceria. Tra i cattolici c'era chi si rallegrava di questa rovina. Il gesuita Gregory Martin scriveva nel 1581 a un suo corrispondente: «Dove tutta la bellezza era sui sette colli, che cosa c'è ora se non desolazione e solitudine? Non una dimora, non una casa, ma solamente qua e là molte buone e sante Chiese di grande devozione ... il regno di Cristo ha rovesciato l'impero di Satana».

Nonostante l'abbondanza di edifici sacri, Roma è una città turbolenta e pericolosa com'è sempre stata. In epoca classica Giovenale ammoniva in una satira: «Chi esce di notte per andare a cena dagli amici, meglio che faccia testamento»; ancora nell'Ottocento il Belli titolerà uno dei suoi sonetti *Chi va la notte va alla morte*. Nel XVI secolo uscire nelle strade buie e deserte dopo il tramonto poteva trasformarsi in un'avventura fatale. Chiunque fosse in grado di difendersi girava armato di spada o di stocco, anche se ufficialmente era proibito. Le persone dabbene, le fanciulle, gli anziani, evitavano di uscire di casa dopo il calar del sole. Ma c'era naturalmente chi le avventure, comprese quelle sessuali, andava a cercarle proprio nel buio della notte, a costo di correre qualche rischio. Tra questi, molti artisti, compresi i numerosi stranieri che Roma attirava con la trasparenza della sua luce incomparabile. Costoro usavano incontrarsi nelle bettole dalle parti di «platea Trinitatis» (oggi piazza di Spagna) dominata, alla sommità di un erto pendio erboso, dalla mole di Trinità dei Monti. Compagnie rumorose, cene che andavano avanti a lungo tra lazzi e risa, scurrilità e sfide, in un'atmosfera all'apparenza cameratesca che spesso nascondeva sentimenti aspri. La concorrenza tra gli artisti era accesa e questo fomentava gelosie, invidie, litigi, truffe, scambi di accuse, una delle più frequenti e infamanti (gravida di possibili conseguenze penali) essendo quella di sodomia.

Un'altra zona fittamente popolata si trovava alle pendici del Campidoglio, lambiva il teatro di Marcello, comprendeva il ghetto degli ebrei. La taverna del Moro, del Lupo, dell'Orso, della Torre, del Turco erano i nomi dei luoghi dove si beveva fino a notte fonda e non era difficile trovare la compagnia di donne che sbrigavano i clienti a volte in casa, altre direttamente in un angolo appartato. Esistevano anche numerose case di meretricio, fitte nella zona del mausoleo d'Augusto.

La grande abbondanza di preti, soldati, avventurieri, pellegrini, tutti ufficialmente celibi o privi di compagnia femminile, faceva sì che le prostitute affluissero in massa da ogni dove, certe di un buon investimento. All'inizio del XVII secolo si calcolò che a Roma ve ne fossero non meno di tredicimila, vale a dire diciotto ogni cento abitanti di sesso femminile, comprese le donne più anziane e le bambine. Proprio al denaro delle prostitute ricorse del resto papa Leone X istituendo un'apposita tassa per finanziare la costruzione di via di Ripetta. Ancora oggi Roma è una delle poche città al mondo che abbia una piazza intitolata a una celebre cortigiana ancorché «cortigiana honesta» o, come diremmo oggi, «mantenuta d'alto bordo». Si tratta di piazza Fiammetta, nei pressi di via dei Coronari, dedicata a Fiammetta Michaelis, amante fra i tanti di quel Cesare Borgia figlio naturale di papa Alessandro VI e più noto, anche per merito di Machiavelli, come il Valentino. Fiammetta aveva dimora al 16 di via Acquasparta, proprio all'angolo con la piazzetta che oggi porta il suo nome. Come la maggior parte delle colleghe si recava nella vicina chiesa di Sant'Agostino per confessarsi e pregare, facendo generose elargizioni per le anime del purgatorio. In quella chiesa venne sepolta, anche se ogni traccia della tomba è poi scomparsa.

Un'altra caratteristica della Roma seicentesca era la quantità di mendicanti che affollavano ogni strada e ogni incrocio.

Per lo più si trattava di persone che vivevano professionalmente di carità, zingari considerati «l'emblema stesso della miseria» o dell'imbroglio, rappresentati spesso nell'immaginario collettivo come ladri astuti o rapitori di bambini; oppure pellegrini poveri in cerca di un po' di denaro per tornare a casa. Secondo il cronista Camillo Fanucci, «a Roma non vedi che mendicanti, così numerosi che è impossibile camminare senza averli intorno». Papa Sisto V li bollò con parole durissime, dicendo che vagavano come animali selvatici disturbando con i loro lamenti il raccoglimento dei fedeli. In alcuni dipinti di Caravaggio, mendichi e imbroglioni sono rappresentati all'opera: nella *Buona ventura* una zingara deruba un povero pollo mentre gli legge la mano; nei *Bari*, due pittoreschi imbroglioni si accingono a spennare uno sprovveduto giovinetto.

Ci fu anche chi trattò poveri ed emarginati in modo diverso, facendo prevalere la compassione. Tra questi Filippo Neri, una delle figure più affabili della tradizione cattolica, ribattezzato dal popolo romano «Pippo bono». Filippo girava per i quartieri più poveri, le carceri, gli ospedali, attento soprattutto ai bambini abbandonati, che si trovavano dappertutto, destinati alla delinquenza o alla prostituzione. Con un misto della natia arguzia fiorentina e dell'acquisito buon senso romano, intratteneva i fanciulli, li faceva cantare, giocare, sorridere, nello stesso tempo cercava di insegnar loro qualche cosa tenendoli comunque lontani dalla strada e quasi sempre dal digiuno.

Nel gran teatro ora ilare ora sinistro, molto spesso imprevedibile, che erano le strade di Roma, bisogna includere anche le esecuzioni capitali che avevano luogo all'estremità di ponte Sant'Angelo (comodo per la vicinanza al carcere di Tor di Nona) o in piazza del Popolo o in Campo de' Fiori. In piazza del Popolo, nel novembre 1825 vennero messi a morte «per volere del papa», come recita una lapide, i due carbonari Angelo Targhini e Leonida Montanari, rei di «lesa maestà e per ferite con pericolo». L'anno dopo vi si tenne l'ultima esecuzione «per mazzolatura» ai danni di un certo Giuseppe Farina, che aveva ucciso un prete per derubarlo. Gli spettacoli delle pubbliche esecuzioni erano così frequenti che i clienti della locanda del

Sole in Campo de' Fiori lamentavano, annota Ferdinand Gregorovius nella sua monumentale *Storia di Roma nel Medioevo*, di «dover assistere ogni giorno allo spettacolo di qualche supplizio oppure mirare nelle vicinanze penzolare dalle forche qualche impiccato».

Ma uno dei luoghi più celebri deputati alle esecuzioni era il ponte Sant'Angelo, già ponte Elio, concepito da Adriano come ingresso monumentale al suo mausoleo. Il ponte continuò a chiamarsi Elio fino al VII secolo, quando papa Gregorio Magno ebbe la visione di un angelo che rinfoderava la spada così annunciando la fine di una terribile pestilenza. Da quel momento castello e ponte presero il nome attuale: Sant'Angelo. Quando Bonifacio VIII proclamò nel 1300 il primo Anno santo, il ponte ebbe un ruolo protagonista. Al centro vi sorgeva una fila di minuscole botteghe che avevano il doppio scopo di fare mercato e di dividere in due (andata e ritorno) il flusso dei pellegrini. Dal 1488 il ponte diventò il luogo dove venivano esposte le teste dei decapitati o dove venivano lasciati a ciondolare gli impiccati a esecuzione avvenuta. Le dieci belle statue che ora lo adornano, quasi un'ideale via crucis, furono scolpite da allievi del Bernini su suoi disegni. Due soli angeli l'artista eseguì direttamente: quello con la corona di spine e quello che sorregge un cartiglio. Dopo una serie di movimentate circostanze, le due statue «originali» finirono però nella chiesa di Sant'Andrea delle Fratte, dove tuttora si trovano. Per ciò che riguarda il nostro racconto, sulla piazza di ponte Sant'Angelo avvenne un'esecuzione atroce e memorabile, di tale importanza, in generale e per la vita di Caravaggio, che vale la pena di aprire una digressione per raccontarla.

L'11 settembre 1599, giornata di caldo afoso, sulla piazza di ponte Sant'Angelo vengono messi a morte Beatrice Cenci, la sua matrigna Lucrezia, suo fratello Giacomo. Si conclude così un caso criminale destinato a tale rinomanza da suscitare un vero e proprio mito che ispirerà artisti come Stendhal, Shelley e Dumas, Guido Reni, Delaroche e Moravia, oltre a numerosi registi di cinema. Nel tenebroso affare s'erano mescolati molti elementi atti ad accendere le discussioni e a turbare le fantasie: la giovane età di Beatrice, poco più che ventenne, le violenze anche di tipo sessuale subite, le controversie giuridiche, le stesse remote motivazioni del fatto. Beatrice è così diventata di volta in volta simbolo della ribellione giovanile contro la tirannia dei genitori, della bellezza ammaliatrice, dell'innocenza punita, della donna oppressa che cerca a ogni costo la sua indipendenza.

Beatrice era figlia di Francesco Cenci, uomo depravato e tirannico, di declinante fortuna economica. Sposato una prima volta a soli quattordici anni, aveva messo al mondo dodici figli, sette dei quali arrivati all'età adulta. Morta la prima moglie, Ersilia Santacroce, s'era risposato con Lucrezia Petroni, vedova benestante, madre a sua volta di tre figli. Beatrice era cresciuta nell'antico palazzo Cenci, di fronte all'Isola tiberina, nell'area del vecchio ghetto, diventando una bella ragazza, spregiudicata, amante della vita, forse troppo, almeno agli occhi di suo padre che la relega, insieme alla seconda moglie Lucrezia, nella fortezza di Petrella Salto, appena fuori dello Stato pontificio, verso l'Abruzzo, territorio del Regno di Napoli. Nei fatti, per Francesco Cenci la reclusione era motivata dalla necessità di dividere i figli e impedire che, coalizzandosi, attentassero alle sue quasi esauste risorse. «Voglio che crepi qua su» aveva detto senza mezzi termini a Lucrezia accompagnandola in quella rocca desolata nel feudo di Marzio Colonna, al quale l'ha chiesta in prestito.

A guardia delle donne vengono assegnati un paio di servi, tra i quali un tal Marzio Floriani detto Catalano, che verrà poi indicato come uno degli esecutori del crimine, nonché Olimpio Calvetti, fedele castellano dei Colonna, un cinquantenne energico, descritto come «homo grande de bell'aspetto», con un valoroso passato avendo preso parte con Marcantonio Colonna, nel 1571, alla leggendaria battaglia di Lepanto. Tra Beatrice e Olimpio, sposato con tal Plautilla Gasparini, cominciò un rapporto che probabilmente la ragazza s'adoperò di accendere. Fatto sta che Beatrice cominciò a pregare Olimpio di aiutarla a uccidere suo padre, utilizzando, se del caso, uno dei numerosi briganti che s'aggiravano per quelle terre. In realtà si usò un metodo diverso e fu Giacomo a far arrivare alla sua inquieta sorella una dose fatale di oppio o altra droga soporifera. All'alba del 9 settembre 1598 il cadavere di Francesco Cenci viene trovato con la testa spaccata nell'orto sottostante il balcone della rocca. Il parapetto del medesimo balcone si presenta rotto e piegato verso l'esterno; nel pavimento uno squarcio come se una delle assi avesse ceduto sotto il peso dell'uomo. Dopo una cerimonia in chiesa, Francesco viene sbrigativamente seppellito insieme al suo torbido passato. L'uomo infatti era stato accusato più volte di sodomia, reato per il quale era previsto addirittura il rogo. Quattro anni prima, durante un processo a suo carico, un testimone aveva dichiarato: «Io molte volte ho visto che il signor Francesco chiamava delli ragazzi et li menava nella stalla dove stavo ancora io, et lì nella stalla in presentia mia li basava et li slacciava le calze et poi mi diceva a me "Mattheo va via"». Accusato anche da alcune serve di aver avuto con loro rapporti *in vase indebito*, Francesco s'era difeso non negando il fatto, ma precisando che quei rapporti s'erano svolti «al modo ordinario, come fanno gli uomini dabbene, dalla parte dinanzi». Testimonianza smentita da un'altra serva che aveva dato convincenti dettagli sull'oltraggiosa condotta dell'uomo: «Mi disse se io avevo male nessuno; al che replicandogli io di no, lui di novo disse "no, no, io ho paura che tu non habbi male et che non mi attacchi male. Io non lo voglio fare così. Voltati dall'altra banda", che non mi volendo io voltare, lui mi voltò per forza et mi appoggiò a una sedia». Tutti precedenti che durante il processo a Beatrice avranno un certo peso, non però risolutivo.

Seppellito dunque Francesco, il caso può ritenersi chiuso, ma non è così. Le voci che l'uomo sia stato assassinato inducono le autorità ad aprire un'inchiesta per «fama», cioè per i sospetti diffusi tra la gente. Risolte alcune complicate questioni di competenza territoriale, l'indagine appura una serie di circostanze inquietanti. Saltano fuori le lenzuola e il materasso del letto di Francesco abbondantemente intrisi di sangue, laddove accanto al suo cadavere di sangue se n'era trovato pochissimo e già questo aveva fatto sospettare che l'uomo fosse morto altrove. S'accerta che il foro nelle assi del balcone è così esiguo che a stento il corpo voluminoso dell'uomo ci sarebbe passato: «Di nessuna maniera in quella larghezza di detto buscio non capeva né poteva capere il corpo di detto signor Francesco. Difficilmente ce sarebbe caputo un corpo sottile et secchetto et il signor Francesco era grasso». Per di più, anche se di accidente si fosse trattato, l'esiguità del passaggio avrebbe facilmente consentito allo sventurato di aggrapparsi al ferro del parapetto che quindi avrebbe dovuto essere piegato verso l'interno e non nella direzione opposta.

Dopo l'arresto, il Catalano viene spogliato e condotto nella stanza della tortura, in base alla procedura detta *territio*, che ha lo scopo di terrorizzare l'imputato con la minaccia del supplizio. La vista degli strumenti pronti all'uso basta a convincerlo: racconta tutto per filo e per segno, di come le due donne vivessero in stato di ingiusta reclusione, delle angherie subite da parte del tirannico Francesco, delle violenze patite, lasciando intendere che di Beatrice il padre avesse anche abusato sessualmente. Da lì era nata l'idea di stordirlo con del vino oppiato, finirlo a randellate e poi gettarne il corpo di sotto a simulare un incidente. Questo embrione di «delitto perfetto» si rivela in realtà un mal combinato pasticcio. Nulla va per il suo verso; l'oppio non basta ad addormentare Francesco «lasciandolo solo un poco sbalordito»; l'ammazzamento dura un tempo considerevole: «Et io gli detti due botte al detto signor Francesco, con detto stenderello nelli stinchi et così l'ammazzassemo. Et faceva molto sangue che era una rovina lì nel letto et che sfondò li materassi et la lana et macchiò et insanguinò tutte le lenzola».

Gli inquisitori hanno adesso una confessione, la prova regina. Le due donne e gli altri complici vengono imprigionati a Castel Sant'Angelo. Beatrice però continua a negare: sia lei sia il fratello Giacomo sono sicuri di cavarsela. Non possono essere torturati in quanto appartenenti alla nobiltà e c'è nel loro atteggiamento davanti ai giudici un misto di ingenuità e di arroganza tipico di certi rampolli aristocratici.

Il Catalano viene sottoposto a tortura, lei presente, con una procedura che dà valore di verità alle sue dichiarazioni; poco dopo lo sventurato muore. Beatrice e Lucrezia però continuano a negare, certe di alcuni appoggi importanti sui quali confidano. Smentendo le loro speranze, quasi nessuno si fa vivo. Unica eccezione, l'ausilio scellerato di un monsignore amico che fa uccidere Olimpio Calvetti per evitare un'ulteriore confessione. Tre sicari riescono ad attirare Olimpio in un luogo isolato e lo decapitano, mossa improvvida oltre che feroce. L'assassinio dell'imputato e testimone inasprisce l'atteggiamento dei giudici, che rendono più dura la prigionia delle due donne e sottopongono a tortura prolungata un fratello del Calvetti ritenendolo al corrente dei fatti. L'atto decisivo viene però dallo stesso papa Clemente VIII; nell'agosto 1599 emana un *motu proprio* con il quale autorizza il tribunale a torturare anche le due Cenci, ritenendole comunque colpevoli. Il fratello Giacomo, sottoposto alla tortura della corda «per il tempo di un *Credo*» confessa, attribuendo però tutta la colpa al defunto Olimpio. Pochi giorni dopo anche l'altro fratello Bernardo, minore d'anni, confessa. È la volta di Lucrezia; in segno di riguardo viene sottoposta al tormento senza essere denudata né depilata come imporrebbe l'uso. Confessa lei pure: denuncia come responsabili Beatrice e il suo drudo Olimpio.

Il 10 agosto arriva infine il turno di Beatrice. Il giudice la tratta subito rudemente, ammonendola a non mentire; la fanciulla continua a negare. Il giudice tenta a modo suo di aiutarla dicendole di essere al corrente delle violenze d'ogni tipo che il padre le ha inflitto. Beatrice insiste nella sua versione. Giacomo e Bernardo vengono torturati sotto i suoi occhi per indurla a confessare e infine lei stessa è appesa (vestita) alla corda. A quel punto cede: «Quae sic elevata dixit. Oimé, oimé, o Madonna santissima ajutame. Deinde dixit: calateme che voglio dire la verità».

La tortura della corda era quasi insostenibile. Consisteva nel legare all'imputato le braccia dietro la schiena con i polsi serrati da una stringa di pelle. Alla stringa era poi assicurata una corda robusta con la quale lo sventurato veniva innalzato restando sospeso a mezz'aria per un tempo variabile, misurato dalla lunghezza di varie preghiere, dal *Gloria* al *Credo*. Ne conseguiva un dolore atroce e, in caso di carnefici maldestri o sadici, slogature o addirittura storpiature permanenti.

L'estrema difesa di Beatrice, sostenuta da un certo Prospero Farinacci, fece perno sulle violenze e sullo stupro subiti a opera del padre e tentò di dare il massimo peso agli infami precedenti del defunto. Non ci fu niente da fare, e del resto il *motu proprio* papale aveva già sigillato la sentenza che fu infatti di morte.

Alle nove e mezzo dell'11 settembre 1599 i confratelli di San Giovanni Decollato accompagnano salmodiando i condannati al patibolo. Solo Bernardo si salva a causa della giovane età; assiste alle esecuzioni dal palco per poi, in catene, essere trasferito al remo sulle galere pontificie. La prima a morire è Lucrezia che, issata in lacrime, viene decapitata. Subito dopo tocca a Beatrice. Tale fu la violenza del colpo che per reazione nervosa «le si alzò una gamba con tal furia che quasi buttò li panni in spalla». La fine di Giacomo è la più atroce e bisogna mettere nel conto che già sulla carretta, nel tragitto dal carcere al patibolo, aveva dovuto subire la lacerazione delle carni con tenaglie incandescenti. Giunto il suo turno, viene prima stordito con un colpo di mazza («mazzolamento»), quindi scannato e squartato.

Terminato lo spettacolo, l'immensa folla lentamente si disperde. La calca è stata tale che, data anche la grande calura, vengono registrate parecchie morti per soffocamento o insolazione. I resti dei condannati rimangono esposti per ventiquattro ore, meta di pellegrinaggio e di curiosità popolari: le due donne su un cataletto con torce accese intorno, Giacomo appeso, squartato, a una rastrelliera. Dal luogo stesso del supplizio si diffonde la memoria mitica che accompagnerà Beatrice. Cominciano anche a circolare voci che Clemente VIII abbia deciso le esecuzioni per confiscare le proprietà dei Cenci. È accertato che all'asta dei beni della famiglia, qualche mese dopo il supplizio, il pontefice fece comprare a suo nipote gran parte delle proprietà.

Secondo alcune testimonianze i due carnefici – mastro Alessandro Bracca e mastro Peppe – conclusero tragicamente la loro vita: il primo morì tredici giorni dopo l'esecuzione, oppresso da incubi notturni e dal rimorso d'avere inflitto così feroci tormenti, in particolare l'attanagliamento di Giacomo Cenci; il secondo venne accoltellato a porta Castello, un mese dopo la morte di Beatrice.

Mescolati alla folla strabocchevole che assistette alla decapitazione di Beatrice e degli altri c'era sicuramente Caravaggio, in compagnia di Orazio Gentileschi accompagnato dalla giovane figlia Artemisia, pittrice come suo padre. È probabile che durante il supplizio Caravaggio abbia osservato con attenzione il comportamento dei condannati, memore del consiglio di Leonardo ai pittori di studiare «gli occhi dei sicari, il coraggio dei lottatori, le azioni dei commedianti e gli allettamenti delle cortigiane, al fine di non esser manchevoli in nessun particolare in cui consiste la vita stessa della pittura» (così Giovanni Paolo Lomazzo nel *Trattato dell'arte della pittura*). Non è sicuramente un caso che sia lui sia Artemisia abbiano poi dipinto lo stesso soggetto *Giuditta che decapita Oloferne*, rendendo in modo così crudo il gesto omicida, con un'effusione addirittura eccessiva di sangue. Insieme all'amore, divino o carnale, buona parte delle pitture di Caravaggio raffigura una qualche forma di morte o di martirio; con l'avanzare degli anni e della sua pena, quei temi ricorrono sempre più spesso. Fonte primaria è la storia sacra, le vite dei martiri e dei santi. Ma l'artista trasferisce sulla tela il colore cupo delle esperienze vissute: il nero della notte, gli agguati, il repentino balenio d'una lama, le teste spiccate dal busto nel clamore d'una piazza gremita. Lucia, Oloferne, Golia, il Battista: egli dipinge ciò che vive e vede, le sue pitture riflettono la violenza di Roma.

Regista occulto del processo a Beatrice era stato papa Clemente VIII, al secolo Ippolito Aldobrandini. Fisicamente si presentava «di comune statura, di complessione tra sanguigna e flemmatica, di grave e nobile aspetto, di corpo eccedente un poco il ripieno». Di temperamento era cauto e sospettoso, incline alla diplomazia: tra le due correnti che dividevano la curia, i filofrancesi e i filospagnoli, evitò di prendere posizione netta, anche se fece intravedere la possibilità di un'udienza agli emissari di Enrico IV, già capo degli ugonotti francesi, il quale, dopo la scomunica inflittagli da Sisto V, cominciava a considerare i vantaggi di un ritorno alla cattolicità.

Ippolito era uomo pronto alla commozione, assai devoto, intenerito dalla povertà. Per ciò che più ci interessa, lo sappiamo ossessionato dalla sessualità, si trattasse di scacciare le prostitute dalle strade o di combattere il nudo nell'arte. Arrivò a organizzare un giro nelle chiese per assicurarsi che fossero rimosse le immagini licenziose o profane, giudicando particolarmente conturbanti quelle della Maddalena. Tutto sommato, incarnò lo spirito della Controriforma, che chiedeva anche all'arte raffigurazioni capaci di rinvigorire la fede. Il concilio di Trento aveva dettato regole precise, esigendo dagli artisti opere decorose, corrette dal punto di vista dottrinale, che escludessero «quanto è profano, volgare od osceno, disonesto o licenzioso». Del resto, già nel 1564 il pittore Daniele da Volterra aveva dovuto ricoprire nelle «parti vergognose» i nudi michelangioleschi della Sistina guadagnandosi così il derisorio nomignolo di «Braghettone» (solo nell'Unione Sovietica di Stalin si stabiliranno per l'arte regole altrettanto severe e sarà il cosiddetto «realismo socialista», con controlli di tipo poliziesco estesi alle coscienze prima ancora che alle opere).

Nella Roma della Controriforma erano previste punizioni e multe per i disobbedienti, oltre naturalmente alla perdita di incarichi e committenze. Tra i più convinti assertori di questo indirizzo c'è lo storico Cesare Baronio, sacerdote e poi cardinale, direttore della biblioteca vaticana, fanatico religioso, teorizzatore di una pittura che oggi chiameremmo «mediatica», vale a dire accessibile a tutti, con figure che sembrino vere, tradizionale nella forma, rassicurante nei contenuti, aderente alla dottrina nei soggetti, che sono spesso scene di martirio con particolare insistenza sulle vergini sacrificatesi nei primi secoli del cristianesimo: Cecilia, Prudenziana, Lucia, Felicita, Perpetua, Priscilla. Una galleria di giovani donne disposte a rinunciare alla vita ma non alla castità, un'ideologia sessuofobica che la Chiesa cercherà di tenere in vita fino al XX secolo con Maria Goretti. Che la forza di persuasione delle immagini fosse superiore a quella della scrittura era chiaro già allora. Il cardinale Gabriele Paleotti, in uno scritto sull'argomento, proclama benefica la commozione prodotta da un'immagine che tutti, compresi gli analfabeti, possono capire: «Tanto accresce la devozione e compunge le viscere, che chi non lo conosce è di legna o di marmo».

Per capire le ragioni di un atteggiamento tanto repressivo si deve considerare che la Chiesa stava attraversando una crisi drammatica. Il Nordeuropa è scosso dalla Riforma, da sudest incalza il pericolo turco, sono passati solo pochi decenni da quando (1527) la stessa Roma è stata messa a ferro e fuoco dalle truppe imperiali, in città può accadere che le due fazioni nelle quali si divide la corte pontificia, i filospagnoli e i filofrancesi, si affrontino in strada con le armi in pugno.

Quanto a Caravaggio, nel 1595, dopo aver abitato numerose dimore scomode e provvisorie, entra al servizio del cardinale Francesco Maria del Monte e s'installa a palazzo Madama. Alcuni anni dopo, nel 1601, si trasferirà a palazzo Mattei, splendida residenza del cardinale Girolamo Mattei, dalle parti delle Botteghe Oscure. Sono alloggi assai più confortevoli di quelli che ha conosciuto; le persone che frequentano queste case sono tra le più vivaci che ci siano a Roma dal punto di vista intellettuale, soprattutto musicisti e letterati, pronti tutti a ostentare squisite predilezioni. Se nelle chiese le pitture devono rispettare l'ortodossia e spingere i fedeli alla pietà, nelle dimore di questi patrizi, ecclesiastici e laici, si espongono volentieri quadri di argomento audace, quando non lascivo. Si tratta per lo più di scene dove la nudità femminile e la contiguità di corpi ignudi vengono giustificate con episodi della storia antica o dei miti, il che non ne attutisce la sensualità, al contrario, rendendo allusivi i riferimenti, spesso la rafforza. Le pitture più licenziose sono comunque confinate in stanze segrete, talvolta nascoste da una tendina che il padrone di casa solleva come un minuscolo sipario a beneficio degli amici più fidati.

Il giovane pittore si trova ora al centro della vita artistica romana animata da cardinali che sono principi del mondo prima che della Chiesa. Oltre a Del Monte ci sono Ferdinando de' Medici, Pietro Aldobrandini, Alessandro Montalto; loro i palazzi più sontuosi e le ville più amene sulle alture del Pincio o, fuori città, sui colli Albani, gradito riparo dalla calura estiva.

Non per questo Caravaggio cambia le sue abitudini; gode

certo della compagnia, ne ricava guadagno, ispirazione e forma per la sua pittura, ma non smette le sue agitate scorribande notturne. Lo dimostra, per esempio, il fatto che, mentre il suo cardinale accompagna il papa a Ferrara per celebrare l'acquisizione della città allo Stato pontificio dopo la morte di Alfonso II d'Este, il pittore viene ancora una volta arrestato in piazza Navona per porto abusivo d'armi. Il suo temperamento non cambia, anzi, con l'accrescersi della fama, l'atteggiamento si fa spavaldo, vanesio talvolta. Si lascia coinvolgere in risse di strada, offende gli antagonisti, se questi replicano snuda la spada, pronto a battersi; oppure reagisce con gesti sfrontati, come quando getta un piatto di carciofi in faccia a un povero cameriere che gli ha obiettato qualcosa. I suoi amici, pittori e no, sono per lo più spadaccini, abili giocatori di pallacorda, pronti anche loro a metter mano al coltello, allegri compagni di bevute e di bordello. Egli stesso ha commercio carnale sia con donne sia con uomini, a prendersi una durevole compagna non pensa neppure, se ha un qualche legame meno effimero è, in due o tre occasioni, con certi giovanotti di belle membra e modi sfrontati.

Eppure, a dispetto di ogni più rumorosa compagnia, sulla figura dell'artista resta come sospesa un'ombra di riservatezza e d'isolamento. Caravaggio è aggressivo, pronto alle avventure e al rischio, porta volentieri la spada al fianco, forse la stessa temibile arma ritratta nel dipinto *Santa Caterina d'Alessandria*; tuttavia, come ha scritto il medico senese e conoscitore d'arte Giulio Mancini nel suo *Considerazioni sulla pittura*, «non si può negare che non fusse stravagantissimo» e quella nota definita «stravaganza» possiamo facilmente decifrarla come un'inquietudine profonda dovuta a chissà quale segreta tensione dell'animo o forse alla consapevolezza orgogliosa di essere il più dotato tra quanti in quegli anni a Roma dipingevano tele e pale d'altare.

Dotato in che senso? In un libro come questo, l'argomento, tante volte discusso dagli specialisti, può essere solo sfiorato. Caravaggio introduce nell'arte sacra un realismo che ne sconvolge i canoni. Nei suoi quadri compaiono i poveri, i proletari si potrebbe dire, in qualche caso addirittura i sottoproletari, gli stessi ambigui giovinetti di borgata che nel Novecento saranno raccontati, e vissuti, da Pasolini. Un ragazzo romano, preso da chissà quale strada e dedito a chissà quali traffici, fa da modello per san Giovanni Battista. Nei quadri di Caravaggio non c'è più nulla della raffinata bellezza di Raffaello, della prestanza del Buonarroti. Santi, soldati, testimoni, protagonisti e comparse non nascondono l'età, hanno carni screpolate e rugose, le vene rilevate di chi fa lavori pesanti, tozze le membra, i piedi enormi quasi sempre sporchi, indosso le logore vesti dei poveri. Si capisce che sono analfabeti: se stringono un libro lo fanno con l'impaccio di chi non ne ha l'abitudine. I ragazzi, ignudi o seminudi, fissano il pittore (e chi guarda la tela) con una sfrontatezza sconosciuta fino a quel momento, sorridono invitanti, ammiccano. Sono quadri di soggetto sacro, ma ogni tradizionale aura «celeste» è sparita, s'avverte anzi la pesantezza della terra, la mortalità della carne, l'alito guasto del vizio, compreso quello praticato per mestiere.

Secondo Helen Langdon, biografa dell'artista, quel modo di dipingere «si collega forse alle tattiche aggressive di Filippo Neri, al suo desiderio di umiliare un'élite raffinata, di spingergli davanti la religione dei poveri rivalutando modi d'espressione rozzi e vernacolari». Chissà se l'ipotesi è giusta. Di certo sappiamo che dell'arte sua, in un'aula di tribunale, Caravaggio dà una definizione quasi provocatoria. Dice che i buoni pittori, che lui chiama «valentuomini», sono coloro che «sappi far bene dell'arte sua, così un pittore valentuomo che sappi depingere bene et imitar bene le cose naturali». È la sua idea, un po' riduttiva, del realismo. Del resto, la tecnica che usa la rispecchia: trasferisce le figure direttamente sulla tela, forse usando una camera oscura, salvo poi immergerle in un complesso gioco di luce che solo lui è capace di padroneggiare. Una sua padrona di casa lo citò per i danni provocati al soffitto d'una stanza. Non è impossibile che il pittore vi avesse aperto un buco per far spiovere sui modelli la luce che andava cercando. Le sue strabilianti invenzioni gli danno fama e successo, ma attirano anche molte critiche e non solo da parte di chi lo invidia. Alcuni avversari lo giudicano «povero d'inventione e di disegno, senza decoro e senz'arte, coloriva tutte le sue figure ad un lume, e sopra un piano, senza digradarle».

Spesso sfugge ai committenti la portata rivoluzionaria della sua pittura, il sentimento di fede che poteva suscitare nei più umili, i quali in santi e martiri così raffigurati avrebbero finalmente potuto riconoscersi. Un suo san Matteo viene rifiutato dai preti che lo hanno commissionato perché «quella figura non aveva decoro, né aspetto di santo». Scandalo anche maggiore suscita il quadro che rappresenta *La morte della Vergine*, da collocarsi, precisano i committenti, nella chiesa di Santa Maria della Scala in Trastevere. La chiesa era collegata a un monastero detto Casa Pia, organizzazione caritatevole per le donne vittime di violenze, che rischiavano di doversi vendere per sopravvivere. Nel quadro non c'è nessuno degli elementi caratterizzanti, secondo la tradizione, una rappresentazione sacra. Maria è un cadavere, il colorito cinereo, il ventre gonfio come se fosse annegata nel Tevere, la posa scomposta, i piedi grandi e nudi. Non è la «Madonna», è solo una donna morta. Gli apostoli, chini su di lei, sono dei poveri vecchi, calvi, in preda a un dolore tutto terreno. I padri carmelitani, spaventati dalla forza dell'immagine, rifiutano il dipinto. Giudicano la composizione lasciva, sospettano (e lo dicono) che la modella che ha posato sia una qualche «sudicia puttana». È questa la tela mancante cui accennavo in apertura di capitolo. Non ci fossero state quelle paure, oggi potremmo ammirarla nella piccola chiesa di Trastevere, invece di dover arrivare fino al Louvre, dov'è finita dopo molte vicissitudini.

E dire che quella povera Madonna morta è, insieme con la *Madonna dei pellegrini*, una delle immagini sacre più toccanti che il Seicento ci abbia lasciato. Ci voleva un occhio laico e disincantato per apprezzare il dipinto, e così fu. Se i frati si tirano indietro, intenditori e mercanti fiutano l'affare, sicché la tela, grazie anche all'interessamento di Rubens che l'apprezza, finisce al duca di Mantova, al quale poco importa che l'artista abbia usato come modella per la Vergine «una qualche meretrice sozza delli Ortacci da lui amata, così scrupolosa e senza devozione».

Per il quadro in effetti aveva posato una tal Maddalena Antognetti, detta Lena, che aveva già fatto da modella per la *Madonna dei pellegrini*. È un'altra storia che vale la pena di conoscere. Pare infatti che questa ragazza, amante di prelati e cardinali, nonché concubina piuttosto stabile di un tal Gaspare Albertini, fosse stata chiesta in moglie da un giovane praticante notaio. Sua madre rifiuta tuttavia la proposta e questo accade proprio nel periodo in cui Lena si reca piuttosto spesso in casa di Caravaggio per posare. C'erano tra loro anche rapporti amorosi? Lo si è ripetuto più volte, nessuno l'ha provato, è possibile. Certo è che l'andirivieni della Lena indispettisce il notaio, il quale se ne lamenta con la madre della ragazza. La discussione degenera e si chiude con le arroventate parole del giovane spasimante: «Tenetevi pure quella buona zitella di vostra figliola, che avete negato a me per moglie e dopo l'havete condotta da quel pittoraccio a farne quel che gl'è piaciuto, buon pro vi facci». Un paio di giorni dopo, Caravaggio, armato di un'accetta, affronta il poveretto in piazza Navona e gli assesta un tal colpo alla testa che quello «cadde a terra mal concio e tutto lordo del proprio sangue».

Pochi mesi dopo l'orribile morte di Beatrice Cenci e dei suoi complici, c'è a Roma un'altra esecuzione, ben più feroce, crudelmente motivata, destinata a suscitare un'eco non ancora spenta: il filosofo Giordano Bruno viene bruciato vivo in Campo de' Fiori. L'orribile vicenda comincia a Venezia, dove il filosofo, originario di Nola, è arrivato dopo lunghe peregrinazioni, Londra, Parigi, Ginevra, Francoforte, Praga, Zurigo, perennemente ramingo, mai davvero accettato né dai cattolici, lui che è un domenicano dissidente ed «eretico», né dai calvinisti o da altri riformati. «Academico di nulla academia» come egli stesso si definisce nella commedia *Il candelaio*. Un nobiluccio veneziano, Giovanni Mocenigo, lo ha invitato a dargli lezioni, diremmo oggi, di mnemotecnica. La fama di repubblica liberale e indipendente, di cui la Serenissima gode, rassicura il filosofo, tanto più che a Roma Gregorio XIV sembra garantire una certa apertura anche nei confronti di ribelli come lui. Purtroppo si sbaglia. Il rapporto con Mocenigo si incrina per ragioni forse futili: nel maggio 1592 il nobile veneziano, definito nelle carte processuali «delator», denuncia Bruno al Sant'Uffizio. Il filosofo (regnando da gennaio Clemente VIII) viene arrestato la notte del 24 maggio e tradotto nel carcere di San Domenico.

Il Sant'Uffizio, o tribunale dell'Inquisizione, è una magistratura competente per i reati contro la fede. Giudica chi manifesti opinioni difformi da quelle della Chiesa su argomenti di dottrina, ma anche filosofici e scientifici purché collegabili alla fede, un confine labile, come si vede, che dà all'istituzione una larga discrezionalità. Sulle prime, Bruno non dà molta importanza alle accuse, le giudica dei pettegolezzi, essendo le sbiadite dicerie del Mocenigo sorrette da pochi testimoni scarsi e di poco spessore. In luglio, dopo sette udienze, il filosofo taglia corto: chiede perdono in ginocchio davanti ai giudici, confidando che una blanda condanna metterà fine al tutto.

Non è così. Il tribunale veneziano è solo un organo periferico del Sant'Uffizio e gli atti devono essere trasmessi a Roma. I giudici romani leggono quei documenti con altro spirito e in vista di scopi che solo in parte riguardano l'imputato. Esaminati gli atti, l'Inquisizione chiede che Bruno sia trasferito a Roma per essere nuovamente processato. Il filosofo arriva alla fine di febbraio del 1593, ed è subito rinchiuso nelle carceri del Sant'Uffizio, presso San Pietro. Sa che la sua posizione adesso è più grave, ma inizialmente continua a non darsene troppo pensiero, anche perché conta sul misticismo di Clemente VIII. Di lui si dice che sia comprensivo con i filosofi per via di certe amicizie giovanili tra i neoplatonici padovani. In realtà Ippolito Aldobrandini, arrivato al soglio di Pietro, s'è circondato di consiglieri e confessori che si ostinano a ripetergli quanto pericolosa sia per la Chiesa ogni corrente di pensiero diversa dalla scolastica.

All'inizio il tribunale non mostra alcuna fretta di concludere l'istruttoria. La corte pontificia è divisa, l'Europa è lacerata dalla Riforma, in politica estera il papa deve fare miracoli di equilibrio per non essere travolto. Su Bruno vengono acquisite nuove testimonianze, compresa quella di un certo frate Celestino, cappuccino, al secolo Lattanzio Arrigoni, veronese, anch'egli giudicato eretico, probabilmente afflitto da turbe psichiche, che è stato in cella con Bruno a Venezia. Il frate rivela che l'imputato in carcere formulava eresie, prorompeva in oscene bestemmie. Di particolare efficacia viene considerata la deposizione di un certo Francesco Graziano, un copista udinese che sa di latino ed è quindi considerato persona colta, capace di conversare con Bruno in una lingua ormai ignota ai più. Secondo Graziano, il filosofo ha messo in dubbio dogmi rilevanti della dottrina cristiana. Aggiunge che il Nolano s'abbandonava a pratiche occulte ed esorcismi, negando il valore della messa.

Passano i mesi, gli interrogatori si susseguono: dieci, quindici, diciotto, alla fine saranno ventidue, alcuni *stricte*, cioè accompagnati da tortura. L'imputato si difende, ribatte alle accuse: Mosè «mago» certo, ma c'è nella «magia» una forte potenzialità conoscitiva che non è giusto trascurare; molteplicità dei mondi certo, ma l'ipotesi non contrasta con l'onnipotenza divina, anzi la esalta; il mondo nella sua forma attuale è stato creato certo, ma questo non vieta di considerare che la materia, al pari di Dio, sia eterna, vale a dire essa stessa immortale e immutabile. E poi: se la materia fosse davvero così, non vorrebbe dire che altri mondi potrebbero essere abitati da creature intelligenti simili all'uomo? Se Adamo ed Eva non avessero commesso il peccato originale, non sarebbero stati essi stessi immortali?

Nella sua teoria c'è il superamento dell'ipotesi copernicana che mette il Sole, immobile, al centro dell'universo. Una teoria che era stata formulata per la prima volta addirittura nel IV secolo a.C. da Aristarco di Samo, anch'egli accusato di empietà. S'era dovuto attendere il 1543 perché l'eliocentrismo ricomparisse nel libro che segna l'inizio dell'astronomia moderna, il *De rivolutionibus orbium coelestium* di Copernico. È proprio lui, Giordano Bruno, a dargli risalto nel suo capolavoro del 1584, *La cena delle ceneri*. In quelle pagine non solo difende Copernico ma delinea un universo nuovo, non si limita a porre il Sole al centro di un sistema di stelle fisse, arriva a intuire uno spazio infinito con infiniti mondi in evoluzione per un tempo infinito. Nel suo *De l'infinito universo et mondi* scrive: «Esistono innumerevoli soli e innumerevoli terre ruotano attorno a questi». Una teoria che anticipa di secoli le scoperte degli astronomi, ma che in sostanza rende eterno l'universo, esclude l'idea di un Dio creatore, s'avvicina semmai a quello che sarà il buddismo. Bruno è uscito dall'ufficialità del cristianesimo, e pagherà caro.

Pochi anni dopo il suo martirio, nel 1609, un oscuro professore di matematica di Padova di nome Galileo Galilei viene a sapere che in Olanda è stato inventato il cannocchiale. Ne costruisce uno, lo punta verso il cielo e scopre, attonito, che la Luna ha monti e valli, Venere ha fasi simili a quelle lunari, Giove ha quattro satelliti che gli girano attorno, Saturno presenta strane anomalie (i famosi anelli), il Sole ruota su se stesso, le costellazioni e la Via Lattea sono composte di innumerevoli stelle. Le scoperte entusiasmano la gente ma inquietano la Chiesa. Il 25 febbraio 1616 il Sant'Uffizio, «per provedere al disordine e al danno», stabilisce per sentenza «che il Sole sia centro del mondo e imobile di moto locale è proposizione assurda e falsa in filosofia, e formalmente eretica, per essere espressamente contraria alla Sacra Scrittura». Galileo viene imprigionato e processato dal Sant'Uffizio, che il 22 giugno 1633 gli ordina (sette voti a favore, tre contro) di abiurare. Vestito di un lungo saio da penitente, lo scienziato capitola, chiede perdono in ginocchio, baratta l'onore con la vita. Rimarrà fino alla morte agli arresti domiciliari.

Giordano Bruno invece non si piega. Passano i mesi e gli inquisitori si rendono conto di essersi cacciati in un vicolo cieco. L'imputato non reagisce come ci si sarebbe aspettati. Isolato davanti alla corte di un regime assolutistico, Bruno avrebbe in teoria soltanto due modi per salvarsi: abiurare le sue idee o dimostrare di essere stato frainteso, che era un altro modo di abiurare salvando, per così dire, la forma. In realtà, egli confuta le accuse più grossolane, per il resto difende la sua filosofia, cercando di dimostrare che si tratta di un'ortodossia compatibile con quella ufficiale. Tergiversa, schiva, ribatte, duella con la corte, noncurante del fatto che i suoi giudici hanno già pronto lo strumento per chiudergli una volta per tutte la bocca.

All'inizio del 1599, il cardinale Roberto Bellarmino afferra con decisione le redini del processo. È un toscano (è nato a Montepulciano nel 1542) entrato a diciotto anni nell'ordine dei gesuiti, dove si è subito messo in luce per acutezza d'ingegno e sottigliezza dialettica. Bellarmino è più un pensatore politico che un esperto delle Sacre Scritture, anche se è stato da pochi mesi nominato teologo della Santa Penitenzieria e consultore del Sant'Uffizio. La sua visione del processo è sintetica e, appunto, politica. Le delazioni e le dicerie calunniose non gli interessano. Ha intuito che l'imputato, con la sua visione di un «infinito aperto a una pluralità di mondi», ha inaugurato un'era nuova per la libertà del pensiero; che se si mette in discussione l'edificio costruito sull'interpretazione canonica delle Scritture, molte cose rischiano di precipitare.

La Chiesa di Roma è una cittadella assediata. In tutta Europa ancora risuonano minacciosi i colpi di martello con cui un altro prete ribelle, Martin Lutero, ha inchiodato le sue «95 tesi» alla porta della chiesa di Wittenberg (1517). Roma sta perdendo il controllo di intere province: i paesi scandinavi, giunti tardi alla fede cattolica, si avviano per primi verso il riformismo protestante; se n'è andata l'Inghilterra, tagliata via con un colpo netto assestato da Enrico VIII; nei paesi di lingua tedesca la protesta è degenerata in guerra aperta; l'Olanda e la Svizzera covano sette ereticali, perfino la Francia e la Polonia risentono dell'evangelizzazione protestante. C'è voluta la Controriforma perché la Chiesa riacquistasse un certo controllo sui fedeli, soprattutto in Italia. Adesso Bellarmino vuole frenare le eresie, ridare alla Chiesa il suo prestigio anche negli ambienti che oggi definiremmo «intellettuali». L'occasione offerta da Giordano Bruno sembra creata apposta per raggiungere questi obiettivi.

Per prima cosa il cardinale condensa la materia di un processo diventato quasi ingestibile in otto proposizioni nette da sottoporre all'imputato. Questi le esamina, afferma di essere disposto ad abiurare, ma alla condizione che le sue affermazioni siano definite dalla Chiesa errori solo a partire da quel momento. È un espediente: vorrebbe far ammettere alla corte che la sua interpretazione contrasta non con la Scrittura, ma solo con il dettato del pontefice, in altre parole con le necessità politiche del momento. Bellarmino naturalmente rifiuta e la corte ribadisce che l'abiura dev'essere completa e senza termini *a quo.* Bruno tergiversa, tenta di restare in vita senza tradire il cuore della sua filosofia. Commuove profondamente che un uomo incarcerato da anni, senza protettori né amicizie influenti, abbandonato da tutti, opponga una tale resistenza e tutta la giochi sulla forza logica dei suoi argomenti.

Il 9 settembre 1599 si apre la seduta conclusiva, alla quale assiste Clemente VIII in persona. La corte vorrebbe di nuovo sottoporre l'imputato alla tortura, ma il papa si oppone. Al termine di altre controversie, Bellarmino manda al filosofo un ultimatum: o un'abiura netta e senza condizioni o la morte. Il 21 dicembre il filosofo dà alla corte la risposta definitiva: egli «non deve né vuole ritrattare, che non ha da ritrattare e che non ha materia di ritrattazione, e che non sa su cosa debba ritrattare». La sentenza di morte viene pronunciata l'8 febbraio 1600 negli appartamenti del cardinale Madruzzo, alla presenza della corte inquisitoria, di un notaio e di alcuni spettatori. Il documento comincia con queste parole:

Essendo tu, fra' Giordano, figliolo del quondam Giovanni Bruno da Nola nel Regno di Napoli, sacerdote professo dell'ordine di San Domenico, dell'età tua de anni cinquanta doi in circa, stato denunziato nel Santo Offizio di Venezia già otto anni sono ...

Bruno ascolta la lettura in ginocchio, senza battere ciglio. Lo si incolpa d'aver dubitato della verginità di Maria, d'esser vissuto in paesi eretici secondo costumi eretici, d'aver scritto contro il papa, sostenuto l'esistenza di mondi innumerevoli ed eterni, affermato la trasmigrazione delle anime, ritenuto la magia cosa lecita, identificato lo Spirito Santo con l'anima del mondo, dichiarato che la Scrittura non è che sogno e che perfino i demoni si salveranno...

Solo a lettura finita Bruno pronuncia le tremende parole divenute simbolo di ogni martire della libertà: «Forse con più timore pronunciate voi la sentenza contro di me, di quanto ne provi io nell'accoglierla». I giudici non si lasciano impressionare, non considerano di stare scrivendo una pagina vergognosa della storia umana, sono uomini politici, badano agli interessi immediati della Chiesa e non alzano gli occhi da lì. Anche i libri del Nolano «heretici et erronei et continenti mol-

te heresie et errori» sono destinati a esser «guasti et abbrugiati» in un secondo rogo che avverrà sul sagrato di San Pietro.
Da quel momento il reo viene consegnato al braccio secolare nella persona del governatore di Roma Ferdinando Taverna. Durante la settimana che precede l'esecuzione, confessori e confortatori si alternano nella sua cella. Se in extremis abiurerà, avrà non salva la vita ma una morte meno atroce: impiccato anziché bruciato vivo.

Roma è piena di pellegrini per l'Anno santo appena cominciato (alla fine del Giubileo se ne conteranno un milione), si pensa che il rogo pubblico di un eretico abbia un alto valore di ammonimento per chi tornerà in un paese minacciato dalla Riforma. Per di più Enrico IV, re di Francia e da poco riammesso nel seno di santa madre Chiesa, ha deluso il papa concedendo libertà di culto ai protestanti col suo editto di Nantes (1598). Forse anche per questo il supplizio di Bruno viene ordinato in Campo de' Fiori, in pratica sotto le finestre dell'ambasciatore francese (allora a palazzo Orsini, all'inizio di via de' Giubbonari) che si è più volte lamentato per l'orrore, il disgusto e il puzzo di quegli spettacoli.

All'alba del 17 febbraio, sette religiosi entrano nella cella del condannato esortandolo per l'ultima volta al pentimento. Bruno rifiuta e anzi continua a sostenere le sue idee, forse maledice i suoi persecutori talché si rende necessario legargli «la lingua in giova», vale a dire imporgli una specie di morso che lo zittisca. È ancora buio quando il sinistro corteo si avvia. Lo scortano i confratelli di San Giovanni Decollato con i lunghi cappucci calati sul viso, tunica nera, una torcia in mano. Per confortare il condannato gli mostrano tavolette con scene di martirio dalle vite dei santi. Intonano lugubri litanie, la gente assiste muta, segnandosi al passaggio. Dal carcere di Tor di Nona, percorrendo via dei Banchi e via del Pellegrino, il condannato giunge sul luogo del supplizio, dove viene denudato e legato a un palo sotto il quale sono state accumulate fascine ben secche. Subito le fiamme divampano. Per via del morso applicato alla bocca, le urla strazianti della vittima si trasformano in strani muggiti subito soffocati dal fumo, sopraffatti dal crepitio del fuoco.

Il rogo del 1600 segna il culmine degli sforzi della Chiesa

cattolica di esorcizzare il nascente pensiero moderno. Il tentativo è poi proseguito, in modo meno cruento, fino al *Sillabo* (1864) nel quale Pio IX, rifiutando la «moderna civiltà», definiva un errore «la libertà di culto e d'opinione». Quando nel 1889 venne inaugurato il monumento a Bruno in Campo de' Fiori, papa Leone XIII indirizzò ai fedeli una lettera d'ammonimento in cui il filosofo veniva ancora una volta diffamato. Il Vaticano ha continuato anche in seguito a premere per far demolire il monumento. Torna a onore di Benito Mussolini, allora capo del governo, aver resistito a quei tentativi. Pio XI reagì facendo proclamare il grande inquisitore, cardinale Bellarmino, prima santo (1930) quindi dottore della Chiesa universale (1931), da venerarsi come patrono dei catechisti. Recita il suo epitaffio: «La mia spada ha sottomesso gli spiriti superbi».

Due giorni dopo l'esecuzione, nell'«Avviso di Roma», una specie di bollettino di notizie, si poteva leggere questa cronaca:

> Giovedì mattina in Campo di Fiore fu abbrugiato vivo quello scelerato frate domenichino di Nola ... heretico ostinatissimo, et havendo di suo capriccio formati diversi dogmi contro nostra fede, et in particolare contro la Santissima Vergine et Santi, volse ostinatamente morir in quelli lo scelerato; et diceva che moriva martire et volentieri, et che se ne sarebbe la sua anima ascesa con quel fumo in paradiso. Ma hora egli se ne avede se diceva la verità.

In anni più recenti, papa Giovanni Paolo II ha affidato al segretario di Stato, cardinale Angelo Sodano, un messaggio per il convegno tenutosi a Napoli in occasione del quattrocentesimo anniversario del martirio di Giordano Bruno. Vi si afferma che quel «triste episodio della storia cristiana moderna ci invita a rileggere anche questo evento con spirito aperto alla piena verità storica». Il cardinale ha ricordato che il pensiero del filosofo maturò nel XVI secolo, quando la cristianità era divisa perché Lutero, Calvino ed Enrico VIII avevano staccato da Roma intere nazioni. Ha aggiunto che le «scelte intellettuali» del filosofo rimangono «incompatibili con la dottrina cristiana». Non c'è dubbio – concludeva – che «aspetti delle procedure» seguite dai tribunali dell'Inquisizione di Venezia e di Roma per giudicare il frate accusato di «eresia» e «il loro esito violento per mano del potere civile non possono non costituire oggi per la Chiesa motivo di rammarico». Il rammarico, almeno.

Contro questo sfondo di continua violenza dobbiamo immaginare la vita di Caravaggio. Nel 1605 muore Clemente VIII, gli succede Leone XI che, come accadrà anche nel Novecento a papa Luciani, resta sul trono pontificio solo poche settimane. Due sedi vacanti in così rapida successione rinfocolano le fazioni, filofrancesi e filospagnoli si affrontano apertamente, Roma è sconvolta dai tumulti. Nel conclave del 1605 si rischia lo scisma prima che, con una soluzione politicamente neutrale, si riesca a comporre il dissidio. Camillo Borghese diventerà papa col nome di Paolo V. Con uno dei suoi primi atti farà cardinale suo nipote Scipione Borghese, giovane di ventisette anni, gaudente di mediocre cultura, ma appassionato collezionista. Caravaggio se ne gioverà: è Scipione a presentarlo al papa perché il pontefice gli affidi l'esecuzione di un suo ritratto.

Sappiamo che in quell'anno l'artista abita in una casa in vicolo dei Santi Cecilia e Biagio (oggi vicolo del Divino Amore), non lontano da palazzo Borghese. Vive solo, con un servo di nome Francesco, registrato anche lui in quella parrocchia. La sua abitazione è misera, male arredata con pochi oggetti; l'artista fa vita da scapolo, lavora in solitudine, per mangiare usa come appoggio il rovescio di una tela. Quando non lavora se ne va in giro per Roma «con i suoi compagnoni, quasi tutta gente sfrontata, spadaccini e pittori». Non tutti gli artisti per la verità passano le serate cercando la rissa. Guido Reni, il Cavalier d'Arpino, Annibale Carracci si comportano in tutt'altro modo, conoscono il mondo e ne rispettano vantaggiosamente le regole. Lui invece sembra che non sappia fare altro: dipinge, va in giro, alterca, si batte. Un giorno di fine maggio del 1606 incontra un tal Ranuccio Tomassoni, tipo arrogante che spadroneggia nel quartiere, tra i due c'è della ruggine forse motivata, almeno in parte, da ragioni «politiche». Caravaggio era filofrancese, mentre Tomassoni apparteneva a una famiglia di violenti capibanda d'orientamento filospagnolo. Balenano le lame, il pittore ha la meglio, forse vorrebbe solo ferire l'altro, invece l'impeto lo trascina e lo uccide.

Deve fuggire e comincia così, con un omicidio sulle spalle, un esilio che durerà quattro anni, prima ai Castelli, protetto dai Colonna, poi a Napoli, in Sicilia, a Malta. Continua a lavorare, ma la sua vita adesso è molto infelice, scompaiono dai dipinti tracce e allusioni erotiche, prevale il nero di un'angustia mortale. A Malta riesce a entrare nell'ordine dei Cavalieri, ma neanche questo lo placa, anzi anche lì, come già prima a Napoli, è protagonista di un episodio grave, che conosciamo quasi nei dettagli grazie allo studioso maltese Keith Sciberras, il quale ha rintracciato nell'archivio di Stato dell'isola i verbali del fatto. Caravaggio è di nuovo protagonista di una rissa, sfonda una porta, irrompe in una casa. Viene incarcerato e chiuso in cella di segregazione, ma in modo rocambolesco evade. Un comportamento grave diventa gravissimo data la sua recente nomina a cavaliere di Malta. Fugge dall'isola e si rifugia in Sicilia, lasciandosi dietro una scia di profondi rancori. Quale il motivo di tali rancori? S'è avanzata l'ipotesi che l'artista avesse avuto rapporti intimi con qualcuno dei paggi di famiglia aristocratica, macchiandosi d'una colpa che anche a Malta veniva punita con la morte.

Intanto a Roma, dove l'omicidio Tomassoni ha fatto rumore, l'artista è stato condannato in contumacia a una dura pena, forse addirittura alla morte. Ci vogliono quasi quattro anni perché la faccenda si quieti, anche grazie ai buoni uffici di Scipione Borghese. Solo nel 1610 comincia a intravedersi la possibilità che possa rientrare, chiedendo perdono al papa. Nel mese di luglio Caravaggio s'imbarca a Napoli su una feluca, ha con sé dei quadri per il cardinale Borghese. La piccola nave prende il largo, da quel momento tutto diventa enigmatico. Con un termine molto abusato possiamo dire che i suoi ultimi giorni, e la morte, sono un giallo. Il poco che sappiamo lo riferiscono i suoi approssimativi biografi. Giulio Mancini scrive: «Partitosi con speranza di rimettersi, viene a Portercole dove, preso da febbre maligna, in colmo di sua gloria, che era d'età di 35 in 40 anni, morse di stento e senza cura et in un luogo ivi vicino fu seppellito».

Il pittore Giovanni Baglione, che lo detesta, riferisce: «Misesi in una felluca con alcune poche robe per venirsene a Roma, tornando sotto la parola del cardinal Gonzaga, che co'l Pontefice Paolo V, la sua missione trattava. Arrivato ch'egli fu nella spiaggia, fu in cambio fatto prigione, e posto dentro le carceri, ove per due giorni ritenuto, e poi rilassato». Perché in prigione? Sono le conseguenze dell'assassinio commesso a Roma anni prima? Oppure sono le autorità maltesi che lo rincorrono con un mandato d'arresto? Baglione parla genericamente di una «spiaggia», non si tratterebbe dunque di Porto Ercole bensì di Palo, piccola cala munita di guarnigione, poco a sud di Civitavecchia. Un ulteriore brandello di questa scombinata vicenda lo apprendiamo quando, sempre Baglione, scrive che il pittore, dopo essere uscito di prigione, scopre sgomento che la feluca è partita con tutte le sue cose, compresi i quadri: «Più la feluca non si ritrovava sì che, postosi in furia, come disperato andava per quella spiaggia sotto la sferza del Sol Leone a veder se poteva in mare ravvisare il vascello, che le sue robe portava».

Anche l'intenditore d'arte Giovan Pietro Bellori, riporta, ma senza chiarire, il comportamento dissennato di un uomo che nel sole di luglio, nella Maremma infestata dalla malaria, si mette in cerca di un vascello avviandosi a piedi in direzione di Porto Ercole distante parecchie decine di chilometri. Tutto è incoerente in quest'ultima parte della storia di Caravaggio, derivi questo dal reale andamento dei fatti, dalla frammentarietà dei dati rimasti, dalla forza della leggenda che non lo lascerà più. Non sappiamo nemmeno se si trattò effettivamente di febbri o non piuttosto di una morte violenta, come violenta era stata la vita. Uno dei suoi biografi, Peter Robb, ha avanzato l'ipotesi che il pittore sia morto per mano omicida, ucciso da qualcuno che voleva vendicare gli oltraggi commessi a Malta. La sola cosa che sappiamo è che la storia continuerà a essere raccontata in molti modi diversi da chiunque abbia sufficiente ingegno per presentare, rimescolandoli secondo la sua tesi, i pochi elementi contraddittori che la compongono.

Restano, fra le cose dette su di lui, le parole oltraggiose e amare con le quali il Baglione conclude la sua cronaca, scrivendo che Caravaggio, uscito di galera, caduto malato, «con febbre maligna e senza aiuto humano dopo pochi giorni morì malamente, come appunto male havea vivuto».

V

UN MONUMENTO ALLA PLEBE

L'occhi invetriti peggio de li matti:
Sempre pelo co ppelo, e bbecc'a bbecco.
Viè e nun vieni, fà e ppijja, ecco e nnun ecco;
E ddaijje, e spiggne, e incarca, e striggni e sbatti.
...
È un gran gusto er fregà! Ma ppe ggoddello
Più a cciccio, ce vorìa che ddiventassi
Giartruda tutta sorca, io tutt'uscello.

Chi è l'uomo capace di iperboli degne di un Rabelais, in grado di descrivere con tale spregiudicato realismo un amplesso tra due amanti colto nel momento culminante? Risposta nota a molti: Giuseppe Gioacchino Belli, uno dei massimi poeti italiani dell'Ottocento, che ha scolpito nel romanesco dei suoi 2279 sonetti (32.208 versi) un «monumento alla plebe di Roma», ma anche un ritratto della città, dei suoi abitanti, dei loro costumi privati e pubblici, del governo e delle leggi di quella che, dopo il 1870, diventerà la capitale del Regno d'Italia. Oggi che il turpiloquio è cosa d'ogni giorno, si fa fatica a pensare quale eversiva necessità abbia spinto un «accademico tiberino», quale Belli fu per un periodo della sua vita, a rinunciare alla lingua aulica e mandarinesca dei letterati per attingere alla più sozza e brulicante vitalità del linguaggio plebeo.

Egli vi fu quasi costretto da un'allucinata percezione di ciò che vedeva; ma poté affrancarsi fino a questo punto perché sicuro (almeno in parte) che quei versi licenziosi, talvolta blasfemi, sarebbero rimasti clandestini, il che gli consentiva una temeraria sincerità paragonabile, ha scritto Giorgio Vigolo nel suo celebre *Saggio sul Belli*, «a quella che gli uomini del suo tempo prendevano sotto la maschera, nel carnevale».

Di luoghi «belliani» a Roma ne sopravvivono parecchi: l'intera città sui due lati di corso Vittorio Emanuele (che ai suoi tempi non esisteva) è il suo teatro. Il primo da cui cominciare, però, credo sia il monumento a lui dedicato, subito oltre il ponte Garibaldi, all'entrata di Trastevere (*Trans Tiberim*, al di là del Tevere), che è rimasto il quartiere popolare per eccellenza, anche se altri gli si sono affiancati. Nel 1913 il monumento, realizzato con una sottoscrizione pubblica, venne collocato in quello slargo un po' informe che parve il più adatto, anche se il poeta, fra i tanti rioni in cui visse, a Trastevere non abitò mai.

L'opera di Michele Tripisciano, in travertino, non avrebbe particolari pregi se non fosse per un paio di gradevoli caratteristiche. La prima è compositiva: la figura umana, verticale, risulta contrapposta all'orizzontalità del basamento su cui poggia e sul quale lo scultore ha riprodotto l'erma del vicino ponte Quattro Capi. La seconda, anch'essa piuttosto interessante, è la scenetta poco visibile, raffigurata sul retro, in cui alcuni popolani, radunati intorno al torso detto «di Pasquino», sono intenti a leggere un cartiglio contenente dei versi certamente satirici.

Poche centinaia di metri separano il monumento da una delle tante case che Belli abitò, in via Monte della Farina, alle spalle del teatro Argentina. Quei vicoli, a parte le automobili, sono rimasti come sono sempre stati: umidi per il poco sole, con la pavimentazione non di rado sconnessa, attraversati di tanto in tanto dall'ombra furtiva di un gatto o di un topo, lordati dalle immondizie che invano, nel corso dei secoli, si è cercato di limitare minacciando multe e nerbate ai trasgressori, come attestano gli avvisi in marmo ancora murati sulle cantonate.

Quella Roma Giuseppe Gioacchino scrutò e fece sua, amareggiato e nello stesso tempo affascinato dalla forza schietta del popolo che, nella sua vitalità densa, sanguigna, fatta di istinti e di voglie elementari (il cibo, il sesso, il vino), sembrava capace di trarre vigore dal brodo di miseria e di umana degradazione in cui era immerso. Esemplare questa scenetta abbozzata da Stendhal nelle sue *Passeggiate romane*:

Abbiamo appena incontrato due giovani romani in compagnia delle loro donne e delle famiglie che, a bordo di una carretta, rientravano da una giornata di passatempi a Monte Testaccio. Tutti cantavano, gesticolavano, sembravano assolutamente pazzi, uomini e donne. Non c'era nessuna ubriachezza fisica in loro ma una specie di ebrietà morale al più alto grado.

Questi «ubriachi morali» avevano saputo dar vita a una fantastica costruzione linguistica; Belli ebbe la genialità di coglierla nella vivacità del bozzetto, che sbalza al vivo scene e caratteri della vita d'ogni giorno. Ecco il ritratto di un accanito fumatore intisichito dal suo vizio:

Ma cche tte fumi, di', sia mmaledetto:
Hai la faccia color de Monte-Mario,
Tienghi, peccristo, scerte coste in petto
Da mettele pe mmostra in zur carvario:

Pesi cuattr'oncia meno d'un canario,
E non hai carne d'abbastà a un guazzetto;
E ttutto er santo giorno cor zicario
Da cuanno t'arzi inzino ch'entri a lletto!

Senza contà che a ttè co sto porcile
Te puzzeno, per dio, sino li peli,
Voi finì li tu' ggiorni in marzottile?

Mazzato! eh, llassa er fume de la pippa
A sti frati fottuti d'arasceli
Che tiengheno un mascello in de la trippa.

Ma per capire meglio chi fosse questo straordinario poeta bisogna forse cominciare dai primi anni della sua lunga esistenza, misteriosa come lo sono sempre le vite che figurano modeste e sono invece agitate da un'inquietudine dell'animo, da una percezione delle cose che gli avvenimenti in apparenza ripetitivi del quotidiano non farebbero mai sospettare.

Giuseppe Gioacchino nasce a Roma, il 7 dicembre 1791, in via dei Redentoristi, all'angolo con via Monterone, come oggi una lapide ricorda. Ebbe in sorte due genitori diversi per temperamento. Il padre, che per ironia della sorte si chiamava Gaudenzio, era un ragioniere triste e di scarne parole, severo fino alla tetraggine. Scriverà Gioacchino: «Non mai io lo vidi sorridermi, rado compiacermi, e sempre sollecito a mortificarmi nell'amor proprio ... Ricorderò sempre con orrore il gastigo da lui datomi nell'età di sette anni». Per tre giorni il bambino, che s'era impadronito di un soldo, fu rinchiuso in uno stanzino buio. Per una curiosa coincidenza, molte delle osservazioni che Gioacchino fa e degli eventi che riferisce ricordano quelli raccontati da Franz Kafka nella celebre lettera al padre, il che non vuol dire, ovviamente, che genitori severi siano il presupposto di figli geniali.

La madre, Luigia Mazio, era invece una donna attraente e lieta, vispa di carattere, amante del lusso finché poté permettersi, proveniente da una famiglia di banchieri, forse infedele a suo marito se lo si può dedurre dalla prontezza con cui, rimasta vedova, si risposò. Del resto, tutte le ragazze Mazio erano vivaci. Una sua cugina, anche lei di nome Luigia, venne scoperta in camera da letto in compagnia di Luigi Napoleone travestito in abiti femminili, come racconta d'Azeglio nelle sue memorie: galanterie rococò, adatte più a Vienna o a Parigi che a una città come Roma, in genere o bigotta o sfacciata.

Sono questi gli anni, effimeri, della Roma giacobina. Anche la famiglia Belli è coinvolta nei sommovimenti politici, tanto che un cugino, Gennaro Valentini, generale napoletano, viene fucilato dai francesi in piazza Montecitorio. I Belli si rifugiano precipitosamente a Napoli; poi, con l'avvento del nuovo papa Pio VII, il padre ottiene un impiego ben remunerato a Civitavecchia e la famiglia conosce finalmente un po' di benessere. Ma è una breve parentesi: scoppia un'epidemia di colera e nel 1803 Gaudenzio muore per eccesso di generosità, essendosi «troppo esposto al soccorso de' miseri».

La bella Luigia con i tre figli, Giuseppe Gioacchino, Carlo, nato nel 1792, e Flaminia, nata nel 1801, ritorna a Roma, in un modesto alloggio al secondo piano di via del Corso 391 (l'edificio sarà in seguito demolito per l'apertura di via del Parlamento). Nel 1806, tre anni dopo la morte di Gaudenzio, Luigia sposa in seconde nozze un agente di borsa molto più giovane di lei, unione sulla quale il poeta ostentatamente sorvola nei suoi scritti. È probabile che quello di Luigia non fosse un gran matrimonio e comunque durò poco perché nel 1807 la donna muore e il poeta, con i fratelli, trova ospitalità presso uno zio, in piazza San Lorenzo in Lucina 35.

Solo più tardi, per interessamento di un monsignore, riesce a ottenere una stanza tutta sua nel convento dei cappuccini che si trovava sul limitare di villa Ludovisi, in quello che è oggi l'inizio di via Veneto. Come ho accennato nel capitolo *Tra spazio e tempo*, si tratta di uno dei luoghi più sinistri di Roma, essendo il sotterraneo costituito da un dedalo di gallerie e di nicchie ornate con teschi e altre ossa umane. Giuseppe Gioacchino aveva esordito a quattordici anni con il sonetto *Alla tomba di un monarca*, che in età matura giudicherà una «porcheria». Studia e scrive: saggi e dissertazioni, ma anche poesie in lingua nelle quali echeggia i maggiori poeti del tempo, Parini, Monti, Foscolo. Foscoliana è certamente la sua immagine giovanile: grandi occhi neri, uno sguardo determinato e come pronto alla ribellione, capigliatura mossa, piccoli baffi arroganti. Ribelle lo fu, ma in modo tutto personale: la sua ribellione fu ritrarre la plebe di Roma, trasformando in poesia la loro lingua «abbietta e buffona».

L'ospitalità dello zio non è certo gratuita: i fratelli vengono impiegati come «computisti» perché si guadagnino con la tenuta dei libri contabili i 3 scudi al mese di paga. È una miseria, ma ha qualche vantaggio: Giuseppe impara il francese, impara soprattutto a essere libero, dandosi a una vita scapigliata (che lui definisce, esagerando, «depravata»), fatta di «arene di palla», «notturni vagamenti» e «familiare commercio con donne per lo più capricciose». È la sua personale «scapigliatura». Il giovanotto è di bell'aspetto («molto attrattivo» lo descrive un amico), di chiome abbondanti, ancora lontano da quella «tetra ipocondria» che lo affliggerà più avanti. Tutto ciò gli procura, insieme, matrimonio e agiatezza.

Nel settembre del 1815, infatti, sposa Maria Conti, che solo nove mesi prima è rimasta vedova del conte Pichi, un uomo quasi pazzo. Maria è donna «di pronto ingegno, franchissima parlatrice». Lui ha ventiquattro anni, lei trentotto e un discreto patrimonio da amministrare. L'unione dura ventidue anni. I due coniugi abitano in piazza Poli 91, non lontano dalla fontana di Trevi (il palazzo verrà in seguito parzialmente demolito per fare spazio a via del Tritone e sotto il piccone cadono proprio le stanze nelle quali il poeta aveva lavorato ai sonetti). Se non si amano troppo, sicuramente si rispettano. Giuseppe Gioacchino s'impiega all'ufficio del registro, dove guadagna 15 scudi al mese, ma ha anche tempo per scrivere e per qualche viaggio: Venezia, Napoli, Ferrara, Macerata, Milano, Firenze, città lontane che lo aiutano a conoscere l'Italia e, insieme, a «vedere» meglio Roma. Il benessere che gli deriva dal matrimonio è provvidenziale. Come ha scritto Domenico Gnoli, il suo primo biografo, il poeta si lascia finalmente dietro, con gran sollievo, «una lunga e ostinata lotta con la miseria». Senza quel po' di agio e di libertà che i denari della moglie gli assicurano, i sonetti probabilmente non sarebbero nati; e senza vedere e conoscere un po' l'Italia, assaporandone i fermenti, la ricerca di nuovi equilibri, gli influssi che arrivavano dal resto dell'Europa, gli sarebbe stato più difficile rendersi conto di quanto singolare e, anzi, unica fosse la condizione di Roma. In pieno Ottocento, la città, sotto il governo papale, è rimasta ferma al Medioevo.

C'è un'altra donna nella vita di Gioacchino, molto più importante della moglie, la marchesina Vincenza Roberti, di nove anni più giovane di lui, che incontra nel 1821 quando lei viene in visita a Roma con la madre. Il poeta ha trent'anni ed è sposato da cinque; con Cencia, come affettuosamente la chiama, avvia un lungo sodalizio. Va spesso a trovarla a Morrovalle (nelle Marche), non lontano da Recanati, e le scrive in modo quasi ossessivo: più di 150 lettere che spaziano lungo un trentennio, dal 1822 al 1854, e spesso sono ampie, intime, profonde. Un amore per metà sensuale, per metà petrarchesco, come dimostra il «canzoniere amoroso» fatto di 51 sonetti che il Belli le invia.

Naturalmente, Cintia o Cencia accoglie volentieri sia il fuoco dei sensi sia i versi, senza tuttavia negarsi un tranquillo matrimonio con il solido dottor Perozzi, medico condotto del luogo, in una versione marchigiana di *Madame Bovary*. Comunque, è durante un prolungato soggiorno di quasi due mesi a Morrovalle, nell'estate del 1831, che Gioacchino compone molti dei suoi più arditi sonetti erotici, e non di rado osceni se non ci fosse, a riscattarli, la suprema padronanza del verso e in qualche caso, come nel seguente, l'imitazione romanesca del dialetto milanese del Porta:

Sentime, Teta, io ggià cciavevo dato
Che cquarchiduno te l'avessi rotta;
Ma che in sto stato poi fussi aridotta
Nun l'averebbe mai manco inzoggnato.

De tante donne che me sò scopato,
Si ho mmai trovo a sto monno una miggnotta
C'avessi in ner fracosscio un'antra grotta
Come la tua, vorebb'esse impiccato.

Quando la moglie Maria muore, nel 1837, si scopre che il suo famoso patrimonio era assai più apparenza che sostanza e per anni il Belli deve ingegnarsi d'arginare lo sconquasso elemosinando impieghi. Lascia palazzo Poli e, come detto, va ad abitare al 18 di via Monte della Farina, in un palazzo d'angolo con via dei Barbieri. È un periodo triste, d'insofferenza e d'ipocondria; le sue lettere a Cencia diventano sempre più grigie, acri, infastidite. In sette anni, fra il 1830 e il 1836, ha composto 1867 strabilianti sonetti. Fra il 1839 e il 1842 se ne aggiungeranno soltanto quattro. C'è qualche ripresa nel periodo successivo; l'ultimo è datato 21 febbraio 1849.

Per vivere trova vari impieghi ministeriali, fino a quello di censore nel biennio 1852-53. Ha l'incarico di giudicare i testi sotto il profilo della «morale politica». Si distingue per severità e non risparmia niente e nessuno quando uno scritto mette in discussione una testa coronata: da *Macbeth* a *Rigoletto* al *Mosè* di Rossini, i copioni cadono sotto la sua mannaia. Qualche anno prima, nel 1846, la morte di Gregorio XVI, papa belliano per antonomasia, il suo vero papa, è stata un trauma per lui. Scriverà con vivace arguzia: «A Papa Grigorio je volevo bene perché me dava er gusto de potenne dì male». Non è certamente un caso se la stesura dei sonetti s'interrompe del tutto un anno dopo la scomparsa di questo pontefice. Intanto s'è premurato di affidare i suoi scritti alle mani di monsignor Vincenzo Tizzani, accademico tiberino come lui, canonico a San Pietro in Vincoli, poi vescovo a Terni. Monsignor Tizzani, nonostante la carriera ecclesiastica, è (diremmo oggi) più a sinistra del Belli: un illuminato, un patriota. È lui a salvare i manoscritti, nonostante i ripetuti inviti del poeta a distruggerli.

L'ultima parte della vita Belli la trascorre in via dei Cesarini 77, alloggiato dall'amato figlio Ciro e da sua moglie Cristina Ferretti. Sono anni di spettrale ipocondria («Sono solo in casa come il tempo che mi trascina»); la sua è un'angosciosa vecchiaia, preso com'è da un impegno censorio che esercita in primo luogo contro se stesso. Tutte le lettere degli ultimi tempi indicano un vero collasso nervoso e fisico; lasciano intravedere un uomo ridotto a poco più di un'ombra, svuotato, iroso di vivere ancora. Rispondendo alla missiva di un lontano parente che l'aveva definito «poeta nato», scrive di essere piuttosto un «poeta morto». All'amata Cencia manda una lettera nella quale precisa: «Il mio epistolare silenzio non deriva dalla morte vostra, ma dalla mia». Poi ancora: «Paragonate questo carattere di Belli morto a quello del già Belli vivo, e conoscerete se abbiavi scritto un vivo od un morto».

La fine viene in fretta: un colpo apoplettico «tra le otto e le nove di sera». Mancano pochi giorni al Natale, è il 21 dicembre 1863, ha compiuto settantadue anni.

Belli racconta la città dei sei papi che hanno regnato negli anni in cui visse. Fu un'epoca di grandi agitazioni, di movimenti e sommovimenti politici, di occupazioni militari e restaurazioni, il tutto in un centro sordido e spopolato, abitato da plebi tra le più incolte e ciniche, mentre altrove si diffonde la consapevolezza che lo Stato della Chiesa è ormai un anacronismo. Anche Belli lo sa e in un sonetto del 1832, *Li punti d'oro*, scrive: «Ccusì vviengheno a ddi' li ggiacubbini / Ar Gran Zommo Pontefisce Grigorio: / Che tte fai de li Stati papalini, / Dove la vita tua pare un mortorio?».

Non fu facile trasformare questa vaga coscienza in azione politica. Ancora nel 1862, un anno dopo la proclamazione dell'unità d'Italia, trecento vescovi dichiararono che il potere temporale era una necessità voluta direttamente dalla provvidenza divina. Affermazioni impegnative, di ruvido significato politico. In una situazione simile quale poteva essere il carattere prevalente della città, ammesso che questo carattere davvero ci fosse? Abbiamo una fortuna. Negli anni di cui stiamo parlando e in quelli immediatamente seguenti, illustri visitatori stranieri soggiornarono a Roma lasciandone autorevole testimonianza. Attraverso le loro parole possiamo riviverne il clima sia nella sua festosa spensieratezza sia nelle cupe atmosfere specie notturne. *Il conte di Montecristo*, grandioso romanzo di Alexandre Dumas, uscì nel 1844. Si riferisce quindi agli anni subito precedenti quella data la celebre e vivacissima descrizione di un carnevale romano:

A quei balconi, a quelle finestre trecentomila spettatori, romani, italiani, stranieri, venuti dai quattro angoli del mondo, tutte le aristocrazie riunite, aristocrazie di nascita, di denaro, di genio; donne affascinanti, anch'esse sotto l'influsso di quello spettacolo, si curvano sui balconi, si sporgono dalle finestre, fanno piovere sulle carrozze una grandine di coriandoli che viene ricambiata con mazzi di fiori; l'aria è densa di coriandoli e fiori che salgono; sulla strada una folla allegra, incessante, pazza, con costumi bizzarri: cavoli giganteschi che passeggiano, teste di bufalo che muggiscono sopra corpi umani, cani che sembrano camminare sulle zampe anteriori; e in mezzo a tutto ciò una maschera che si solleva, e in quella tentazione di sant'Antonio immaginata da Callot, qualche astante che mostra un'incantevole figura, che si vorrebbe seguire ma da cui si è separati da demoni simili a quelli che si vedono nei sogni. Questo per dare un'idea, se pur vaga, di cosa sia il carnevale a Roma.

Ed ecco un altro carnevale, descritto questa volta da Gogol (nel racconto *Roma* già citato), che soggiornò a lungo a Roma, restandone ammaliato, e che scrive più o meno nello stesso periodo:

L'assiepamento di popolo era molto fitto. Si era appena aperto un varco fra due persone che già dall'alto lo avevano infarinato per bene; un variopinto Arlecchino gli batté sulla spalla col crepitacolo, sfrecciandogli accanto con la sua Colombina; confetti e mazzetti di fiori gli volarono negli occhi, da entrambi i lati si misero a borbottargli nelle orecchie: da una parte un Conte, dall'altra un Dottore che gli tenne una lunga lezione su ciò che aveva nel budello gastrico. La forza non bastava per farsi strada perché la calca era aumentata; s'era formata una fila di carrozze ormai impossibilitate a muoversi. L'attenzione di tutti fu richiamata da un coraggioso che camminava su trampoli all'altezza delle case rischiando a ogni momento di perdere l'equilibrio e sfracellarsi sul selciato ...

Questa era dunque la Roma delle feste e del giubilo, che in più di un'occasione venne però oscurata e addirittura repressa, in nome dell'ordine pubblico, come testimonia proprio il Belli, che apre il sonetto *Er Carnovale der '34* con la domanda: «Ce saranno le maschere cuest'anno?» e pochi versi dopo fa rispondere al suo personaggio: «Puro, in quanto alle maschere, sor oste, / Ho paura ch'arrestino a lo scuro / Perché er Papa nun vò facce anniscoste». Ostacola il carnevale un evidente timore di disordini. Tre anni più tardi la situazione diventa anche peggiore, come testimonia il fatto (descritto nel sonetto *Er Carnovale der '37*) che le feste vengono abolite con la scusa dell'epidemia di colera imperversante in città: «Cor pretesto e la scusa der collèra / Ma pe un'antra rragione un po' più vera / Er Governo ha inibito er Carnovale». Non solo, nel sonetto che segue, il poeta riferisce che nei bastioni di Castel Sant'Angelo sono stati addirittura preparati i cannoni: «Dunque come se spiega che da Prati / Se vedeva de drento a li bastioni / 'Na caccola de sedici cannoni / Caricati, attaccati e preparati?».

Parecchi scrittori ci hanno lasciato vivide e accurate descrizioni di ciò che era Roma, e della sua vita, negli anni del Belli. Ho scelto alcune citazioni a mio parere significative. La prima è di Chateaubriand. La sera del 27 giugno 1803, antivigilia della festa di San Pietro, egli arriva a Roma avendo ottenuto la carica di segretario d'ambasciata. Nelle sue *Memorie* scrive:

Il 28 giugno corsi tutto il giorno; diedi un primo sguardo al Colosseo, al Panteon, alla colonna Traiana e a Castel Sant'Angelo. La sera Artaud mi condusse a un ballo in una casa nei pressi di piazza San Pietro. Si scorgeva la ghirlanda di fuoco della cupola di Michelangelo, tra i vortici dei valzer che volteggiavano davanti alle finestre aperte; i razzi dei fuochi d'artificio dal molo di Adriano si irradiavano a Sant'Onofrio, sulla tomba del Tasso: il silenzio, l'abbandono e la notte regnavano sulla campagna romana.

È un bel contrasto quello che lo scrittore ottiene opponendo le luci, il movimento e il chiasso della festa al silenzio e alla spettrale immobilità della campagna. Un tema sul quale tornerà perché questa, in fondo, dovette essere l'impressione prevalente che la città gli dette:

Mi avevano raccomandato di passeggiare al chiaro di luna: dall'alto di Trinità dei Monti, gli edifici lontani parevano schizzi di un pittore o coste sfumate viste dal mare, da un vascello. L'astro della notte, il globo che crediamo un mondo finito, diffondeva i suoi deserti diafani al di sopra dei deserti di Roma; illuminava strade senza abitanti, recinti, piazze, giardini dove nessuno passa, monasteri in cui non si sente più la voce dei cenobiti, chiostri muti e spopolati come i portici del Colosseo.

Il secondo scrittore è Stendhal, che visita Roma una ventina d'anni più tardi, ma ha la stessa sensazione di una città vuota, come abbandonata dai suoi abitanti:

> La Roma abitata finisce a sud al colle del Campidoglio e alla rupe Tarpea. A ovest con il Tevere al di là del quale ci sono solo delle pessime strade; a oriente con il Pincio e il Quirinale. I tre quarti di Roma a oriente e a mezzogiorno, il Viminale, l'Esquilino, il Celio, l'Aventino sono solitari e silenziosi. Vi dominano le febbri e vi si coltivano le viti. La maggior parte dei monumenti che i viaggiatori ricercano giacciono in mezzo a questo vasto silenzio.

Stendhal è il complemento del Belli. Le loro due Rome sono altrettante facce della stessa medaglia. Il francese descrive quella parte della realtà che gli ospiti illustri in genere frequentavano e hanno raccontato, anche se in qualche caso si trattava di pura apparenza: le livree erano lise, le tappezzerie tenute insieme con gli spilli; non di rado una piccola nobiltà famelica si faceva invitare a pranzo per riuscire a mangiare.

Poi c'è l'altra parte, quella nella quale erano immersi i romani delle classi più umili e la città intera. Tagliata fuori dalla storia, quasi priva di fonti di reddito, con i cittadini tenuti in uno stato d'ignoranza senza confronto nell'Europa civilizzata, Roma era nello stesso tempo bellissima e semiselvaggia, piena di meraviglie e di orrori, erede, ma anche vittima, di un passato troppo grande e troppo lontano.

Lo spazio dei Fori, luogo leggendario, che per alcuni secoli era stato il centro commerciale e politico del mondo, veniva usato per pascolare le bufale, con le mandrie che s'abbeveravano nell'incavo di antichi marmi imperiali. Ai più maestosi monumenti dell'antichità s'erano andati sovrapponendo decine di abituri: a volte case, altre volte misere botteghe, sedi d'un minuto commercio. La rupe Tarpea era diventata uno stenditoio, muta rovina in una metropoli fattasi borgo. Gli ebrei vivevano rinchiusi nel loro ghetto in condizioni igieniche e d'affollamento deplorevoli, che nessuno aveva mai pensato a risanare. Sulle pendici della collina dei Parioli, in caverne scavate nel tufo e prive di tutto, assai prossime a quelle di età arcaiche, alloggiavano i «trogloditi». Una «terra di morti», come Roma verrà definita, nella quale erano vivi solo alcuni ingegni isolati e il popolo brulicante: «All'Ave Maria» scrive un testimone «sono tutti in casa, suonano innumerevoli campane e nell'aria si levano vapori malsani».

Nel famoso «popolo romano» non c'è più alcuna memoria della trascorsa grandezza e la stessa vista delle maestose rovine non desta più alcuna meraviglia, non perché i romani «siano abituati al bello», ma solo perché sono ormai incapaci di vederlo. Annota Marcel Proust: «I veri popoli barbari non sono quelli che non hanno mai conosciuto la grandezza, ma quelli che, avendola conosciuta in passato, non sono più in grado di riconoscerla». Parla dell'Italia in generale, ma potrebbe benissimo riferirsi solo a Roma. Il censimento organizzato dopo l'arrivo dei piemontesi registra un totale di circa 230 mila abitanti. La maggioranza vive nella zona bassa, la città rinascimentale e seicentesca racchiusa nell'ansa del Tevere che fa perno su piazza Navona. È in quei vicoli bui, impregnati di olezzo gattesco, in quelle mura spesso sbrecciate, insozzate da scritte (Belli, icastico: «Si vedo un muro bianco, io jelo sfregno»), che si ritrova la Roma che il poeta percorse: stradine strette, archi fiocamente rischiarati da lumini, immagini sacre contornate da ex voto, un reticolo di viuzze quasi sempre senz'aria né luce, soggette alle inondazioni del fiume, disseminate di escrementi di vari quadrupedi (cani, asini, pecore). Ovunque regnano un perenne sentore di umido e il colore caldo della pozzolana. I fabbricati sono di modesta fattura tirati su con materiali umili, privi d'ornamenti, con finestre esigue, gradini consunti, piccoli androni che danno su misteriose oscurità. Quelle case basse e malsane favoriscono il diffondersi di malattie che diventano endemiche: la malaria, il tifo, di tanto in tanto l'assalto del colera, mali che oggi chiameremmo da Terzo Mondo, conseguenza delle miserevoli condizioni igieniche, della rustica alimentazione, forse gustosa, sicuramente squilibrata e poco nutriente (l'epidemia più violenta si ebbe, però, dopo l'arrivo dei piemontesi, nel 1884, quando il colera, diffusosi dall'epicentro di Napoli, si propagò con micidiale rapidità. Si dovettero allestire dei lazzaretti all'Aventino e a Santa Sabina e disinfestare le zone più popolate. Alle soglie del XX secolo, a Roma si perpetuavano scene e situazioni da Medioevo).

Per un altro verso, bisogna ammettere che questa somma di ritardi storici e di sofferenze umane presentava anche alcuni vantaggi, di cui godiamo soprattutto noi, i posteri. La qualità della luce, per esempio: l'assoluta mancanza di industrie manifatturiere, la scarsa presenza di artigiani, la ridotta attività edilizia dovuta a una popolazione sostanzialmente stabile o in declino, faceva sì che Roma godesse di una trasparenza e di una nettezza d'atmosfera quasi unica in Europa. Lo provano le tante vedute dipinte da artisti arrivati da ogni dove e, dopo l'avvento della fotografia, la qualità delle lastre scattate dai primi fotografi.

Di un luogo rimasto sostanzialmente fermo nel tempo seppero avvantaggiarsi anche altri. Lo studioso tedesco Ferdinand Gregorovius riesce a estrarre, dal corpo stesso della città, i materiali di prima mano per la stesura della sua *Storia di Roma nel Medioevo*. Gregorovius è un testimone d'eccezione dei rivolgimenti che la capitale si trova a vivere, emozionato e profondamente diviso. Da una parte le sue idee liberaleggianti lo spingono a guardare con favore ai nuovi tempi, dall'altra è perfettamente consapevole che il reinserimento dell'Urbe nel circuito vivo della storia potrà mettere in pericolo quel che resta del passato che egli ama e che l'inerzia delle amministrazioni pontificie ha lasciato intatto.

«Nel luogo più frollo del mondo» scriveva nel 1860 «si vive come in un sogno ... Roma è silenziosa e soffocante, come perduta nel mondo, ritirata in sé e incantata: anche lo scirocco soffia continuamente. I momenti più eccitanti del tempo cadono senza rumore nell'eternità.»

Quasi tutte le testimonianze dell'epoca restituiscono insomma le sensazioni ambivalenti che la città dà ai suoi ospiti. Un insieme enigmatico, e perciò stesso inquietante, di mollezza e di vivacità plebea, di rozzezza e di incanto. Vittorio Imbriani, nella sue *Passeggiate*, annota: «A un uomo veramente colto, a un italiano soprattutto, il viver qui è un'ebbrezza continua».

Naturalmente, per cogliere quell'ebbrezza bisognava essere in grado di concentrarsi su alcuni aspetti particolari, dimenticando la miseria di gran parte del resto.

Quello che oggi chiamiamo «tempo libero», in una tale realtà, divideva nettamente le classi: la curia e l'aristocrazia da una parte, la plebe dall'altra. Gli appartenenti alle prime fanno essenzialmente vita di palazzo e usano le vie di Roma per spostarsi in carrozza tra le varie dimore, spesso premendosi sul naso un fazzoletto imbevuto d'essenze profumate. Per la plebe, invece, le strade e le piazze sono casa e teatro. Le abitazioni anguste, prive d'aria e di luce, spingono a uscire e il clima generalmente mite favorisce la vita all'aperto. Le donne ricamano, cuciono, allattano, spettegolano; gli uomini bevono, giocano a morra, bestemmiano, mettono talvolta mano al coltello. Le occasioni di divertimento sono le festività, le sfilate e gli scherzi di carnevale, la corsa dei berberi (cavalli lanciati al galoppo lungo la drittura del Corso), le luminarie, i fuochi d'artificio, i botti. Ma ci sono anche i cortei papali, i grandi «mortori» fastosi con gli incappucciati che aprono il passo salmodiando, le processioni, il papa in portantina che «sbenedizziona» oppure il papa morto che fa il suo ultimo viaggio, come in questo celebre sonetto del 26 novembre 1831, *Er mortorio de Leone Duodescimosiconno*:

Jerzera er Papa morto sc'è ppassato
Propi' avanti, ar cantone de Pasquino.
Tritticanno la testa sur cusscino
Pareva un angeletto appennicato.

Vienivano le tromme cor zordino,
Poi li tammurri a tammurro scordato:
Poi le mule cor letto a bbardacchino
E le chiave e 'r trerregno der papato.

Preti, frati, cannoni de strapazzo,
Palafreggneri co le torce accese,
Eppoi'ste guardie nobbile der cazzo.

Cominciorno a intoccà tutte le cchiese
Appena usscito er morto da Palazzo
Che gran belle funzione a sto paese!

È possibile dare qualche nota aggiuntiva su questo popolo grazie alle osservazioni fatte da Stendhal. Come ho detto, la Roma che il francese descrive è in certo modo complementare a quella del Belli. Egli frequenta e vede una città aristocratica, libertina, europea, rischiarata dalla filosofia dei «lumi». Belli, al contrario, sente intorno a sé una città bigotta, plebea, oscena, preda di appetiti primitivi. Eppure, per quanto siano lontani, i due artisti raccontano la stessa violenza, anche se ognuno la connota a suo modo. Il francese insegue quella crudeltà pittoresca che ricerca nel torbido passato italiano, fatto di passioni sfrenate, gelosie, ferocia senza limiti, dove il bagliore improvviso d'una lama si accompagna alla più raffinata arte del tradimento. Sentite questo episodio riferito nelle sue *Passeggiate romane*:

> Paul ci ha raccontato che uno dei suoi amici gli ha mostrato una chiave con la quale il principe Savelli avvelenava le persone di cui si voleva disfare. L'impugnatura della chiave ha una minuscola punta che veniva strofinata con un potente veleno. Il principe diceva a uno dei gentiluomini consegnandogli la chiave: «Mi vada a prendere la tal carta nel mio armadio». La serratura dell'armadio risultava difettosa e il disgraziato doveva stringere bene la chiave e fare un po' di sforzo perché cedesse. Senza accorgersene si procurava così una piccola ferita con la punta avvelenata. In ventiquattr'ore era spacciato.

Nel Belli, al contrario, non c'è alcuna raffinatezza «rinascimentale». La violenza che descrive è semplice e brutale, come la forza che la provoca e come i piatti con cui quel popolo di pecorai analfabeti si alimenta. La cucina romana era (ed è ancora oggi) fatta di sapori e ingredienti primitivi. Alla base ci sono l'abbacchio arrostito sul fuoco, gli spaghetti all'amatriciana saturi di lardo, la coda di bue alla vaccinara (un piatto da mattatoio), i rigatoni con la pagliata, vale a dire una pasta grevemente insaporita con gli intestini di vitello da latte. Tra i formaggi il pecorino, ricavato come dice il nome dal latte di pecora, grasso e piccante. Una cucina rustica, sapida, rozza, povera come quelli che l'hanno inventata.

La vita culturale, in senso collettivo, è quasi inesistente. Le accademie riuniscono dotti per lo più pedanti e comunque isolati dal resto della società e del mondo. Gli artisti stranieri se ne stanno in prevalenza per conto loro. Certo, c'è l'eccezione di qualche salotto dove vengono ricevuti, ma in genere si riuniscono in circoli (foss'anche una certa osteria) che hanno con la città solo i contatti indispensabili. Le sale da teatro e da musica danno spettacoli in genere mediocri, a parte anche qui qualche eccezione, e comunque riservati a pochi. L'attività editoriale e pubblicistica è scarsa e sottoposta a censura. Il clima culturale è talmente soffocante che i giovani più brillanti cercano rifugio a Torino o a Firenze, con un dissanguamento di ingegni che alimenta ed accresce il circolo vizioso del declino.

La plebe di Roma, alla cui arguzia e arroganza, ignavia e sensualità, Belli erige il suo monumento, s'adatta alla situazione complessiva con sostanziale indifferenza. Nel 1862 accorre per veder giustiziare un popolano che ha accoltellato un gendarme. Nell'autunno del 1867 assiste inerte alla mancata insurrezione garibaldina. Tutti sanno che le cose di lì a poco muteranno, ma sono pochi quelli che s'interessano davvero al cambiamento. Poi arriva la guerra franco-prussiana e la sconfitta di Napoleone III a Sedan, il 2 settembre 1870. Pochi giorni dopo, il 20, giunge finalmente il momento propizio: la via d'ingresso viene aperta a cannonate, pochi metri più in là di porta Pia. Con la famosa «breccia» Roma viene finalmente congiunta al Regno d'Italia.

Quando il Belli nacque, nel 1791, sul soglio di Pietro sedeva Pio VI (Giovanni Angelo Braschi), non malvagio ma certo inadeguato ai cataclismi di quegli anni: prima la Rivoluzione francese, poi la folgore di Napoleone che del papato aveva scritto, sbagliando: «Questa vecchia macchina si sfascerà da sé». Nel 1798 il Direttorio fa occupare Roma e deporre il papa. «Fatemi morire a Roma» implora l'ottantenne pontefice. «Può morire dove vuole» gli rispondono con feroce irrisione. Morirà in carcere, nell'agosto 1799, prigioniero nella fortezza di Valence.

Anche il suo successore, Pio VII (Gregorio Chiaramonti), deve vedersela con Napoleone, che lo fa deportare, mentre Roma, nel 1808, conosce l'occupazione francese. Per i romani, umiliazione a parte, non è un gran male. La presenza di quelle truppe dà una scossa a una città immiserita e opaca, dove obelischi e basiliche si levano in un tessuto urbano ridotto a villaggio, con le strade non dissimili da cloache e i resti dell'antichità «pagana» in rovina.

A seguito della sconfitta di Napoleone a Lipsia nel 1813, il papa può tornare a Roma: vi entra il 24 maggio 1814, accolto trionfalmente dal popolo dopo cinque anni di assenza. La furia restauratrice di alcuni cardinali, ansiosi di cancellare ogni traccia degli occupanti, arriva fino alla richiesta di abolire l'illuminazione stradale che i francesi hanno introdotto. Evita a tutti il ridicolo il genio del cardinale Ercole Consalvi, segretario del papa e politico sommo. Prende parte al Congresso di Vienna dove, fra le tante «restaurazioni», riesce a far passare anche quella dello Stato pontificio. Nato in una città meno degradata, sarebbe stato un Metternich; in un paese più potente, più consapevole della sua storia, sarebbe diventato, come Talleyrand, un mito. Avendo avuto in sorte di nascere a Roma, deve limitarsi a trarre il maggior profitto dalle circostanze, aprendo al futuro su alcuni aspetti di cui intuisce l'inevitabilità. Tra le innovazioni imposte dai francesi, fanali stradali a parte, accoglie il codice di commercio, l'abolizione della tortura, la divisione tra potere giudiziario e potere esecutivo. Pochi giorni prima della morte di Pio VII, il 20 agosto 1823, un furioso incendio devasta la basilica di San Paolo fuori le Mura. La notizia viene tenuta nascosta al vecchio papa per non amareggiarne gli ultimi istanti. E quando questi muore, il fedele Consalvi gli rende l'ultimo omaggio facendogli costruire dallo scultore danese Bertel Thorvaldsen un monumento funebre in San Pietro.

Pio VII regna per quasi un quarto di secolo, il suo successore, papa Leone XII (Annibale Sermattei della Genga), solo sei anni, che bastano, però, a dare l'immagine d'un pontefice terrorizzato dai tempi, ferocemente restauratore. È lui che, durante l'Anno santo del 1825, fa impiccare in piazza del Popolo due patrioti, i carbonari Targhini e Montanari. Quando morì, nel 1829, apparve questo cartello: «Ora riposa Della Genga, per la sua pace e per la nostra». Il Belli, immaginando un evento che non c'è stato (la salma non uscì mai da San Pietro), ne conterà, due anni dopo, il «mortorio» con uno dei suoi sonetti più affettuosi che ho riportato poco sopra: «Jerzera er Papa morto sc'è ppassato / Propi' avanti, ar cantone de Pasquino».

Venti mesi soltanto (tra il 1829 e il 1830) resta sul trono il papa successivo (Francesco Saverio Castiglioni), che per distinguersi da un così discusso predecessore s'affretta a chiamarsi Pio VIII. In un sonetto del 1° aprile 1829, all'indomani dell'elezione, Belli ne dileggia la malferma salute: «Ha un erpeto pe ttutto, nun tiè ddenti, / È gguercio, je trascineno le gamme».

E finalmente sale al soglio Gregorio XVI (Bartolomeo Cappellari), bellunese, regnante dal 1831 al 1846, il papa centrale nella vita e nella poesia del Belli, tra i protagonisti della sua umana commedia. A «papa Grigorio» il poeta dedica ben venticinque sonetti, tra i quali alcuni dei più riusciti. Anche questo pontefice è un fior di reazionario, ma forse proprio per questo piaceva a Giuseppe Gioacchino, gli semplificava le cose. Pochi mesi dopo essere salito al trono, nel 1832, emana l'enciclica *Mirari vos*, nella quale conferma la sua ferma ostilità alla separazione tra Stato e Chiesa e alla libertà di coscienza, di pensiero, di stampa: «È vaneggiamento» scrive «che ognuno debba avere libertà di coscienza; a questo nefasto errore conduce quell'inutile libertà d'opinione che imperversa ovunque». Era questa l'aria.

Di Gregorio XVI, il Belli celebra, a modo suo, l'elezione. Il sonetto del 2 febbraio 1831, appena chiuso il conclave, attacca festoso: «Senti, senti Castello come spara. / Senti Montecitorio come sona. / È segno ch'è finita 'sta cagnara, / e 'r papa novo già sbenedizziona». Stranamente, invece, non ne racconta la morte, che avviene il 1° giugno 1846. In quel periodo il poeta non scrive e i ricordi di Gregorio arrivano più tardi, in autunno, in un sonetto nel quale parla assai male dell'ultimo papa della sua vita, Pio IX (Giovanni Mastai Ferretti), il quale nel frattempo è salito sul trono di Pietro: un pontefice giudicato prima «liberale» poi «traditore», destinato a patire la repubblica del 1849 e, nel 1870, la breccia di porta Pia.

È il Pio IX di fama «liberale» del primo periodo che Belli racconta in un sonetto del gennaio 1847, il cui tono è grandiosamente sarcastico:

No, ssor Pio, pe smorzà le trubbolenze,
Questo cqui non è er modo e la maggnera.

Voi, Padre Santo, nun n'avete scera,
Da fà er Papa sarvanno l'apparenze.
La sapeva Grigorio l'arte vera
De risponne da Papa a l'inzolenze:
Vônno pane? mannateje innurgenze:
Vônno posti? impiegateli in galera.
Fatela provibbì st'usanza porca
De dimannà giustizia, ch'è un inzoggno:
Pe fà ggiustizzia, ar più, basta la forca.

Quando viene incoronato papa con il nome di Pio IX, il cardinale Mastai Ferretti ha superato di poco i cinquant'anni e nessuno sa che il suo pontificato sarà il più lungo nella storia della Chiesa, oltre che uno dei più tormentati. Quell'uomo ancora giovanile, consapevole del suo bell'aspetto, che è stato guardia nobile prima di cominciare la carriera ecclesiastica, dovrà amministrare la perdita del potere temporale, cioè in parte subire, in parte governare, un compito diplomatico, politico e religioso d'immane complessità.

È il 1846, anno che prepara avvenimenti capitali. Gregorio XVI, suo predecessore, è morto il 1° giugno. Il conclave è breve, dura appena 48 ore, cosicché il 16 giugno, con il consueto gaudio, i romani e il mondo apprendono l'elezione del nuovo papa. Sappiamo che, mentre le campane suonano a festa, nelle strade «era un fermarsi continuo, un domandare, un correre affannato. Roma non aveva mai presentato uno spettacolo di maggior turbamento in simil congiuntura, a nessun'altra elezione di pontefice aveva da lungo tempo la popolazione romana così vivacemente partecipato». La concitazione e il turbamento notati dai cronisti derivano da alcuni fattori destinati a incidere sugli avvenimenti successivi. Gregorio XVI s'era lasciato alle spalle un pesante dissesto e un diffuso malcostume. La speranza generale è che le cose rapidamente migliorino, in ogni senso; infatti, per almeno tre anni Pio IX gode di un largo favore popolare. D'altra parte, lo spirito liberale e patriottico, spinto a volte fino all'estremismo giacobino, s'è diffuso in Italia e nessuno può nascondersi che la «questione romana» dovrà prima o poi essere risolta.

Questa complicata situazione fa sì che da Pio IX tutti s'aspettino tutto: restaurazione e adeguamento al nuovo, polso fermo e capacità di manovra, massime aperture e estrema intransigenza. C'è perfino chi si augura che il nuovo papa sia in grado di conciliare potere temporale e unità nazionale, diventando il capo di un'Italia confederata. In realtà, il meglio che il nuovo papa riesce a fare è barcamenarsi con saggezza. Apre al nuovo ma con cautela e crede d'individuare una soluzione nel neoguelfismo conciliatorio di Gioberti e di Rosmini. In ogni caso, nell'allocuzione del 29 aprile 1848, si affretta a precisare i confini oltre i quali non si spingerà.

I suoi primi anni di pontificato sono terribili: nel novembre 1848 viene pugnalato a morte, sulla scale del palazzo della Cancelleria, Pellegrino Rossi, capo del governo. Pio IX corre a rifugiarsi a Gaeta. Nel febbraio 1849 viene proclamata la Re pubblica romana. Ci sono scontri a fuoco, ci sono morti; sul Gianicolo si concentra la resistenza di pochi valorosi contro eserciti regolari tra i meglio armati del continente. Ne parlo per esteso nel capitolo *Fratelli d'Italia*.

Il papa riprende possesso del suo dominio il 12 aprile 1850, rientrando in città da porta San Giovanni. Una gran folla fa ala al suo passaggio, gli applausi però sono pochi, quasi ci fosse nell'aria più curiosità che consenso. La metà del secolo è appena scoccata, i problemi immediati sono stati o soffocati o rinviati, tutto ciò che Pio IX può fare è cercare di congelare le cose, di tenerle sotto controllo aspettando che una possibile soluzione si presenti da sé. Visti con il senno di poi, i primi tre o quattro anni di pontificato dell'ultimo papa-re, si configurano come un concitato preambolo ai due lunghi decenni d'attesa che da quel momento il papa e il suo popolo hanno davanti.

Ho accennato in apertura ad alcuni avvenimenti salienti nella vita del poeta. Nessuna di quelle circostanze, però, né altre che potrebbero essere riferite, basta per rispondere alla domanda di chi fosse in realtà il misterioso Giuseppe Gioacchino. Non il poeta, naturalmente, che è tra i maggiori e ancora ci parla, bensì l'uomo, cioè l'impiegato, il censore teatrale, il marito di una donna più anziana, il vecchio che continua a trascinare in giro per la città o nei modesti alloggi in cui vive la funerea ipocondria dei suoi settant'anni. Belli è soprattutto Roma. Lo è non solo perché le assomiglia, ma anche per la ragione opposta. Infatti, nulla è più lontano dall'indolenza e dal cinismo della città della sua poesia piena di nerbo, capace di fulminei riconoscimenti stretti nel giro di pochi versi. A pensarci bene è proprio questa ambivalenza la ragione per cui ancora oggi, a più di due secoli dalla nascita, possiamo definire «misterioso» il fenomeno Belli.

Negli anni a cavallo tra la fine del Settecento e l'inizio dell'Ottocento, l'Europa è in movimento. L'epoca dei lumi ha favorito in Francia la rivoluzione, da questa è scaturita quell'immensa ondata di energia rappresentata da Napoleone, che per un paio di decenni mette il continente a soqquadro. Anche Roma risente di quanto sta accadendo. Ma ne risente, è stato detto, come potrebbe farlo «una molle cortigiana» che più o meno capisce, dalle mostrine sulle giubbe dei suoi clienti, che cosa sta succedendo là fuori. Napoleone imperatore cerca di costringere due pontefici a fare ciò che desidera, riuscendovi solo in parte, ma in tal modo porta comunque a Roma, sulla punta delle baionette, un qualche barlume dello spirito rivoluzionario. Immersa in un tempo rimasto per secoli immobile, in un «duro sonno e una densa notte», l'ex città eterna si trova suo malgrado contagiata dalla modernità. I pittoreschi soldati che la occupano, o ne proteggono il sovrano, sono stranieri. Ci sono gli svizzeri del papa, ci sono i francesi. Gli italiani arriveranno solo nel 1870. Sulle milizie indigene meglio sorvolare: «Eppoi ste guardie nobbile der cazzo» scrive ingiuriosamente il poeta.

Belli è un uomo nato e cresciuto in questa cultura di provincia. Gli studi, i saggi, le accademie alle quali s'iscrive e alcuni viaggi al Nord lo mettono in contatto con le espressioni più vive del tempo. A Milano, fra l'altro, conosce il Porta e nel 1827 acquista una copia dei suoi versi. Resta, però, il fatto che Roma è una città-Stato militarmente imbelle, dal punto di vista civile e culturale quasi inesistente sulla mappa d'Europa, e che Belli in questa città nasce e vive, ne respira l'aria. La respira al punto che i cambiamenti cruciali di quegli anni sono per lui fonte di angosce intollerabili. C'è un altro Gioacchino (Rossini, naturalmente) che soffrirà la paura della rivoluzione al punto da fuggire, nel 1848, da Bologna. (Curiosa coincidenza: solo un anno separa la nascita di questi due grandi e attivissimi ipocondriaci.) Belli non abbandona Roma, ma quando, nel 1849, vede avvicinarsi l'effimera repubblica dei triumviri, si barrica in casa e mentre giù in strada i «giacobini» danno alle fiamme gli arredi della chiesa di San Carlo ai Catinari, lui, che ha sbirciato la scena da dietro i vetri del suo appartamento, corre in cucina a bruciare le minute e le varianti dei sonetti. Per fortuna, le stesure definitive sono in salvo altrove.

Che ha a che fare, con quest'uomo e con questa vita, la spavalda franchezza dei sonetti, che restituisce senza mediazioni, fino all'oscenità e alla bestemmia, pescando alle radici stesse della lingua, una plebe «senza arte alcuna»? Su Roma e il suo popolino nessuno degli intellettuali del tempo pensò di doversi interrogare. Il pensiero politico e filosofico descriveva e analizzava gli italiani, le loro virtù e le loro debolezze. Giacomo Leopardi nel suo *Discorso sopra lo stato presente dei costumi degl'Italiani* ne traccia un ritratto acutissimo, sferzante, ancora attuale. Di Roma però, della città destinata a rappresentare per il paese un controverso richiamo, come già era avvenuto in passato, nessuno mette su pagina le cose che a noi, oggi, piacerebbe leggere.

Solo Belli lo fa, assumendo quella plebe e la sua lingua a protagonista di uno sterminato poema. Lo fa consapevolmente e lo scrive: «Mi sembra la mia idea non iscompagnata da novità. Questo disegno così colorito, checché ne sia del soggetto, non trova lavoro da confronto che lo abbia preceduto». La finalità del suo ininterrotto poema la scolpisce nella solenne, sintetica e celeberrima riga e mezzo iniziale che ho posto come titolo al capitolo: «Io ho deliberato di lasciare un monumento di quello che oggi è la plebe di Roma». Ritrae con amarezza questo volgo che però lo affascina. Piange, ride, copula con esso; s'immedesima nei suoi soggetti, nei suoi sentimenti, in quella lingua franca e corrotta, oscena e blasfema, unica libertà che gli è concessa: «Il popolo è questo» scrive «e questo io ricopio».

Gli studiosi si sono a lungo chiesti se il poeta abbia detto la verità, se cioè la folla così colorita di personaggi dei suoi sonetti rappresenti davvero i popolani di Roma o non piuttosto le tante anime di Giuseppe Gioacchino, che dà voce alle sue idee nascondendole dietro varie maschere. Quesito affascinante e futile nello stesso tempo, perché non esiste una risposta certa alla domanda, anche se fu il poeta stesso a porsela. Belli era probabilmente una cosa e l'altra. Il prudente conservatore, quasi timoroso delle sue stesse idee, e il poeta affascinato dalla forza barbarica, dalla miseria, rozzezza, degradazione morale, venalità e lussuria che vedeva intorno.

Belli stesso, dicevo, la domanda se la pose; nell'introduzione ai *Sonetti* scrive che si sbaglierebbe a pensare che «nascondendomi perfidamente dietro la maschera del popolano abbia io voluto prestare a lui le mie massime e i principii miei». Invece, aggiunge, «io ritrassi la verità». Le cose in realtà non furono così semplici. L'abbondanza stessa dei sonetti, il flusso a tratti straripante dell'ispirazione smentiscono una spiegazione tanto ordinata e metodica. Ci sono datazioni che mostrano una produzione di dieci sonetti in un solo giorno. Quando la moglie muore, la vena s'assottiglia. Dopo il 1849 s'asciuga e scompare.

La sua produzione appare come dotata di una vita autonoma racchiusa dentro la vita anagrafica dell'autore e basterebbe questo a denotare l'eccezionalità della sua esperienza poetica. A tal punto arrivò l'applicazione furibonda alla scrittura che l'autore si ridusse «una larva d'uomo svuotato, poco più di un'ombra o di uno spettro».

Ecco perché la domanda rimane di fatto senza risposta. Nei sonetti c'è sicuramente Belli, c'è quanto meno un suo doppio che assomiglia all'uomo Belli, allo stesso modo in cui Mr. Hyde richiama e insieme contraddice quel dottor Jeckill che nega di conoscere.

Dovrei dare un'idea di che cosa fu la produzione del poeta, della vastità dei temi che seppe toccare, tutto riducendo al minimo e vivido punto di vista dei suoi protagonisti, sempre dominando con assoluta maestria i quattordici endecasillabi di cui, salvo rarissime eccezioni, si compone un sonetto. Mi devo limitare a qualche esempio e lo faccio, confesso, non solo per ragioni di spazio, ma anche perché spero che questi pochi versi inducano alla lettura diretta della sua opera. Ecco come egli

riesce a condensare in una quartina la cerimoniosità ipocrita
di una «conversazione»:

«Entri, se servi, favorischi puro,
Come sta?... ggrazzie: e llei? obbrigatissimo
A li commanni sui, serv'umilissimo,
nun z'incommodi, ggià, ccerto, sicuro ...»

Infatti nella terzina che segue arriva la «morale»:

Ciarle de moda: pulizzie de Corte:
Smorfie de furbi: sscene de Palazzo:
Carezze e amore de chi ss'odia a mmorte.

Una parola risalta in questi ultimi versi ed è «palazzo». Nel-
l'Italia degli ultimi decenni il termine è diventato per antonomasia *topos* in cui risiede e da cui s'irradia il «potere». Credo
sia stato Pasolini a divulgarne l'uso negli anni Settanta. Ma la
fonte primaria resta il Belli, più esattamente il sonetto *Li sopra-
ni der monno vecchio* (21 gennaio 1832), che ha un attacco da
minacciosa fiaba:

C'era una vorta un Re cche ddar palazzo
Mannò ffora a li popoli st'editto:
«Io sò io, e vvoi nun zete un cazzo,
Sori vassalli bbuggiaroni, e zzitto».

Sentite questo dialogo tra un gendarme che entra in un bordello per ispezionarlo e un prete che gli si fa incontro:

Entrato er brigattiere in ner bordello
Je se fa avanti serio serio un prete.
Disce: «Chi ssete voi? cosa volete?»
Disce: «La forza, e pportà llei 'n Castello».

Segue per altri sette versi un aspro dialogo tra i due, fino a
quando il prete, con un gesto da giocoliere, taglia corto risol-
vendo la questione:

Detto ch'ebbe accusì, sse scercò addosso,
Arzò la su' man dritta sur zucchetto,
Se levò er nero e cce se messe er rosso.

In altre parole, non si trattava di un semplice prete, ma di un
porporato. Sappiamo che l'episodio è tolto di peso dalla vita

del cardinale Domenico de Simone, beneventano, elevato a quel rango da Pio VIII. Ma il tema dei rapporti carnali del clero con prostitute e altre ragazze è ripreso più volte dal poeta in numerose varianti dettate, si deve credere, dall'abbondanza dei pettegolezzi e dai vivaci resoconti passati di bocca in bocca.

Cambio argomento. Un sonetto del 31 marzo 1836 è intitolato *Er Miserere de la sittimana santa*. Si tratta del celeberrimo *Miserere* a nove voci di Gregorio Allegri (1582-1652), esempio sommo di polifonia romana. Era vietato copiarlo per ragioni, diremmo oggi, di copyright. Mozart, ascoltatolo nella cappella Sistina, fu capace, una volta tornato in albergo, di trascriverlo a memoria. Di quel celebre brano parla anche Goethe nel suo *Viaggio in Italia*, definendolo «*undenkbar schön*», incredibilmente bello. A un certo punto il brano recita: «*Miserere mei Deus secundum magnam misericordiam tuam*». Proprio su quel verso interviene il poeta reclamando che in nessun luogo al mondo si è capaci di cantare quelle parole, e *magnam* in particolare, con altrettanta maestria:

Oggi sur *maggna* sce sò stati un'ora;
E ccantata accusì, ssangue dell'ua!,
Quer *maggna* è una parola che innamora.

Prima l'ha ddetta un musico, poi dua,
Poi tre, ppoi quattro; e ttutt'er coro allora
J'ha ddato ggiù: *mmisericordiam tua*.

Il sonetto rappresenta un caso straordinario: attraverso le parole, riesce a restituire l'incanto polifonico di un'imitazione a canone. Pochi altri esempi prima di chiudere: il primo è questo «dipinto a olio» della campagna romana intitolato *Er deserto* (26 marzo 1836). Nell'Ottocento l'agro romano era una landa desolata, una sconfinata distesa di latifondi abbandonati, interrotta solo da alcune forre e da qualche modesto rilievo tufaceo; qua e là caverne diventate ricovero per animali, per qualche brigante o per gli stessi pastori; sparse intorno, rade capanne di giunchi, paglia, canne, fango essiccato, abietti abituri dove alloggiavano povere genti totalmente analfabete, afflitte spesso dalla malaria, dalla pellagra o dal tracoma; per miglia e miglia un'aria sospesa, una campagna piatta appena segnata da un tratturo. Per uno di questi tratturi avanza lentamente un carretto (una «bbarrozza»), tirato da un macilento cavallo. Ecco che cosa vede Belli:

Fà ddiesci mijja e nun vedé una fronna!
Imbatte ammalappena in quarche scojjo!
Dapertutto un zilenzio com'un ojjo,
Che ssi strilli non c'è cchi tt'arisponna!

Dove te vorti una campaggna rasa
Come sce sii passata la pianozza
Senza manco l'impronta d'una casa!

L'unica cosa sola c'ho trovato
In tutt'er viaggio, è stata una bbarrozza
cor barrozzaro ggiù mmorto ammazzato.

Per chiudere, ecco altri due esempi che danno un'idea della poderosa forza del verso belliano nell'invenzione dell'osceno. Il primo riguarda Santaccia, «sozzissima meretrice», che esercitava di fronte al teatro di Marcello nella (oggi distrutta) piazza Montanara. Per lo più al servizio dei villani che arrivavano dalla campagna, Santaccia riceveva, per così dire, più clienti alla volta («Lei stava in piede; e quelli uno davanti / faceva er fatto suo, uno dereto»). Nel secondo dei due sonetti a lei dedicati (*Santaccia de piazza Montanara*, del 12 dicembre 1832) il Belli ne racconta una buona azione, così come una meretrice può concepirla:

A pproposito duncue de Santaccia
Che ddiventava fica da oggni parte,
E ccoll'arma e ccor zanto e cco le bbraccia
T'ingabbiava l'uscelli a cquarte a cquarte;

È dda sapé cc'un giorno de gran caccia,
Mentre lei stava assercitanno l'arte,
Un burrinello co l'invidia in faccia
S'era messo a ggodessela in disparte.

Fra tanti uscelli in ner vedé un alocco,
«Oh,» disse lei, «e ttu nun pianti maggio?»
«Bella mia,» disse lui, «nun ciò er bajocco.»

E cqui Santaccia: «Aló, vvieccelo a mmette:
Sscejjete er buscio, e tte lo do in zoffraggio
De cuell'anime sante e bbenedette».

Secondo e ultimo esempio, che riporto parzialmente: uno
straordinario esercizio virtuosistico, un componimento fatto
quasi per intero di sinonimi, *La madre de le sante* (6 dicembre
1832). L'abbondanza dell'ispirazione è tale da far eccedere al
poeta la consueta misura: i quattordici versi del sonetto qui
diventano diciassette, anche se non posso trascriverli tutti. Di
che cosa siano sinonimi i vari termini presentati sarà subito
chiaro al lettore:

Chi vvò' cchiede la monna a Ccaterina,
Pe ffasse intenne da la ggente dotta
Je toccherebbe a ddì vvurva, vaccina,
E ddà ggiù co la cunna e cco la potta.

Ma nnoantri fijjacci de miggnotta
Dimo scella, patacca, passerina,
Fessa, spacco, fissura, bbuscia, grotta,
Freggna, fica, sciavatta, chitarrina,

Sorca, vaschetta, fodero, frittella,
Ciscia, sporta, perucca, varpelosa
..

E così per altri quattro versi all'apparenza allegri, a capo dei
quali arriva, come un cupo colpo di timpano, la funerea chiusa:

E ssi vvòi la scimosa,
Chi la chiama vergoggna e chi nnatura,
Chi cciufeca, tajjola, e ssepportura.

VI

L'AVVENTURA DEL MOSÈ

Fra le basiliche protocristiane, San Pietro in Vincoli ha una storia mescolata a leggende di particolare interesse. I «vincoli» cui si fa riferimento sono le (presunte) catene con cui l'apostolo Pietro fu tenuto prigioniero prima a Gerusalemme e poi a Roma. Eudossia imperatrice, moglie di Valentiniano III, soddisfece il voto dei suoi genitori donando i ceppi che aveva portato dalla Terrasanta a papa Leone Magno. Quando il pontefice li avvicinò a quelli della prigionia romana del santo, miracolosamente i due tronconi si saldarono. E sull'altare centrale l'antichissima catena è oggi visibile all'interno di un'urna.

Ma ciò che attira subito lo sguardo di chi entra nella basilica sono le venti magnifiche colonne, dieci per lato, che tripartiscono le navate. Sono fra le più belle che si possano vedere a Roma e, credo, al mondo. Si tratta di antiche colonne doriche alte più di sei metri, di marmo imezio non dissimile, a occhio nudo, da quello di Carrara, nate per un tempio greco, collocate qui dopo essere state utilizzate nella prefettura dell'Urbe che sorgeva non lontano, sul colle Esquilino. Le basi ioniche sono settecentesche. Fu Valentiniano III a farle avere a sua moglie (siamo intorno alla metà del V secolo) come contributo per la riedificazione della chiesa sui resti di un edificio sacro preesistente. Quando ho visitato la basilica per preparare questo capitolo, un sacerdote mi ha fatto notare che la parte inferiore delle colonne appare, fino a una certa altezza, deteriorata come se, in epoche remote, uomini, o forse animali, vi fossero stati legati.

A testimonianza delle numerose vicissitudini dell'edificio si possono vedere, sul lato destro della navata centrale, due

poderose travi assicurate alla sommità della parete. Facevano parte della capriata del tetto originale, fatto restaurare nel
XV secolo dal cardinale Nikolaus Chrypffs, nato a Cues, vicino a Treviri, scienziato e teologo noto con il nome italianiz-
zato di Nicolò Cusano. Le grandi travi sono scolpite perché
erano a vista e vi si può leggere, fra l'altro, la scritta ANNO
DOMINI M * CCCC * LXV. La tomba del cardinale si trova nella
navata sinistra ed è contrassegnata da un altorilievo di ottima fattura attribuito ad Andrea Bregno.

Se la chiesa è ricca di numerosi motivi d'interesse, i sotterranei sono addirittura affascinanti. Nel 1956, dovendosi rifare
il pavimento assai malconcio, l'archeologo Antonio Colini
venne incaricato di un'indagine sistematica su ciò che era stato ricoperto con la costruzione della basilica. Gli scavi dettero
risultati eccezionali. Sotto la chiesa ci sono resti di case che risalgono addirittura all'età repubblicana di Roma e arrivano fino al III secolo d.C., con resti di pavimento in mosaico, cripto-
portici e un'aula absidata lunga 34 metri. Si sono scoperti
anche i resti di una villa che forse era parte della Domus tran-
sitoria neroniana, con giardini, cortile porticato e vasca per la
fontana. Negli anni Novanta, altri scavi sono stati condotti a
cura dell'adiacente facoltà d'ingegneria dell'università La Sapienza, anche in questo caso con ottimi risultati. La verità è
che la chiesa e l'intero quartiere sorgono su quello che era il
centro della città antica. La Domus aurea e il Colosseo sono a
due passi; sul lato occidentale il colle strapiomba verso la Suburra, in tempi antichi quartiere della bassa plebe, fittamente
abitato.

Nei sotterranei di San Pietro in Vincoli si respira un'aria
densa, carica di suggestioni. I fregi musivi sul pavimento hanno chiaroscuri raffinatissimi e tessere minute, accostate le une
alle altre con magistrale regolarità. La curvatura delle pareti,
spezzate alla sommità, lascia intuire l'arco che le completava
quando formavano un porticato; visibili qua e là sono le boc-
che di lupo che lasciavano passare la luce. In questi ambienti
sotterranei, dove bisogna procedere a capo chino sotto l'incombente pavimento della basilica, sorgevano una volta giardini, c'erano viali inondati di sole, fruscio di acque, stormire

di fronde. C'era Roma come decine di scrittori e di registi l'hanno immaginata prima che la polvere della storia la sommergesse, facendola scomparire quasi per intero. In una delle sale ipogee sono visibili i resti di una cappella, forse una camera mortuaria.

Dal momento in cui i lavori diretti dal Colini vennero interrotti, nel 1959, tutto è rimasto immutato; c'è aria d'abbandono, nuova polvere s'è depositata su quella antica. Un graffito sul muro annuncia che lì un uomo venne a morte nel 1798. Il nome è indecifrabile, chiari sono solo la data e il verbo «morì»: un decesso nascosto, che ha lasciato come sola memoria questo incerto, toccante graffito. Ben altra morte, ben altra memoria ha accolto la veneranda basilica, non qui nel buio, ma sopra, nella luce gloriosa, dove Michelangelo ha lasciato una delle massime testimonianze del suo genio e della sua «tragedia». Parlo ovviamente del *Mosè*, colossale blocco di pietra reso umano, troppo umano, dalla sua maestria.

In questa statua l'intreccio dei significati è di tale ricchezza che tentare di guardarla senza conoscerli equivale quasi a non vederla affatto. L'abilità con cui è stata scolpita balza agli occhi di chiunque, ma nella vita di Michelangelo il *Mosè* rappresenta un picco di conoscenza e di sofferenza così a lungo protratti che il suo artefice arrivò a definire la statua, e la tomba di cui è ornamento, «la tragedia della mia vita». Percorriamola dunque questa vicenda, premessa indispensabile alla comprensione di uno dei capolavori della storia umana.

Nel marzo del 1505, papa Giulio II (Giuliano Della Rovere) chiama il trentenne Michelangelo a Roma. Giulio è un papa guerriero, politico accorto, uomo di conquista e di dominio. Nulla in lui richiama le virtù cristiane della carità, dell'amore fraterno; al contrario, obiettivo dichiarato del suo pontificato è il rafforzamento dello Stato della Chiesa e da subito il pontefice mette mano alla spada per strappare ai Baglioni e ai Bentivoglio le città di Perugia e di Bologna. È un principe rinascimentale più che un uomo di Chiesa, e come tale si comporta. Che cosa chiede questo papa all'artista? Vuole che lo scultore fiorentino, l'autore della straordinaria *Pietà* e del *David*, innalzi per lui la più grandiosa sepoltura mai concepita. All'epoca il papa ha sessantadue anni, non è certo giovane, ma è un uomo indomabile, pieno di energia fisica e mentale. Perché dunque pensa alla tomba? Esistono varie ipotesi, ma la più credibile, secondo me, è che un uomo siffatto, avido di grandezza e di fasto, ambisse garantirsi con quel monumento maestoso una specie d'immortalità.

Alla smania di grandezza di Giulio II corrisponde del resto la prodigiosa energia e la vastità di visione di Michelangelo; i due sono fatti per intendersi e in questo il pontefice ha scelto l'uomo giusto. «Se la s'ha da fare» scrisse l'artista in una lettera subito dopo aver ricevuto la commissione «la dev'essere la più bella del mondo.» E che cosa lo scultore intendesse per «bella» lo mostrarono subito i suoi disegni: una tomba non delle consuete, che s'addossavano, con qualche ornamento, a una parete, bensì un alto monumento quadrangolare, una mole gigantesca alla quale fosse possibile girare intorno per ammirarne da ogni lato la magnificenza. Qualcosa che assomigliasse a un antico mausoleo, con una pianta di 11 metri per 7, innalzata su tre livelli: il mondo terreno al primo con i prigioni, gli schiavi; più in alto Mosè, san Paolo e altri profeti; al sommo il cenotafio del pontefice. Su ogni lato figure cavate nel marmo, quaranta statue in tutto; poi nicchie e altorilievi in bronzo. All'interno della massa abbagliante uno spazio cavo, una stanza di forma ovale con la vera e propria tomba. Un tempio per papa Della Rovere all'interno del tempio dedicato a san Pietro.

Al committente il progetto piacque molto, al punto da ordinare all'artista di partire appena possibile per le cave apuane e assicurarsi i marmi più adatti a una tale impresa. Ricevuto un primo anticipo di 1000 ducati, Michelangelo parte per Carrara e resta otto mesi tra quei picchi, dal maggio al dicembre del 1505, contrattando con cavatori e scalpellini i blocchi da tagliare e poi accordandosi con i conduttori di muli e infine con i capitani di navi perché i marmi, una volta calati a valle, siano avviati all'imbarco e di lì, via mare, a Roma, dove effettivamente giunsero, sbarcati a Ripa Grande e poi trascinati su rulli e slitte fino a piazza San Pietro: blocchi superbi e in quantità tale da occupare buona parte di quello spazio, sicché andarli ad ammirare era diventata una delle più frequenti distrazioni popolari.

Michelangelo aveva preso alloggio poco lontano dalla piazza e si era messo prontamente all'opera con grande soddisfazione del pontefice che si recava sovente, attraverso un passaggio segreto, a vedere i progressi del lavoro, fermandosi volentieri a discorrere con l'artista «ragionando e della sepoltura e d'altre cose, che avrebbe fatto con un suo fratello» assicura Ascanio Condivi, umile e obbediente biografo, che scrisse una *Vita di Michelagnolo Buonarroti* quasi sotto dettatura dell'artista.

Non conosciamo i dettagli, ma è molto probabile che la statua di Mosè sia stata una delle prime alle quali lo scultore mise mano, anche perché l'atteggiamento altero del profeta e la sua irata energia dovevano assomigliare molto agli atteggiamenti abituali di Giulio II. Giuliano Della Rovere non amava gli indugi: presa la decisione, aveva pensato di completarla chiedendo al Bramante, massimo architetto del momento, di progettare un nuovo edificio che sostituisse la vecchia e veneranda basilica costantiniana. Nella sua concezione, esso sarebbe diventato la casa madre dell'universo cristiano, il tempio più grande e più bello mai concepito, quasi smisurato, all'interno del quale sarebbe stato collocato il suo altrettanto smisurato sepolcro: il modo più sicuro per non morire nemmeno dopo morto.

Accadde invece che, avviato il progetto della basilica di San Pietro, l'entusiasmo del pontefice per la sua tomba, all'inizio così sincero e totale, si raffreddò, fosse distrazione per altre e più impegnative imprese, fosse malanimo da parte di altri artisti, come lo stesso Michelangelo credette di capire, al punto che molti anni dopo dava in una lettera questa spiegazione: «Tutte le discordie che nacquero tra Papa Julio e me fu la invidia di Bramante e di Raffaello da Urbino et questa fu la causa che non seguitò la sua sepoltura in vita sua, per rovinarmi». L'obbediente Condivi scrive in termini ancora più espliciti: «Bramante architettore, che dal papa era amato, col dir quello che ordinariamente dice il volgo, esser mal'augurio in vita farsi la sepoltura et altre novelle, lo fece mutar proposito».

Dobbiamo crederlo? È possibile, anche se, per la verità, Raffaello arriverà a Roma solo qualche anno più tardi. I rapporti tra artisti non erano facili, erano anzi complicati da rivalità, invidie, gelosie, com'è sempre avvenuto, specialmente in un'atmosfera di corte, dove la fonte di ogni decisione è unica e molto può dipendere dall'umore, quando non dal capriccio, del mecenate. Ma è anche possibile che Giulio II abbia rallentato il completamento della tomba perché attratto dall'altro e ancora più grandioso progetto della nuova basilica, e che Michelangelo abbia attribuito a malevolenza di Bramante quella che era invece la mutata volontà «politica» del papa.

Questa ambigua situazione culminò in una scena giustamente famosa per la sua natura misteriosa e per l'alta drammaticità. Il 17 aprile 1506, venerdì dopo Pasqua, Michelangelo abbandona d'improvviso Roma, meglio sarebbe dire ne fugge. L'artista doveva saldare i marmi che di continuo arrivavano e non aveva i denari perché il papa aveva interrotto i pagamenti. Più volte cercò udienza presso il pontefice per affrontare l'argomento, ma sempre senza esito, fino a quando, un brutto giorno, mentre aspettava in una delle anticamere, un palafreniere gli venne vicino intimandogli di lasciare subito il palazzo. L'artista non aveva temperamento da sopportare un simile affronto. Vergò di furia un biglietto che diceva: «Beatissimo padre, io sono stato cacciato stamani di palazzo da parte della vostra Santità; onde io le fo intendere che da ora innanzi, se mi vorrà, mi cercherà altrove che a Roma».

Il papa, informato dell'incidente prima ancora che il biglietto gli fosse recapitato, spedì sulle tracce dello scultore cinque messi a cavallo i quali però poterono raggiungere il fuggiasco solo nel cuore della notte a Poggibonsi, vale a dire in territorio fiorentino, fuori della giurisdizione pontificia. L'alterco fu aspro. Quelli gli intimavano di obbedire, Michelangelo minacciava di farli uccidere. Alla fine l'artista rifiutò di farsi ricondurre a Roma e al papa mandò a dire che, poiché il suo interesse nella sepoltura era venuto meno, si riteneva libero da ogni impegno. Due anni durò l'assenza da Roma: l'altero artista e l'arrogante pontefice s'incontrarono a Bologna, e Michelangelo fuse per il papa una gigantesca statua in bronzo (andata purtroppo distrutta), ma a Roma tornò solo nella tarda primavera del 1508. Sperava di poter rimettere mano alla sepoltura, invece l'attendeva un nuovo incarico e una nuova delusione.

Per la verità, il frutto di quella delusione sarebbe stato un insuperato capolavoro: trecento metri quadrati di superficie riempiti con centinaia di figure, quattro anni di lavoro durissimo, dalla primavera del 1508 alla fine d'ottobre del 1512, un guadagno di 3000 scudi a fronte di sofferenze, anche fisiche, indicibili. Sto parlando della cappella Sistina, di cui papa Giulio volle a tutti i costi affidargli l'affresco, anche su insistenza di Bramante. Perché il famoso architetto premeva in quel modo? Un'ipotesi attendibile sostiene che si voleva sospingere l'artista in un incarico e in una sfida per lui nuovi, mettendone così a repentaglio la fama, segretamente sperando che il suo rapporto con il pontefice ne risultasse compromesso.

Non andò così: per lo scultore fattosi pittore quei quattro anni furono una vera tortura, ma da quello che poteva essere uno smacco sortì uno dei risultati massimi nella storia della pittura. Il papa all'inizio avrebbe soltanto voluto che nelle lunette si raffigurassero i dodici apostoli e che la volta fosse coperta da un cielo stellato come si usava allora. L'artista affrontò l'impegno con ben altra visione, facendo esplodere su quelle pareti la storia divina e umana, riempiendole di tutti coloro che avevano preceduto l'avvento di Cristo, i suoi antenati, i profeti e le sibille che ne avevano annunciato l'arrivo. Quattro anni sdraiato sulle tavole dei ponteggi, rannicchiato, contorto, con le braccia levate per ore e ore e la parete a breve distanza dagli occhi: scrive Condivi che «spedita quest'opera Michelagnolo per avere nel dipingere così a lungo tenuti gli occhi alzati verso la volta, guardando poi in giù poco vedeva: sì che s'egli aveva a leggere una lettera o altre cose minute gli era necessario colle braccia tenerle levate sopra il capo».

Quattro mesi dopo lo scoprimento della Sistina, nel febbraio 1513, Giulio II moriva e per il grande artista si profilavano nuovi fastidi e ancor più gravi incertezze. Il rapporto con l'imperioso papa Della Rovere era stato aspro, ma emotivamente molto intenso per entrambi: Giulio II almeno una volta aveva addirittura colpito l'artista con il bastone. Fu il giorno in cui, alla ripetuta domanda «ma quando finirete di dipingere questa Sistina», Michelangelo aveva risposto scontroso: «Quando potrò». Con tutte le sue asperità era stato comunque un rapporto vero tra due uomini insopportabili, fatti però per capirsi. Con il successore le cose cambiarono perché Leone X (Giovanni de' Medici) fu un papa pessimo, che non capì quanto giusta e sentita dai fedeli fosse quella domanda di una maggiore moralità della Chiesa che Martin Lutero andava gridando per l'Europa. Il frate agostiniano aveva sollevato la questione in termini cruciali nella loro brutalità: perché il papa, più ricco del triumviro Crasso, non pagava di tasca propria i lavori per la costruzione di San Pietro, invece di finanziarla con l'obolo dei poveri credenti? Inoltre, la curia romana praticava un indegno mercato con le indulgenze, garantiva la remissione dei peccati nell'aldilà in cambio di moneta sonante nell'aldiquà.

Quando Leone salì al soglio aveva solo trentasette anni; era diventato cardinale a tredici e suo padre era il grande Lorenzo, detto il Magnifico. Fu un pontefice mondano, sensuale, pigro, politicamente incerto, che favorì sfacciatamente i familiari. Un uomo come Michelangelo non faceva per lui. Eppure, un lavoro volle che lo eseguisse: la facciata della chiesa fiorentina di San Lorenzo. Lo scultore cercò di scansare l'incarico, disse che era impegnato a costruire il sepolcro di Giulio II, che un nuovo contratto era stato appena firmato con gli eredi. Fu giocoforza abbandonare l'impresa. Leone, dopo tutto, era un concittadino e per di più bisognava misurarsi con un nuovo mestiere: dopo la scultura e la pittura ora si trattava di farsi architetto. Le idee erano buone, ma alla fine non se ne fece nulla.

Ci furono altre commissioni, non tutte andate a buon fine, altri contratti con gli esecutori testamentari di papa Della Rovere, altre pene. Ci furono anche altri papi perché, dopo Leone X, morto nel 1521, venne l'olandese Adriano Florisz

(Adriano VI), uomo di puritana austerità e, in quanto tale, deriso dalla sua stessa corte, abituata a ben altra disinvoltura da parte dei pontefici. Rimase sul trono poco più d'un anno prima di morire nel settembre 1523. In quei pochi mesi ebbe modo di occuparsi anche di Michelangelo e lo fece nel modo peggiore poiché, incapace di distinguere fra il decadimento della curia e la potenza ammonitrice degli «ignudi» della Sistina, scambiò quelle membra scoperte per uno dei tanti sintomi di corruzione che aveva trovato a Roma. Progettò quindi di fare abbattere la cappella, come testimonia il Vasari nelle *Vite*: «Aveva cominciato a ragionare di voler gettare per terra la cappella del divino Michelangiolo, dicendo ch'ella era una stufa d'ignudi; e sprezzando tutte le buone pitture e le statue, le chiamava lascivie del mondo e cose obbrobriose». (Sia dipeso o no da questo pietoso abbaglio, dopo di lui non ci furono altri papi stranieri in Vaticano, fino a Giovanni Paolo II nel 1978.)

Morto l'olandese, un altro Medici salì al trono, Giulio, figlio bastardo di Giuliano, che regnò con il nome di Clemente VII e durante il pontificato dovette patire il sacco di Roma del 1527 a opera dei lanzichenecchi di Carlo V e, sul finire del regno, lo scisma della Chiesa anglicana, promosso da Enrico VIII. Prima ancora di diventare papa, Giulio aveva chiesto a Michelangelo di progettare una «sacrestia nuova» nella chiesa medicea di San Lorenzo, in realtà un sepolcreto dove avrebbero trovato posto i maggiori della sua famiglia a cominciare dallo zio, il Magnifico Lorenzo. Per l'ennesima volta l'artista dovette lasciar perdere le sculture per la tomba di Giulio II, incarico che ormai si trascinava da quasi vent'anni, e metter mano alla nuova opera, che sarebbe risultata una delle sue più mirabili. Poco prima di morire, nel 1534, il papa immaginò per il genio di Michelangelo un'altra commissione: un *Giudizio universale* che completasse, sulla parete dell'altare, la decorazione della Sistina.

Intanto però l'artista dovette affrontare anni di tumulto politico, di guerre e di assedi, avvenimenti nei quali si trovò quasi sempre coinvolto suo malgrado, anni di fughe, di timori per la sua stessa vita, di precipitosi ritorni a Firenze prima e dopo l'effimera avventura repubblicana. Qui, nel luglio 1531, entrò da padrone il duca Alessandro de' Medici, che il Condivi definisce «giovane, come ognun sa, feroce e vendicativo» e che per di più odiava Michelangelo al punto da pensare di farlo uccidere. Giovane lo era di certo, essendo poco più che ventenne, duca lo diventò quando suo «zio», papa Clemente VII (in realtà suo padre), gli concesse il titolo, facendolo principe della città. Con il suo arrivo, l'artista non si sentì più a suo agio a Firenze e, convinto anche da dolorosi lutti familiari, pensò di far ritorno a Roma. Così infatti accadde. Michelangelo giunge nella città eterna il 23 settembre 1534; due giorni dopo il cinquantaseienne Clemente VII muore.

A questo punto del racconto credo sia chiaro perché Michelangelo considerasse la tomba di Giulio II la «tragedia» (ma avrebbe potuto dire «l'incubo») della sua vita. Morto Clemente VII, sul trono di Pietro si avvicenda un altro papa e, per l'artista toscano, un nuovo padrone: Paolo III (Alessandro Farnese), giunto al soglio in età avanzata, pontefice energico al quale toccherà di convocare e manovrare quel concilio di Trento, punto tornante nella storia secolare della Chiesa cattolica. Paolo aveva ripreso dal suo predecessore l'idea del *Giudizio* e volle a tutti i costi che Michelangelo glielo dipingesse, progettando di fare, di quell'affresco smisurato, il manifesto politico delle sue intenzioni pontificali di fronte ai protestanti e al mondo. Ma il Buonarroti era tornato a Roma ossessionato dall'idea che ormai lo perseguitava: portare infine a compimento la tomba di papa Giulio II, anche perché il principale erede, il nipote Francesco Maria Della Rovere, duca di Urbino, uomo di guerra, capace di violenze sanguinarie, reclamava a gran voce che l'artista fedifrago si decidesse a compiere, dopo tanti anni e rinvii, l'opera per la quale era stato pagato.

Accadde in quei giorni un episodio così straordinario da non essercene quasi l'eguale. Seguito da una decina di cardinali, Paolo III si recò di persona a casa di Michelangelo, in Macel de' Corvi, dalle parti del Foro di Traiano. Lì giunto, chiese di vedere i cartoni e gli studi preparatori per il *Giudizio*. Ne rimase così ammirato da rafforzarsi nell'idea che quell'affresco si dovesse assolutamente fare. L'artista era combattuto: aveva in mente la tomba del papa, e non ultime le minacce del bellicoso nipote. Nello studio troneggiava la statua del *Mosè*, già terminata. Ercole Gonzaga, cardinale di Mantova, disse indicandola: «Questa sola statua è bastante a far onore alla sepoltura di papa Giulio». Paolo III, quando capì che l'artista riluttava soprattutto perché temeva la reazione di Francesco Maria Della Rovere, aggiunse: «Io farò che il duca d'Urbino si contenterà di tre statue di tua mano e che le altre tre che restano si dieno a fare ad altri». Il pontefice fu di parola; convinse e rabbonì il collerico duca e assegnò all'artista un vitalizio di 1200 scudi d'oro da pagarsi, per la metà, con gli introiti della gabella sul Po, nei pressi di Piacenza. Nell'estate del 1535 Michelangelo tornava nella Sistina per cominciare il *Giudizio*.

Noi stiamo inseguendo in queste pagine la statua del *Mosè* e il suo accidentato destino. Ma avendo sfiorato il tema del *Giudizio*, non si possono tacere gli esiti di quel sommo affresco, inaugurato il 1° novembre 1541. Ci fu un certo entusiasmo, ma sulle prime prevalsero i pareri contrari. Qualcuno disse che il Cristo era stato raffigurato senza barba e troppo giovane, dunque privo della maestà che gli compete. Intervenne poi il vendicativo Aretino per far notare che l'artista aveva mostrato angeli e santi «questi senza veruna terrena onestà, quelli privi di ogni celeste ornamento». Ciò che maggiormente colpì furono le nudità; un certo Bernardino Ochino, frate sfratato, arrivò a parlare apertamente di indecenza rimproverando il papa di tollerare «una pittura così oscena e sporca nella cappella ove si hanno da cantare gli offici divini». Bigotterie, paura della dilagante Riforma protestante, incapacità di distinguere la grandezza, miopia mentale. È un fatto che, in una delle sue ultime sessioni, il concilio di Trento stabilì regole severissime sulle rappresentazioni di carattere sacro. Poco mancò che il papa successivo, Paolo IV, il terribile Gian Pietro Carafa, che chiamava anche lui il *Giudizio* «una stufa d'ignudi», non facesse ricoprire di calce l'intera parete. Alla fine si giunse, forse con l'accordo dell'autore, al compromesso di nascondere le nudità virili con delle brache dipinte sopra (da qualche anno fortunatamente eliminate), compito affidato nel 1564 (anno in cui Michelangelo morì) a Daniele da Volterra e, in seguito, a Girolamo da Fano.

Terminata la grande pittura del *Giudizio*, l'artista si accingeva a portare finalmente a compimento la tomba di Giulio II, sia pure nella forma ridotta sulla quale ci si era accordati, compresa la collocazione nella piccola chiesa di San Pietro in Vincoli. Ma la tragedia, o l'incubo, doveva continuare e anche questa volta il proposito andò a vuoto. Il papa volle che l'artista gli ornasse di pitture un'altra cappella intitolata al suo nome: la Paolina, appunto. Saranno due le pitture di mano del Buonarroti: la *Crocifissione di san Pietro* e la *Conversione di Saulo*.

Intanto però gli anni passavano, le infermità e i lutti aggravavano la condizione e l'animo del grande artefice e la tomba di Giulio II restava sempre da finire. Bisogna arrivare al 1545, esattamente quarant'anni dopo il suo inizio, perché la «tragedia» abbia una buona volta fine. Per ben cinque volte il contratto era stato rivisto e aggiornato; l'artista era un gagliardo trentenne quando l'avventura era cominciata, ora è un vecchio di settant'anni intristito dalla «melancolia». Gli eredi lo hanno accusato di volersi tenere, senza corrispettivo, i denari che ha incassato, di volerli investire in immobili, di volerne fare commercio prestandoli a usura e intanto, un contratto dopo l'altro, quello che doveva essere un superbo mausoleo, la tomba più bella e più grandiosa mai concepita, s'è ridotto nelle dimensioni e nel numero delle statue che lo orneranno. Doveva sorgere al centro di San Pietro, madre di tutte le basiliche, ed è finito nell'angolo di una chiesa minore. Nel primo contratto le statue dovevano essere quaranta, sono diventate ventotto, poi ventidue; nel contratto del 1532 si riducono a sei e il sepolcro avrà solo una faccia, sarà cioè addossato alla parete. Così riferisce il Vasari: «Finalmente fu fatto lo accordo di questa sepoltura e che così finissi in questo modo: che non si facessi più la sepoltura isolata in forma quadra, ma solamente una di quelle facce sole in quel modo che piaceva a Michelangelo e che fussi obbligato a metterci di sua mano sei statue».

Nell'ultimo compromesso con il duca d'Urbino le statue di mano dell'artista diventano tre, vale a dire *Mosè*, *Lia* e *Rachele*. Alle restanti tre (*Madonna*, *Profeta*, *Sibilla*), provvederà qualcun altro. Nel febbraio 1545 Michelangelo fa trasferire in San Pietro in Vincoli le statue del Mosè e le due che lo affiancano, ovvero a sinistra la *Vita contemplativa* (Rachele, la Fede) e, a destra, la *Vita attiva* (Lia, la Carità). Quattro papi hanno operato perché quell'opera restasse per quarant'anni incompiuta. Per primo il suo stesso ideatore Giulio II, che, disamorato del progetto, aveva fatto venir meno i finanziamenti e costretto Michelangelo al massacrante impegno della Sistina; poi Leone X, che gli aveva fatto perdere anni con la facciata di San Lorenzo; quindi Clemente VII con l'incarico delle tombe medicee e della sagrestia nuova; infine Paolo III con l'ordine di completare la Sistina dipingendo il *Giudizio*, tutte opere alle quali l'artista deve la sua gloria. Ma la tomba di papa Giulio, se si fosse rispettato il progetto originario, certamente sarebbe ancora oggi una delle meraviglie del mondo.

Questo, in sintesi, il nudo schema delle vicende. Non ho però ancòra detto una parola su chi fosse Michelangelo, a parte qualche tratto del suo temperamento. Artista sommo, certo. Ma l'uomo? L'uomo era nato da una famiglia, diremmo oggi, della piccola borghesia a Caprese (oggi Caprese Michelangelo). Era il 6 marzo 1475. Sua madre, Francesca, partorì quel geniale figliolo a diciott'anni, sei anni dopo, ancora giovanissima, moriva. Il padre, Ludovico, fu uomo di poco conto; di quel suo secondogenito non seppe mai capire la genialità, anzi cercò di contrastarne la vocazione, ritenendo che pittura e scultura, cioè operare con le mani stendendo colori e scalpellando la pietra, fossero un lavoro indegno per il figlio di un uomo che maneggiava la penna, capace di vergare un verbale e di tenere i conti, e che era stato podestà di alcuni castelli. Cambiò idea solo quando vide che, scalpellando, Michelangelo riceveva somme che lui non aveva mai visto; allora cominciò ad annoiarlo chiedendo denari, protestando, al loro arrivo, perché erano meno di quanto sperato. Si risposò con una Lucrezia degli Ubaldini.

Michelangelo ebbe quattro fratelli: un mercante, un frate, un avventuriero, un soldato di ventura. Ma il genio fu suo appannaggio esclusivo, come la salute malferma e il temperamento incline alla malinconia, forse anche per quell'infanzia tra un padre debole ed estraneo, una madre morta troppo presto, una matrigna mai amata. A tredici anni va a farsi le ossa dal Ghirlandaio, come ragazzo di bottega: serve i pittori, mischia i colori, monta i cavalletti, stende i cartoni, riuscendo di tanto in tanto a schizzare un disegno di cui il «maestro», con sua grande offesa, s'impossessa facendolo proprio. È il Magnifico, poeta e mecenate, a intuire che quel ragazzo, ormai quindicenne, ha del talento, e subito decide di accoglierlo a palazzo. Manda a chiamare il padre Ludovico e gli propone in pratica di «adottare» suo figlio, in più concedendogli, come compenso, un impiego come doganiere.

Come furono quegli anni per Michelangelo? Dal punto di vista materiale, il meglio che si potesse immaginare. Un alloggio tutto per sé, abiti all'altezza della situazione, la possibilità di frequentare una delle mense più ricercate d'Europa e, intorno, personaggi con cui intrattenere conversazioni brillanti, aggiornate, nelle quali affioravano le idee che stavano dando al continente la sua moderna fisionomia. Marsilio Ficino, Angelo Poliziano, Pico della Mirandola frequentavano quelle sale; c'erano, al lavoro, Sandro Botticelli, il Sangallo, il Pollaiolo, il Verrocchio; nelle vie di Firenze s'aggiravano uomini che avrebbero dato la loro impronta a quegli anni: Leonardo da Vinci, Luca della Robbia, Niccolò Machiavelli. E poi c'erano chiese e monumenti dove si aveva la possibilità di ammirare il meglio che la pittura avesse prodotto: Giotto e Masaccio, Beato Angelico e Donatello. Michelangelo non aveva avuto scuola né maestri regolari, gli bastò respirare quest'aria per farla propria, e andare ancora più avanti.

Quegli anni plasmarono la fisionomia spirituale del giovane artista e, a causa di uno spiacevole incidente, ne mutarono anche i tratti del volto. Infatti, lavorava insieme a lui, nei giardini di Lorenzo, un certo Pietro Torrigiano, scultore, di tre anni più anziano, ma soprattutto molto più robusto e violento. Secondo il Vasari «huomo di bellissima forma, audacissimo, aveva più aria di gran soldato che di scultore» ed era inoltre facile all'ira. Tra i due il rapporto fu subito pessimo, forse per l'invidia che il Torrigiano provava, data l'evidente superiorità artistica dell'altro, o forse per l'abitudine che aveva Michelangelo, benché debole di membra, di prendere in giro («uccellare») gli altri. Fatto sta che un giorno il collerico Torrigiano gli dà un gran pugno in faccia, spaccandogli il setto nasale e deformandolo per la vita. Così i fatti nelle sue stesse parole: «Il Buonarroti aveva per usanza di uccellare tutti quelli che disegnavano; un giorno, infra gli altri dandomi noia il detto, mi venne assai più stizza che 'l solito et stretto la mana gli detti sì grande il pugno sul naso, ch'io mi sentii fiaccare sotto il pugno quell'osso e tenerume del naso, come se fusse stato un cialdone: et così segniato da me ne resterà insin che vive».

Gigante nell'arte, Michelangelo non lo fu altrettanto nelle proporzioni fisiche; quel pugno sconciò un volto già di suo non bello, rendendo più acuto quello che oggi chiameremmo il «complesso d'inferiorità» di un uomo sensibilissimo. Quanto al Torrigiano, fece una bruttissima fine. Costretto a fuggire da Firenze per scampare all'ira del Magnifico, errò per l'Europa finendo, in Spagna, nelle carceri dell'Inquisizione, dove si lasciò morire di fame.

L'ambiguo comportamento sessuale e amoroso di Michelangelo nasce sicuramente dai traumi dei primi anni, pugno in faccia compreso. Chissà se sono davvero sue le parole che Donato Giannotti, mediocre scrittore e appassionato repubblicano, gli attribuisce nei suoi *Dialoghi*: «Io sono il più inclinato uomo all'amar le persone che mai in alcun tempo nascesse». Nonostante questa appassionata disponibilità, la sua vita amorosa fu per molti aspetti stenta: rapporti sicuramente mercenari con donne; più complessi quelli con uomini, a giudicare da alcune lettere indirizzate a Febo di Poggio e soprattutto a Tommaso del Cavaliere, che pongono delicati problemi biografici e d'interpretazione.

Tommaso era bellissimo e Michelangelo ammirava in modo particolare la bellezza delle membra sia maschili sia femminili. Gli venne presentato che, probabilmente, non aveva nemmeno vent'anni, mentre l'artista (stiamo parlando del 1532) era poco sotto i sessanta: pericolosissimo incrocio di età. Che Michelangelo abbia amato il giovane Tommaso, bello d'aspetto, gentile d'animo, dotato per le arti, non c'è dubbio. Il dubbio semmai può riguardare il tipo d'amore che li unì. Carnale? Dall'Aretino ad André Gide, molti lo hanno dato per certo. Spirituale?

Alcuni lo credono, fra gli altri Giovanni Papini nella sua bella biografia dell'artista. Michelangelo fece per il giovane una cosa che non aveva mai fatto per nessun altro: un ritratto. Era un cartone a matita nera che pareva eseguito da una mano di angelo «con que' begli occhi, e bocca, e naso, vestito all'antica, e in mano tiene un ritratto o medaglia che sia, sbarbato, et insomma da spaurire ogni gagliardo ingegno». Anche tale meraviglia purtroppo è andata perduta. Abbiamo invece alcune lettere, quattro per l'esattezza, dove questo amore traspare, anzi, si offre fino all'impudicizia. Non quella dei sensi beninteso, bensì l'invereconda e apertamente dichiarata disponibilità dell'amore quando è totale. «La Vostra Signoria,» scrive il maggior artista del momento a un giovinetto «luce del secol nostro unica al mondo, non può soddisfarsi di opera d'alcun altro, non avendo pari né simile a sé. E se puro delle cose mia, che io spero e promecto di fare, alcuna ne piacerà, la chiamerò molto più aventurata che buona; e quand'io abbi mai a esser certo di piacere, come è decto, in alcuna cossa Vostra Signoria, il tempo presente, con tucto quello che per me à a venire, donerò a quella, e dorrami molto forte non potere riavere il passato, per quella servire assai più lungamente che solo con l'avenire, che sarà poco, perché son troppo vechio».

L'anziano artista scrive cose sbalorditive. Definisce «luce del secol nostro» un ragazzo o poco più, lui che ha fatto nell'arte opere mirabili, e lo sa. Si umilia davanti a una bellezza che lo incanta: «Non che appena mi parete nato, come di voi mi scrivete, ma stato mille altre volte al mondo; ed io sono nato ovvero nato morto mi reputerei, e direi in disgrazia del cielo e della terra, se per la vostra [lettera] non avessi visto e creduto Vostra Signoria accettare volentieri alcune delle opere mie, di che io ho avuto meraviglia grandissima e non manco piacere».

Giudichi ognuno come preferisce queste espressioni di un'anima rapita, la stessa che al bel Tommaso indirizzerà versi che si aprono con il languore di questa dichiarazione d'amore: «Deh, rendimi a me stesso, acciò ch'io mora». Quale ne fosse la natura, fu un amore che durò per l'intera vita dell'artista. Quando, nel febbraio 1564, Michelangelo morì, tra le pochissime persone presenti nella sua povera stanza c'era il non più giovane Tommaso, che nel frattempo aveva preso moglie e messo al mondo due figli. Il suo primogenito, Emilio, ebbe grande importanza nella fiorentina Camerata de' Bardi, che avrebbe dato all'arte un nuovo genere: il melodramma. L'artista amava dunque, in qualunque forma, la bellezza, compresa quella delle membra umane dell'uno e dell'altro sesso. Allo studio del corpo dedicò molto tempo e impegno fin dalla prima giovinezza e nella camera mortuaria di un ospedale fiorentino fece pratica «a scorticar cadaveri». Proseguì a lungo quegli studi, che riteneva essenziali per poter rendere nella scultura, come nella pittura, le tensioni muscolari che i movimenti degli arti provocano. La pratica comprendeva vere e proprie dissezioni, lettura dei libri di anatomia, studio delle incisioni di altri artisti, fra cui quelle di Albert Dürer sulle proporzioni del corpo umano, che non gli piacquero particolarmente. «Gli par cosa molto debole» scrive il suo biografo Condivi. A Roma, in anni maturi, frequentò Realdo Colombo, uno dei più famosi anatomisti del tempo, «notomista et medico cerusico eccellentissimo». Costui, ammirato dello scrupolo anatomico del grande pittore, gli fece recapitare un giorno il cadavere di un moro «sopra il quale corpo Michelagnolo molte cose rare e recondite mi mostrò» scrive il biografo «forse non mai più intese, le quali tutte io notai». Condivi annota altresì che la passione dell'analisi e lo scrupolo dell'osservazione arrivava al punto che l'artista «andatosene in pescheria considerava di che forma e colore fosser l'ale dei pesci, di che colore gli occhi, ed ogni altra parte ... sicché conducendolo a quella perfezione che seppe, dette fin d'allora ammirazione al mondo».

I risultati di questo studio meticoloso e prolungato li abbiamo sotto gli occhi: il famoso Adamo che protende il braccio e la mano verso il suo Creatore, i «prigioni», le sibille, i profeti, i corpi contorti dei dannati nel giorno del supremo Giudizio, il vigore degli eletti, l'armoniosa maestà del David, l'abbandono delle membra di Cristo morto nelle tante Pietà che scolpì, le gambe che non reggono il peso del corpo, il tronco abbandonato, le braccia a stento sorrette da chi gli sta accanto. Mai fino a quel momento la raffigurazione del corpo umano – e divino – aveva conosciuto una simile partecipe fedeltà nella gloria come nell'abbandono, nell'ascesi, nella sensualità, nella fatale prostrazione della morte. Questa sua sublimata venerazione per il corpo è uno degli elementi che lo rendono ineguagliabile. Il Condivi tenta, concludendo la sua biografia, di difendere l'artista dall'accusa di omosessualità scrivendo: «Ha eziandio amata la bellezza del corpo, come quello che ottimamente la conosce, e di tal guisa amata che appo certi uomini carnali e che non sanno intendere amor di bellezza se non lascivo e disonesto, ha porto ragione di pensare e di dir male di lui». È un tentativo di giustificazione che oggi non ha più alcuna importanza, se non storica.

Resta che armonia e bellezza del corpo sono anche il solo aspetto della natura che lo abbia veramente interessato. Gli storici dell'arte hanno fatto notare come, nelle sue opere, manchino quasi del tutto e quasi sempre gli «sfondi» aperti, le colline, gli alberi, le acque, che rendono la pittura italiana così immediatamente riconoscibile. Michelangelo fu tra le altre cose un artista «urbano»: visse sempre nelle città (a Firenze, a Roma, per periodi più brevi a Venezia e a Bologna) e solo nell'estrema vecchiezza dette qualche segno di saper apprezzare quella «natura» che per gran parte della vita aveva trascurato. Fu nel 1556, quando era ormai un vegliardo ottantenne e dovette fuggire per l'ennesima e ultima volta da una città, Roma in questo caso, minacciata dalle truppe del viceré di Napoli, Fernando Álvarez de Toledo, duca d'Alba. Arrivando gli invasori da sud, l'artista fuggì verso nord fermandosi a Spoleto, dove si trattenne per un mese circa. Ne approfittò per visitare i dintorni e salire ai romitori di Monteluco, uno dei luoghi francescani dell'Umbria. Al Vasari, nel dicembre, scrisse d'aver avuto molto piacere «a visitare nelle montagne di Spuleti que' romiti, in modo che io son ritornato men che mezzo a Roma; perché veramente e' non si trova pace se non ne' boschi».

Il Michelangelo che torna a Roma è quasi dimezzato perché ha lasciato parte di sé in quei boschi, dove solo può trovarsi la pace: la vita ridotta a rustica semplicità, un ininterrotto silenzio, dove l'ansimare di un viandante che sale poggiato al bastone può essere il solo rumore udibile. Quest'uomo schivo, solitario, crucciato dalla malinconia, amante della libertà ma costretto a dipendere dalle commissioni dei «potenti» per potersi esprimere, trova nelle selve di Monteluco, in quell'autunno lontano di un 1556 perduto nella fuga degli anni, la quiete che né la reggia pontificia né quella ducale gli avevano mai saputo dare.

Torniamo al *Mosè*, dal quale eravamo partiti. Sulla sua poderosa perfezione non c'è bisogno di soffermarsi: chiunque può constatarla. C'è però un altro aspetto che possiamo cercare d'investigare: quale sia il significato della statua in sé e nella vita dell'artista, questione assai dibattuta, che investe molteplici aspetti dell'arte e dell'itinerario spirituale dell'autore. Si può cominciare da un nudo dato biografico. In occasione dell'Anno santo del 1550, il maestro, che ha ormai settantacinque anni, volle compiere la rituale visita alle basiliche come previsto dal precetto, con il solo privilegio, su concessione personale del papa, di poter coprire il percorso non a piedi come tutti i pellegrini, ma a cavallo. Anche in mancanza di altre prove, basterebbe questo a dirci che Michelangelo fu uno spirito profondamente religioso. La domanda successiva però è: quale religiosità? Stiamo parlando di anni cruciali, di una Chiesa squassata dalla propria corruzione e dalle reazioni che l'indecente spettacolo della curia andava suscitando in Europa.

Il sommo artista venerò in modo particolare Gesù Cristo. Lo dimostrano le sue strazianti Pietà, le lettere, le confidenze tramandate da chi lo udì parlare. Da ragazzo, a Firenze, aveva ascoltato le prediche tonanti del domenicano Girolamo Savonarola, antimediceo e antipapale, che sognava una democrazia teocratica e scagliava fulmini contro la corruzione della Chiesa. Quando il frate venne bruciato vivo come eretico era il 1498 e Michelangelo aveva superato i vent'anni. Diventato vecchio, confessava di sentire ancora risuonare dentro di sé il timbro di quella voce ammonitrice. Dante e Savonarola erano state le sue guide, il suo fu un cattolicesimo severo, aspro, ascetico, il contrario di quello dominante in Vaticano. In un sonetto scriverà: «Qui si fa elmi di calici e spade, / e 'l sangue di Cristo si vend'a giumelle». Quando Giulio II gli chiese di arricchire con l'oro la volta della Sistina che gli pareva troppo povera, l'artista replicò senza mezzi termini: «Quei che son quivi dipinti furon poveri anch'essi».

Basterebbero queste poche parole rivolte addirittura al pontefice per farci capire quale fosse la sua religiosità. Qualcuno ha insinuato che il maestro ebbe simpatie per il protestantesimo di marca luterana, ma è sicuramente un'esagerazione. È certo, però, che la cerchia dei suoi amici, pur senza cedimenti nei confronti dei protestanti, tentava di favorire una riforma spirituale della Chiesa corrotta. Di questo gruppo faceva parte anche Vittoria Colonna che, rimasta vedova di Ferdinando Francesco d'Avalos, marchese di Pescara, s'era ritirata a vita quasi claustrale nel monastero femminile di San Silvestro al Quirinale. Qui raccoglieva intorno a sé una piccola corte di intellettuali detti «gli spirituali»: alti prelati, scrittori, poeti, artisti, e fra questi Michelangelo, che le fece dono di varie sue opere, un *Crocifisso*, una *Pietà*, una *Samaritana*, tutte purtroppo perdute. Così intensa fu la loro amicizia, che molti hanno parlato addirittura di un legame amoroso, ipotesi nello stesso tempo plausibile e di scarso rilievo poiché ciò che davvero conta è il forte legame spirituale che li unì. Quando Vittoria morì, a soli cinquantasei anni, il 25 febbraio 1547, Michelangelo andò a salutare la salma chinandosi commosso, scrive il Condivi, a baciarle il volto.

Molto importante è anche il fatto che fra gli «alti prelati» ci fosse il cardinale Reginald Pole, che di Vittoria era stato consigliere spirituale. Pole era di nazionalità inglese, ma di educazione italiana, parente di Enrico VIII, dunque una figura strategica in un'epoca di contrasti laceranti tra la corte inglese e la curia romana. Il collerico re in un primo tempo protesse il suo congiunto, ma quando Pole si dichiarò contro lo scisma anglicano, si vendicò facendone decapitare la madre e attentando alla sua stessa vita, come ho accennato nel primo capitolo.

Tale era il prestigio del cardinale che, alla morte di Paolo III, nel 1549, entrò in Conclave con ottime possibilità di essere eletto papa. Mancò il soglio per un soffio e dovette lo smacco proprio alle sue posizioni di severo riformista. Quando, pochi anni dopo, diventò papa Gian Pietro Carafa con il nome di Paolo IV, la reazione contro il gruppo degli «spirituali» si scatenò con molta durezza. Fu papa Carafa a pubblicare nel 1559 l'*Indice dei libri proibiti*, con il quale si sottomisero a censura perfino parti della Bibbia e scritti dei Padri della Chiesa. Il papa si adoperò di persona per ripristinare il tribunale dell'Inquisizione (Paolo III l'aveva creato nel luglio 1542) dandogli poteri amplissimi nello smascherare le posizioni che si avvicinassero a quelle dei luterani. Spinse insomma il suo zelo fino al fanatismo. Fra gli altri fece arrestare e rinchiudere a Castel Sant'Angelo, accusandolo d'eresia, il cardinale Giovanni Morone, una delle maggiori personalità di cui la Chiesa disponesse, non a caso amico di Vittoria Colonna, di Pole e dello stesso Michelangelo, che per lui eseguì alcuni disegni e pitture, anch'essi purtroppo scomparsi. La sconfitta di Pole nel conclave del 1549 fu la sconfitta di coloro che speravano di poter risanare la Chiesa dall'interno.

Le ragioni di una repressione così dura da parte del pontefice erano ovviamente politiche, anche se ammantate da motivazioni dottrinali. Bisognava contrastare l'assalto del protestantesimo irrigidendo le procedure, secondo la logica degli schieramenti contrapposti, e condannando di conseguenza le posizioni riformatrici all'interno della Chiesa. Nella concezione luterana le pratiche devozionali erano ritenute inutili; si diceva che fossero ormai ridotte a vuota ritualità, quando non ad aperta superstizione, e che proprio attraverso di esse la Chiesa esercitasse il suo controllo dei fedeli. Nel piccolo libro devoto *Il beneficio di Cristo*, scritto da Benedetto da Mantova, molto letto nel circolo degli «spirituali», si sosteneva che la sola fede bastasse a giustificare i peccatori agli occhi dell'Altissimo. Pur senza disprezzare le «buone opere» («E nondimeno questa fede non può essere senza le buone opere»), *Il beneficio* affermava che esse devono sgorgare da un intimo sentimento di fede e non essere praticate per adempiere un dovere o ricercare una ricompensa. Il pio autore invitava i fedeli a meditare sul «beneficio» guadagnato da Cristo crocifisso e sulla perfezione che l'anima raggiunge confidando per intero in Lui.

Il rapporto tra fede e opere nella «giustificazione» del cristiano davanti a Dio è stata una delle questioni teologiche fondamentali, sulle quali s'è infranta l'unità della Chiesa. Nei versi della vecchiaia Michelangelo lascia trapelare come egli si fosse avvicinato alla teoria luterana della giustificazione, attribuendo al sangue di Cristo, o se si vuole alla fede in Lui, il maggior merito nella redenzione degli uomini dai loro peccati: «Po' che non fosti del tuo sangue avaro / che sarà di tal don la tua clemenza / se 'l ciel non s'apre a noi con altra chiave?». O anche: «Signor mio car, tu sol che vedi e spogli / e col tuo sangue l'alme purghi e sani / dall'infinite colpe e moti umani …».

Michelangelo correva dei rischi scrivendo certe cose e frequentando certe persone: il circolo di commentatori del *Beneficio* era già stato individuato e messo sotto controllo dalle autorità vaticane, che lo consideravano di poco meno pericoloso degli eretici luterani. Accentuare in tal modo i meriti della sola fede rafforzandola con l'adorazione del sangue di Cristo significava, infatti, ridimensionare il ruolo della Chiesa e delle sue gerarchie, avvicinandosi di fatto alle posizioni dei protestanti. Se un uomo come Michelangelo, prudente in politica e restio a schierarsi in caso di conflitti pubblici, si esponeva in tal modo, doveva essere davvero forte l'intima spinta che avvertiva. Anche se, bisogna aggiungere per amore di verità, il maestro era protetto da una fama ampiamente riconosciuta, che lo rendeva in pratica intoccabile e gli garantiva condizioni privilegiate rispetto a quelle concesse alla maggior parte degli artisti. Il massimo che il nuovo papa osò contro di lui fu di togliergli il frutto delle gabelle sul Po che Paolo III gli aveva concesso a vita.

Ho cercato di riassumere i termini di un conflitto che, a detta di alcuni commentatori, ha molto a che fare con la statua del *Mosè* e con la sua collocazione. Nell'ultimo contratto con i Della Rovere del marzo 1542, si stabiliva che la sepoltura di Giulio II sarebbe stata ornata da sette statue. In alto una *Madonna con bambino*; al livello mediano il *Papa giacente* tra una *Sibilla* e un *Profeta*. Al livello più basso il *Mosè* affiancato da due *Prigioni* (cioè due schiavi). Dopo tanti anni il programma sembrava finalmente concluso e concordato. In luglio invece interviene un ripensamento dello stesso artista il quale chiede di sostituire le statue dei *Prigioni* con altre alle quali ha già posto mano: una *Vita attiva* e una *Vita contemplativa*.

Delle sette statue che attualmente ornano la sepoltura, quelle scolpite per intero o in gran parte da Michelangelo sono quattro: il *Mosè* ovviamente, le due *Vite* e, in base alle più recenti attribuzioni, il *Papa giacente*, che purtroppo il comune visitatore non può vedere da vicino data la sua collocazione alla sommità del monumento. Le restanti figure, sbozzate dal maestro, vennero finite, anche qui sulla base di laboriosi accordi, da Domenico Fancelli e Raffaello da Montelupo.

Ma perché Michelangelo chiese di sostituire i *Prigioni* con le due *Vite*? Il pretesto ufficiale e non del tutto convincente da lui dato fu che le *Vite* si accompagnavano meglio al resto della composizione. Ma fra le varie ipotesi avanzate dagli esperti c'è anche quella, conturbante, che il vero motivo andrebbe ricercato nella spiritualità propria del gruppo riunitosi intorno a Vittoria Colonna e al cardinale Pole. Ha scritto Antonio Forcellino, studioso di Michelangelo e autore del recente restauro del *Mosè*, che praticando quella sostituzione egli volle «abbandonare lo schema iconografico di forte ascendenza pagana che ... aveva difeso per trent'anni a favore di un impianto iconografico che esprimesse la spiritualità del *Beneficio di Cristo* con tutta la carica trasgressiva ed eversiva che da quell'idea promanava».

Sul *Mosè*, in particolare sulla sua postura, esiste però un altro documento molto interessante. Un amico dell'artista, di cui non conosciamo il nome, informò il Vasari del seguente episodio:

Havendo lui fatta drizzare in piede in casa sua la statua del Moisè, quale era bozzata assai a buon termine infino al tempo di papa Julio Secondo, trovandomi io seco a guardarla, gli dissi: «Se questa figura stesse con la testa volta in qua, credo che forse facesse meglio». Lui a questo non mi rispose; ma due giorni dapoi, essendo io da lui, mi disse: «Non sapete, il Moisè ci intese parlar l'altro giorno et per intenderci meglio si è volto». Et andando io a vedere, trovai che gli aveva svoltata la testa ... che certo fu cosa mirabile; ne credo quasi che a me stesso, considerando la cosa quasi che impossibile.

La straordinaria testimonianza è del marzo 1564, quindi di poco successiva alla morte del maestro. L'amico racconta il fatto senza però dire quando avvenne. Basandosi su queste righe uno specialista come Christoph L. Frommel e lo stesso Forcellino hanno ipotizzato che il cambiamento di posizione nel volto del *Mosè*, ma soprattutto la sostituzione dei due *Prigioni* (che oggi si trovano al Louvre) con le *Vite* risalga a poco tempo prima della definitiva sistemazione della tomba e possano dunque essere considerati la prova dello spiritualismo quasi «eretico» che Michelangelo nutrì nell'ultima parte della sua vita.

Resta da dire della statua in sé che, come tutti sanno, ha dato luogo a molte interpretazioni. Nel 1914 Sigmund Freud, padre della psicoanalisi, dedicò al *Mosè* un saggio celeberrimo (uscito in un primo momento anonimo) in cui, poco dopo l'inizio, si dice:

Un'altra di queste enigmatiche e meravigliose opere d'arte è la statua del *Mosè* di Michelangelo innalzata nella chiesa di San Pietro in Vincoli a Roma ... nessun'altra scultura ha esercitato un effetto più forte su di me. Quante volte ho salito la ripida scalinata che porta dall'infelice via Cavour alla solitaria piazza dove sorge la chiesa abbandonata! Sempre ho cercato di tener testa allo sguardo corrucciato e sprezzante dell'eroe e mi è capitato di svignarmela poi quatto quatto dalla penombra di quell'interno come se anch'io appartenessi alla marmaglia sulla quale è puntato il suo occhio, una marmaglia che non può tener fede a nessuna convinzione, che non vuole aspettare né credere, ed esulta quando torna a impossessarsi dei suoi idoli illusori. Ma perché chiamo enigmatica questa statua?

Qui Freud, che afferma di parlare da profano, comincia una lunga e affascinante analisi di cui posso solo riferire concisamente il senso. Mosè è seduto, la testa rivolta a sinistra, la gamba destra solidamente piantata a terra, la sinistra ritratta in una postura molto dinamica, il piede poggiato solo con la punta. Il braccio sinistro è in grembo, sotto il braccio destro stringe le tavole della Legge che ha appena ricevuto da Dio sul monte Sinai. La mano destra, con l'indice proteso, sorregge parte della fluente barba. Dice la Bibbia che Mosè, condottiero del suo popolo, aveva un temperamento collerico. Sceso dal monte ha trovato gli ebrei che, stanchi di aspettare, hanno cominciato ad adorare un vitello d'oro attorno al quale stanno danzando: irato, scaglia a terra le tavole spezzandole. Quello della Bibbia non è però il Mosè di Michelangelo. Freud analizza in dettaglio la posizione delle varie parti del suo corpo, barba compresa, per concludere che il Mosè di pietra non è un uomo preda di un sentimento irrazionale come la collera. Al contrario, l'artista ci pone di fronte a un uomo combattuto tra irruenza e solida fermezza interiore. La collera è nello sguardo, ma la sua calma solenne dice che l'autocontrollo ha avuto la meglio. Ciò che noi cogliamo in lui, conclude Freud, «non è l'avvio di un'azione violenta, bensì il residuo di un movimento trascorso. In un accesso d'ira egli voleva, dimentico delle tavole, balzare in piedi e vendicarsi; ma la tentazione è stata superata, egli continuerà a star seduto frenando la collera, in un atteggiamento di dolore misto a disprezzo. Non scaglierà le tavole a infrangersi contro i sassi, perché proprio a causa loro ha dominato la sua ira, proprio per salvarle ha frenato la sua passione».

Un'altra interpretazione fra le più recenti, a proposito della statua, la dobbiamo allo psicologo junghiano James Hillman, secondo il quale Michelangelo ha voluto rappresentare quel Mosè che, in base ad alcuni passi della Bibbia, può essere considerato alchimista e mago. Nel suo saggio sull'argomento cita diversi esempi: «Le piaghe inflitte agli egiziani, la divisione del Mar Rosso, la capacità di far scaturire l'acqua dalla roccia e far piovere cibo dal cielo, il serpente di bronzo che guarisce, per menzionare solo alcuni degli eventi più noti riportati dalla Scrittura diffusi nelle leggende e nei *midrash*».

Sempre secondo Hillman, il *Mosè* michelangelesco contempera i tratti patriarcali e quelli magici: la barba, il dito puntato, la severità del legislatore, ma anche le corna dell'uomo-animale. Queste ultime, però, potrebbero anche essere frutto di un grossolano errore nella traduzione di *Esodo* 34,29 dove l'ebraico *karan*, raggi emanati dal volto dell'eroe, è diventato *keren*, corna. In ogni caso poco conta, conclude Hillman, poiché «quelle corna collocate lì da Dio o da Michelangelo restituiscono a Mosè ciò che aveva voluto separare e allontanare: Dio e l'animale, la legge e l'istinto, il dovere e il piacere, il monoteismo ebraico e il politeismo egiziano».

Michelangelo morì quasi solo e, pur non essendo povero, morì come un povero, fosse avarizia o la sua abituale frugalità. In un angolo della sua casa, a Macel de' Corvi, aveva disegnato l'immagine della morte ponendovi a commento dei versi funebri. Aveva novant'anni, sapeva di essere prossimo al passo estremo. Nei suoi *Dialoghi* Donato Giannotti attribuisce al maestro queste parole: «Bisogna pensare alla morte. Questo pensiero è solo quello che ci fa riconoscere noi medesimi ... ed è meraviglioso l'effetto di questo pensiero della morte, il quale, distruggendo ella per natura sua tutte le cose, conserva e mantiene coloro che a lei pensano e da tutte le umane passioni li difende». Avanzando negli anni, l'artista, nei colloqui, nelle lettere, nei versi, torna di frequente sullo stesso pensiero: «Chiunque nasce a morte arriva / nel fuggire del tempo, e 'l sole / niuna cosa lascia viva».

Ai primi di febbraio del 1564 Michelangelo comincia a sentirsi poco bene e, benché cerchi di continuare la vita abituale, il suo si rivela uno stato di debilitazione ormai senza rimedio. Eppure, ancora pochi giorni prima di spirare continua a martellare sulla sua ultima creatura. Un giorno di pioggia battente e di freddo intenso, un discepolo che era andato a trovarlo lo scorge in strada sotto l'acqua. Accorre, lo ripara trascinandolo verso casa. Affettuosamente lo rimprovera per quell'imprudenza, ma si sente rispondere: «Che vuoi tu ch'i' facci, io sto male e non trovo quiete in luogo alcuno». Alcuni allievi e il suo servitore lo costringono a letto. Daniele da Volterra, in una lettera al Vasari, scrive:

> Come mi vide, disse: «Oh Daniello, io sono spacciato, mi ti raccomando, non mi abbandonare». E fecemi scrivere una lettera a messer Lionardo, suo nipote, che e' dovesse venir e a me disse ch'io lo dovessi aspettare lì in casa e non mi partissi per niente. Io così feci, quantunque mi sentissi più male che bene. Ti basti, il male suo durò cinque dì, due levato al fuoco, tre in letto sì ch'egli spirò il venerdì sera, con pace sua sia, come si può credere.

Era il 18 febbraio. Al capezzale si trovavano Daniele da Volterra, Diomede Leoni, il servo Antonio e l'amatissimo Tommaso del Cavaliere.

Congediamoci da questo immenso spirito con alcune righe dalla bella biografia di Giovanni Papini:

Sopra il lettuccio povero lo scultore dei giganti e dei colossi non era più che un immoto cadavere magro, così minuto che si sarebbe potuto credere d'un bambino se non fossero apparse, fuor dalle coperte, una barba bianca, una bocca triste, una fronte solcata, e soprattutto due mani ossute e nervute, nodose e gonfie, due mani grosse, enormi, potenti mani di annoso artiere e di favoloso demiurgo.

VII

LA FABBRICA DEGLI INCANTESIMI

L'ingresso, al nono chilometro della Tuscolana, è ancora quello d'una volta, caratterizzato (e datato) dalle tondeggianti linee architettoniche del ventennio fascista. Parlo di un luogo mitico, Cinecittà, felice invenzione fin dal nome, uno dei pochi neologismi veramente indovinati in una lingua come la nostra che non si presta molto alle novità lessicali. Una volta vi si arrivava con il tram delle «vicinali», che nell'ultimo tratto correva in aperta campagna con lo sfondo degli acquedotti, il profilo azzurrino dei colli, qualche gregge di pecore chine nel loro eterno brucare. Federico Fellini nel suo film *L'intervista*, del 1987, ha raccontato il breve viaggio e l'arrivo del tram al capolinea in mezzo alla campagna:

La prima volta che ho udito quel nome, Cinecittà, ho percepito che quella era la casa dove avrei voluto abitare. La prima volta che ci sono arrivato in tram, un tramvetto azzurro che partiva dalla stazione attraversando chilometri di campagna, alla vista del lungo muro di cinta e di quei casermoni rossastri, rimasi un po' deluso: quelle costruzioni ricordavano la scenografia di un ospedale o di un ospizio. Poi in mezzo a una scena di massa, sopra a tutta quella polverosa confusione, seduto comodamente a 50 metri da terra vidi con casco, binocoli, foulard di seta, in un'apoteosi di nubi dorate e raggi di sole, il regista Alessandro Blasetti ...

Fra i tanti retroscena di un cinema in cui gli incantesimi erano fatti non al computer ma con la colla, i chiodi, la cartapesta e l'ardimento di un'inquadratura, c'era anche quel tram azzurrino che, arrivato davanti al cancello, scaricava i più umili lavoratori del set: in prevalenza operai e comparse, il cui ingresso era sorvegliato da Gaetano Pappalardo, un portiere famoso per la severità, dotato come Cerbero di sei occhi, infallibile nello scoprire chi cercava di «imbucarsi», magari solo per prendere al volo un «cestino». Era un'epoca in cui anche i portieri e i guardiani sprigionavano una certa autorevolezza, in seguito un po' svanita. Si racconta che, nei giorni di riprese, il grande Totò arrivasse a Cinecittà molto per tempo. Una mattina giunse così presto da trovare la porta dello studio ancora chiusa. Il guardiano, vedendolo aggirarsi inquieto, si precipitò gridando: «Arrivo, Totò!». La cosa non piacque per niente all'attore, che ribatté: «Mi chiami principe, lo esigo». Antonio de Curtis, in arte Totò, ha avuto per tutta la vita l'ingenua pretesa di godere del diritto al titolo di «Altezza imperiale» in quanto discendente del trono di Bisanzio. Fra i suoi nomi figuravano Gagliardi, Griffo, Focas, Comneno. In quel caso però l'ultima parola l'ebbe proprio il guardiano, che prontamente rispose: «Principi ce ne sono tanti, Totò uno solo». La risposta piacque e da quel momento fu consentito all'astuto guardiano di rivolgersi a lui chiamandolo Totò.

Colgo l'occasione per citare un altro fra i cento aneddoti sul grande attore. Al cameriere che gli aveva servito un caffè in camerino, Totò un giorno diede 1000 lire, lasciando il resto come mancia. La voce si diffuse e appena Totò ordinava un caffè, tre o quattro camerieri si precipitavano. Uno di loro, il più anziano, non riusciva però mai ad arrivare primo. Saputo il fatto, l'attore ordinò che gli si dessero 200 metri di vantaggio sugli altri, così anche lui riuscì per due volte a guadagnarsi le 1000 lire.

Gli stabilimenti romani sono stati un'invenzione del fascismo. Nel settembre 1935 la vecchia casa di produzione Cines, in via Veio nel quartiere di San Giovanni, era andata a fuoco. Proprio in quegli anni il cinema stava diventando importante da un punto di vista politico oltre che produttivo e di creatività. Il rogo di via Veio diede la scossa che serviva. Sulla Tuscolana venne individuata un'area di mezzo milione di metri quadrati dove far sorgere la nuova Città del Cinema. Fu, bisogna dirlo, un miracolo di efficienza: il 26 gennaio 1936 si posò la prima pietra, e solo quindici mesi dopo, il 28 aprile 1937, il complesso venne inaugurato, anche se non tutti i reparti erano ancora pronti. Mussolini poté affermare con orgoglio: «La cinematografia è l'arma più forte». Il capo del governo aveva individuato nella radio e nel cinema i due strumenti di propaganda con la maggiore capacità di penetrazione nelle masse. Che d'altronde rispondevano: nel 1941 si vendettero in Italia 424 milioni di biglietti cinematografici; ogni italiano, compresi vecchi e bambini, andò al cinema in media almeno dieci volte in un anno. L'importanza assunta nella nostra epoca dal controllo della televisione è solo il seguito delle intuizioni d'allora.

I film prodotti nel 1937 furono 19. Il più noto è *Il feroce saladino* di Mario Bonnard, con Angelo Musco, ispirato a un rilevante fenomeno sociale dell'epoca: l'accanita caccia alle figurine che si trovavano nelle confezioni dei prodotti Buitoni e Perugina. Nel film recitava un'attrice esordiente, Alida Valli; una piccola parte di poche battute era affidata a un giovane promettente, Alberto Sordi, irriconoscibile perché recitava ricoperto da una pelle di leone. Nel 1940 i film furono 48; 59 nel '42, anno terribile di guerra. In ottobre gli inglesi lanciano l'offensiva contro El Alamein, che cade nonostante l'eroica resistenza italiana. Quella sconfitta rappresentò il preludio del crollo dell'intero fronte africano. A Cinecittà lavorano in quegli anni i migliori registi: Alessandro Blasetti, Mario Camerini, Renato Castellani, Roberto Rossellini, Mario Soldati, Luchino Visconti, Luigi Zampa. In queste pagine non racconto la storia di Cinecittà; voglio solo rievocare un po' del suo mito e, soprattutto, tentare di spiegare quale occasione sia stata per Roma avere a portata di mano una delle maggiori fabbriche europee di cinema.

Si può dire che tra Roma e il cinematografo ci sia stata attrazione e influenza reciproca: il cinema ha modificato la città, e viceversa. La capitale ha infatti potenziato la capacità del cinema italiano di farsi specchio realistico dei tempi sia nel senso più ovvio (film di guerra in tempo di guerra, film fascisti in epoca fascista) sia in un senso più profondo: per esempio, ha saputo cogliere e trasferire sullo schermo, facendoli diventare racconto, certi aspetti, umori o bisogni che sono stati così elevati a caratteristiche nazionali. I film in costume di Alessandro Blasetti (*Un'avventura di Salvator Rosa*, *La corona di ferro*, *La cena delle beffe*) sono stati l'equivalente cinematografico di quelle fantasie neogotiche che si erano diffuse agli inizi del Novecento improntando letteratura, teatro e architettura. Per contro la commedia detta «all'italiana», degli anni Sessanta, ha rispecchiato un certo diffuso benessere, nonché i primi sintomi di cedimento nel costume e nella tenuta morale, dovuti anche a un'agiatezza senza precedenti e quasi improvvisa. Per venire a noi, le piccole storie intimistiche del cinema italiano degli ultimi anni mostrano da un lato la rinuncia a competere con gli immensi mezzi produttivi del cinema made in Usa, dall'altro la riscoperta dei sentimenti, del privato.

Dopo l'8 settembre 1943 Cinecittà venne depredata degli impianti tecnici dai nazisti e saccheggiata di ciò che restava dalle orde fameliche di chi aveva perso ogni cosa; tutto infatti venne rubato, fino alle rubinetterie dei bagni. L'ampia area della città del cinema diventò accampamento per le truppe e ricovero per gli «sfollati». In un'Italia ridotta in pezzi e priva di tutto, il ritorno alla normalità fu lento; si verificò però, anche nel cinema, ciò che si sperimentava in tanti altri settori della vita nazionale: un'esplosione di vitalità. Fu come se la ricchezza dei talenti e la voglia di raccontare venisse potenziata da quelle angustie. Se si può parlare oggi di un'epoca «neorealista», cioè di film girati in mezzo alla strada con storie di strada e attori che dalla strada spesso erano presi, è anche perché gli studi di Cinecittà erano indisponibili e bisognava fare cinema con quello che c'era, ossia con la povera realtà di un'Italia che usciva schiantata dalla guerra.

Ci sono molti grandi esempi di film dell'epoca in cui Cinecittà racconta se stessa e il fare cinema diventa a sua volta cinema. Ricordo *Bellissima* di Luchino Visconti, con Anna Magnani protagonista nella parte dell'infermiera Maddalena Cecconi. Un famoso regista, Alessandro Blasetti (che recita se stesso), cerca una bambina per un film. Per far ammettere la figlia Maria al provino, Maddalena fa ogni possibile sacrificio, personale ed economico e, una volta riuscita, assiste di soppiatto alla proiezione dei fotogrammi con la figlia: mentre sullo schermo

Maria piange spaurita, l'équipe la guarda sghignazzando. Alla fine la bambina viene scelta ma, in un sussulto di dignità, Maddalena rifiuta il contratto per il quale aveva così duramente lottato. Sarebbe un bozzetto di costume quasi ottocentesco (invece siamo nel 1951), se non fosse per la poderosa interpretazione della Magnani e per la profetica intuizione di quelle che stavano diventando le seduzioni dello spettacolo: di lì a tre anni sarebbe arrivata la TV e schiere di ragazze, e di madri, avrebbero imparato a sacrificare ogni dignità pur di ottenere una qualche partecipazione anche minima al sogno mediatico.

Tra le comparse c'era già allora di tutto, e dal momento che «tutto» comprende anche l'autore di questo libro, posso dire d'aver conosciuto di persona l'ambiente. Per me studente, fare la comparsa era un modo affatto sgradevole, e anzi per certi aspetti eccitante, di guadagnare qualche soldo per le vacanze. Fra l'altro potevo approfittare dei momenti di pausa per ripassare i testi d'esame, incontravo una quantità di ragazze carine, vedevo (da lontano) all'opera i mitici registi americani. Ho fatto il legionario romano, lo schiavo nubiano (tutto tinto di nero), il fantaccino della Grande guerra, il violinista di fila dopo che un violinista vero aveva insegnato a tutti noi come tenere archetto e strumento. Ma se il mio era in buona parte divertimento, per altri fare la comparsa voleva dire sbarcare il lunario, cioè mantenere moglie e figli. Fellini ha descritto bene il mondo delle comparse, ma anche altri registi ci sono tornati spesso, tanto quell'ambiente era ricco di colore e di personaggi. Ettore Scola per esempio o Dino Risi, che nel libro *I miei mostri* racconta:

Un'estate giravo un film a piazza Navona. Tra le comparse c'era un piccoletto. Si chiamava Cardinaletti. Era un ladro, specializzato in scavalcamenti. Cioè scavalcava le finestre a pianterreno che trovava aperte (quell'estate a Roma si toccarono i 40 gradi), narcotizzava con uno spray quelli che già dormivano, e faceva razzia. Un giorno mi rubarono la macchina fotografica con tutti gli obiettivi. Cardinaletti era un capozona rispettato e teneva al suo prestigio. Mi rivolsi a lui. In un paio d'ore riebbi la macchina con tutti gli obiettivi. Gli diedi una bella mancia. Due o tre anni dopo lo incontrai. Non rubava più. Aveva sposato una svizzera coi soldi. Mi confessò che la macchina me l'aveva rubata lui. Perché? Voleva che gli fossi riconoscente.

Che c'entra Roma con i personaggi e le scene che sto rac-
contando? Se Cinecittà fosse sorta a Torino o a Milano, il cinema italiano, anche con gli stessi registi, sarebbe stato diverso.
Solo Roma poteva fornire l'impasto di bonarietà, furbizia, cinismo, abilità anche truffaldina nell'improvvisazione, smaga-
ta indolenza nell'affrontare le situazioni più difficili (purché
prive di rischi), capacità e rapidità artigianali, nonché tutte
quelle tecniche che il fare cinema richiede pur rimanendo gioco, finzione, trovata effimera: marmi che devono sembrare
eterni e che invece, guardati da vicino, rivelano lo stucco e il
compensato di cui sono fatti; dorature, non oro; latta, non acciaio; in una parola teatro, cioè inganno, illusione.

Ci pensarono gli americani a raddoppiare le nostre illusioni
scegliendo Cinecittà per alcune faraoniche produzioni dedicate
soprattutto all'antica Roma. La guerra era finita da poco, il 18
aprile 1948 si tennero le prime, vere elezioni politiche generali,
e intanto negli alberghi di via Veneto, nei residence dei Parioli o
nelle ville sull'Appia Antica scendevano i divi di Hollywood. A
legioni ne sono passati per Roma negli anni Cinquanta: Rita
Hayworth e Orson Welles, Elizabeth Taylor e Richard Burton,
Peter Ustinov e Ava Gardner, Robert Taylor, Deborah Kerr,
Katharine Hepburn, Stewart Granger, Rock Hudson, Jennifer
Jones, Audrey Hepburn, Rex Harrison, Henry Fonda, Anthony
Quinn, Alan Ladd, Burt Lancaster, Charlton Heston, Frank Si-
natra. E Clark Gable, che su Roma s'era affacciato per la prima
volta come mitragliere, a bordo di un B-17 *flying fortress*, duran-
te il bombardamento del 19 luglio 1943.

Del resto, i film su Roma antica avevano accompagnato la
nascita stessa del cinema. Già all'epoca del muto se n'erano
girati una notevole quantità. Episodi brevi, dedicati alle figure
più popolari del lontano passato: Messalina, Nerone, Giulio
Cesare, Catilina, Marco Antonio. Sulla figura così «teatrale» di
Messalina Enrico Guazzoni, regista romano quasi dimenticato
(1876-1949), incentrò una delle sue pellicole. Era stato lui, con
Quo Vadis? del 1912 e *Fabiola* del 1917, a influenzare David W.
Griffith. Ma il vero inizio del filone romano lo firmò Carmine
Gallone con *Scipione l'Africano*: Publio Cornelio Scipione, inca-
ricato dal Senato di Roma di vendicare la disfatta di Canne,

sfida Annibale sulla sua stessa terra d'Africa. Al termine di alcune melodrammatiche avventure e con la vittoria di Zama, l'onta di Canne viene lavata. Tutto il film (coppa Mussolini al Festival di Venezia del 1937) va letto come trasparente metafora dell'impresa d'Etiopia. Scipione parla all'esercito con la stessa retorica che il Duce dispiegava dal balcone di palazzo Venezia e numerose sono le analogie tra le conquiste africane di Roma e quelle del fascismo. Modesto fu però il successo di pubblico.

Finita la guerra, nel 1948, ebbe invece un grande successo di botteghino *Fabiola* di Alessandro Blasetti, tratto dal romanzo scritto da un cardinale e infatti finanziato anche dal Vaticano. Fabiola è la figlia di un senatore che, convertita al cristianesimo, incontra Rhual, un giovane gallo divenuto gladiatore. I due ovviamente s'innamorano, solite avventure, solito lieto fine. Da quel momento i film del filone detto «peplum» o, bonariamente, «sandaloni» cominciarono a moltiplicarsi e a debordare come un fiume in piena: pellicole riuscite o fallite, piattamente imitative o attraversate da barlumi d'invenzione, produzioni ricche e meno ricche; in ogni caso, pellicole a decine, per anni; una vera invasione, con la quale gli americani reinventarono Roma a modo loro così come, anni dopo, gli italiani avrebbero reinventato a modo loro il Far West.

Una legge (opportuna in quei tempi grami) impediva che i guadagni realizzati dai produttori americani potessero essere esportati. La scelta quasi obbligata era, quindi, di reinvestire sul posto in nuovi film, incrementando in tal modo sia le possibilità di lavoro sia l'impulso al filone della romanità. Nel 1951 ci fu *Quo Vadis?*, tratto dal celebre romanzo di Henryk Sienkiewicz (premio Nobel 1905), nel quale si ripetono, con varianti, i ruoli di *Fabiola*. È lei, la barbara Licia, la cristiana e lui, il romano Marco Vinicio, il pagano da convertire. Licia viene imprigionata e rischia una morte atroce nel circo, ma Ursus, lo schiavo buono, risolve la situazione con la sua forza erculea. Blanda sensualità, lieto fine: è l'apertura ufficiale di un filone che vedrà Charlton Heston correre sulle quadrighe di *Ben Hur*, Elizabeth Taylor reincarnarsi in *Cleopatra* (produzione immensa, solo i costumi erano 26 mila), Gordon Scott bruciarsi la mano nel ruolo di Muzio Scevola, Richard Harrison fare una magnifica figura come *Il gladiatore invincibile* e Jack Palance dare volto e muscoli a *Lo schiavo di Cartagine*. Via via il genere ingloberà le sue parodie (*Totò e Cleopatra*), scivolerà verso *Le calde notti di Poppea* con Olinka Berkova e *La peccatrice del deserto* con Ruth Roman, storie che s'indirizzano là dove chiaramente dicono sia i titoli sia i manifesti. *Sinuhe l'egiziano* (con Edmund Purdom, Peter Ustinov, Jean Simmons e Victor Mature) veniva lanciato con questo slogan: «In edizione integrale gli incesti, gli amori, le crudeltà, gli sfrenati piaceri della corte faraonica».

Molti film pretendevano d'imitare le grandi produzioni americane; non disponendo però degli stessi mezzi, si doveva fare di necessità virtù: affittare scenografie e costumi usati, girare nelle pause di lavorazione degli altri, precipitarsi sui set appena gli altri li avevano abbandonati e prima che le intemperie facessero affiorare, sotto i finti marmi, l'impasto di cartapesta e di tubi metallici.

E Roma? La Roma vera, quella abitata dai romani, come risentì di questa ondata? Dal punto di vista economico, il denaro portato dalle produzioni americane dette lavoro ad alcune migliaia di persone tra maestranze, tecnici e comparse. Erano film di massa, di comparse ne servivano ogni volta a centinaia. Per *Ben Hur*, diretto da William Wyler con una troupe di 400 persone e costato 15 milioni di dollari (nel 1958!), vennero comprati in Iugoslavia 120 cavalli per girare la corsa delle bighe. Per quella sola scena si spesero 1 milione di dollari. Direttore della seconda unità era un giovane regista italiano, Sergio Leone. Wyler vincerà l'Oscar e la pellicola, di statuette, ne prenderà in totale undici. Al di là dell'aspetto economico, i film del filone «peplum» rilanciarono l'immagine di Roma nel mondo, contribuendo a restituirle il ruolo di grande meta turistica.

Nel 1953, con *Vacanze romane*, il regista William Wyler mette Gregory Peck e Audrey Hepburn al centro di una vicenda amorosa piacevole e sciroppposa al punto giusto, cui fanno da sfondo i luoghi più celebri della capitale. I due amorosi, a bordo di una Vespa, li visitano e li ammirano, lei stupita, lui dolcemente pedagogico. Il risultato fu che aumentò per anni il flusso turistico statunitense, così come in seguito accadrà con *La dolce vita*.

L'immagine della capitale trasmessa da questo film era «accomodante» e in sostanza falsa, come lo sono quasi sempre le immagini delle fiabe amorose. Solo, Wyler era stato capace di mostrare le antichità romane in tutta la loro realtà: vera, solida pietra. Negli altri film «peplum» non erano vere nemmeno queste: antichità di cartone, lucenti corazze di latta, gli stessi eventi della storia pesantemente contraffatti per assecondare le esigenze del copione, con l'immancabile vicenda d'amore, l'ombra del tradimento, l'eterno *vilain* destinato alla finale sconfitta dopo l'ultimo duello con l'eroe. Nel suo libro su Cinecittà Flaminio Di Biagi fa notare, mostrando il relativo fotogramma, come in *Gladiatori* di Delmer Daves (1954) si arrivò a una falsificazione così grottesca da essere sicuramente voluta, dunque ironia o scherzo beffardo: fra le statue che ornano il Colosseo il regista fece inserire anche un *David*, copia esatta di quello che Michelangelo avrebbe scolpito quattordici secoli dopo.

Il rilancio di Roma fu soprattutto il rilancio del suo simbolo più popolare, per l'appunto il Colosseo. Milioni di americani, e non solo loro, impararono a riconoscere nelle sue vecchie arcate corrose dai secoli, dagli incendi, dalle devastazioni, il monumento per eccellenza della classicità e l'icona della città, allo stesso modo in cui la Tour Eiffel lo è di Parigi e il ponte di Brooklyn di New York. La storia, in questi film, è sempre piuttosto flessibile, pronta a piegarsi a ogni esigenza della trama o del cast, anche a costo di far sedere Nerone nella tribuna imperiale, mentre è risaputo che, al tempo del famigerato imperatore, lì dove ora sorge il Colosseo c'era solo il lago della sua Domus aurea. Al grande edificio dette avvio l'imperatore Vespasiano, ma eravamo nel 70 d.C. e Nerone era morto da due anni.

Per Roma il cinema non rappresentò solo un rilancio nel mondo. Divenuta una «Hollywood sul Tevere» come allora si disse, la città cominciò a modificarsi anche nei comportamenti degli abitanti, che trovavano nella presenza di tanti attori, nella disinvoltura dei loro amori, nelle cronache delle loro vivaci serate, in certe colorite baruffe per eccessi alcolici, un giusto alimento alla voglia di ricominciare, dimenticando la penuria e gli orrori della guerra e dell'occupazione. Si leggeva di grandi ubriacature, di straordinarie cene nei ristoranti di Trastevere, di piccanti trasgressioni consumate negli alberghi di via Veneto o nelle ville sull'Appia Antica, di party «esclusivi», di amori fulminei che sembravano nascere solo per essere fotografati e raccontati sui rotocalchi. La guerra, e non solo la guerra, ma anche una certa aria di provincia avevano fino a quel momento ristretto i pettegolezzi a piccole variazioni sugli stessi temi, quando non li avevano limitati alle povere, impotenti malevolenze politiche durante il regime fascista. Di colpo, l'intera Roma sembrava trasformata essa stessa in un set cinematografico con le sue piazze e le strade, le spiagge raggiungibili per una breve gita su belle automobili; e località come Ostia o Fregene che sembravano poter concorrere con la California di Malibù.

Quest'atmosfera così piacevole, all'apparenza facile, questa società dove gli agi di un inedito benessere sembravano combinarsi miracolosamente con la cordialità d'un tempo, la semplicità dei rapporti e la dolcezza del vivere divennero contagiose. Come nel finale di una settecentesca *féerie*, Roma diventò una città dove ci si sposava volentieri: Anthony Quinn e Audrey Hepburn scelsero addirittura dei partner italiani; Tyrone Power, che in quel momento incarnava il mito della bellezza maschile, celebrò le sue nozze con Linda Christian nella basilica di Santa Francesca Romana ai Fori, primo matrimonio del dopoguerra a meritare la definizione di «fiabesco».

Così, quasi senza accorgersene, si diffuse un nuovo e disteso modo di vivere che pochi o nessun romano aveva conosciuto prima e che talvolta poteva sembrare, appunto, esso stesso cinema: i tavolini dei due famosi bar di piazza del Popolo con i clienti scaldati dal primo tiepido sole di primavera, un rustico ristorante di Fregene con gli spaghetti insaporiti dalle «telline» pescate lì sulla spiaggia, quasi sotto gli occhi dei clienti, le automobili, sintomo di agiatezza ma, soprattutto, incantati strumenti di libertà e non ancora spaventose creatrici di ingorghi e di inquinamento. A ondate, il benessere si andava diffondendo in Italia con il primo boom economico, e a Roma fu il cinema uno dei suoi più importanti motori.

Ma con lo sviluppo e gli agi entrarono in circolo anche i germi della corruzione e perfino i delitti persero, se così posso dire, la loro «innocenza». Nelle prime ore di sabato 11 aprile 1953, vigilia di Pasqua, lo stesso anno di *Vacanze romane*, un operaio, camminando sulla spiaggia di Torvajanica, s'imbatte nel cadavere di una giovane donna, poi identificata come Wilma Montesi, bella ragazza di ventun anni, scomparsa da due giorni dall'abitazione di via Tagliamento 76, dove viveva con i genitori. Il cadavere non presenta segni di violenza. Wilma, dice il medico legale, è morta annegata. Ma chi o che cosa hanno provocato l'annegamento? Su questa domanda si apre un'inchiesta che, per la parte clinica, si conclude con un referto in cui si attribuisce la morte a «sincope dovuta a un pediluvio».

Wilma era una ragazza borghese, molto riservata, fidanzata con un carabiniere e sul punto di sposarsi; difficile ipotizzare, come pure si fece, il suicidio. A Ostia era andata da sola e di sua volontà. Almeno due testimoni diranno di averla notata sul trenino che collega la capitale al Lido. A quella gita solitaria si dà una spiegazione plausibile: Wilma soffriva di eczema a un piede, provocatole da un paio di scarpe nuove, ed era andata al mare per fare delle bagnature d'acqua salata. Questo spiegava anche il fatto che il cadavere fosse privo di scarpe, calze e reggicalze. Quanto al malore, sarebbe dipeso dal fatto che la ragazza aveva appena terminato il ciclo mestruale. Questa ricostruzione superficialmente coerente fa sì che il caso si avvii all'archiviazione, nonostante continuino a serpeggiare molti dubbi. Per fare un solo esempio: nessuno seppe spiegare come mai il corpo fosse finito a Torvajanica, lontana parecchi chilometri dal Lido di Ostia.

Il caso, dunque, si sarebbe probabilmente chiuso se, in ottobre «Attualità», un piccolo settimanale scandalistico, non avesse reso pubbliche le voci e i sospetti che avevano animato le discussioni e circolavano nelle redazioni dei giornali. Wilma Montesi, si era ripetuto a bassa voce, non era morta per il pediluvio, bensì per una overdose di droga o per un malore durante un'orgia nella villa del marchese Ugo Montagna: una serata eccitante, molto affollata con, tra i partecipanti, il musicista Piero Piccioni, figlio di Attilio, ex ministro degli Esteri e in quel momento vicepresidente del Consiglio. Da intrigante affare giudiziario, quella morte non del tutto chiarita si trasforma così in uno scandalo politico di grande rilievo: era noto infatti che Attilio Piccioni era candidato alla segreteria della Democrazia cristiana.

L'ex tenuta reale di Capocotta, che si trova alle spalle della spiaggia dove il cadavere è stato trovato, diventa famosissima. Durante un dibattito alla Camera, il deputato del PCI Giancarlo Pajetta, uomo di grande temperamento, rivolto ai banchi dei democristiani grida: «Capocottari!». Mentre il segretario socialista Pietro Nenni dichiara: «Capocotta sarà la Caporetto della borghesia».

A sostegno dell'ipotesi avanzata dal settimanale interviene un'altra giovane donna, Anna Maria Moneta Caglio, detta il «Cigno nero», ex amante delusa del marchese Montagna, la quale conferma: nella villa di Capocotta si svolgevano festini e si consumava droga. La Caglio consegna ad Amintore Fanfani (in quel momento ministro dell'Agricoltura, ma in corsa anche lui per la massima carica di partito) un memoriale in cui ribadisce le accuse. Quelle che erano state voci cominciano a coagularsi intorno a un'ipotesi: il marchese Montagna e il musicista Piccioni, spaventati dal malore che aveva colto la ragazza, si sarebbero sbarazzati di lei abbandonandola, forse ancora viva, sulla spiaggia poco distante. Lo scandalo cresce fino ad assumere dimensioni enormi; il questore di Roma, Saverio Polito, è accusato di aver cercato di insabbiare tutto per ragioni politiche. Dietro la morte della Montesi, trasformata in pretesto, si scatena la lotta per la conquista del potere dentro la DC. Nel giugno 1955 vari protagonisti della vicenda vengono rinviati a giudizio. Due anni dopo, il 27 maggio 1957, il tribunale di Venezia li assolve con formula piena: Piccioni, Montagna, Polito e altri nove imputati minori.

Anche se la vicenda non è mai stata del tutto chiarita, una cosa si può sicuramente dire: quella fu la prima volta nell'Italia repubblicana in cui apparati dello Stato vennero usati a fini di lotta politica. Dal «caso Montesi» gli italiani avrebbero imparato almeno due regole della vita pubblica. Primo: raramente i complotti sono ciò che a prima vista sembrano; secondo: la lotta politica in una democrazia fragile non si ferma davanti ad alcun ostacolo, costituzionale o giudiziario che sia, e tutto piega alle esigenze del potere. Negli anni successivi si sarebbe visto ben altro della povera Wilma riversa sulla spiaggia di Torvajanica. Lo stesso Partito comunista, che tentò di sfruttare lo scandalo per screditare la Democrazia cristiana, non si rese pienamente conto, almeno all'inizio, che l'aspetto politico del torbido *affaire* era stato utilizzato proprio da una parte della DC per una lotta intestina. In ogni caso l'anno dopo, nel 1954, Fanfani diventò segretario del partito.

In quel periodo ci fu a Roma più di un delitto destinato a restare a lungo nella memoria della gente. La curiosità per quei crimini travalicava il consueto interesse per i «gialli»; era come se quegli assassinii, ai quali le cronache dedicavano grande spazio, facessero riscoprire la dimensione privata di una morte violenta, dopo tutte le morti anonime e di massa che la guerra aveva provocato. Quasi lo stesso clamore dell'omicidio di Wilma Montesi suscitò, per esempio, quello di Maria Martirano, strangolata da un sicario su mandato del marito Giovanni Fenaroli: un altro crimine di cui non si capì mai fino in fondo quale fosse il movente. Forse il denaro di un'assicurazione sulla vita della Martirano, forse un maldestro tentativo di ricatto da parte della stessa donna per certe tangenti pagate dal marito a esponenti politici. Il caso Fenaroli appassionò talmente il paese che l'aula del processo venne letteralmente presa d'assalto da folle di curiosi, compresi personaggi noti come Vittorio De Sica e Anna Magnani. Si cominciava confusamente a intuire che quei delitti potevano essere un sintomo e anni dopo si capì infatti che erano i primi segnali di un'Italia «nera» nella quale ambizioni o interessi politici e agiatezza anche sospetta si sarebbero spesso mescolati. Da un certo punto di vista anche quegli omicidi diventarono «cinema», grazie a storie che, riprendendo quegli elementi, completeranno la fisionomia totale di un paese in tumultuosa trasformazione.

Il grande, duraturo filone della commedia detta «all'italiana» interpretò lo stato d'animo che s'andava diffondendo negli anni di cambiamenti così radicali. Sono stati i francesi a scoprire per primi l'efficacia di quel modo di rappresentare i difetti nazionali, di rappresentare cioè la realtà non più con la dolorosa consapevolezza del neorealismo bensì attraverso la comicità e lo sberleffo. Uno dei maestri di quel filone, Mario Monicelli, ha detto in un'intervista:

> Più della letteratura, più della pittura, più del teatro, quelle commedie hanno cambiato l'indole degli italiani mettendo in ridicolo tutti i loro tabù e vizi, in particolare quelli dei meridionali: le corna, la verginità, l'adulterio, la sbruffoneria, il cattolicesimo, tanto è vero che erano molto osteggiate dal governo. Questo ha fatto diventare gli italiani più consapevoli, facendoli ridere di loro stessi, sganciandoli da eccessivi sentimentalismi, contribuendo alla loro evoluzione.

Per la verità, lo «sganciamento», come lo definisce Monicelli, è andato poi molto in là e ha proseguito per suo conto, tanto che lo stesso regista ammette: «Da evoluto l'italiano è diventato cinico, poi cialtrone. Oggi è senza principi, non ha quasi nulla cui afferrarsi, se non l'obiettivo di arricchire».

Troppo duro il giudizio? C'è un altro luogo simbolico dal quale il fenomeno può essere osservato: via Veneto. Per un periodo, nel decennio degli anni Cinquanta, la strada sinuosa che unisce piazza Barberini a porta Pinciana, nata sulle rovine di villa Ludovisi e figlia della prima speculazione operata a Roma un decennio circa dopo l'annessione al Regno d'Italia, è stata un luogo prediletto di ritrovo. Un gruppo di letterati e giornalisti sedevano volentieri ai tavolini del caffè Rosati, nella parte alta della scrada, aperto nel 1911 e oggi sparito. Anche altri caffè facevano loro da sfondo: lo Strega-Zeppa, Doney e, più tardi, il Café de Paris. Fra le mete abituali dei loro frequentatori c'era la libreria Rossetti, una delle più raffinate della città. (Nemmeno quella c'è più, anche se nel frattempo è nata un'altra bella libreria, Via Veneto, che però si trova più giù, verso piazza Barberini.) Ennio Flaiano, già noto per il romanzo *Tempo d'uccidere*, era uno dei protagonisti di quelle serate insieme a Gian Gaspare Napolitano, Ercole Patti, Sandro De Feo, Vincenzo Talarico, Mario Pannunzio, Carlo Laurenzi. Si tirava pigramente tardi, si commentavano i fatti politici, le novità del cinema, le ultime uscite librarie, le candidature al premio Strega (che Flaiano aveva vinto nel 1947), uno dei maggiori riconoscimenti letterari (oggi ancora abbastanza prestigioso, nonostante la pletora dei premi arrivati dopo).

Molto frequenti erano le reciproche malignità, condensate spesso in folgoranti giochi di parole. Il regista Lattuada, noto per le sue rabbie e gelosie, era soprannominato «la piccola vendetta lombarda»; Alberto Moravia, claudicante, «l'Amaro Gambarotta»; Vincenzo Cardarelli, che girava col cappotto anche in piena estate, «il più grande poeta italiano morente»; e poi, di un anziano critico (la discrezione è d'obbligo) sempre circondato da giovani allieve che palpeggiava, «L'uomo con un piede nella fessa»; di uno zelante arrampicatore scarsamente dotato, «il carrierino dei piccoli»; di un diffuso quotidiano della capitale sempre ossequiente verso il potere, «si guardano gli articoli e si leggono le fotografie»; eccetera.

La maggior parte dei nomignoli e dei calembour che circolavano era opera di Flaiano, ingegno vivacissimo, ottimo sceneggiatore, giocoliere della parola, fulminante nelle battute come, per esempio, quella pronunciata all'annuncio che stava per uscire il nuovo film di un noto e mediocre regista: «Ha fatto un altro film? Non vedo l'opera di perdermelo»; oppure, uscendo da una sala teatrale: «Spettacolo pessimo, non sono riuscito a chiudere occhio». Nel suo *Diario notturno* scriveva sarcastico: «Lamenta la corruzione della vita romana, cita sdegnato qualche caso. Sì, d'accordo, è stato così per secoli e secoli, ma ora stiamo esagerando; vizio e putredine. Vien voglia di andarsene, ma dove? Facendosi triste: "Ah, conclude, potersi ritirare in campagna, soli, con un chilo di cocaina, lontani da queste sozzure"». Suo anche l'adattamento a Roma di una feroce definizione, in origine riferita ad altra città del Mezzogiorno: «Roma è l'unica città mediorientale senza un quartiere europeo».

Eugenio Scalfari ha rievocato quella strada e quelle serate nel suo *La sera andavamo in via Veneto*, parlando del caffè Rosati che, dall'immediato dopoguerra, aveva soppiantato un altro celebre luogo d'incontro, la terza saletta del caffè Aragno, cenacolo di blando antifascismo che Mussolini, senza troppo impegno, faceva tenere d'occhio:

> La cerchia dei «devoti» serali era stretta: attorno a Mario Pannunzio e a Franco Libonati l'altra coppia che teneva il campo era quella di Sandro De Feo con Ercole Patti. Spesso veniva Moravia. Più di rado Elsa Morante. Qualche giovane faceva da coro: Giovanni Russo, Paolo Pavolini, Renato Giordano, Chinchino Compagna. Ma da Rosati la compagnia s'allargava. Tra le dieci e le undici arrivavano Brancati, Attilio Riccio, Flaiano, Piero Accolti, Gian Gaspare Napolitano, Gorresio, Gino Visentini, Vincenzo Talarico ... verso la mezzanotte, scortato dal meno brutto dei due fratelli Lupis e da Italo De Feo faceva il suo ingresso Saragat, che però si sedeva a parte ... Dopo mezzanotte, specie nelle tiepide sere estive, arrivava l'ultima ondata che risaliva da piazza del Popolo: Maccari, Amerigo Bartoli, Alfredo Mezio. Qualche volta Roberto Rossellini. Qualche volta Carlo Laurenzi. Paolo Stoppa. Anna Proclemer. Eleonora Rossi Drago. ... Pannunzio diceva: com'è bello partire da Roma per poterci tornare. Flaiano: siamo un gruppo di uomini indecisi a tutto.

Non era proprio così e anche Scalfari del resto lo scrive più avanti nel suo libro. Molte di quelle persone condividevano in realtà una visione politica che avrebbe trovato il suo strumento e il suo specchio prima nel settimanale «Il Mondo» poi ne «L'Espresso», infine, in gran parte, nel quotidiano «la Repubblica». Li univa, più o meno, una visione liberale e progressista, attenta alla laicità dello Stato, che non poteva essere identificata con un partito né con una singola personalità. Nomi di riferimento, semmai, quelli di Benedetto Croce e Gaetano Salvemini, Carlo Rosselli, Piero Gobetti e Giovanni Amendola. Da lontano, l'ombra benedicente di John M. Keynes. Ancora oggi, a distanza di tanti anni, quella società politico-letteraria, poi scomparsa, dà alla città un connotato retrospettivo. Il gruppo di artisti, scrittori e giornalisti che avevano fatto di via Veneto il loro «club» erano i «liberal» italiani: persone colte, ironiche, un po' ciniche, dotate di quel tanto di scetticismo laico che gli consentiva di non cadere nelle due opposte «metafisiche», la cattolica e la marxista, intrise di un certo semiconfessato disprezzo per i fenomeni di massa, a cominciare dalla televisione.

Perché un gruppo di artisti, scrittori e giornalisti sente il bisogno di riunirsi in un caffè? Quest'abitudine tipicamente latina, condivisa da francesi e spagnoli e studiata anche dai sociologi, nasce da una serie di elementi: il gusto della chiacchiera e della battuta, rafforzata dalla comunanza di antipatie e di predilezioni; quello, complementare, di polemizzare su minime questioni di dettaglio, su sfumature; una serie di abitudini lungamente coltivate; in definitiva, la consapevolezza di partecipare a un codice di comportamento e d'essere parte di un'élite. Questa somma di fattori dà agli intellettuali di via Veneto la capacità, che sconfina nel narcisismo, di discutere con grande piacere delle proprie qualità e dei propri difetti, trasformandoli in pretesti per battute, aforismi, epigrammi; in lacerazioni, anche; in qualche caso in odii. Infatti, era proprio questo il rimprovero che le due «chiese» – cattolici e marxisti – muovevano ai letterati romani: un'accentuata autoreferenzialità. Da sinistra, venivano criticati in nome degli ideali della giustizia sociale, della Resistenza, del neorealismo visto come canone privilegiato di rappresentazione della realtà. I cattolici, d'altra parte, rimproveravano loro un laicismo di matrice illuminista, la valutazione esclusivamente «politica» delle mosse della Chiesa, uno smaliziato disincanto di fronte alle forme di religiosità popolare. Mezzo secolo dopo, di quella Roma resta poco o niente; la società letteraria è quasi interamente sparita insieme ai suoi caffè, alle idealità, alle utopie, alle chiacchiere. Un solo elemento, forse, è sopravvissuto: l'ostilità degli avversari o semplicemente degli estranei nei confronti di uomini e di ambienti denominati in blocco «radical-chic».

A via Veneto, tra la parte bassa e quella alta della strada, si trovavano (ci sono ancora, talvolta con un nome diverso) anche alcuni dei più lussuosi alberghi della capitale. In uno di questi era sceso lo spodestato re d'Egitto, Faruk, che se ne stava lui pure seduto per ore ai tavolini di un caffè con al fianco la fiamma del momento (tutte ragazze bene in carne e dalle fluenti chiome corvine), pronto a ripetere a chiunque la stanca battuta: «Fra pochi anni al mondo ci saranno solo cinque re, i quattro delle carte da gioco e la regina d'Inghilterra». E poi gli attori, anzi i divi americani, che si tiravano dietro tutto un via vai di limousine, autisti, attricette agli esordi, addetti stampa, fotografi.

Per la verità, i primi a frequentare abitualmente la strada e, diciamo, a «lanciarla», erano stati, a suo tempo, i fascisti: Galeazzo Ciano andava spesso a prendere l'aperitivo all'albergo Ambasciatori, i gerarchi si facevano vedere in compagnia di qualche attrice, gli elegantoni (li chiamavano «gagà») vi scendevano dalla vicina piazza di Siena, dopo il concorso ippico; poi c'erano i divi del momento: Fosco Giachetti, Amedeo Nazzari, Alida Valli, Clara Calamai...

Quel movimento, quelle conversazioni, quegli attori sbarcati dagli Stati Uniti avevano un osservatore molto attento e percettivo, Federico Fellini. Il regista fu tra i primi a cogliere l'aspetto simbolico di un'arteria dove si concentravano, per una serie di circostanze anche solo accidentali, i segni di un nuovo e talvolta ambiguo benessere. Fellini cominciò a elaborare il progetto della *Dolce vita* nell'estate del 1958 e capì subito che via Veneto avrebbe dovuto essere il palcoscenico della sua laica rappresentazione.

Quando la sceneggiatura fu pronta (la firmavano, oltre a lui stesso, Ennio Flaiano, Tullio Pinelli e Brunello Rondi), il regista riuscì a imporre che il tratto centrale della strada fosse ricostruito nello studio 5 di Cinecittà, il più grande, il «suo» studio (lo stesso dove il 2 novembre 1993, 70 mila romani sono sfilati davanti al suo feretro per dargli l'ultimo saluto). Lo scenografo Piero Gherardi riprodusse con magnifica precisione la realtà, apportando una sola variante di rilievo: progettò la strada in piano anziché in leggera salita come l'originale. Qualcuno definì il desiderio di Fellini solo un costoso capriccio; lui spiegava invece: «Giro in teatro per esprimere una realtà soggettiva depurata da elementi realistici contingenti, inutili: una realtà selezionata. È importante anche il controllo totale della luce: il teatro di posa è diventato per me il luogo obbligato dell'espressione». A chi gli contestava che così facendo procurava un aggravio di costi, rispondeva (mentendo) che si trattava anzi d'un risparmio, e che comunque, per alleviare eventuali maggiori spese, era disposto a rinunciare a una parte dei suoi diritti.

La struttura narrativa del film era adatta a un modo di raccontare rapsodico, che si prestava a saltare da uno scenario all'altro. Un giornalista, Marcello Rubini, dalla provincia romagnola si trasferisce (proprio come Fellini) a Roma; il suo mestiere, nonché la sua irresolutezza, lo spingono a frequentare gli ambienti più diversi alla perenne ricerca di novità per il suo rotocalco. Dopo alcune incertezze, per questa parte il regista scelse Marcello Mastroianni, il cui aspetto però trovava troppo «innocente». «Il personaggio» dichiarerà in un'intervista «doveva essere più sinistro, con una faccia più losca, ricattatoria.» Per indurire la bellezza così rasserenante di Marcello, Fellini gli impose dei cambiamenti: «Lo obbligai a dimagrire dieci chili e feci di tutto per renderlo più sinistro: ciglia finte, pallore giallino, occhiaie, abito nero, cravatta nera, qualcosa di luttuoso».

Il regista aveva una certa esperienza di giornalismo avendo fatto più o meno quel mestiere (oltre al disegnatore) nei suoi primi anni a Roma. L'attività del cronista facilita il lavoro dello sceneggiatore giacché consente di far passare il personaggio di qua e di là con buona verosimiglianza e grande rapidità. Marcello convive con Emma, che lo ama di un amore possessivo, ma ha varie, effimere avventure fra le quali una con Maddalena, molto ricca e molto annoiata, che vorrà provare con lui il brivido di fare l'amore nel letto d'una prostituta. Un giorno Marcello va ad assistere a un'apparizione della Madonna in un prato vicino a Roma; malati e invalidi s'affollano in attesa del miracolo. In realtà si tratta d'una truffa organizzata da alcuni imbroglioni per mettere insieme qualche soldo. Poi visita night club e case d'appuntamento e partecipa al ricevimento di una muffita nobiltà di provincia. Nella sequenza conclusiva, in una delle tante albe del film, si vede il gruppo dei nottambuli che rientra dai bagordi, mentre la vecchia principessa s'avvia alla cappella per sentire la messa, seguita dai figli compunti, a capo chino.

Come ricorda Tullio Kezich, il primo ciak venne battuto alle 11.35 del 16 marzo 1959 nel teatro 14 di Cinecittà, dove lo scenografo Piero Gherardi aveva ricostruito l'interno della cupola di San Pietro. Di scena Anita Ekberg, abito nero e cappello da prete. L'ex miss Malmö è un'opulenta bellezza dall'incarnato lunare, che Fellini ha romanizzato in «Anitona», facendo delle sue misure giunoniche (101 – 56 – 93) l'emblema dell'Italia del boom. Con la sua forte inclinazione all'alcol, diventa un'animatrice delle insonni notti romane ancora prima di girare il film.

La Ekberg, in Italia, sposa l'attore inglese Anthony Steel: matrimonio clamoroso con frequenti scene di ubriachezza, durante le quali i due se le danno a vicenda di santa ragione. Seguono divorzio, amori svariati, da Gianni Agnelli in giù, e nuove nozze con il nobile tedesco Rik Van Nutter, che in realtà è solo un americano in cerca di celebrità.

Nel film, due sono gli incontri di maggiore significato, che riaffiorano subito nel ricordo. Il primo è quello di Marcello con Sylvia (Anita Ekberg), una famosa attrice americana in visita a Roma che Marcello accompagnerà fino alla celeberrima scena del bagno nella fontana di Trevi. L'altro è quello con il raffinato Steiner (Alain Cuny, ma avrebbe dovuto essere Henry Fonda), uomo colto che riunisce nel suo salotto artisti e intellettuali. Steiner sembra rappresentare finalmente il polo positivo di un mondo disincantato e cinico, privo di valori sia religiosi sia civili, dove la volgarità dei nuovi ricchi convive con la mediocrità di una borghesia turpe. Il suo monologo è uno dei punti alti del film: «Talvolta, di notte, il buio e il silenzio mi opprimono. La pace mi spaventa, forse è la cosa che mi fa più paura; la sento come una facciata dietro la quale si nasconda l'inferno...». Nonostante questi oscuri presagi, la notizia che Steiner si è ucciso dopo aver assassinato i due figlioletti arriva terrificante e improvvisa.

Fellini non è un regista «politico», gioca in genere sulla trasfigurazione di episodi autobiografici dietro i quali fa intravedere, talvolta, l'immagine d'una società. Nonostante ciò, alcuni dei suoi film sono diventati ritratti veritieri dell'Italia contemporanea. *Prova d'orchestra*, per esempio, o *Ginger e Fred*, o appunto *La dolce vita*, primo, forte segnale del declino morale che la nuova società del benessere stava provocando. «Visto a distanza, col senno del poi» ha scritto Morando Morandini nella sua *Storia del cinema* «*La dolce vita* fa da spartiacque nel panorama del cinema italiano del dopoguerra. In un certo senso, anzi, ne segna la fine, e l'inizio di una nuova epoca ... anche perché ripropose il problema del neorealismo e del suo superamento che in quegli anni costituì la cattiva coscienza – e, in qualche caso, il tormento – della critica cinematografica italiana». Perché il «neorealismo» fu un problema?

Il termine si diffuse più o meno insieme al capolavoro di Roberto Rossellini *Roma città aperta* del 1945. È forse esagerato dire che esso costituì una corrente artistica ben definibile. Il «neorealismo» fu piuttosto un modo di vedere la realtà, un approccio senza mediazioni ai problemi collettivi; rappresentò anche il bisogno di credere in qualcosa che superasse le ansie e le ristrettezze del momento e per cui valesse la pena di combattere, anzi «d'impegnarsi» (altra parola chiave di quegli anni). Dietro le contraddittorie manifestazioni di ciò che veniva così chiamato c'era spesso, più che una visione estetica, una spinta morale, ed è questa la ragione che imprime talvolta a quei film una coloritura moralistica. Per ragionamento, o solo con l'intuito del grande artista, Fellini avvertì l'insufficienza di una tale rappresentazione della realtà rispetto ai profondi mutamenti allora in atto nell'Italia e negli italiani. *La dolce vita* nasce da qui.

Nella scena iniziale una grande statua di Cristo a braccia levate sorvola Roma trasportata da un elicottero. Passa sopra le rovine del Colosseo, rasenta un gruppo di ragazze che, su una terrazza, prendono il sole al bordo di una piscina («Guarda, è Gesù!» esclama una di loro), arriva a San Pietro. In questa apertura vertiginosa, Fellini ha già anticipato il colore e la temperatura di questa epopea romana: la classicità, la facilità sibaritica del nuovo lusso, la superficialità dei valori religiosi. Chi ricorda le cronache di quegli anni non fatica a cogliere i riferimenti all'attualità. Il partner manesco e alcolizzato dell'attrice Sylvia (interpretato dall'ex Tarzan Lex Barker) è un richiamo alle tante risse fra gli invadenti «paparazzi» e attori in cerca di un'improbabile riservatezza. Lo spogliarello che la giovane Nadia fa in una villa di Fregene, per festeggiare con gli amici il suo divorzio, richeggia il celebre episodio della ballerina turca Aiché Nana che, ubriaca, improvvisò uno spogliarello nel night club Rugantino in Trastevere. Nel corso della stessa festa ha luogo anche un altro episodio rievocativo: un'ingenua ragazza viene fatta ubriacare e messa alla berlina, e questa è sicuramente una citazione del «caso Montesi». Poi c'è il finale. La vicenda della *Dolce vita* si sviluppa lungo una serie di sette notti e sette albe: la settima alba è quella in cui Marcello, messo definitivamente da parte il sogno di diventare scrittore, esce disfatto da un'orgia e si ritrova su una spiaggia, grigia nel cielo senza luce. Una massa gelatinosa attira il suo sguardo: è un mostro marino, informe e putrido, vomitato dalle acque, che si sta corrompendo sulla battigia. L'uomo, alzando lo sguardo, scorge, al di là di un piccolo canale, Paolina (Valeria Ciangottini), una ragazzina bionda che ha incontrato casualmente qualche giorno prima: due simboli opposti, la corruzione e la purezza, una metafora fin troppo trasparente e tuttavia benissimo calibrata all'interno della narrazione. Il volto affaticato di Marcello si contrappone a quello innocente della ragazza e questo, a sua volta, all'immagine del mostro in disfacimento. Paolina cerca di dirgli qualcosa, ma invano. Marcello non ne sente le parole, fa un buffo gesto rassegnato e si allontana con la sua squallida compagnia. Paolina sorride.

Il film uscì nel febbraio 1960. Le riprese erano durate cinque mesi e alla fine Fellini s'era ritrovato con 56 ore di girato da ridurre a 167 minuti. All'uscita del film lo scandalo fu immediato. Gli ambienti cattolici più conservatori parlarono addirittura di pornografia, di opera blasfema; si arrivò a minacciare di scomunica non solo gli autori, ma chiunque avesse visto la pellicola; all'uscita dalla prima milanese, il regista venne bersagliato di pugni e coperto di sputi. Dall'estrema destra s'invocò il suo arresto, si organizzarono clamorose manifestazioni di dissenso, che naturalmente contribuirono all'immediata fortuna della pellicola. Gli incassi superarono ogni previsione; il riconoscimento della critica mondiale fu unanime: *La dolce vita* ottenne la Palma d'oro a Cannes e fu candidato agli Oscar, che però fu vinto non da Fellini ma dallo scenografo e costumista Piero Gherardi. Il successo fu non solo artistico ma di costume. Per quasi un decennio l'opera venne considerata un simbolo: i maglioni a collo alto indossati da alcuni personaggi divennero maglioni «dolce vita», i fotografi d'attualità si chiamarono da allora «paparazzi», via Veneto e la fontana di Trevi si trasformarono in cartoline illustrate acquistate e spedite da schiere di turisti.

Quel che più conta ai fini del nostro racconto, dopo il film *Roma* diventò il non invidiabile emblema della nuova Italia che stava nascendo. Il rapporto del regista con la città è stato fin dall'inizio così intenso da far dimenticare che Fellini non vi era nato, che veniva da Rimini, che nella capitale era arrivato in treno (come, nel finale, il protagonista dei *Vitelloni*) nel gennaio 1939, a diciannove anni, con una borsa piena di raccontini e di vignette che riuscì a piazzare sul «Marc'Aurelio», un bisettimanale umoristico, blandamente satirico, dove s'inventarono personaggi diventati molto popolari. Un romano grande (e grosso), Aldo Fabrizi, ottimo attore in parti sia comiche sia drammatiche, gli fece conoscere Roma. Fabrizi lo guidò quasi per mano in una scoperta così ammaliante che la città, dal centro storico all'Eur, dal presente della *Dolce vita* al remoto passato di *Satyricon*, diventò lo sfondo quasi obbligato di molti dei film del regista romagnolo. Un luogo ricorda oggi con molta discrezione Fellini: il portone al numero 110a di via Margutta, contrassegnato da una semplice epigrafe, omaggio degli antiquari della strada, con il suo nome e quello della moglie Giulietta.

Fellini non è stato né il primo né l'unico a far comparire in un film la magnifica fontana di Trevi. Una *Fontaine de Trevi* figurava già in un catalogo dei fratelli Lumière del 1896, ma la «citazione» che a noi piace di più è quella contenuta in *Vacanze romane*. Uno dei luoghi che la stupefatta Audrey Hepburn scopre nel suo giro romano, in cui passa di meraviglia in meraviglia, è proprio la grandiosa fontana dell'acqua Vergine (la romana *Aqua Virgo*), opera di Nicola Salvi, portata a termine da Giuseppe Pannini. Tuttavia è la scena felliniana che ha segnato la memoria collettiva per ragioni evidenti: Anita Ekberg che sorge dalle acque richiama, con la sua bellezza statuaria e barocca, l'immagine della Venere carnale. Nel 1974 un altro film, *C'eravamo tanto amati* di Ettore Scola, tributerà un omaggio a Fellini ricostruendo la celebre scena del bagno nella fontana con i reali protagonisti nel ruolo di se stessi. Nino Manfredi, portantino d'ospedale, passando lì davanti in ambulanza incontra casualmente una sua vecchia fiamma, Stefania Sandrelli, che sta cercando di conoscere Fellini per ottenere una parte appunto nella *Dolce vita*. *C'eravamo tanto amati* è una delle opere più riuscite di Scola (sceneggiata da due maestri come Age e Scarpelli), centrata sulla rivisitazione accorata del primo dopoguerra, delle speranze e degli slanci che accompagnarono quella stagione (compreso il «neorealismo» cinematografico) e del successivo naufragio di tali speranze. La pellicola di Scola individua e descrive nei caratteri e nelle situazioni il culmine di quel processo di progressivo decadimento del costume di cui Fellini, con *La dolce vita*, aveva colto l'inizio.

Anche Cinecittà è un luogo spesso citato nei film. Per esempio, lo fa Dino Risi nel suo *Un amore a Roma*, del 1960, tratto dal racconto omonimo di Ercole Patti. Il protagonista compie una visita agli studi cinematografici e il suo girovagare diventa occasione per mostrare vari aspetti del complesso produttivo. Si vede perfino Vittorio De Sica nelle vesti di un regista, cioè di se stesso, mentre cerca, disperato, di far recitare un'attricetta. Ancora più calzante la citazione contenuta in un altro film di Risi, più riuscito: *Una vita difficile*, del 1961. Il protagonista, Silvio Magnozzi, ex partigiano (interpretato da Alberto Sordi), a guerra finita stenta a reinserirsi nella vita civile. Si sente inappagato, nutre ambizioni letterarie e va a Cinecittà per proporre una sceneggiatura al grande Blasetti, che a un certo punto compare per recitare se stesso. La sua petulante insistenza infastidisce il regista che, sul punto di cominciare una ripresa, riesce a sfuggirgli facendo alzare il dolly sul quale sta preparando l'inquadratura. Anche qui, come in *Bellissima*, vengono mostrati i due volti del cinema: il fascino, il richiamo, l'allettamento del guadagno e poi la durezza, i lati patetici, la precarietà, le umiliazioni. Fallito il tentativo di avvicinarsi a Blasetti, lo sventurato Magnozzi approfitterà dell'incontro casuale con un vecchio amico che fa la comparsa per mangiarsi il suo «cestino».

Tra Roma, Cinecittà e il cinema il rapporto, gli intrecci, la consonanza, in qualche caso la complicità, sono stati fin dall'inizio straordinari, forse perché a Roma mancano altre industrie (a parte l'edilizia), forse per il carattere così teatrale della città o per il temperamento dei suoi abitanti, indolenti, sornioni, però capaci di repentini scatti d'invenzione; sia come sia, il cinema e Roma erano fatti apposta per incontrarsi e per piacersi. Non c'è quartiere che prima o poi non sia diventato un set cinematografico: il centro e la periferia, i mercati e i monumenti, le carceri e le chiese, la stazione centrale e le più remote borgate. Nel 1988 il regista sperimentale Peter Greenaway ha girato *Il ventre dell'architetto*, centrato sui luoghi topici della capitale: il mausoleo di Augusto e San Pietro, i Fori e piazza Navona, soprattutto il Vittoriano in piazza Venezia. Il suo è forse l'unico film in cui quel mastodontico monumento, così bello ma difficile da fotografare, figuri al centro d'una storia.

Molte altre stagioni hanno vissuto poi gli studi di via Tuscolana, per esempio, quella degli spaghetti-western inventati da Sergio Leone, che chiuderà la sua carriera con *C'era una volta il West* e *C'era una volta in America*, girati quasi per intero a Cinecittà. Leone vi era entrato per la prima volta a tredici anni portatovi dal padre, Roberto Roberti, anch'egli regista, che era stato epurato dal fascismo. Durante il ventennio una sola volta Roberti era riuscito a trovare un tale che gli aveva promesso di finanziare un suo film; scoprì poi che si trattava di un agente provocatore della polizia politica.

Quello dei finti western (in realtà spesso più realistici delle pellicole americane) è stato un filone impetuoso che, forse proprio per il suo stesso slancio, s'è rapidamente esaurito. Nel 1966 su 48 film girati a Cinecittà, 17 erano western. Le riprese in esterno erano fatte nel Sud della Spagna o, più familiarmente, nel Parco nazionale d'Abruzzo; attori e registi si ribattezzavano con nomi anglicizzanti: Bob Robertson (Sergio Leone), Dan Savio (Ennio Morricone), Montgomery Wood (Giuliano Gemma), John Welles (Gian Maria Volonté) e via dicendo.

Poi, con il declino della cinematografia, gli studi di Cinecittà sono stati sempre più spesso utilizzati per girare gli spot pubblicitari e, soprattutto, per ospitare i maggiori spettacoli della TV, «reality» compresi. Bisognava tenere economicamente in piedi un centro produttivo così importante e ciò basta a spiegare i cambiamenti. Resta il rammarico d'aver assistito al declino di uno dei luoghi in cui Roma s'è rispecchiata, in cui, anzi, ha costruito o talvolta riscoperto la sua identità.

Fellini ha tentato di raccontare la città in *Roma*, girato tra il 1970 e il 1971. Anche se non è certo la sua opera migliore, il film è però come riscattato dalla visionarietà con cui ritrae lo spettacolo che si svolge da sempre nelle strade della capitale. All'inizio doveva trattarsi quasi di un documentario, poi diventò una storia nella quale l'artista ha rivissuto il fascino e il fastidio di Roma, il suo passato e il suo minaccioso futuro. La pellicola si chiude con una sinistra ronda di motociclisti in piazza del Quirinale. Prima, però, Fellini ha ripercorso il suo appassionato rapporto d'amore con una città nella quale tutto eternamente si mescola: magnifici giardini e orribili caseggiati, grandi spazi disabitati e piccole zone sovraffollate, zingari che dormono sulla scalinata del tempio dei Dioscuri, infime botteghe contigue alle dimore altere dei principi. In *Roma*, racconta il suo arrivo alla stazione Termini, le case di tolleranza, i gerarchi fascisti, l'avanspettacolo, quei cortili di caseggiato nei quali s'incrociavano da una finestra all'altra le voci e le canzoni della radio, gli stessi ricordati anche da Ettore Scola nel suo memorabile *Una giornata particolare*.

Quindici anni separano il capolavoro di Rossellini *Roma città aperta* da quello di Fellini *La dolce vita*. Due tecniche e due visioni diverse, l'atmosfera tragica dell'occupazione contro quella ilare di un benessere spesso losco, che rischia d'inghiottire tutto, compresa la memoria; scene riprese direttamente in strada contro scene accuratamente ricostruite in teatro. Realtà contro finzione? Più semplicemente, forse, due modi di raccontare lo stesso mutevole scenario: Roma nel trascorrere delle sue vicende, nella teatralità della sua vita, nell'eterno trascolorare della sua luce.

VIII

LE TORRI DELLA PAURA

Alla chiesa dei Santi Quattro Coronati bisogna arrivare dal basso, da via dei Querceti. Appena voltato (a sinistra) l'angolo con via dei Santi Quattro, compare una gigantesca rocca: antichissime mura si levano poderose e danno all'osservatore l'immediata sensazione di avere di fronte qualcosa di eccezionale. Tale è infatti questo riposto e poco conosciuto angolo di Roma: la chiesa dei Santi Quattro. Secondo una leggenda si trattava di quattro legionari (che avevano i bellissimi nomi di Severo, Severiano, Carpoforo e Vittorino) martirizzati perché si erano rifiutati di adorare la statua di un falso dio, secondo un'altra di quattro artisti dalmati uccisi da Diocleziano perché quella statua non avevano voluto scolpire. I loro resti, chiunque essi fossero, riposano in una cripta. Leggende. Ciò che conta è l'edificio, fondamentale testimonianza giunta da un tempo remoto, carica di messaggi e di notizie, come un'astronave.

La chiesa venne eretta nel IV secolo sfruttando, secondo la consuetudine del tempo, una preesistente costruzione romana di rara imponenza come testimonia la residua volta absidata, enorme rispetto al resto. Originariamente era molto più grande, come si può constatare dalle colonne che dividevano le navate, semimurate nelle pareti. Dopo la devastazione per mano dei normanni di Roberto il Guiscardo, nel 1084, la chiesa fu riedificata con dimensioni ridotte, lasciando però l'abside immutata. Sotto l'altare corre una cripta semianulare, al centro della quale venivano conservate le reliquie dei santi e dei martiri venerate dai pellegrini. Dalla navata di sinistra si può passare (dopo aver suonato un campanello) in un chiostro ben decorato, con al centro una fontana del XII secolo per le abluzioni rituali, e colonnine binate e capitelli a foglie acquatiche. Scavi recenti hanno fatto venire alla luce l'ingresso di una galleria sotterranea che collega questa basilica fortificata alla cattedrale di San Giovanni. Il cunicolo sarebbe servito come via di fuga per i pontefici che, all'occorrenza, potevano trovare qui sicuro riparo. Tutte le magnifiche colonne, lisce e scanalate, vengono ovviamente da templi e altri edifici romani.

La chiesa è preceduta da due cortili, il più interno dei quali era parte integrante della vecchia basilica prima che la sua dimensione venisse ridotta. La torre poderosa è del IX secolo e fungeva allo stesso tempo da punto d'osservazione e da maschio difensivo.

Ho descritto sommariamente i luoghi, ma ci sarebbe molto altro da dire su affreschi, decorazioni, arredi. Ciò che colpisce più d'ogni altra cosa è l'atmosfera che il complesso sprigiona, la forza testimoniale che queste mura venerande continuerebbero ad avere anche se fossero ridotte alla nuda pietra. All'interno dei vari edifici trovano ospitalità due diversi conventi di monache: le prime si chiamano Piccole sorelle dell'Agnello, le altre, di clausura, sono le agostiniane. Ho avuto la fortuna di visitare il posto in compagnia di padre Paul Lawlor, domenicano irlandese archeologo a San Clemente. È stato lui ad attirare la mia attenzione su ciò di cui ora dirò.

Nel portico del primo cortile c'è sulla sinistra una pesante grata di ferro che sbarra una finestrella accanto a una «ruota», la bussola girevole dove si deponevano i neonati non voluti. Al suono del campanello compare, nella mezza luce, una sfuggente ombra femminile che, in cambio di un euro, consegna la chiave della porta antistante attraverso la quale si entra nell'oratorio di San Silvestro, locale di straordinaria importanza per due ragioni. La prima è la fascia di affreschi, eseguiti nel XIII secolo da maestri bizantini, che raffigurano il *Constitutum Constantini*, ovvero la celeberrima donazione con la quale l'imperatore Costantino avrebbe ceduto al papa la supremazia su Roma, l'Italia e l'intero Occidente. Fu papa Innocenzo IV, durante la lotta contro l'imperatore Federico II, a volere questi affreschi, che oggi definiremmo propagandistici e spiegherò tra poco perché.

In un'altra scena che sormonta la porta d'ingresso è rappresentato un Giudizio universale con Cristo in trono fra la Madonna e San Giovanni Battista e in alto due angeli: il primo suona la tromba del Giudizio, l'altro arrotola il cielo stellato a conferma che tutto, compreso il tempo, è ormai finito. È una delle poche raffigurazioni della suggestiva iconografia medievale ispirata all'Apocalisse che siano giunte fino a noi (un'altra, notevole, è quella nella cappella degli Scrovegni, realizzata da Giotto). Alla sommità della parete di destra si aprono dei buchi in forma di conchiglia: erano i «portavoce», che consentivano alle monache relegate in clausura di seguire le sacre funzioni senza mostrarsi.

Usciti dal complesso si ridiscende la via dei Santi Quattro verso via di San Giovanni in Laterano. All'angolo con via dei Querceti c'è un'antichissima edicola piuttosto malridotta di cui l'archeologo Rodolfo Lanciani ha documentato la plurisecolare esistenza. È legata alla leggenda della papessa Giovanna, di cui anche dirò più avanti nel capitolo. Fatti pochi metri si arriva alla basilica di San Clemente. Fra le molte chiese e basiliche romane questa è, dal punto di vista storico, la più strabiliante. Basti pensare che si tratta di ben tre costruzioni, sovrapposte l'una all'altra nel corso di svariati secoli. Il primo nucleo risale all'epoca romana antecedente l'incendio di Nerone del 64 d.C. Nel II secolo, in quello stesso luogo fu eretta una residenza privata (*domus*) e nel cortile venne ricavato un mitreo. Il vecchio tempio ipogeo è ancora lì, costruito secondo la consueta struttura, con i due banchi contrapposti per i fedeli, l'ara sacrificale con l'immagine del toro immolato, la bassa volta incombente. I riti mitraici, religione legata al cosmo e alle stagioni, venivano celebrati in caverne. Qui si tratta di una grotta artificiale nella cui volta figurano «stelle» di stucco nonché undici aperture; le più piccole rappresentano le principali costellazioni, le quattro più grandi le stagioni.

Nel IV secolo, sopra la casa e il mitreo venne costruita una basilica, poi danneggiata dalle tremende devastazioni normanne del 1084. Le strutture semidistrutte furono interrate e riusate come fondazione per una nuova basilica. Bisogna conoscere almeno lo schema di tali vicende per «vedere» davvero i luoghi attraverso i vari livelli sovrapposti. Colpisce il visitatore uno scroscio d'acque proveniente da sotto il pavimento del livello più basso: è il piccolo ramo di un fiumicello che discende il fianco del colle Laterano verso il Colosseo. Nelle sue esplorazioni sotterranee padre Lawlor ha trovato, poco oltre, tracce di una canalizzazione d'epoca romana. Con buona probabilità si tratta di parte delle acque che alimentavano il lago della Domus aurea.

Su una parete della basilica inferiore c'è un ciclo di affreschi molto importanti che risalgono al 1080 circa. Narrano la curiosa leggenda di un tal Sisinnio, il quale, un giorno, scopre che la moglie Teodora, di cui è molto geloso, si è recata in un luogo dove si riuniscono segretamente i cristiani. La sua ira è così violenta da farlo diventare cieco e sordo. Qualche tempo dopo il cristiano Clemente si reca da lui e lo risana. Non placato, l'iroso Sisinnio ordina ai suoi servi di legare il sant'uomo e di portarlo via. I servi però, come usciti di senno, legano e trascinano via non Clemente bensì una colonna. E qui veniamo al punto che più ci interessa. Nel rappresentare questa scena gli autori degli affreschi hanno aggiunto dei «fumetti», cioè delle didascalie esplicative, che sono uno dei primi documenti scritti di quella lingua di passaggio dal latino all'italiano che chiamiamo «volgare».

Ecco la scena: Sisinnio dà ordini e i servi s'affannano sotto i comandi gridati dal padrone: «*Falite dereto colo palo, Carvoncelle, Gosmari, Albertel traite. Fili dele pute traite*» (Avanti con quella leva, Carvoncelle, Gosmari, Albertel, tirate, tirate figli di puttana!). Al centro un motto trae la morale dell'intera scena: *Duritiam cordis vestris saxa traere meruisti* (Per la vostra crudeltà avete meritato di trascinare pietre).

I sacri edifici, che ho descritto tanto concisamente, riconducono a quell'alto Medioevo che gira, secolo più secolo meno, intorno all'anno 1000, uno dei periodi più densi, tragici, decisivi nella storia dell'Urbe. È l'epoca in cui scompaiono le ultime tracce delle antiche glorie. Roma è diventata una città santa e, in quanto tale, meta di pellegrinaggi, agitata però dalle sanguinose rivalità fra poche famiglie baronali che la stringono nella morsa della violenza. Entriamo dunque in questa città, visitiamola, cerchiamo di capire che cosa voleva dire consumare qui, e a quale rischio, la propria vita.

«Credo proprio che si debba ammirare con straordinario entusiasmo il panorama di tutta la città in cui così numerose sono le torri da sembrare spighe di grano, tante le costruzioni dei palazzi che a nessun uomo riuscì mai di contarle ... dopo aver a lungo ammirato questa infinita bellezza, resi in cuor mio grazie a Dio che, grande in tutta la terra, volle qui rendere magnifiche le opere degli uomini.» L'autore di queste righe commosse si firmava «Magister Gregorius». Era un dotto, certamente inglese secondo gli studiosi, che visitò Roma tra il XII e il XIII secolo e ne rimase abbagliato al punto da scrivere un libretto in cui narra *«de mirabilibus quae Rome quondam fuerunt vel adhuc sunt»* (le cose stupende che c'erano una volta a Roma e che tuttora esistono).

Una delle prime meraviglie, anzi la prima in assoluto, che colpiva i viaggiatori al loro arrivo, era il «panorama». I pellegrini, avendo percorso la via Francigena e dopo un'ultima sosta a Sutri, giungevano sulle alture di Monte Mario, allora chiamato *Mons Gaudii*, Monte della Gioia, proprio per l'emozione vivissima che la vista della città provocava e anche perché quel panorama annunciava la fine di un viaggio pieno di disagi e di pericoli.

Fino al 1000 le «guide» scritte si limitarono a elencare con sobrio realismo i principali monumenti e a descrivere gli itinerari per raggiungerli. Così fa, per esempio, una delle più celebri, del IX secolo circa, conosciuta come *Itinerario di Einsiedeln*, dal nome del monastero svizzero in cui si conserva; e così fa quel vasto genere descrittivo che va sotto il nome di *Mirabilia urbis Romae* (XII secolo e seguenti); così anche la *Graphia aurea urbis Romae* e ovviamente il *Liber pontificalis*, cui dobbiamo preziose notizie sulla vita dei primi papi e quindi della città.

La caratteristica principale del libretto di mastro Gregorio è di guardare a ciò che della Roma classica è sopravvissuto quasi con l'occhio di un «umanista», prescindendo cioè da ogni valore simbolico e religioso. Egli trascura quasi del tutto i luoghi cristiani e se nomina una basilica è solo per dare un punto di riferimento; quando accenna alla Chiesa come comunità di fedeli, è quasi unicamente per recriminare che abbia mandato in rovina le meraviglie della classicità, favorendone, o quanto meno tollerandone, la spoliazione: «Questo palazzo [di Augusto] tutto di marmo offrì materiale prezioso e abbondante per la costruzione delle chiese di Roma. Poiché ne resta poco basterà dire poche cose». Mastro Gregorio accusa i papi, a cominciare dai più famosi come Gregorio Magno, di essere stati i principali distruttori di templi e di idoli, affermando che, nel loro desiderio di cancellare la religione pagana, hanno distrutto una civiltà.

L'altro grande accusato è il popolo romano, colpevole di raschiare avidamente ogni minima traccia d'oro dalle statue, di depredare ogni più antico monumento di tutto ciò che abbia un valore, intrinseco o di riuso. A dispetto di ogni rovina, spoliazione, incuria, la Roma che mastro Gregorio descrive (talvolta travisando un po' le cose) è ancora una città piena di meraviglie. Si usava dire: «*Par tibi, Roma, nihil, cum sis prope tota ruina*» (Non c'è nulla di comparabile a te, Roma, anche se sei [ridotta a] una quasi totale rovina). O anche: «*Roma quanta fuit, ipsa ruina docet*» (Le stesse rovine testimoniano di quanto è stata grande Roma).

Il libro così ricco di informazioni contiene anche alcuni gustosi equivoci. Uno riguarda la statua in bronzo di un ragazzo seduto, intento a togliersi una spina dal piede (oggi ai Musei capitolini). Collocata in cima a una colonna o altro luogo elevato, aveva creato un curioso fraintendimento. I testicoli, visibili fra le gambe, erano stati scambiati per il glande, che appariva quindi fuori proporzione rispetto al resto. Il titolo del capitoletto che lo riguarda è *De ridiculoso simulacro Priapi*. Il testo dice: «C'è un'altra statua di bronzo, molto ridicola, che dicono essere Priapo. A testa bassa, come se stesse per togliersi dal piede una spina appena calpestata, ha l'espressione di chi soffre per una ferita dolorosa. Se guardi dal basso verso l'alto per capire che cosa stia facendo, vedrai un organo sessuale di straordinaria dimensione».

Un'altra statua esercitò invece sul visitatore una «magica seduzione». Si tratta di una Venere identica a quella detta «capitolina», se non è addirittura la stessa scultura. Mastro Gregorio la descrive così: «Questa immagine è fatta di marmo di Paro con un'arte così meravigliosa da sembrare una creatura viva e non una statua; simile a una donna che s'imporpori per la sua nudità, essa ha il viso cosparso di un colore rosso. Chi la guarda ha l'esatta impressione che sul volto della statua, candido come la neve, scorra il sangue. Per il suo aspetto meraviglioso e per non so quale magica seduzione, fui costretto a tornare a guardarla tre volte». (Anche questa Venere è oggi conservata nei Musei capitolini.)

Allontaniamoci dalle scoperte e dai turbamenti così «inglesi» di mastro Gregorio e riprendiamo la visione di Roma che ho citato all'inizio, una «città in cui così numerose sono le torri da sembrare spighe di grano». Nei primissimi secoli dopo il 1000, dunque, Roma offriva al visitatore un panorama turrito non dissimile da quello che oggi mostra, per fare uno esempio celebre, San Gimignano. Molte di tali costruzioni, rimaneggiate, restaurate, o al contrario mutilate, esistono ancora, anche se sono ormai mimetizzate nel profilo urbano.

Le due più imponenti sono la torre detta «dei Conti» e quella, poco distante, delle Milizie. La torre dei Conti, all'incrocio fra via dei Fori imperiali e via Cavour, fu eretta nel 1200 come parte di un recinto fortificato. Ciò che ne resta, a cominciare dall'imponente basamento, basta a far capire la sua straordinaria dimensione. Anche la torre delle Milizie, in largo Magnanapoli, ha una mole poderosa; venne acquistata all'inizio del XIII secolo da papa Bonifacio VIII che la fortificò contro gli attacchi dei suoi nemici, i Colonna. A metà del 1300 un cedimento del terreno causato da un terremoto ne ha provocato la leggera inclinazione, tuttora visibile. Fra le molte torri che sono state inglobate in edifici più moderni, c'è quella in piazza di Tor Sanguigna, così detta dall'omonima famiglia rivale degli Orsini, dove esisteva una fortezza, la cui torre è stata incorporata in un fabbricato di costruzione posteriore. Una delle più belle è, però, la torre dei Frangipane, chiamata anche «della Scimmia» inglobata anch'essa in un palazzo più moderno. Sulla sua sommità arde, davanti a una Madonna, una lampada che, secondo un'antica leggenda, venne accesa come voto per la salvezza di una bambina, trascinata fin lassù da una scimmia. In piazza Margana, una delle più piccole e affascinanti di Roma, si erge la torre dei Margani, bell'esempio di dimora fortificata medievale il cui portale, realizzato con frammenti marmorei del tardo Impero, è uno dei tanti casi di riutilizzo di materiali della classicità. In una trasformazione analoga ci si imbatte in piazza di San Pietro in Vincoli dove un'altra torre dei Margani è stata adattata a campanile per la chiesa di San Francesco di Paola.

Potrei continuare, gli esempi non mancano, ma il richiamo alle torri ha in realtà lo scopo di porre una questione: perché i secoli a cavallo del 1000 hanno visto il diffondersi di un'architettura così connotata? La risposta è nel titolo del capitolo: la paura. Le torri furono un tipo di edilizia, in qualche caso militare ma spesso abitativa, dettata dalle condizioni critiche e di continuo pericolo in cui si viveva a Roma. Chiunque poteva, chiunque ambiva a esercitare una qualche autorità, chiunque voleva acquistare visibilità e prestigio o temeva un attacco, costruiva una dimora fortificata in cui la torre diventava la parte più utile per l'avvistamento e la difesa. Perfino il Colosseo venne utilizzato come cinta difensiva per un castello costruito al suo interno, per non parlare della tomba di Cecilia Metella sull'Appia, accanto alla quale i conti di Tuscolo costruirono, nell'XI secolo, un forte utilizzando come torrione i ruderi della tomba.

Ma perché tanta paura? Che cosa accadeva di così terribile a Roma nel Medioevo?

L'età che chiamiamo Medioevo dura dieci secoli, dalla caduta dell'Impero romano d'Occidente, nel 476, alla scoperta dell'America, nel 1492. Anche se ormai da parecchio tempo il giudizio storico s'è fatto articolato, molti continuano a immaginare il Medioevo come un periodo buio, intriso di ferocia: anni di oscurità, di tenebre, di delitti, di amori sanguinosi; un periodo turrito, ferrigno, in definitiva barbarico e di una barbarie tanto più abietta quanto meno consapevole, cioè del tutto dimentica del fulgore della classicità. Poco conta l'obiezione che Iacopone, Dante, Petrarca, Boccaccio appartengono a quel periodo e che medievale è il poderoso sistema della filosofia scolastica in cui domina la figura di Tommaso d'Aquino. L'idea di un periodo di tenebre fra le due luci abbaglianti della classicità e del Rinascimento resiste a ogni smentita. Tale concezione s'è affermata soprattutto durante l'età romantica, favorita dalla letteratura popolare, dall'opera lirica, dalla pittura di genere e dalla forza delle leggende.

Lo storico svizzero Jacob Burckhardt con *La civiltà del Rinascimento in Italia*, del 1860, suggella questa concezione proprio rivalutando il Rinascimento, considerato una «civiltà totale» capace di apprezzare finalmente l'individuo. La stessa idea di un'epoca di cupo decadimento intride la monumentale *Storia della città di Roma nel Medioevo*, scritta tra il 1859 e il 1872 dallo storico tedesco Ferdinand Gregorovius, una visione qui rafforzata dall'ideologia liberale, che porta l'autore a ingigantire i casi (già di per sé notevoli) dei tanti pontefici dimostratisi indegni del loro ruolo. Gregorovius vede il papato come un potere esclusivamente politico, filiazione del genio latino come l'impero, e avulso da qualsiasi religiosità. Carducci fa sua questa concezione, antipapismo compreso, e contribuisce a rinvigorirla. Bisogna arrivare al saggista olandese Johan Huizinga, con l'*Autunno del Medioevo* del 1919, perché il giudizio cominci ad articolarsi in modo più meditato.

Tutto ciò detto, se c'è un posto al mondo in cui questa cupa visione sembra giustificata dai fatti, questo posto è Roma. Per secoli l'ex capitale del mondo ha continuato a decadere lasciando che le reliquie del suo immenso passato andassero in pezzi o fossero depredate. Per due o tre secoli sul trono di Pietro si succedono papi espressi dalle tante fazioni romane in lotta. L'unico assillo delle varie famiglie è la ricerca della supremazia e quelle torri, quelle «spighe di grano» sorgono per la difesa dei temporanei vincitori o come simbolo arrogante del potere appena ottenuto; sono il risultato della paura e del desiderio di mantenere le conquiste fatte: dietro ogni feritoia si nasconde un'arma pronta a colpire chiunque s'accosti con intenzioni ostili.

Nel millennio che chiamiamo Medioevo le mura aureliane, risalenti al III secolo, vennero rese più adatte a un'effettiva difesa anche se, nel 1084, non basteranno a proteggere Roma dalla peggiore delle invasioni, quella dei normanni. Nel IX secolo vennero poi erette le mura leonine a protezione del Vaticano e di San Pietro. (Quattro secoli più tardi si realizzerà il famoso camminamento soprelevato per raggiungere la fortezza di Castel Sant'Angelo.)

In città la situazione è di completo degrado. Prive di manutenzione, esposte ai capricci del tempo, le opere imperiali crollano, mentre le piene del Tevere sommergono vaste zone racchiuse nell'ansa del fiume. Ritirandosi, le acque lasciano una fanghiglia infetta che peggiora la situazione igienica. Solo poche strade e passaggi riescono a mantenere una parvenza di stabilità e di decoro e vengono utilizzati per le cerimonie più importanti, le solennità, le processioni. Un'economia ridotta al minimo e l'assenza quasi totale di imprenditori fanno sì che l'attività più frequente sia lo sfruttamento dell'eredità classica. Squadre di operai per mesi, per anni, svellono i marmi, riducono in briciole le statue, fondono i bronzi per cavarne nuovi materiali. In quel panorama di rovine, ribollono qua e là i pentoloni dove i più ammirevoli frammenti della statuaria antica si degradano a semplice calce. Tutti rubano: i romani per sopravvivere, i visitatori stranieri per portare con sé un ricordo, molti ricordi, carri pieni di ricordi. Perfino Carlo Magno, dopo aver ricevuto dalle mani di Leone III la corona imperiale nella notte di Natale dell'800, riparte da Roma con al seguito una carovana di carriaggi zeppi di statue, bronzi, colonne, oggetti d'arte; vuole che la sua nuova reggia ad Aquisgrana sembri il più possibile una nuova Roma. Mille anni dopo, Napoleone farà lo stesso, estendendo la razzia all'Italia intera.

In questa città depredata la vita resiste. Potremmo dire che brulica, trattandosi spesso d'una vitalità istintiva più forte d'ogni sventura. La Suburra, la vecchia zona plebea che va dal Colosseo alle pendici dell'Esquilino, è molto affollata. Così sono le aree intorno al teatro di Marcello, all'attuale piazza Campitelli, a via delle Botteghe Oscure. Anche l'isola Tiberina o di San Bartolomeo conserva fitte tracce di vita. I ponti che uniscono le due rive del fiume sono cinque: a nord il ponte

Nomentano (che per la verità scavalca l'Aniene), poi il ponte Milvio fortificato sul lato esterno, il ponte Sant'Angelo e i due ponti dell'isola. Più a valle, ciò che resta del *pons Aemilius* (risalente al II secolo a.C.) chiamato dal popolo «ponte Rotto». In una città dove ognuno pensa a sé e all'oggi, di costruire nuovi ponti non si parla nemmeno; del resto, l'economia languente non li rende necessari.

Ci si è spesso domandati come si sostenesse questa massa di persone, quale potesse essere la «visione» della realtà in uomini e donne mal nutriti, che vivevano in condizioni igieniche deplorevoli, afflitti da numerosi malanni che pochi sapevano o potevano curare, con una religiosità intrisa di superstizioni e incline all'idolatria. Ho detto «visione» della realtà perché questo insieme di condizioni favoriva il diffondersi di dicerie nelle quali si mescolavano magia, illusioni, credulità, stupore. Sulla base di documenti e testimonianze, Piero Camporesi (1926-1997), uno dei massimi studiosi di miti popolari, ha ricostruito, nel libro *Il pane selvaggio*, le condizioni di vita di quelle folle, di cui descrive gli smodati eccessi a tavola e anche il consumo di alimenti che potevano provocare allucinazioni:

> Cucina dell'immaginario, alimentazione onirica, gastronomia scomunicata (cannibalesca, coprofagia), unguenti e cerotti umani, olii sacrileghi e unzioni sacre, brandelli di «mumie» e polveri di cranio, elettuari *de sanguinibus*, pani densi di semi e di polveri dispensatrici d'oblio, erbe cordiali ed euforizzanti, torte allucinanti, radici eccitanti e farinate afrodisiache, aromi ed effluvi di piante scacciademoni e di antidoti della malinconia («*balneum diaboli*»), «composte» affatturate creavano una serie di onirismi, di allucinazioni, una visionarietà permanente che, alterando misure, rapporti, proporzioni, fondali facevano «tre dita parere sei, li fanciulli omini armati, li omini giganti ... ogni cosa assai maggiore de l'usato e tutto il mondo voltarse sottosopra».

Questo mondo di delirio dava adito a eventi inspiegabili e miracolosi e non solo per gli strati più arretrati della popolazione contadina. Scrive Camporesi: «Anche la gente di villaggio e di città viveva immersa in un tempo d'attesa, in un'atmosfera sospesa e stregata dove il portento, il miracolo, l'insolito appartenevano all'ordine del possibile e del quotidiano: la santa e la strega rispecchiavano le due facce equivoche, il dritto e il rovescio, d'una stessa nevrotica tendenza al distacco dalla realtà, al viaggio nell'immaginario e al salto nel visionario». In una tale società i confini fra reale e irreale, possibile e impossibile, sacro e profano, astratto e concreto, santo e maledetto, purità e sozzura, indecenza e sublimità diventavano quanto mai incerti. In compenso la città brulica di chiese, se ne contano più di trecento spesso erette adattando templi pagani o sfruttandone le vestigia.

Molti terreni già urbanizzati ridiventano agricoli: ancora nel 1870, quando entreranno a Roma i bersaglieri, troveranno vastissimi appezzamenti trasformati in orti o vigne o semplicemente abbandonati. (Provvederà la speculazione edilizia degli anni successivi a colmare in gran fretta ogni spazio.)

La maggior parte della popolazione vive miseramente; poiché il flusso dei pellegrini o «romei» è intenso, uno dei mestieri più diffusi è il cambiavalute, cui spesso si abbina anche il prestito su pegno; la Chiesa proibisce ai cristiani l'esercizio del credito, quindi sono quasi sempre gli ebrei a soddisfare tale necessità e i più abili o fortunati arrivano a finanziare perfino le imprese papali. Poi c'è il minuto artigianato come testimonia ancora oggi la denominazione di certe vie: dei chiavari, dei librai, dei giubbonari, dei coronari, dei pettinari, dei banchi (nuovi e vecchi). E ci sono i *tabernarii*, cioè i gestori delle taverne, indispensabili in una città frequentata da stranieri, dove si serve vino accompagnato da qualche rustica vivanda. Ancora nei primi decenni del Novecento erano piuttosto diffuse le insegne di «Vino con cucina».

Le abitazioni sono spoglie, l'igiene precaria, inesistenti i servizi igienici. Le vecchie condutture idrauliche (che erano state l'orgoglio di Roma) e le fognature della città antica sono in più punti interrotte o intasate, con ogni immaginabile conseguenza. La maggior parte delle costruzioni ha un solo piano sopra quello terreno; non di rado si sfrutta come muro di spina la solidità di una preesistente costruzione romana. Di contro, esistono dimore nelle quali si ostenta un lusso sfarzoso e dove gli arredi sono quelli stessi dell'età imperiale, strappati dalla loro sede: colonne, portali, finestre, candelabri, mosaici, intarsi marmorei. Ma anche monili, gioielli, stoffe preziose, tappeti, stoviglie, vasellame. I privilegiati che godono di questo fasto sono abati e alti prelati, magistrati, esponenti delle famiglie in vista che si contendono il potere più alto, quello pontificio.

Il valore dei terreni varia con gli anni com'è sempre accaduto. Sappiamo che fino al 1000 erano particolarmente ambiti i terreni intorno al Laterano data la vicinanza al soglio pontificio; quando il papa si trasferisce a San Pietro, dalla parte opposta della città, sono i terreni vaticani a essere apprezzati. In questa oscillazione del gusto e degli interessi, sono a lungo considerate eleganti le strade comprese fra l'attuale piazza Santi Apostoli e la colonna Traiana, alle pendici del Quirinale. Non a caso Michelangelo va ad abitare da quelle parti, in una strada chiamata «Macel de' Corvi», dove ha una dimora modesta ma, diremmo oggi, con un buon indirizzo.

Perché i papi trasferirono la sede della Chiesa dal Laterano al Vaticano? Dietro lo spostamento ci furono questioni importanti e complicate: un conflitto di «attribuzione» durato secoli, centrato sulla questione di quale delle due basiliche fosse stata eretta per prima. Una bolla di Pio V mise fine alla controversia nel 1569, attribuendo il primato alla chiesa lateranense, sede del vescovo di Roma. Polemiche a parte, il trasferimento a San Pietro fu motivato dal semplice fatto che la zona vaticana, tanto più dopo l'erezione delle mura leonine alla fine del IX secolo, era meglio difendibile. In una città dilaniata da scontri interni e da invasioni dall'esterno, le ragioni della sicurezza divennero fondamentali. Il complesso vaticano, con l'aggiunta di Borgo e la solida presenza della mole di Adriano (Castel Sant'Angelo), dava garanzie di potere all'occorrenza essere trasformato in una cittadella fortificata. Insomma, a decidere la sede fu lo stesso sentimento che aveva portato a erigere le torri: la paura. Tanto è vero che quando, dopo l'esilio ad Avignone, Gregorio XI acconsentì a tornare a Roma (1377), pose come condizione irrinunciabile che la poderosa mole di Adriano fosse annessa alle pertinenze pontificie.

La basilica di San Giovanni in Laterano conserva così poco dei tratti originali che non è facile rendersi conto della datazione dei vari edifici. Il primo nucleo l'aveva fatto costruire l'imperatore Costantino nel IV secolo; il palazzo lateranense, maestosamente addossato al fianco destro della chiesa, risale però alla fine del XVI secolo. Sisto V fece abbattere gli antichi edifici del Patriarchìo ormai cadenti e affidò all'architetto Domenico Fontana (a due passi c'è la strada a lui intitolata) il progetto di un nuovo palazzo. Per molti secoli comunque le due basiliche, San Giovanni e San Pietro, vennero entrambe utilizzate durante le cerimonie d'insediamento di un nuovo papa: nella prima avveniva l'elezione vera e propria, nella seconda l'incoronazione. Questo doppio momento comportava una processione che attraversava due volte la città per andare e tornare da San Pietro. In *Roma dal cielo*, uno dei suoi documentati libri sulla città, Cesare D'Onofrio ha ricostruito l'itinerario pontificio, che non solo può essere percorso, ma rappresenta ancora oggi un'esperienza significativa per chi voglia apprezzare di persona l'antica struttura urbana. È dunque ripercorrendo quelle strade che andremo alla scoperta di questa Roma antichissima.

Nominato il nuovo papa, gli *episcopi* che hanno determinato la scelta vanno a chiamare il designato, il quale finge di non voler accettare l'alto incarico e arriva perfino a nascondersi ai suoi elettori. Terminato il rituale del rifiuto, il neoeletto entra solennemente in Laterano, dove viene fatto accomodare su una curiosa seggiola detta «stercoraria»: intorno a lui i prelati intonano un salmo per ricordargli che Dio lo ha innalzato a quella dignità sollevandolo dalla polvere e dallo sterco dell'umana condizione. Al primo piano del Patriarchìo, nuova seduta, questa volta su una sedia di marmo con un buco al centro. Qui il nuovo papa siede in posizione semidistesa. La postura, quasi sconveniente, è quella che al tempo assumevano le partorienti, con il bacino sporto in avanti per facilitare l'espulsione del nascituro. Il papa in quel momento rappresenta e addirittura incarna l'*Ecclesia Mater* e per rendere plastico il concetto utilizza una *sella obstetrica*, vale a dire una sedia ginecologica. Con il tempo la postura assunse un significato del tutto diverso a seguito di curiose e leggendarie circostanze, che riferirò più oltre.

Il neoeletto benedice la folla affacciato alla loggia delle benedizioni che sovrasta l'ingresso della basilica, di fronte all'obelisco (il più antico e alto di Roma). Il popolo è eccitato, vociferante, stretto attorno al monumento equestre di Costantino, ansioso di mettersi al seguito del corteo, anche per i benefici pratici che ne può ricavare. Ho detto «monumento equestre di Costantino» perché così era stata battezzata la statua che sappiamo raffigurare in realtà l'imperatore Marco Aurelio (oggi in Campidoglio). La statua di Costantino a cavallo (ora in Vaticano) la realizzerà il Bernini, ma cinque secoli dopo. Perché il monumento a Marco Aurelio si trovava a San Giovanni e non in Campidoglio dove siamo abituati a vederlo?

Dove ora sorge la facciata seicentesca dell'ospedale di San Giovanni, esisteva una volta la dimora patrizia, circondata da giardini, dove il futuro imperatore Marco Aurelio vide la luce. Per secoli la statua rimase all'interno dello spazio verde, protetta dai suoi alti muri. Solo in seguito venne spostata e collocata più o meno in mezzo al *campus Lateranensis*. L'erronea identificazione con Costantino, l'imperatore che aveva sancito la tolleranza verso i cristiani, contribuì a salvarla dalla distruzione. D'altra parte quest'ultimo aveva abitato per qualche tempo nelle dimore dei Laterani, dunque sembrava verosimile che una sua statua si trovasse nei pressi. Possiamo aggiungere, per colorire il personaggio, che dopo la sua vittoria su Massenzio, nel famoso scontro di ponte Milvio (ottobre 312), Costantino fece erigere in gran fretta il suo arco trionfale (è tuttora lì, accanto al Colosseo) depredando sculture e fregi da altri monumenti. Egli fu politico di grande levatura e di altrettanto grandi contraddizioni. Lo storico Santo Mazzarino lo ha definito addirittura «l'uomo politico più rivoluzionario nella storia d'Europa». Sicuramente gestì con notevole sagacia la novità rappresentata dal cristianesimo, che fuse con il culto pagano del «sole invitto» e con elementi mitraici. Convocò il concilio di Nicea nel 325, combatté duramente l'eresia di Ario, ma si convinse al battesimo solo sul letto di morte, nel 337. Roma non gli piacque mai molto; alla prima occasione, nel 330, si trasferì in Oriente per fondarvi, a cavallo tra Bosforo e Mar di Marmara, la sua capitale, Costantinopoli.

La tomba del poeta inglese John Keats (a sinistra) e quella di Antonio Gramsci
nel cimitero detto «degli inglesi» a porta San Paolo, uno dei luoghi più romantici di Roma.

Una panoramica e un particolare delle terme di Caracalla. La stessa estensione dei ruderi suggerisce l'imponenza delle costruzioni.

Due inquadrature della tomba di Cecilia Metella. In quella in basso è visibile anche l'adiacente castello medievale dei Caetani.

La porta Latina con l'adiacente tempietto di San Giovanni in Oleo.
Un'inquadratura delle mura aureliane risalenti al III secolo.

Il gerarca fascista
Ettore Muti nel suo tipico
atteggiamento spavaldo.

L'esterno di porta
San Sebastiano
sull'Appia Antica, una
delle più grandiose
nella cerchia delle mura.

Due inquadrature dell'arredo
che il celebre architetto
Luigi Moretti studiò
per il *buen retiro* di Muti
all'interno di porta San Sebastiano.

Alcune opere di Caravaggio
visibili, tranne una,
nelle chiese romane:
la *Crocifissione di san Pietro*
in Santa Maria del Popolo
e la *Madonna dei pellegrini*
in Sant'Agostino.

A destra, un particolare
della *Morte della Vergine*.
Rifiutata dai committenti
perché giudicata
«scandalosa», si trova oggi
al Louvre.

Nella pagina accanto,
un particolare
del *Martirio di san Matteo*
in San Luigi dei Francesi
e la *Conversione di san Paolo*
in Santa Maria del Popolo.

Gli scavi in largo di Torre Argentina: alla loro
estremità si trovava la Curia del teatro di Pompeo,
dove Giulio Cesare venne ucciso nel 44 a.C.

Il complesso del Foro romano, dove sorgeva
fra l'altro la Domus publica, ultima residenza
di Cesare.

Vincenzo Camuccini, *Morte di Giulio Cesare*,
Museo e Gallerie nazionali di Capodimonte, Napoli.

Il monumento
a Giuseppe Gioachino Belli
si trova all'ingresso del popolare
quartiere di Trastevere, dove
peraltro il poeta non abitò mai.

Il teatro di Marcello:
si notino le superfetazioni,
oggi rimosse, e il pessimo stato
di conservazione.

Due scorci di vita cittadina nei primissimi anni del Novecento: un ciabattino al lavoro e una donna che stende il bucato fra i ruderi di antiche costruzioni.

Nella pagina accanto, la tomba
di Giulio II in San Pietro in Vincoli,
con la poderosa statua del *Mosè*
di Michelangelo.

La navata principale
della stessa chiesa, per la quale
vennero riutilizzate
le magnifiche colonne di un'antica
basilica romana.

Il primo ciak del film
di propaganda fascista
Scipione l'Africano, diretto
da Carmine Gallone.

Anita Ekberg, simbolo
della *Dolce vita*,
sbarca da un aereo
a Ciampino nel 1959.

Nella pagina accanto,
l'ingresso degli stabilimenti
di Cinecittà, più volte
filmati da Federico Fellini,
e il set di una ripresa cui
presenzia Benito Mussolini.

Tre delle numerose torri medievali
disseminate nella città,
tipici esempi di un'architettura
di difesa.

Il poderoso basamento
e il tronco, in parte demolito,
della torre dei Conti.

La torre delle Milizie
al Foro di Traiano: la sua lieve
inclinazione è dovuta a una scossa
di terremoto nei secoli passati.

Nella pagina accanto,
la torre detta «della Scimmia».

Il cortile della chiesa
dei Santi Quattro Coronati,
uno dei luoghi medievali
di maggiore suggestione.
In una cappella
del complesso si conserva
l'affresco che illustra
la «falsa» donazione
di Costantino.

L'altare della
chiesa di San Clemente,
straordinario esempio
di basilica protocristiana
che si sviluppa
su tre livelli sovrapposti.

Roma, 23 marzo 1944: gli uomini
rastrellati dagli occupanti nazisti
dopo l'attentato partigiano
in via Rasella.

I corpi dei trucidati
durante le operazioni di recupero
alle Fosse Ardeatine.

Il monumento e la lapide
che ricordano
il barbaro eccidio nazista.

QUI FUMMO TRUCIDATI
VITTIME DI UN SACRIFICIO ORRENDO
DAL NOSTRO SACRIFICIO
SORGA UNA PATRIA MIGLIORE
E DURATURA PACE FRA I POPOLI

DE PROFUNDIS CLAMAVI
AD TE DOMINE......

ממעמקים קראתיך ה

Due stanze degli appartamenti
Borgia in Vaticano.

La sala dei Santi, con affreschi
del Pinturicchio: il pittore
avrebbe raffigurato Lucrezia
Borgia giovinetta nelle vesti
di Caterina d'Alessandria
intenta a disputare con i dottori
(*a destra*, particolare).

Nella pagina accanto:
La sala detta «del Credo».

Papa Alessandro VI,
al secolo Rodrigo Borgia,
fu un abile politico, ma un assai
discutibile leader religioso.
Pinturicchio lo ritrasse
inginocchiato nella sala
dei Misteri della Fede.

Due immagini del Vittoriano
o Altare della Patria.
Concepito inizialmente per onorare
Vittorio Emanuele II, si arricchì
di un nuovo significato quando, al termine
della Grande guerra, nel complesso
venne collocato il sacello del Milite ignoto.
Il Vittoriano è il monumento
che meglio condensa ed esprime
la religiosità laica della neonata nazione
italiana, secondo i canoni del tempo.

Nella pagina accanto in basso,
una celebrazione fascista per il Milite ignoto
subito dopo la marcia su Roma del 1922.

Quattro immagini della Roma «borghese», che cominciò a esistere solo dopo che la città venne annessa al Regno d'Italia il 20 settembre 1870.

Nella pagina accanto, foto di gruppo di una famiglia della media borghesia (1915 circa). In questo caso si tratta della famiglia Augias. Il terzo da sinistra, vestito alla marinara, è il padre dell'autore.

Gino Coppedè, nei primi
anni Venti del Novecento,
realizzò un piccolo
quartiere di circa 30 mila
metri quadrati a fianco
di via Tagliamento,
in cui esasperava lo stile
«eclettico», dando al suo
progetto un'accentuata
connotazione fantastica.

Esterno della villa detta «il Vascello»,
che fu teatro di scontri violentissimi
durante l'attacco francese alla Repubblica
romana del 1849.
Sulle mura gianicolensi all'altezza
di largo Berchet, si trovano due epigrafi,
accostate una all'altra. Una celebra in latino
il rapido restauro delle mura al termine
degli scontri, l'altra il sacrificio dei patrioti
che difesero la Repubblica romana.

Il tempietto del Bramante nel chiostro
della chiesa di San Pietro in Montorio.

Il marchese Camillo Casati
e la moglie Anna,
protagonisti di uno dei più
torbidi fatti di sangue
del dopoguerra.

Massimo Minorenti, amante
della donna.

FINALMENTE ESCLUSIVA MONDIALE 212 PAGINE 150 FOTO IN NERO E A COLORI

IL DIARIO DELLA MARCHESA

ANNA CASATI FALLARINO

LA DONNA DAI DUE VOLTI

LA NOBILE

L'ESIBIZIONISTA

E' UN DOCUMENTO ESPLOSIVO

"E' capace di farsi amare da dieci persone insieme." Il medico

"Voleva un figlio, ha pianto un mese quando l'ha perduto . . ." Lucherini, ex cameriere dei Casati

"Frustrazione nei rapporti coniugali . . . paura di perdere ambiti strumenti di vita." Dott. Paladino, psichiatra

Un'immagine del ghetto ebraico all'inizio del XX secolo: l'angustia delle abitazioni favoriva la vita all'aperto. Gli antichi marmi romani venivano usati per l'esposizione delle merci, compresi i generi alimentari (il pesce in particolare).

Due drammatiche immagini del rastrellamento nazista nel ghetto di Roma.
Dei 2091 ebrei romani deportati nei campi di sterminio soltanto 73 uomini e 28 donne fecero ritorno.

Una macelleria in via del Portico d'Ottavia.
Gli stipiti del cancello provengono
da un negozio della Roma antica.

In alto a destra, una suggestiva
inquadratura che ha, sullo sfondo,
la chiesa di Sant'Angelo in Pescheria.

Nelle strade del ghetto, antico e moderno
sono strettamente commisti.

Il quartiere dell'Eur è una delle maggiori
realizzazioni urbanistiche del fascismo.
Uno dei bassorilievi di Publio Morbiducci;
La fondazione di Roma di Giorgio Quaroni;
tre delle enormi teste in bronzo di Mussolini
e Vittorio Emanuele III conservate nel palazzo
degli Uffici di cui è visibile, sotto, la bella facciata.

Era figlio di Elena, donna intraprendente che aveva cominciato come *stabularia* (addetta alle stalle) per poi salire al rango di concubina di Costanzo, detto *Chlorus* per il suo pallore verdastro. Ripudiata quando aveva solo trentasei anni, continuò a esercitare una grande influenza sul figlio adolescente. Intorno ai settant'anni si convertì al cristianesimo e compì un pellegrinaggio in Terrasanta da dove riportò, dice la tradizione, alcuni frammenti della croce di Cristo. Su quelle reliquie fondò a Roma la chiesa di Santa Croce in Gerusalemme.

Ma torniamo al corteo papale. Acclamato dalla folla, il nuovo pontefice esce dalla basilica e s'avvia verso l'attuale strada di San Giovanni in Laterano, detta dai romani «lo stradone», diretto al Colosseo. Per raggiungerlo deve però fare una digressione perché il tratto finale della via è ostruito dai ruderi del *Ludus Magnus*, la caserma dei gladiatori destinati ai giochi del circo. Il corteo gira quindi per l'attuale via dei Querceti e subito dopo per via dei Santi Quattro Coronati. Della basilica che ha questo nome fanno parte, come abbiamo visto in apertura, gli affreschi del XIII secolo che intendevano confermare la supremazia del potere religioso su quello civile. È arrivato il momento di raccontare questa storia.

All'incirca quattro secoli dopo la morte di Costantino, cominciò a girare per le corti europee un documento definito *Constitutum Constantini* (potremmo liberamente tradurre «Costituzione imperiale»). Il testo certificava che il primo imperatore cristiano aveva donato a papa Silvestro e ai suoi successori il Laterano, Roma e l'intero Occidente. Ragione del lascito, affermava l'imperatore, la sua miracolosa guarigione dalla lebbra. In un primo momento, infatti, alcuni malvagi sacerdoti gli avevano prescritto, per guarire, di immergersi in una vasca colma del sangue di bambini innocenti. Ottenebrato dal paganesimo, l'imperatore già si accingeva a compiere quel sacrilegio quando la vista delle madri in lacrime lo aveva mosso a pietà. La notte seguente due «divinità» gli erano apparse in sogno annunciandogli che il pio vescovo Silvestro, che in quel momento si trovava in un eremo sul monte Soratte, avrebbe potuto indicargli il vero rimedio. Dopo una specie di agnizione «giudiziaria» grazie alla quale l'imperatore riconosce nei ritratti degli apostoli Pietro e Paolo i volti delle due sconosciute «divinità», Silvestro fa immergere per tre volte Costantino nell'acqua del battistero lateranense. Al termine del rito purificatorio gli immondi segni della malattia sono scomparsi. Seguono preghiere di ringraziamento e gioia generale.

Nel documento, noto anche come *Donatio Constantini*, l'imperatore, in premessa, riconosce la supremazia concessa all'apostolo Pietro («Tu sei Pietro e su questa pietra edificherò la mia Chiesa», *Matteo* 16.18), da cui deriva il riconoscimento di uno status imperiale per i suoi successori: «Poiché il nostro è potere imperiale terreno, abbiamo deciso per decreto di onorare con venerazione la sua sacrosanta Chiesa romana e che in misura maggiore del nostro impero e del trono terreno sia gloriosamente esaltata la santissima sede del beato Pietro attribuendogli il potere e la dignità della gloria e l'efficacia e gli onori imperiali». Stabilita la supremazia del papa romano su tutti i regnanti della terra, Costantino dona a lui e a tutti i suoi successori fino alla fine dei secoli il palazzo lateranense, Roma, le città e le province d'Italia e delle regioni occidentali. In passato alcuni studiosi di diritto canonico hanno sostenuto che il papa, in quanto monarca universale, era Signore della terra e aveva quindi anche il diritto di assegnare porzioni di territorio a questo o a quello Stato.

Il documento, in realtà un falso abilmente fabbricato dalla cancelleria vaticana, servì, durante le lotte fra papato e impero, per dare una base giuridica al primato pontificio su quello imperiale. Le conseguenze del falso si sono protratte nel tempo scavalcando i diversi periodi storici, condizionando la situazione politica di Roma e dell'Italia (la famosa «questione italiana»), dando forza di tradizione se non di autenticità a un potere temporale di cui è rimasta traccia perfino nella Costituzione della Repubblica italiana (1948).

Nella presenza del papato come potere politico, Ariosto, Machiavelli e Guicciardini videro l'origine dei mali italiani. Dante e Petrarca esaltano la romanità del papato, ma il primo scaglierà contro la falsa donazione la sua durissima invettiva nel canto XIX dell'*Inferno* (vv. 115-117):

Ahi, Costantin, di quanto mal fu matre,
non la tua conversion, ma quella dote
che da te prese il primo ricco patre!

Venendo a tempi più vicini, lo scrittore Alessandro Manzoni, esponente insigne del cattolicesimo liberale, manifestò la sua soddisfazione quando i piemontesi, nel 1860, occuparono lo Stato pontificio. Sua figlia Vittoria ha lasciato questa testimonianza: «Quando in settembre arrivarono le notizie della spedizione di Romagna, papà non stava più in sé dalla contentezza: piangeva, rideva, batteva le mani gridando Viva Garibaldi! ... Papà era convinto che la perdita del potere temporale dovesse essere una misura provvidenziale per la Chiesa, la quale, liberata da ogni cura terrena, avrebbe potuto meglio esercitare il suo dominio spirituale». Manzoni, e anche il filosofo cattolico Antonio Rosmini, avevano ovviamente ragione. All'inizio del XXI secolo perfino un difensore della «dottrina della fede» come il cardinale Ratzinger, oggi papa Benedetto XVI, era disposto ad ammettere l'enorme vantaggio che aveva rappresentato per la Chiesa la perdita del dominio su alcuni territori. Lo dimostra la vitalità del cattolicesimo che, in mondi lontani dall'ambiente della curia romana, dimentico di ogni retaggio temporale, fonda la sua autorevolezza sulla spiritualità e sul sollievo portato ai più umili.

Gli affreschi di via dei Santi Quattro illustrano questa storia: dalla malattia di Costantino alla donazione finale. Al pari delle rappresentazioni delle vetrate delle cattedrali, quelle «figure» avevano lo scopo di spiegare, anche a chi era incapace di leggere, come erano andate le cose e da quali remote tradizioni il papato traesse la sua legittimità «imperiale». Peccato che siano l'illustrazione di uno dei falsi più clamorosi della storia occidentale al pari dell'infame libello antisemita noto come *Protocolli dei Savi anziani di Sion*.

La strada dei Santi Quattro ci riserva però anche un'altra sorpresa perché proprio lì, all'angolo con via dei Querceti, sarebbe accaduto un altro famoso episodio fortemente simbolico. Narra una leggenda che nei primi anni del IX secolo giunse a Roma un giovinetto avvenente e di grande sapienza che,

intrapresa la carriera ecclesiastica, riuscì a salirne tutti i gradini fino a essere eletto papa con il nome di Giovanni VIII. Per
più di due anni il giovane esercitò il suo alto magistero fino a
quando accadde un clamoroso incidente. Un giorno, mentre
percorreva quella strada a cavallo della mula pontificale diretto a San Pietro, il papa, stretto nella calca vociante, rovinò di
sella e, caduto a terra, nella generale meraviglia... dette alla
luce un bambino. Nacque così la leggenda della papessa Giovanna: nessuno sa se sia vera o non alluda, per esempio, a
qualche rito della fertilità o magari all'influenza che le donne
ebbero nella chiesa primitiva. Le conseguenze, sempre sul
piano delle dicerie, furono comunque importanti. Da quel
momento la *sella obstetrica* assunse un significato del tutto diverso da quello cui accennavo più sopra. Dopo che il candidato all'elezione vi si era accomodato, un chierico si avvicinava
e tastava al di sotto del buco per accertare il sesso del prescel-
to. Costatatane la virilità, annunciava ai presenti in ansiosa attesa: «*Habet testes!*». Quanto a via dei Querceti, per qualche
tempo fu nota anche come *Vicus papissae*.

Durante la cerimonia dell'insediamento del nuovo pontefice, dunque, il festoso corteo, aggirato il Colosseo, saliva il
fianco della collina lungo strade oggi distrutte e scendeva in
direzione della torre dei Conti attraverso la suggestiva via del
Colosseo. La torre aveva preso il nome dalla famiglia dei conti
di Segni, potenti abbastanza da far eleggere nel 1198 un loro
congiunto, Lotario dei conti di Segni, al soglio pontificale con
il nome di Innocenzo III. Lungo l'attuale via Tor de' Conti, il
corteo proseguiva rasentando la Suburra (via Baccina), attraversava l'arco del Grillo, adiacente alla torre omonima, affron-
tava la dura salita che s'inerpica sulle balze del Quirinale e
giungeva, sulla sommità, alla torre delle Milizie, ancora oggi
la più imponente. Da qui, sempre atteso, attorniato e seguito
da una folla festante, il corteo scendeva fino all'attuale via della Pilotta e raggiungeva, per una sosta, la basilica dei Santi
Apostoli. Quindi percorreva per un breve tratto via Lata (via
del Corso), attraversava alcuni vicoli fino a prendere via dei
Coronari (che si snoda lungo un tracciato romano) per giungere finalmente al ponte Sant'Angelo e al poderoso bastione

della fortezza da dove, al di là del dedalo dei Borghi, era già visibile la basilica di San Pietro. Una lunga strada, come si vede, che tagliava l'intera città da sudest a nordovest.

Al ritorno l'itinerario era diverso allo scopo di coinvolgere il maggior numero possibile di persone nella cerimonia. Prima che il corteo si riavviasse c'era sul sagrato di San Pietro un lancio di monete, si può immaginare quanto atteso e disputato. D'altronde il tumulto popolare non s'accendeva solo a tale distribuzione. Racconta nel suo *Diario romano* Gaspare Pontani che, appena si diffuse in città la notizia della morte di Sisto IV (Francesco Della Rovere), «Roma comenziò ad andare in bisbiglio», cioè a rumoreggiare. Gruppi di scalmanati si portarono sotto il palazzo di un nipote del papa e lo devastarono al punto «da non lasciare nemmeno una porta o una finestra intatte». Altri corsero alla fattoria di un'altra congiunta e «rubarono cento vacche e tutte le capre e molti porci, asini, oche, grande quantità di cascio rotondo di Parma». Alla morte di papa Paolo IV (Gian Pietro Carafa), nel 1559, i romani «corsero alle carceri e rotte le porte di quelle misero tutti in libertà». Nel 1590, appena si sparse la notizia che era deceduto papa Sisto V (Felice Peretti), gli ebrei che tenevano banco in piazza Navona si affrettarono a raccogliere le loro cose e a fuggire temendo il saccheggio. Ci vorrà molto tempo perché questa «sceleratissima consuetudine» abbia fine.

Torniamo al nostro corteo papale. Riattraversato il ponte Sant'Angelo, il corteo prendeva via del Banco di Santo Spirito e via dei Banchi Nuovi. In piazza dell'Orologio il papa riceveva l'omaggio della comunità ebraica di Roma. Il rabbino capo gli consegnava una Bibbia e, in ebraico, gli raccomandava di venerarla come parola del Signore secondo la legge mosaica. Il papa conveniva di volerla venerare, ma precisava di condannare l'interpretazione giudaica delle Scritture poiché il messia era già venuto al mondo nella persona di Gesù detto il Cristo. In alcune occasioni il popolo romano manifestava contro gli ebrei gridando insolenze e abbandonandosi a gesti ostili. Per la gran parte, tali comportamenti erano la conseguenza dell'odio contro gli ebrei coltivato con sistematicità dalla Chiesa, che li considerava «popolo deicida». San Giovanni Crisostomo era stato fra i primi a esortare: «È dovere dei cristiani odiare gli ebrei perché anche Dio li odia». Sant'Agostino insegnava che gli ebrei non devono scomparire, ma sopravvivere e soffrire a testimonianza della loro colpa; perfino il grande filosofo Tommaso d'Aquino ripeteva che «a causa dei loro crimini gli ebrei vanno tenuti in perpetua schiavitù». Ci vorrà la grandezza di papa Giovanni XXIII per cominciare a rimuovere la maledizione ai *perfidis judaeis*, che per secoli aveva afflitto un intero popolo.

Sulla piazza dell'Orologio avveniva anche il secondo lancio di monete. Il terzo era previsto all'altezza del (futuro) palazzo Braschi. Si prendeva quindi per via delle Botteghe Oscure (*ad Apothecas Obscuras*) sfiorando il fianco dell'antico teatro di Balbo, la cui storia è davvero straordinaria e merita una breve digressione.

Lucio Cornelio Balbo s'era distinto in diverse battaglie schierandosi prima con Cesare e poi con Ottaviano. Come sempre accade a chi sa muoversi con spregiudicatezza in politica, aveva acquisito grandi ricchezze. Nel 14 a.C., con il bottino ricavato dalle guerre in Africa, decise di costruire un suo teatro in una delle zone di maggior pregio della città: la pianura compresa fra il Campidoglio e il Tevere. Il teatro, terzo dopo quello di Pompeo e di Marcello, era riccamente decorato e comprendeva, sul retro della scena, un'ampia area porticata. Durante l'alto Medioevo il suo muro perimetrale venne utilizzato come appoggio per nuove costruzioni. Un'esedra che si apriva sul lato orientale fu utilizzata, intorno al VII secolo, come discarica per rifiuti domestici (anfore, cocci, oggetti rotti o in disuso) e di un'officina che lavorava, diremmo oggi, oggetti di lusso: una manna per gli archeologi, che hanno ritrovato una quantità di scarti di fusione, matrici inservibili, gioielli mal riusciti, fibule, ampolle.

Anche la *crypta Balbi*, forse più ancora di altri luoghi, mostra al visitatore con emozionante evidenza come Roma sia cresciuta sulle sue stesse antichità, lentamente sostituendo alla città degli imperatori quella dei papi. Il pavimento di una cantina del XVI secolo è andato ad appoggiarsi direttamente sul pavimento romano; l'antico porticato originario è stato utilizzato come fondazione per un palazzo altomedievale. Un'altra cosa la cripta rivela a chi oggi la visita, e cioè che, nonostante le invasioni barbariche, la città antica ha continuato a esistere fino alla fine del VII secolo. Ancora in quegli anni giungevano da tutto il Mediterraneo, dalla Palestina e da Bisanzio derrate alimentari, materie prime e olio quasi come in epoca imperiale. Il vero decadimento è cominciato solo qualche decennio più tardi.

Torniamo di nuovo al nostro corteo papale: un quarto lancio di monete avveniva all'altezza della chiesa di San Marco, nel dedalo di viottoli che, prima degli sventramenti fascisti, s'intersecavano sulle pendici del Campidoglio. Attraversata l'area dell'attuale piazza Venezia, il corteo tumultuoso passava sotto l'arco di Settimio Severo, nel fantastico paesaggio dei Fori. Il nuovo papa e il suo rumoroso seguito percorrevano quindi l'antica via Sacra, superavano l'arco di Tito, la *Meta sudans* (la fontana costruita da Tito, demolita durante il fascismo) e l'arco di Costantino, e attraverso via Labicana giungevano fino all'incrocio con quella che è oggi piazza San Clemente, dal nome della basilica cui ho accennato in apertura di capitolo.

Davanti alla chiesa il corteo sostava per dare modo al papa di cambiare veicolo. Perché ci fosse bisogno di farlo lo apprendiamo da una testimonianza dello storico Jacob Burckhardt che, riferendosi a Innocenzo VIII nel 1484, racconta, nel suo già citato saggio *La civiltà del Rinascimento in Italia,* il seguente episodio: «Arrivato presso la chiesa di San Clemente il papa scese da cavallo lasciò il baldacchino e salì su una seggiola con la quale fu portato fino alla porta del palazzo lateranense. Il cambio venne eseguito per il fatto che nel Laterano, per impadronirsi del cavallo e del baldacchino, che i romani pretendono siano loro dovuti, sogliono scatenarsi risse così furibonde da mettere in pericolo lo stesso pontefice».

Questa dunque la famelica plebe romana che seguiva il corteo esigendo rumorosamente la sua ricompensa. La spingeva un coacervo di miseria e di vampate fanatiche; mossa da una religiosità che poco si distingueva dal paganesimo, quella folla rappresentava però solo la frangia vociferante e popolaresca della vita spirituale romana. Al centro di tale vita s'agitavano ben altre questioni e passioni. I potenti erano spinti da ambizioni e interessi, che motivavano la lotta per il predominio e l'accumulo del denaro, mentre la supremazia di volta in volta acquisita legittimava l'esercizio della violenza. Per secoli alcune famiglie romane hanno cercato e ottenuto il potere combattendosi fra loro, schierandosi ora con il papa ora con l'imperatore a seconda della convenienza, unendosi contro il papato e poi subito dividendosi per riprendere l'eterna contesa. Accecati dalle loro mire, sordi a ogni pietà, dimentichi di ogni pur vago sentimento religioso e, vorrei dire, umano, i loro membri uccidono, violentano, depredano, obbedendo solo alla spietata efferatezza del proprio disegno.

Fra i nomi che si possono fare, troviamo spesso nelle cronache di quei secoli i Crescenzi, i conti di Tuscolo, i Frangipane. In via Petroselli, all'angolo con via del Foro Olitorio, esiste ancora il rudere mozzato della casa dei Crescenzi, raro esempio di edificio civile risalente agli anni subito dopo il 1000: era stato eretto in quel punto, reimpiegando in abbondanza materiali romani, come caposaldo a guardia del guado del Tevere. Sulle rovine del teatro di Marcello sorse nel Medioevo la dimora fortificata dei Pierleoni, poi passata ai Savelli e conosciuta oggi, dopo numerosi rimaneggiamenti, come palazzo Orsini. Anche quel fortilizio, fondato sulle robuste strutture del teatro, aveva lo scopo di controllare l'attraversamento del fiume all'altezza dell'isola. Un'altra rocca era stata edificata, nello stesso periodo, all'estremità di ponte Fabricio, detto anche «ponte Quattro Capi» e, nel Medioevo, «*pons Judaeorum*» data la vicinanza del ghetto. Di quella costruzione resta oggi la torre Caetani, anch'essa collocata strategicamente a cavallo del Tevere.

Verso la fine del X secolo gli arroganti Crescenzi, esenti da ogni scrupolo morale, riuscirono a imporre un loro congiunto sul trono di Pietro: prese il nome di Giovanni XIII e diede un contributo fondamentale alle fortune della famiglia. Arrivare al papato era un passaggio decisivo soprattutto per acquisire beni e proprietà immobiliari, sottraendoli ad altri, meno fortunati concorrenti. Quando Giovanni XIII muore, l'imperatore Ottone I «favorisce» l'elezione di un papa a lui fedele nella persona di Benedetto VI, un romano figlio di un certo Ildebrando di origine tedesca. Uno dei Crescenzi, però, non ritenendosi soddisfatto della ricchezza fino a quel momento accumulata, lo fa imprigionare a Castel Sant'Angelo e impone come antipapa il cardinale Francone che, assunto il nome di Bonifacio VII, si rivela un pontefice di efferata ferocia. Gli stessi contemporanei lo chiamarono «il mostro». Uno dei suoi primi atti fu di far strangolare il suo predecessore Benedetto VI, ancora prigioniero a Castel Sant'Angelo. Quando le truppe dell'imperatore Ottone II, figlio di Ottone I, si avvicinano a Roma, fugge a Costantinopoli, portando con sé il tesoro della Chiesa. Intanto, sempre la famiglia dei Crescenzi impone come papa il figlio di un prete, che prende il nome di Giovanni XV. Morto costui (siamo nel 996), Ottone III, figlio e successore del precedente imperatore, designa al soglio un suo parente, Brunone di Carinzia, primo pontefice tedesco, con il nome di Gregorio V. La scelta non piace ai Crescenzi che, appena Ottone s'è allontanato, detronizzano Gregorio, fomentando una sommossa popolare e impongono come antipapa il vescovo di Piacenza Giovanni Filagato, che salirà al trono con il nome di Giovanni XVI. Per farlo eleggere, Crescenzio Nomentano ha chiesto l'aiuto dell'imperatore bizantino Basilio II, uomo militarmente efficace e di estrema crudeltà (basti pensare che, dopo la vittoria sui bulgari, a Kimbalongo, fece accecare per rappresaglia 14 mila prigionieri). Ottone III non gradisce la mossa e piomba a Roma. Gli autori del colpo di mano cercano scampo nella fuga, ma il pontefice viene raggiunto a Torre Astura, nei pressi di Nettuno, mutilato, accecato, trascinato a Roma, esposto alla gogna e infine ucciso. Crescenzio Nomentano, tradito pare dalla sua stessa moglie, viene decapitato a Castel Sant'Angelo.

Non ho pretese storiche e mi fermo qui con gli esempi, che credo sufficienti a tratteggiare la fisionomia atroce di quei secoli e la spaventosa decadenza della Chiesa, sbranata dall'avidità delle famiglie, diventata sfogo e strumento di ferocia, corruzione, simonia.

Accenno solo a un altro curioso e macabro episodio capace di dare per intero l'idea dell'abisso in cui la Chiesa era caduta: la lugubre vicenda di papa Formoso (891-896). Quando il tentativo di restaurare l'unità del Sacro Romano Impero viene a cadere, alla fine del IX secolo, il duca Guido di Spoleto, insoddisfatto della spartizione dei territori, convince papa Stefano V, un romano di nobile stirpe, a cingergli la corona imperiale anche se si tratta, osserva Gregorovius, di una corona di cartapesta. Passano pochi mesi e nell'891 diventa papa il vescovo di Portus, Formoso, il quale rinnova l'incoronazione di Guido estendendola, per via ereditaria, anche a suo figlio Lamberto. Nello stesso tempo informa però Arnolfo di Carinzia, re di Germania, che la pressione degli spoletini è diventata intollerabile. Arnolfo corre in aiuto del pontefice e viene acclamato imperatore da tutte le città che attraversa. Quando Guido muore, il figlio ne reclama la corona chiamando in suo aiuto la plebe di Roma. La rivolta antigermanica divampa e il papa corre a rifugiarsi in Castel Sant'Angelo. La città è nel caos, ci sono tumulti e scontri sanguinosi tra le fazioni. Tempo poche settimane, Formoso muore, forse avvelenato. Lo sostituisce Bonifacio VI, un prete che farà registrare il pontificato più breve della storia: dodici giorni appena. Lamberto e la madre, la terribile duchessa Ageltrude, fanno allora eleggere papa con il nome di Stefano VI il vescovo di Anagni, un romano, loro uomo, e impongono che il morto Formoso venga processato per tradimento.

Racconta Gregorovius: «Il cadavere del pontefice, strappato al sepolcro in cui riposava già da diversi mesi, fu abbigliato con i paramenti papali e messo a sedere su un trono nella sala del Concilio. L'avvocato di papa Stefano si alzò in piedi e rivolgendosi a quella mummia orrenda, al cui fianco se ne stava tutto tremante un diacono che fungeva da difensore, gli notificò i capi d'accusa. Allora il papa vivente chiese al morto con furia dissennata: "Come hai potuto, per la tua folle ambizione, usurpare il seggio apostolico, tu che pure eri già vescovo di Portus?". L'avvocato di Formoso addusse qualcosa in sua difesa, sempre che l'orrore gli abbia permesso di parlare; il cadavere fu riconosciuto colpevole e condannato. Il sinodo sottoscrisse l'atto di deposizione, dannò il papa in eterno e decretò che tutti coloro ai quali egli aveva conferito gli ordini sacerdotali dovessero essere nuovamente ordinati». Dopo di che, prosegue il racconto, «i paramenti furono strappati di dosso alla mummia; le tre dita della mano destra, con cui i latini impartiscono la benedizione, furono recise e con urla selvagge il cadavere fu trascinato via dalla sala, attraverso le strade di Roma e gettato infine nel Tevere fra le grida di una folla immensa». Era il febbraio dell'897; un anno dopo, con papa Teodoro II, i resti del povero Formoso avranno onorata sepoltura nella basilica di San Pietro.

Bisognerà aspettare l'arrivo di un pontefice politicamente forte, consapevole del suo ufficio, dotato di una visione ampia e di grande energia, perché questa indegna situazione cambi. Un tale papa arriva nel 1073: è Ildebrando di Soana e regna con il nome di Gregorio VII. Scrive Ferdinand Gregorovius:

> L'energia con cui Gregorio VII lottò per conquistare libertà alla Chiesa e per fondare il potere della gerarchia lascia attoniti.

Il suo pontificato (1073-85) lascerà, in effetti, un segno profondo, nonostante coincida con la lotta per le investiture e con l'epoca detta degli «scismi papali». Suo il *Dictatus* secondo il quale il papa è vescovo universale, con la potestà di giudicare tutti senza poter essere giudicato da nessuno, in grado perfino di deporre l'imperatore. Gregorio VII inasprì le pene contro la simonia e il matrimonio dei preti. Quando, nel 1075, Enrico IV (figlio del precedente imperatore e suo nemico mortale) nomina alcuni vescovi e abati, lui gli rimprovera di aver violato il diritto divino oltre a quello canonico. Comincia così una lotta furibonda, nella quale l'imperatore fa dichiarare decaduto il pontefice e questi a sua volta, con l'appoggio di molti principi germanici, lo scomunica. Enrico è costretto a umiliarsi andando, penitente, a Canossa (episodio celeberrimo), dove Gregorio VII è ospite della contessa Matilde. Ottenuto il perdono, l'imperatore non si placa, anzi, il suo desiderio di vendetta è reso ancora più acuto dall'umiliazione subita. Non appena la situazione politica glielo consente, torna a reclamare il suo «diritto» di investire chi crede. Gregorio per la seconda volta lo scomunica. Enrico allora nomina un antipapa (Clemente III) e occupa Roma. L'invasione da parte delle truppe imperiali costringe Gregorio VII ad asserragliarsi in Castel Sant'Angelo. Invano i romani gli chiedono di riconoscere a Enrico il titolo imperiale. Il pontefice non transige. Il massimo che può riconoscere all'imperatore, dice, è di calargli la corona dagli spalti del castello appesa a una fune. Enrico ovviamente rifiuta e a Pasqua del 1084 si fa incoronare dall'uomo che ha nominato «antipapa». La città è praticamente tutta nelle sue mani, eccetto il Castello e l'isola Tiberina, residenza dei Pierleoni. Gregorio VII, temendo la completa rovina, manda a chiamare il duca normanno Roberto il Guiscardo, che sta guerreggiando nel Mezzogiorno d'Italia.

Le truppe del Guiscardo giungono davanti alla porta Asinaria (oggi porta San Giovanni), che i romani hanno barricato. Bisogna trattare per entrare. L'onnipresente famiglia dei Frangipane trova infine una mediazione e le porte si aprono: i 30 mila fanti del duca, fra i quali ci sono calabresi avidi di bottino e feroci saraceni di Sicilia, dilagano, seminando distruzione e violenza. Il papa viene liberato e condotto in Laterano, mentre la città è preda d'una devastazione spietata. Prima di abbandonare l'Urbe, il 21 maggio di quel terribile 1084, Enrico fa radere al suolo le torri del Campidoglio e le mura leonine, e distrugge il «settizonio» (la parte del Palatino che affaccia sul circo Massimo). Scrive Gregorovius: «La sventurata Roma fu abbandonata al saccheggio e fu teatro di orrori davanti ai quali quelli dei vandali impallidiscono ... la città si batté con fierezza ma soccombette; il disperato valore dei romani fu spento nel sangue e nelle fiamme».

Il fuoco inghiottì il popoloso quartiere fra il Laterano e il Colosseo, proprio le strade che abbiamo visto teatro del corteo papale; né furono risparmiati lo stesso Colosseo, gli archi di trionfo, i resti del circo Massimo. I cronisti dell'epoca testimoniano concordi che, pur senza contare le ruberie e le violenze alle persone, la catastrofe inghiottì gran parte della città: le strade apparivano cosparse di macerie, di statue spezzate, di archi infranti, percorse per giorni da file di sventurati abitanti trascinati in schiavitù dai normanni. Da secoli Roma non pativa una simile sciagura. Fu la prima vera distruzione a opera di un nemico, dopo lo smantellamento delle mura da parte di Totila. Alcuni decenni più tardi lo spettacolo ancora visibile della sua rovina commosse fino alle lacrime il vescovo Ildeberto di Tours che nella sua raccolta poetica scrisse:

> Colei che mentre cresceva fu vegliata dallo sguardo attento degli avi,
> in cui la religione aiutò le imprese, e fiorì l'ospitalità;
> la città dove i capi profusero tesori, il destino favorì,
> gli artisti appassionato lavoro, tutto il mondo le sue ricchezze:
> ah, dolore! Questa città è caduta, di cui ora vedo le rovine,
> e, ripensando al passato, ripeto a me stesso: Roma fu.

Quando si parla delle invasioni subite da Roma, si cita sempre il maggio 1527, quando gli imperiali di Carlo V, i famigerati lanzichenecchi, invasero la città abbandonandosi a ogni sorta di violenze e di razzie. Fu indiscutibilmente un episodio atroce, soprattutto per i costi umani. Tuttavia, dal punto di vista della città antica e di ciò che della grande capitale imperiale era sopravvissuto, il maggio del 1084 fu peggiore. Nel 1527 era già nata e stava fiorendo la nuova Roma legata allo splendore del Vaticano e alla magnificenza degli artisti rinascimentali. Nell'abisso del 1084 invece, tutto ciò che esisteva erano le tracce della gloria passata: altro non c'era, se non i nuovi templi della cristianità e alcune ricche dimore sparse in un mare di casupole e di ruderi. Durante l'occupazione normanna la città subì il peggiore oltraggio che mai le sia stato inferto. Quando la riforma luterana comincerà a diffondersi in Europa e cinque secoli saranno passati dalla devastazione del Guiscardo, i protestanti ancora ricorderanno quegli orribili fatti riassumendoli in un brutale giudizio: «Gregorio I salvò Roma dai longobardi, Gregorio VII la lasciò distruggere dai normanni».

L'esercizio del potere non conosce tenerezze, bada crudamente ai risultati. Gregorio VII, papa politico per eccellenza, preferì realisticamente anteporre la salvezza propria e della sua sede a quella della città. I romani del tempo non lo perdonarono e il pontefice, finito il saccheggio, si vide costretto a lasciare Roma insieme al Guiscardo. Un anno dopo moriva sessantenne a Salerno, pronunciando a sua discolpa i versetti del Salmo: «*Dilexi justitiam et odivi iniquitatem, propterea morior in exilio*» (Ho amato la giustizia e odiato l'iniquità, perciò muoio in esilio). Gli sopravvisse, quasi fino ai nostri giorni, la riforma della Chiesa da lui voluta. Un ultimo, breve passo dalla *Storia* di Gregorovius restituisce con notevole forza il senso di quel pontificato e quello complessivo della tragedia:

La devastazione di Roma è una macchia più scura nella storia di Gregorio che in quella del Guiscardo: la nemesi aveva costretto il papa, che se ne traeva inorridito, a fissare Roma in fiamme. Non è forse, Gregorio in Roma che arde (e ardeva per colpa sua), un terribile uomo del Fato, come Napoleone che cavalca sereno su campi di battaglia intrisi di sangue? La sua bella antitesi è Leone Magno che salva la città santa da Attila e ne addolcisce il destino davanti al torvo Genserico. Nemmeno uno dei contemporanei testimonia che Gregorio abbia se non altro tentato di salvare Roma dal sacco o versato sulla sua caduta una lacrima di pietà.

IX

«IST AM 24.3.1944 GESTORBEN»

Via Rasella, via Tasso, le Fosse Ardeatine: gira intorno a questi tre nomi la più tragica memoria dell'atroce periodo che Roma ha vissuto a metà del Novecento. I 268 giorni che vanno dall'8 settembre 1943 al 4 giugno 1944, durante i quali la città fu occupata dalle truppe del Reich nazista, hanno visto alternarsi mescolandosi, come sempre accade nei periodi cruciali della storia, episodi di eroismo e di viltà, di rassegnazione e di rabbia, fiammate di ribellione, atti di guerra e altri, opposti, di collaborazionismo con l'oppressore.

La parte più crudele di questo racconto comincia in via Rasella, una breve strada in salita che unisce via del Traforo a via delle Quattro Fontane. Nome curioso, pare derivato, per corruzione, da quello della famiglia Rosella che qui aveva delle proprietà. Anche se non molti lo ricordano, in via Rasella è avvenuto il più duro scontro armato tra membri della Resistenza e le truppe tedesche che occupavano Roma. Era il 23 marzo 1944, un giovedì.

La strada faceva parte dell'itinerario che l'11ª compagnia del 3° battaglione del reggimento di ss *Bozen* percorreva ogni giorno rientrando dall'addestramento nel poligono di tiro di Tor di Quinto. Molti dei suoi effettivi venivano dal Sudtirolo o *Alpenvorland*, nella denominazione tedesca. Ogni giorno alle 14, martellando l'antico selciato con i tacchi ferrati dei loro stivali, 156 uomini in tenuta di guerra, scortati da mezzi blindati armati di mitragliatrice, percorrevano quella strada cantando spavaldi un allegro motivetto: *Hupf, mein Mädel* (Salta, ragazza mia).

Le ss, uomini che ostentavano una teschio sul berretto, erano il corpo di polizia più temuto nell'Europa occupata. Il 3° battaglione *Bozen* avrebbe preso servizio effettivo il giorno dopo, 24 marzo. La regolarità del loro passaggio aveva suggerito a un Gruppo di azione partigiana (GAP), composto di membri del partito comunista, l'idea di un possibile attacco che, nella sua versione definitiva, venne organizzato imbottendo con 18 chili di tritolo un carrettino della nettezza urbana. L'esplosione doveva avvenire dando fuoco alla miccia esattamente 45 secondi prima del passaggio della colonna. Subito dopo, altri partigiani sarebbero intervenuti assalendo il nemico con mitragliatori e bombe a mano. L'uomo chiave dell'operazione, quello che con la sua pipa avrebbe innescato la miccia, era uno studente di medicina, Rosario Bentivegna. La sua compagna (e in seguito moglie), Carla Capponi, lo avrebbe aspettato in cima alla salita, pronta a coprire con un impermeabile la sua uniforme da spazzino comunale.

Tutti i giorni, alle 14 in punto, la colonna delle ss eseguiva un «per fila sinist» da via del Traforo e cominciava a salire via Rasella. Tutti i giorni, meno il 23 marzo. Quel giovedì era una data particolare: i fascisti festeggiavano il 25° anniversario della fondazione dei fasci, avvenuta nel 1919 in piazza San Sepolcro, a Milano. Per di più, nei comandi nazisti circolavano voci su una possibile, consistente azione partigiana. Fu così che, proprio quel giorno, le ss vennero trattenute più a lungo al poligono. Per i membri della squadra di gappisti appostati, il tempo scorreva con lentezza intollerabile. Il loro girovagare, fingendo di guardare i cartelloni pubblicitari o di leggere un giornale, a lungo andare avrebbe potuto suscitare sospetti, provocare una perquisizione che sarebbe stata fatale, dal momento che erano tutti armati. Intanto era passata la prima mezz'ora e poi i tre quarti d'ora; s'erano fatte le 15 e poi le 15.15 e delle ss non c'era traccia. Qualcuno fu tentato di rinunciare, di rimandare l'attacco. Ma nemmeno il rinvio era facile. Il carrettino della spazzatura era molto pesante: riportarlo nel suo nascondiglio era quasi impossibile e lasciarlo incustodito era impensabile. L'uomo che doveva dare il segnale d'inizio, Franco Calamandrei, era appostato in corrispondenza dell'incrocio di via Boccaccio: novanta passi esatti lo separavano dal carrettino con il tritolo. In fondo alla strada era in attesa Carlo Salinari, critico letterario: dalla sua posizione era il primo che avrebbe avvistato la colonna delle ss già all'uscita da piazza di Spagna. Un'ora e mezzo di ritardo cominciava a essere un rischio troppo alto. Gli uomini si scambiavano occhiate sempre più inquiete: rimandare tutto sembrava davvero la soluzione più ragionevole.

Solo pochi attimi prima che venisse dato l'ordine di rinunciare all'azione, cominciò a udirsi in lontananza il rimbombo cupo e ritmato dei passi. Via Rasella è una strada stretta, fiancheggiata da palazzi relativamente alti, poco illuminata dal sole. Erano da poco passate le 15.30 e le ombre cominciavano già ad allungarsi, quando le prime file del battaglione presero ad affrontare la salita. I segnali vennero dati secondo il codice convenuto. Bentivegna, collocato il braciere della pipa all'estremità della miccia, si allontanò con la maggior calma possibile verso la sua compagna. Alle 15.45 la potente bomba esplose con un boato che si udì in tutto il centro di Roma. Gli altri partigiani attaccarono sparando raffiche di mitra e lanciando quattro bombe da mortaio, una delle quali rimasta inesplosa. Alcuni civili armati e agenti di pubblica sicurezza si unirono al fuoco. Tra le ss ci furono 26 morti e 60 feriti, alcuni gravissimi. Nell'esplosione rimase ucciso anche un giovane romano, Pietro Zuccheretti.

La reazione tedesca fu quasi immediata. Il generale Kurt Mälzer, che comandava la piazza, arrivò sul posto pochi minuti dopo, ubriaco come spesso gli accadeva. Tra lui e il colonnello Eugen Dollmann delle ss ci fu in strada, davanti a molti testimoni, un diverbio violentissimo. Mälzer voleva far saltare in aria l'intero blocco di case, Dollmann opponeva una gelida calma. Con un compromesso di fatto, ci si limitò a perquisire molti appartamenti, spesso abbattendone le porte a calci; gli abitanti, e chiunque si trovasse nelle vicinanze, furono allineati lungo la cancellata di palazzo Barberini, le mani sulla testa, gli uomini separati dalle donne e dai bambini, in una confusione indescrivibile, fra pianti, ordini gridati, imprecazioni: un rastrellamento eseguito con la brutale violenza consueta nell'Europa di quegli anni, resa in questo caso più pesante dall'audacia del colpo, dalla sua sanguinosa riuscita, dal desiderio di vendetta degli occupanti.

Il comando della Gestapo, in quei mesi, aveva sede in una palazzina di aspetto anonimo situata al numero civico 145 di via Tasso, una corta strada in salita come via Rasella, situata nei pressi della basilica di San Giovanni in Laterano. Il casamento, di proprietà dei principi Ruspoli, era stato affittato dall'ambasciata tedesca per il proprio ufficio culturale. Dopo l'armistizio dell'8 settembre l'edificio era stato, però, adattato a prigione murandone le finestre, salvo un minuscolo pertugio, e blindando le porte delle stanze trasformate in celle, alcune totalmente prive d'aria e di luce; altri locali erano stati destinati a camere per l'interrogatorio e la tortura dei prigionieri. Nell'adiacente edificio gemello (al numero civico 155) si erano allestiti alloggi per ufficiali e sottufficiali, depositi, magazzini e alcuni uffici, fra cui quello del tenente colonnello Herbert Kappler, Obersturmbannführer del Sicherheitsdienst, il Servizio di sicurezza della milizia nazista. Trentasette anni all'epoca, nativo di Stoccarda, Kappler considerava l'Italia la sua seconda patria, ne amava l'arte, collezionava vasi etruschi. Fu lui a organizzare l'arresto e la deportazione in massa degli ebrei romani, come vedremo fra qualche capitolo.

In via Tasso una certa fama circondava la cella numero 7: una delle pareti confinava con l'ala meridionale della palazzina, dove i nazisti ricevevano le loro amanti, organizzandovi a volte delle orge collettive. Non si può immaginare miscela più sinistra delle urla dei torturati mescolate agli schiamazzi e alle risate di quegli intrattenimenti. La più terribile era, però, la cella numero 3, stretta come una bara e usata per l'isolamento. Lì, fra gli altri, venne rinchiuso per sessantasei giorni il generale dell'aeronautica Sabato Martelli Castaldi. Durante la durissima reclusione riuscì a far arrivare alla moglie un biglietto dove, fra l'altro, diceva:

Penso la sera in cui mi dettero 24 nerbate sotto la pianta dei piedi, nonché varie scudisciate in parti molli e cazzotti di vario genere. Io non ho dato loro la soddisfazione di un lamento, solo alla 24ª nerbata risposi con un pernacchione che fece restare i manigoldi come tre autentici fessi. Quel pernacchione fu un poema! Via Tasso ne tremò e al fustigatore cadde di mano il nerbo. Che risate! Mi costò tuttavia una scarica ritardata di cazzotti. Quello che più mi pesa qui è la mancanza d'aria. Io mangio molto poco, altrimenti farei male e perderei la lucidità di mente e di spirito che invece qui occorre avere in ogni istante.

Il generale Martelli Castaldi finì trucidato alle Fosse Ardeatine. Altri ebbero maggior fortuna e riuscirono a sopravvivere secondo l'imprevedibile regola del caso. Il sottotenente Arrigo Paladini racconta nel suo libro *Via Tasso* come si concluse, dopo inaudite torture, la sua permanenza in quel carcere:

Quando la porta fu aperta, io ero già pronto: come può essere pronto un rottame che non ha la forza fisica di reggersi in piedi, se non appoggiandosi al muro. Lasciai alle mie spalle la cella di segregazione dove ero rimasto chiuso per un mese intero in condizioni inumane, senza aria, senza nulla su cui dormire, spesso senza luce ... Guardai gli uomini che mi circondavano ... illuminati da una lampada i loro volti mi parvero cadaverici, molti orribilmente gonfi e tumefatti ... le gambe e il torace mi facevano impazzire dal dolore e dovetti accucciarmi a terra. Non potevo muovere le mascelle e un occhio era tanto gonfio da non riuscire a vedere ... erano le 5 del mattino del giorno 4 [del giugno 1944, il giorno dell'arrivo degli Alleati], provai a stendermi per terra ma il rombo del cannone era troppo vicino perché si potesse resistere con la testa sul pavimento. Sembrava che il palazzo tremasse dalle fondamenta. Comunque per la stanchezza e il dolore, che mi avevano annientato, mi addormentai o persi i sensi. Mi svegliai di soprassalto: fuori si urlava qualcuno spalancò la porta, fui trascinato da alcuni compagni per le scale ... improvvisamente mi trovai in un mare azzurro e respirai l'aria del mattino: intravidi alcuni tedeschi che si trascinavano sbandati con le facce bianche di polvere, poi svenni.

Dal punto di vista letterario, una delle testimonianze più intense è quella lasciata dallo scrittore Guglielmo Petroni nel suo *Il mondo è una prigione*. Bellissima, composta e sbigottita la ricostruzione del momento in cui esce, vivo, dalla cella di via Tasso:

Fuori della porta della prigione mi ero fermato un attimo, aspettando da me quel tal respiro che allarga il petto quando si ritorna alla vita, quando si rivede il cielo e gli uomini dopo averli quasi per sempre perduti ... Mi accorsi che rimpiangevo violentemente le ore in cui la mia vita era incerta, insidiata in ogni momento; rimpiangevo la fame, il buio, l'incertezza che, questa volta, lasciavo definitivamente dietro le mie spalle.

Oggi la palazzina di via Tasso ospita appartamenti di civile abitazione salvo due piani occupati dal Museo storico della Liberazione di Roma. In quei giorni però il solo nome «via Tasso» aveva un suono sinistro. Si sapeva delle efferate torture alle quali venivano sottoposti i prigionieri con il solito spietato armamentario di ogni inquisitore: cavi elettrici applicati ai genitali, soffocamento fino all'estremo limite della sopportazione, torsione delle membra, unghie e denti strappati, selvagge percosse che spaccavano le ossa provocando lesioni interne.

Mio padre faceva parte della Resistenza e militava nella banda del colonnello Giuseppe Montezemolo. Io ero stato messo al riparo in un collegio cattolico (il Santa Maria), confinante in parte con il retro della palazzina di via Tasso. Ancora oggi, a distanza di tanti anni, ho il netto ricordo delle urla che talvolta rompevano il silenzio della notte e arrivavano, sorde, fin dentro il nostro dormitorio. Un giorno accadde un fatto di cui al momento capii poco o nulla. Mentre stavamo facendo ricreazione in uno dei cortili a ridosso dell'alto muro del carcere, intravidi con la coda dell'occhio un rapido e furtivo movimento, come di persone che si spostassero velocemente, cercando di non darlo troppo a vedere. Qualcosa, qualcuno, poco più di un'ombra, sgusciò fra le vesti nere dei sacerdoti e dei «prefetti» laici che ci sorvegliavano e scomparve in fretta in un corridoio. Chiesi al prefetto della mia classe, ma senza sospetto e solo per curiosità, che cosa fosse successo. Rispose con un gesto vago, dicendo frettoloso: «Niente, niente». Solo mesi dopo, a Liberazione avvenuta, seppi che un prigioniero era riuscito a evadere saltando miracolosamente dal muro e che i sacerdoti l'avevano nascosto fra loro, facendolo poi fuggire da un'uscita laterale dell'edificio.

Questo lontano episodio può andare ad aggiungersi alla vasta e contraddittoria casistica che riguarda l'atteggiamento della Chiesa cattolica in quel periodo. Molti resistenti in pericolo, capi dell'antifascismo e futuri leader politici dell'Italia repubblicana trovarono ospitalità presso conventi e istituti religiosi, e le più alte gerarchie vaticane ne erano certo al corrente. Fu un aiuto generoso in alimenti, alloggi, documenti. Senza distinzione di partito furono accolti in luoghi protetti dalla extraterritorialità antifascisti di ogni tendenza: democristiani, comunisti, socialisti, liberali.

Alla fine del maggio 1944, dieci giorni prima dell'arrivo degli Alleati, Pio XII, il sessantottenne Eugenio Pacelli, concesse un'udienza segreta all'Obergruppenführer Karl Wolff, comandante supremo delle ss in Italia. Si è affacciata l'ipotesi che in quell'occasione sarebbe stata concordata la liberazione di alcuni prigionieri trattenuti dalla Gestapo in cambio dell'assicurazione che la Chiesa, a guerra finita, avrebbe garantito una via di fuga per il Sudamerica ai gerarchi nazisti, compresi quelli colpevoli di crimini, procacciando passaporti, denaro, passaggi marittimi. Prove di questo accordo non ne sono state trovate, nei fatti è ciò che avvenne.

Durante l'intero periodo dell'occupazione il prevalente assillo di Pio XII fu di favorire un passaggio di poteri senza scosse dai nazisti agli Alleati, evitando episodi insurrezionali cne potessero in qualche modo offrire pericolose possibilità ai comunisti, la vera anima dell'opposizione armata al nazifascismo. Alla vigilia di Natale del 1943, sei mesi prima della Liberazione, Pacelli esplicitamente raccomandava ai romani «di conservare la calma e di astenersi da qualsiasi atto inconsulto che non farebbe se non provocare ancora più gravi sciagure». Lo stesso atteggiamento aveva avuto due mesi prima, quando i nazisti avevano rastrellato il ghetto a caccia di ebrei.

Il terzo luogo che tramanda la memoria dei mesi dell'occupazione, il più tragico, è il sacrario delle Fosse Ardeatine, che si trova sulla via Ardeatina, fra la catacomba di Domitilla e quella di San Calisto. Si trattava in origine di una cava di pozzolana, un tufo vulcanico usato come materiale cementizio già dai romani, che lo cavavano presso Pozzuoli, donde il nome. Dal sito, negli anni Trenta, erano state estratte importanti quantità di materiale per la costruzione dei nuovi quartieri romani voluti dal fascismo. Il risultato era un dedalo di gallerie che si inoltravano nella parete della collina per decine di metri. Oggi il luogo è irriconoscibile rispetto ad allora e anzi, dal punto di vista monumentale, il sacrario inaugurato nel 1949 è una delle più riuscite sistemazioni della Roma contemporanea. Il cancello di bronzo è di Mirko Basaldella, il gruppo marmoreo dei tre torturati di Francesco Coccia; un'immensa pietra tombale lascia passare solo una fessura di luce e schiaccia il visitatore, opprimendo con un forte effetto emotivo la cripta seminterrata (opera di Giuseppe Perugini, Nello Aprile, Mario Fiorentino) dove sono raccolte 335 tombe.

A seguito dell'attentato di via Rasella, i nazisti decisero di punire Roma in modo esemplare. Vennero prese in considerazione varie deliranti ipotesi: far saltare con la dinamite interi quartieri, deportare al completo la popolazione maschile fra i diciotto e i quarantacinque anni, trucidare trenta italiani per ogni tedesco ucciso nell'attacco. Alla fine, dopo concitate consultazioni fra Roma, il quartier generale tedesco a Verona, il Reichsführer-SS Himmler e lo stesso Hitler nel suo «nido dell'aquila» a Berchtesgaden, fu decisa l'esecuzione di dieci italiani per ogni tedesco ucciso. Le cave ardeatine vennero scelte per l'esecuzione degli ostaggi. Il colonnello Kappler fu incaricato di preparare la lista dei *Todeskandidaten*, i candidati alla morte, un compito sul quale consumò in pratica l'intera notte fra giovedì 23 e venerdì 24 marzo. Il criterio era di includere chi era già stato giudicato e condannato; chi, anche se in attesa di «giudizio», aveva serie probabilità di essere condannato, e gli ebrei a qualunque titolo fermati o detenuti. Un primo elenco comprendeva 94 candidati. Poiché le SS uccise nell'attacco alla fine erano diventate 32, si era ben lontani dal totale richiesto. Con un ulteriore sforzo, includendo nella lista uomini che non avevano colpe e sui quali Kappler non aveva alcun titolo giuridico per intervenire, fu possibile far salire il totale fino a 270 nomi. A quel punto, esausto, il colonnello convocò i collaboratori fascisti chiedendo loro di fornire i 50 nomi mancanti. Alle prime luci del 24 marzo si presentarono nel suo ufficio di via Tasso Pietro Koch, un sadico torturatore che gestiva con la sua «banda» una specie di prigione privata ricavata nella pensione Jaccarino di via Romagna, e Pietro Caruso, questore di Roma, fascista della prima ora, uomo di modestissima intelligenza.

Caruso, tremebondo, non osò rifiutare l'incarico, ma pensò di condividerne almeno la responsabilità. Quel giorno si trovava a Roma, per le celebrazioni del 25° anniversario della fondazione dei fasci, il ministro degli Interni di Salò Guido Buffarini-Guidi. Uscito da via Tasso, Caruso si precipitò all'Hotel Excelsior di via Veneto chiedendo di conferire con lui. Erano le 8 del mattino e «Sua Eccellenza» dormiva. Solo dopo molte insistenze si acconsentì a svegliarlo. Il questore venne ricevuto da un assonnato ministro in pigiama. Caruso espose il problema, la richiesta dei 50 uomini da fucilare, e concluse dicendo: «Mi rimetto a voi, Eccellenza». C'erano varie cose che Buffarini-Guidi avrebbe potuto fare: per esempio parlarne con Mussolini chiedendo un intervento diretto su Hitler, oppure parlarne con Wolff con il quale aveva un buon rapporto, e chiedere quanto meno una dilazione. Si limitò a rispondere: «Che posso fare? Sei costretto a darglieli. Altrimenti chissà cosa potrebbe succedere. Sì, sì, daglieli». Così, nel dopoguerra, Caruso testimoniò al processo dal quale uscirà condannato a morte. Quella frase, disse, era stata per lui un ordine.

Nel famoso carcere romano di Regina Coeli, un intero braccio, il terzo, era stato riservato ai prigionieri politici: quasi tutti gli ultimi *Todeskandidaten* furono presi da lì. Kappler intanto continuava a mettere fretta ai due italiani. Si stava avvicinando il termine di ventiquattro ore entro il quale Hitler aveva ordinato che il suo comando fosse eseguito. Alle 12 Kappler si recò a rapporto dal generale Mälzer nel suo ufficio in corso d'Italia e gli assicurò che la lista stava per essere completata; si trattava ora di decidere chi avrebbe materialmente eseguito le uccisioni. Ci fu un certo rimpallo di responsabilità, lunghe discussioni nel corso delle quali ci si orientò per il maggiore Hellmuth Dobbrick, comandante del 3° battaglione SS che aveva subito l'attacco. Mälzer gli disse che, poiché era stata la sua formazione a essere colpita, spettava a lui l'onore di vendicarsi. Ma il maggior rifiutò adducendo una serie di pretesti che andavano dai motivi religiosi al fatto che i suoi uomini erano superstiziosi e molti avrebbero rifiutato quel macabro incarico. Per questa «insubordinazione» Kappler, due giorni più tardi, lo avrebbe denunciato. A seguito del secondo rifiuto da parte di un altro ufficiale, Mälzer si rivolse a Kappler ordinando: «Allora tocca a voi».

Il colonnello radunò i suoi uomini e comunicò loro che entro poche ore 320 persone avrebbero dovuto essere fucilate e che bisognava fare in fretta e tenere segreta l'operazione per evitare una possibile insurrezione. Le forze di cui disponeva erano 12 ufficiali, 60 sottufficiali e 1 soldato: 74 persone in tutto contando anche se stesso. Al processo cui fu sottoposto nel dopoguerra Kappler così descrisse il suo modo di procedere: «Cercai di rendermi conto di quanto tempo avessi. Divisi i miei uomini in piccole squadre che dovevano alternarsi. Ordinai che ogni uomo sparasse solo un colpo, specificando che la pallottola doveva raggiungere il cervello della vittima attraverso il cervelletto, in modo che nessun colpo andasse a vuoto e la morte fosse istantanea». Il capitano Erich Priebke fu incaricato di spuntare i nomi a mano a mano che gli uomini destinati all'esecuzione gli passavano davanti e di accertare che tutti venissero effettivamente uccisi.

Nel frattempo, un altro soldato del battaglione *Bozen* era deceduto all'ospedale in seguito alle ferite. Dunque, i 320 ostaggi non bastavano più. Proprio quella mattina, però, un certo capitano Kurt Schutz era riuscito a scovare con i suoi uomini altri dieci ebrei che erano stati tradotti a Regina Coeli. I loro nomi vennero immediatamente aggiunti alla lista, riportando in pareggio la macabra contabilità.

Alle 14 di quel venerdì il primo carico di ostaggi raggiunse le cave. Ai prigionieri erano state legate le mani dietro la schiena. Per il trasporto erano stati scelti, molto a proposito, i furgoni abitualmente usati per rifornire le macellerie. Legati fra loro a due a due, i primi uomini vennero spinti nelle gallerie. Militari delle SS, addossati alle pareti, cercavano di far luce con le torce. Del primo carico faceva parte, fra gli altri, don Pietro Pappagallo, che con eccezionale vigore riuscì a liberarsi dai lacci e, alzando le braccia, benedisse i suoi compagni di pena. Gli aguzzini non osarono interrompere quel povero gesto di pietà. (Anche alla figura di don Pappagallo si ispirerà Rossellini per il suo prete nel film *Roma città aperta*.) Cinque uomini vennero trascinati in fondo alle gallerie e costretti a inginocchiarsi a ridosso del muro, mentre i carnefici si piazzavano alle loro spalle con la pistola pronta. In quel luogo oscuro, a malapena rischiarato dalla fumigante fiamma delle torce, in una penetrante umidità e un acre odore di muffa, il capitano Schutz ordinò di far fuoco e le prime cinque vittime caddero. Un pastore che stava accudendo il suo gregge sull'alto della collina e che all'arrivo dei furgoni s'era nascosto fra gli arbusti, dirà al processo d'aver udito i primi colpi alle 15.30.

Il massacro proseguì ininterrottamente per l'intero pomeriggio in un'orgia di colpi e di grida, nel puzzo del fumo, del sangue, degli escrementi, con gli stessi carnefici che, a un certo punto, dovettero essere ubriacati per continuare quell'infame lavoro. La precisione e la rapidità che Kappler aveva teorizzato non ressero alla prova dei fatti. A mano a mano che i cadaveri ingombravano le gallerie, i nuovi arrivati erano costretti a inerpicarsi sui corpi delle vittime per essere a loro volta assassinati. I militari, ubriachi, non sparavano più con la precisione richiesta. Quando le gallerie vennero riaperte dopo la Liberazione, si scoprì che alcuni prigionieri, solo feriti dai colpi, s'erano trascinati per parecchi metri prima di morire: alcuni infelici vennero trovati con le unghie piene di terra e spezzate dallo sforzo di aprirsi un varco verso la luce. Altri – ben 39 – furono al contrario colpiti da una tale quantità di proiettili da esserne decapitati; altri ancora vennero trovati con il cranio sfondato da un corpo contundente, forse il calcio di un fucile, usato probabilmente per soffocarne la ribellione.

Al momento dell'esecuzione c'erano stati uomini, sfiancati dalle torture, che avevano dovuto essere trascinati a braccia al luogo del supplizio. L'eroico colonnello Giuseppe Montezemolo scese dal camion barcollando, con il volto devastato dalle percosse. Pilo Albertelli, scrittore, insegnante di filosofia, membro del Partito d'Azione, era stato martoriato dagli uomini di Koch in modo così efferato che arrivò alle cave quasi moribondo. (Pur straziato dalle sevizie non aveva detto una parola sui suoi compagni di lotta, tanto che il questore Caruso, messo al corrente del suo ostinato silenzio, aveva proposto di convincerlo a parlare torturandone la moglie sotto i suoi occhi.) Il sottotenente Maurizio Giglio, che trasmetteva messaggi agli Alleati da una radio clandestina, dovette essere trascinato fuori dalla cella perché incapace di reggersi.

Nella loro furia i carnefici finirono per superare il già tragico numero di 330 uomini da uccidere. Gli assassinati alla fine saranno 335, cinque in più del previsto. C'erano fra loro agenti di polizia e venditori ambulanti, operai e camerieri, medici e ufficiali, carabinieri e impiegati, ferrovieri e musicisti, studenti e tipografi, professori e contadini. Settanta erano ebrei; il più anziano era un commerciante di settantaquattro anni, Mosè Di Consiglio, ucciso insieme ad altri cinque familiari; il più giovane, un adolescente di quattordici anni; numerosi i ragazzi fra i diciotto e i vent'anni. Nelle tasche di una delle vittime venne trovato un biglietto scritto ai genitori, miracolosamente risparmiato dai guasti della putrefazione: «Se è destino che non dobbiamo più rivederci, ricordatevi che avete avuto un figlio che ha dato volentieri la vita per il suo paese, guardando i suoi carnefici negli occhi».

Nel corso del processo contro l'ex capitano Priebke, svoltosi a Roma nel giugno 1996, il presidente del tribunale chiese al teste Karl Hass, ex maggiore delle ss, la ragione di quegli assassinii supplementari. Egli rispose che Priebke, spuntando la lista, s'era reso conto a un certo punto che alcuni nomi non figuravano sulle carte. Per una, due, cinque volte ci si accorse che qualcuno aveva sbagliato nel selezionare i prigionieri. Alla fine, quando tutti erano stati uccisi, restavano in un canto, legati, quei cinque disgraziati, di cui non si sapeva bene che cosa fare. Fu Kappler a chiedere: «Che cosa ci faccio di questi cinque che hanno visto tutto?». Il teste non ha rivelato al processo chi gli rispose: «Uccidete anche loro».

In realtà i morti non furono nemmeno 335 bensì 336. L'ultima vittima fu un'anziana donna di settantaquattro anni, Fedele Rasa, nata a Gaeta e abitante nel campo sfollati Villaggio Breda. Come ogni giorno s'era recata a fare cicoria nei prati adiacenti alle cave. Una sentinella tedesca intimò l'alt che Fedele, un po' sorda, non udì. Il soldato fece fuoco ferendola mortalmente. L'episodio è stato scoperto da Cesare De Simone spulciando i registri del pronto soccorso dell'ospedale del Littorio (oggi San Camillo). Non certo ai parenti della povera Fedele Rasa, ma a molti congiunti delle vittime, nei giorni successivi, venne fatto recapitare un secco messaggio nel quale si diceva, con teutonica precisione, che il signor tal dei tali, il giorno 24 marzo 1944, era morto: «*Ist am 24.3.1944 gestorben*».

Al di là della sua spietatezza, la frase «Uccidete anche loro» ci interessa per ragioni storiche. Alle 20 di quel venerdì, dopo quattro ore e mezzo di ininterrotto massacro, con i carnefici esausti, ubriachi di cognac e di sangue, il feroce colonnello Kappler si preoccupava ancora che l'operazione restasse segreta: «Hanno visto tutto». Nulla doveva infatti trapelare fino al comunicato ufficiale. A massacro ultimato, i genieri tedeschi fecero saltare con la dinamite l'imboccatura delle grotte (i crateri delle esplosioni sono tuttora visibili) e quando, nei giorni successivi, il lezzo della putrefazione cominciò a diffondersi, per coprirlo fecero scaricare due camion di immondizie davanti a quello che era stato l'ingresso della cava.

Il segreto venne rigorosamente mantenuto per tutte le ventotto ore che intercorsero tra le 15.45 del 23 marzo, momento dell'attacco, e le 20 del 24, ora in cui il massacro ebbe termine. Tutte le polemiche che nel corso degli anni sono state sollevate a proposito del fatto che gli esecutori dell'attentato non s'erano presentati per salvare gli ostaggi hanno ignorato questo non trascurabile elemento: se anche avessero voluto farlo, semplicemente non avrebbero potuto, perché nessuno disse niente. Non ci furono appelli alla radio né manifesti per le strade; ci fu solo un comunicato che l'agenzia Stefani (diretta da Luigi Barzini) distribuì a giornali e sale stampa verso le 23 del venerdì, ma che venne pubblicato sui quotidiani soltanto sabato 25. A causa del coprifuoco, i giornali, stampati al mattino, arrivavano in edicola verso mezzogiorno. Il comunicato diceva:

Nel pomeriggio del 23 marzo 1944, elementi criminali hanno eseguito un attentato con lancio di bombe contro una colonna tedesca di polizia in transito per via Rasella. In seguito a questa imboscata, 32 uomini della polizia tedesca sono stati uccisi e parecchi feriti. La vile imboscata fu eseguita da comunisti-badogliani. Sono ancora in atto le indagini per chiarire fino a che punto questo criminoso fatto è da attribuirsi a incitamento anglo-americano. Il comando tedesco è deciso a stroncare l'attività di questi banditi scellerati. Nessuno dovrà sabotare impunemente la cooperazione italo-tedesca nuovamente affermata. Il comando tede-

sco perciò ha ordinato che per ogni tedesco assassinato dieci comunisti-badogliani saranno fucilati. L'ordine è già stato eseguito.
Firmato «Stefani». L'Eiar darà notizia del comunicato soltanto nel pomeriggio. «L'Osservatore Romano», uscito anch'esso nel pomeriggio, apriva la prima pagina con il titolo *Un comunicato Stefani sui fatti di via Rasella*. Al testo del comando tedesco faceva seguito questo commento:

> Di fronte a simili fatti ogni animo onesto rimane profondamente addolorato in nome dell'umanità e dei sentimenti cristiani. Trentadue vittime da una parte, trecentoventi persone sacrificate per i colpevoli sfuggiti all'arresto dall'altra.

Con un equilibrio solo apparente l'organo vaticano, in realtà ostile verso i «colpevoli sfuggiti all'arresto», avvalorava così la tesi che la vera causa dell'eccidio consumato alle Ardeatine erano stati i combattenti che dopo l'attacco non si erano consegnati alle autorità germaniche. Una polemica durata a lungo. Secondo Alessandro Portelli, autore di un bel libro sull'evento intitolato *L'ordine è già stato eseguito*, quella è rimasta «la sola vicenda nella quale le posizioni della destra più estrema si siano fuse con il senso comune moderato». È probabilmente questo, continua Portelli, il vero successo a lungo termine della rappresaglia nazista. Più goffa nel suo servilismo la linea del quotidiano «Il Messaggero», il cui direttore, Bruno Spampanato, definì il massacro «esemplare giustizia tedesca».

Lo stesso Mussolini fu tenuto all'oscuro della rappresaglia. Se si deve credere alle memorie di sua moglie Rachele, quando ne venne informato, a eccidio avvenuto, esclamò: «Non ho fatto in tempo a impedirlo, ma solo a protestare»; e poi: «I tedeschi credono di poter trattare gli italiani come hanno trattato i polacchi, ma così otterranno solo di crearsi nuovi nemici». Un pover'uomo anche lui, ormai ridotto al rango di vassallo.

Dalle polemiche, quasi sempre strumentali, sulla natura dell'attacco e della rappresaglia sono emerse con il tempo due credenze largamente diffuse. La prima è che gli uomini del 3° battaglione del reggimento *Bozen* fossero degli anziani e innocui «territoriali». Si trattava in realtà di militi delle ss di età compresa fra i venticinque e i quarantun anni, adeguatamente armati, che dal giorno successivo avrebbero cominciato azioni repressive contro la Resistenza romana. La seconda è che a Roma fossero addirittura stati affissi dei manifesti che invitavano gli autori dell'attacco a costituirsi e che solo per viltà costoro avevano preferito mandare al macello 335 innocenti. Nessuno può dire se, invitati a costituirsi, i partigiani lo avrebbero fatto. Certo è però che anche i membri del GAP appresero la notizia dell'eccidio dai giornali del 25 marzo. Dal punto di vista giuridico ha posto fine alle polemiche sulla natura dell'attacco una sentenza della Corte di cassazione (febbraio 1999) che, attribuendo alla Resistenza il rango di istituzione della Repubblica, ha di conseguenza riconosciuto la legittimità dell'attacco partigiano in quanto «atto di guerra». L'Italia libera aveva dichiarato guerra alla Germania il 13 ottobre 1943; dopo lo sbarco ad Anzio gli Alleati avevano esortato via radio le forze partigiane «a lottare con ogni mezzo possibile e con tutte le forze ... bisogna sabotare il nemico ... colpirlo ovunque si mostri».

Papa Pio XII era al corrente dell'imminente rappresaglia? Due circostanze sono abbastanza certe. Il giorno stesso dell'attacco, verso la fine del pomeriggio, il colonnello delle ss Dollmann si recò a far visita in Vaticano all'abate Pancrazio Pfeiffer, di origine bavarese, che fungeva da agente di collegamento fra la Santa Sede e gli occupanti, e gli preannunciò che la rappresaglia nazista sarebbe stata sanguinosa, pregandolo di trasmettere l'informazione al pontefice. Secondo lo storico Robert Katz, risulta da documenti dell'oss (l'ufficio americano di intelligence predecessore della CIA) che sul finire della guerra Dollmann agiva come informatore degli Alleati. La seconda circostanza è che venerdì 24 alle ore 10.15, dunque cinque ore prima che la strage avesse inizio e quasi dieci prima che fosse portata a termine, l'ingegner Ferrero, del Governatorato di Roma, informò la segreteria di Stato vaticana che per ogni tedesco ucciso in via Rasella sarebbero stati giustiziati dieci italiani. Per la verità, l'ingegnere non disse (forse lo ignorava) che le esecuzioni avrebbero avuto luogo entro ventiquattr'ore. Né l'informazione di Dollmann né quella del funzionario romano produssero alcun effetto sulla Santa Sede.

Con il passare dei giorni il massacro e il luogo in cui era stato consumato divennero argomento ricorrente di discussioni in cui veniva descritta una situazione dall'alone di leggenda. Verso le cave, devastate dalle esplosioni dei genieri, cominciò uno spontaneo pellegrinaggio popolare. Le immondizie sparse dai nazisti andarono coprendosi di fiori, di scritte, di reliquie. Comunque, solo dopo la Liberazione la verità dei fatti poté essere penosamente accertata. Nemmeno un mese dopo l'arrivo degli americani, nei primi giorni di luglio, una commissione presieduta dal professor Attilio Ascarelli, docente di medicina legale alla Sapienza, cominciò il suo difficile lavoro. Si dovette scavare, rimuovere molta terra e penetrare lentamente nelle gallerie in condizioni terribili. Scrisse Ascarelli:

Inoltrandosi all'interno delle lugubri gallerie un senso di freddo invadeva il visitatore oppresso da un fetore ammorbante al quale era difficile resistere, fetore che dava la nausea e stimolava il vomito. Non vi è chi sia entrato per una volta in quel luogo di tristezza e di martirio che non ne abbia riportato un senso indimenticabile di orrore, un senso di pietà per le vittime, di esecrazione per gli uccisori ... I membri della commissione ne rimasero atterriti.

Con un lavoro pietoso durato sei mesi in condizioni di quasi intollerabile disagio, la commissione riuscì a identificare 322 delle 335 vittime, quasi sempre grazie agli oggetti personali trovati sui cadaveri, mentre il riconoscimento da parte dei familiari venne escluso o perché impossibile o perché improponibile a chi avesse avuto con la vittima legami d'affetto. Ascarelli, ebreo, era fra l'altro lo zio di due degli uccisi.

I corpi poco si vedevano, ma dal terriccio e dalla pozzolana intrisa del grasso cadaverico, che amalgamava le salme, emergevano qua un piede, là un paio di scarpe, là un teschio intero o frantumato, ora un arto ora un brandello di vestito. Tra le misere sparse membra brulicavano insetti, miriadi di larve si nutrivano delle maciullate carni, circolavano grossi e numerosi topi che fuoriuscivano di fra le insepolte e incustodite spoglie e dai frantumati crani.

Nel 1947 Herbert Kappler, catturato dagli inglesi, venne consegnato alle autorità italiane e nel maggio 1948 processato dal Tribunale militare di Roma. La sua difesa agì lungo due linee: la prima fu che l'ufficiale aveva obbedito a ordini superiori inderogabili; la seconda che l'attacco di via Rasella era stato un atto illegale e che dunque la rappresaglia era giustificata. La corte stabilì l'illegittimità della rappresaglia facendo rilevare, in punto di diritto, che in ogni caso dieci delle vittime non si trovavano sotto la giurisdizione dello Stato tedesco e cinque erano state uccise per errore. Kappler venne condannato all'ergastolo e rinchiuso nel carcere militare di Gaeta; passato per ragioni di salute all'ospedale romano del Celio, riuscì a evaderne il 15 agosto 1977, aiutato da sua moglie che lo portò fuori chiuso in una valigia. Un anno dopo morì di malattia a Stoccarda.

Erich Priebke si era distinto per le torture inflitte ai prigionieri di via Tasso. Arrigo Paladini, agente dell'OSS, scriverà: «Ricordo perfettamente i metodi inquisitori del capitano Priebke. Mi colpì al petto e ai testicoli con il tirapugni che usava con i prigionieri». Fece anche di peggio, il capitano. Disse a Paladini che a causa del suo silenzio s'erano visti costretti a fucilarne il padre. «In realtà non era vero in quanto mio padre era morto in campo di concentramento già da vari mesi, ma io in quel momento non lo sapevo.» Tale fu lo choc che Paladini, anche dopo la Liberazione, continuò per anni a svegliarsi di notte urlando.

Dopo la guerra Priebke riuscì a fuggire in Sudamerica sfruttando la cosiddetta «Rat Line» (la strada del topo), un'organizzazione clandestina gestita da alti prelati vaticani. Al momento della sua cattura, nel 1994, l'ex capitano ammise la circostanza: «Desidero ringraziare la Chiesa cattolica per il suo aiuto» dichiarò al quotidiano di Buenos Aires «Clarin». A Priebke il Vaticano aveva infatti fornito un passaporto della Croce Rossa. Grazie alla Rat Line fuggirono in Sudamerica migliaia di nazisti. L'ex capitano è stato giudicato e condannato all'ergastolo a Roma nel 1998. Considerata l'età, ha scontato buona parte della pena ai «domiciliari», nel confortevole alloggio di un amico romano.

L'imbelle questore Caruso e il sadico Pietro Koch sono stati giudicati e fucilati dagli italiani a guerra finita. Invece il direttore del carcere di Regina Coeli, Donato Carretta, un uomo incolpevole che aveva anzi cercato di aiutare i reclusi, venne linciato dalla folla in una disumana esplosione di violenza.

Oltre a don Pappagallo, un altro sacerdote ha ispirato Rossellini per il suo capolavoro cinematografico: don Giuseppe Morosini, imprigionato anch'egli a via Tasso e fucilato a Forte Bravetta all'inizio dell'aprile 1944, pochi giorni dopo il massacro delle Ardeatine. *Roma città aperta* fonde in un'unica figura, interpretata da Aldo Fabrizi, le storie di questi due eroici sacerdoti.

Ci fu a Roma una Resistenza paragonabile a quella che si è avuta al Nord? Indubbiamente, gli attentati furono decine: soldati tedeschi, fascisti e gerarchi vennero colpiti, in qualche caso uccisi, anche in pieno centro cittadino. Il primo episodio di resistenza armata avvenne nelle ore e nei giorni subito successivi all'armistizio dell'8 settembre 1943. Ci fu la sanguinosa battaglia di porta San Paolo contro soverchianti forze germaniche; ci furono qua e là piccoli scontri provocati da reparti isolati dell'esercito italiano, comandati quasi sempre da giovani ufficiali. Combatterono e caddero per obbedire al loro dovere e restare fedeli a un giuramento. Nessuno glielo chiese, nessuno li ringraziò, anche se oggi una lapide murata nei pressi di porta San Paolo e altre più piccole sparse per la città ricordano il sacrificio di chi, militare o civile, resistette.

Poi, nei nove mesi dell'occupazione, vennero attaccati presidi militari, magazzini, autocarri e autorimesse, centralini telefonici, la sede del Tribunale militare tedesco in via Veneto, convogli ferroviari. Di uno di questi attacchi sono stato, bambino, testimone diretto. Un treno di rifornimenti bellici, che transitava verso la stazione Ostiense, venne fatto saltare in aria non lontano da piazza Zama: continuò a bruciare a lungo fra gli scoppi assordanti delle munizioni che esplodevano. Nessuno tentò di domare l'incendio che, se ricordo bene, andò avanti per un paio di giorni.

Mai i tedeschi, né prima né dopo via Rasella, avevano ri-

sposto con una rappresaglia di tale ferocia, anche se non erano
certo mancati rastrellamenti, atti di teppismo, donne violenta-
te prima d'essere uccise, esecuzioni. L'azione più grave dopo
l'eccidio delle Fosse Ardeatine fu il rastrellamento del popolare quartiere del Quadraro. Nella zona sud e sudest di Roma
agivano molti gruppi di resistenza, in parte politicizzati (dal
CLN agli indipendenti di «Bandiera rossa»), in parte apolitici
ma fortemente motivati contro i nazisti, come la banda del
«Gobbo del Quarticciolo». In uno dei tanti scontri a fuoco, tre
tedeschi erano rimasti uccisi. Il 17 aprile Kappler fece circon-
dare l'intero quartiere che venne perquisito casa per casa. Tutti gli uomini abili, circa 2000, furono arrestati. Di questi, 700,
in età compresa fra i quindici e i cinquantacinque anni, vennero inviati ai lavori forzati in Germania. Meno della metà fece
ritorno.

Poi ci furono le fucilazioni di massa: 72 uccisi a Forte Bravetta, 10 a Pietralata. E l'ultimo assassinio: 14 uomini, fra cui il
sindacalista Bruno Buozzi, assassinati in località La Storta,
sulla Cassia, proprio il 4 giugno, con i tedeschi in fuga e gli
americani già a Roma. E poi, ancora, 10 donne fucilate a Ponte
di Ferro dopo un assalto ai forni: la fame fu uno degli elementi costanti dell'occupazione, fonte di una rabbia e di una rivolta indistinte, quasi sempre senza connotati politici o patriotti-
ci, che tuttavia tenne in uno stato di aperta ribellione molti dei
quartieri più poveri, soprattutto in periferia.

Affiorano, da quel terribile periodo, memorie personali.
Con mio padre fuggiasco insieme ai suoi compagni, ho spesso
accompagnato mia madre a cogliere cicoria nei prati lungo le
mura latine, anche noi come la povera donna uccisa sui prati
dell'Ardeatina. In quell'operazione avevo acquisito una certa
abilità, riuscendo a distinguere le piantine a qualche passo di
distanza. Un contadino dell'agro, ex collaboratore di mio padre, ci aveva fatto arrivare dalla campagna il regalo più gradito: una bottiglia d'olio. La cicoria bollita, insaporita con olio e
limone, pareva una cena squisita.

Il pane restava un problema, anche se molti lo facevano in
casa quando riuscivano a trovare un po' di farina. Furono comunque numerosi gli assalti ai forni e in qualche caso, anche

per l'intervento di donne politicizzate, gli attacchi si trasformarono in manifestazioni antifasciste. Con l'intento di punire l'intera popolazione, da sabato 25 marzo 1944 la razione giornaliera di pane venne diminuita: da 150 a 100 grammi a persona. Le «rosette» erano fatte con farinata di ceci, foglie triturate, segale, crusca; si sospettava che, mescolata al resto, ci fosse anche segatura di legno e, in effetti, capitava a volte di trovarsi sotto i denti minuscole schegge durissime. Un prodotto autarchico di larga diffusione era la «vegetina», una specie di farina finissima con la quale si preparavano focacce che, all'aspetto, parevano di cioccolato. Al primo morso si scopriva che il sapore era quasi repellente. Si diceva che quella farina fosse in realtà un macinato di saggina, il materiale con cui si fanno le scope.

Quando cominciammo a udire, soprattutto di notte, il rombo delle artiglierie, capimmo che gli Alleati stavano per arrivare. Guardando a sud si vedeva il profilo dei colli Albani stagliarsi netto nella luce provocata dall'intermittente bagliore delle volate d'artiglieria. La sera del 3 giugno, ostentando la massima calma, mentre era già in corso la ritirata e in molti uffici si bruciavano gli archivi, alcuni gerarchi nazisti andarono all'opera a sentire il famoso tenore Beniamino Gigli, simpatizzante nazista, che cantava in *Un ballo in maschera*. Ventiquattr'ore più tardi le strade brulicavano di gente pazza di gioia; nel pomeriggio era stata tolta l'energia elettrica e la città era completamente al buio, ma nemmeno questo riusciva a smorzare l'allegria che si leggeva nel viso di ognuno. Un piccolo episodio può dare forse l'idea dell'atmosfera quasi trasognata, di vera liberazione, di quei giorni. Un soldato americano mi aveva regalato, togliendola dal cassettino della jeep, una tavoletta di cioccolata, la prima vera cioccolata che io abbia mangiato. L'addentavo tornando verso casa, quando un signore anziano mi fermò e con voce esitante chiese: «Me ne daresti un pezzetto?». Gli allungai senza esitare la tavoletta dalla quale, cavato di tasca un temperino, l'uomo ritagliò un quadretto ringraziandomi, più che a parole, con un'indimenticabile lucentezza nello sguardo.

Sbarcati ad Anzio in gennaio, gli Alleati avevano impiegato

sei mesi a sfondare la linea Gustav, con una certa accelerazione nella fase finale, cioè dopo aver superato in marzo le fortificazioni di Cassino a costo della totale (e militarmente inutile) distruzione dell'abbazia. Di fronte all'accanita resistenza germanica, il comandante in capo della V Armata, generale Mark Clark, aveva cominciato a dare crescenti segni d'impazienza. Voleva essere sicuro di entrare a Roma prima che tutto lo spazio sui giornali americani fosse occupato dallo sbarco in Normandia, operazione che avrebbe aperto un nuovo fronte sul continente. Gli americani entrarono in città il 4 giugno 1944, lo sbarco avvenne all'alba del 6. Per un'intera giornata, una sola, l'inquieto generale ebbe l'attenzione che voleva.

Al di là degli equivoci più o meno interessati, delle motivazioni politiche e delle giustificazioni delle parti in lotta, rimane difficile capire quali siano state le ragioni vere e profonde che ispirarono, nei confronti degli italiani, la ferocia di una rappresaglia senza uguali nell'Europa occupata, e non mi riferisco solo alle Fosse Ardeatine. Dappertutto ci sono stati scontri armati fra truppe naziste e raggruppamenti partigiani, battaglie o scaramucce in cui non è sempre facile distinguere fra esercito regolare tedesco ed SS, considerato che, come ha scritto lo storico Gerhard Schreiber nella *Vendetta tedesca*, «anche i vertici della Wehrmacht non ebbero alcuna esitazione a far eseguire ordini criminosi». Da dove sgorgò, dunque, quell'odio che più di 60 mila italiani hanno pagato con la vita? Secondo stime attendibili (anche se di necessità approssimate) 6800 furono i militari trucidati per ordini spesso contrari a ogni diritto internazionale; 45 mila i partigiani morti in combattimento o giustiziati; 9180 i civili uccisi per rappresaglia o nel corso della *Bandenbekämpfung*, la lotta contro le bande. Se le Fosse Ardeatine restano il più grave episodio di strage in una città, reparti delle SS comandati dal maggiore Walter Reder passarono come furie trucidando 576 civili inermi a Sant'Anna di Stazzema, in Toscana, e 1830 a Marzabotto, in Emilia. Quest'ultima strage fu una rappresaglia per gli attacchi dei partigiani, ma a Sant'Anna di Stazzema non ci fu nemmeno questo pretesto: si trattò di una pura «azione criminale studiata nei minimi particolari» secondo la ricostruzione di Marco de Paolis, procuratore militare della Spezia.

Perché dunque tanta ferocia? Forse gli italiani hanno pagato la fine del rapporto di stima e di quasi sudditanza psicologica che Hitler ebbe, all'inizio, nei confronti di Mussolini. La delusione cominciò con la stupida campagna di Grecia, che costrinse i tedeschi a correre in aiuto degli italiani per evitare un disastro, ed è continuata con le sconfitte via via accumulatesi in Africa e in Russia. Incapace di vedere i propri errori e la sua follia, Hitler fece dell'alleato italiano il capro espiatorio dell'infelice andamento della guerra, operando, lo afferma Schreiber, un vero e proprio «declassamento razziale dell'alleato fascista». Nel suo *Testamento politico* il Führer lo ha scritto del resto a chiare lettere: «Credo che almeno su un punto questa guerra abbia fatto chiarezza in modo inequivocabile, ossia sull'inarrestabile decadimento dei popoli latini ... alla [loro] effettiva impotenza si associa una ridicola arroganza. Tale debolezza, si tratti dell'Italia, nostra alleata, o della Francia, nostra nemica, è risultata per noi ugualmente nefasta», tanto nefasta da far desiderare che l'alleato italiano «si fosse tenuto lontano dai campi di battaglia». Il risentimento, il disprezzo per le capacità militari dell'alleato fascista fu la causa di quella disumana ferocia. Poi ebbe certamente il suo peso il «tradimento» dell'8 settembre, che spinse il feldmaresciallo Albert Kesselring, comandante in capo delle truppe tedesche in Italia, a dire che «verso i traditori non può esservi alcuna indulgenza». Una massa di sentimenti e di risentimenti, cui non poteva sfuggire nemmeno il più umile uomo della truppa, e da cui nessuno fu esente quando si trattò di uccidere senza pietà, senza tener conto di responsabilità, di sesso e di età: *Weiber, Kinder, alles mögliche* (donne, bambini, di tutto).

Nelle tragedie provocate da questo disprezzo c'è tuttavia un elemento che anni dopo risulta ancora evidente. Una delle ragioni del dissenso e dell'ostilità dei tedeschi verso l'alleato fascista era il trattamento troppo fiacco che, a loro dire, gli italiani avevano riservato agli ebrei. Il ministro nazista della Cultura Joseph Goebbels, uno dei principali ispiratori delle campagne antisemite, annotava il 13 dicembre 1942 nel suo diario:

«Gli italiani sono molto blandi nel trattamento degli ebrei. Proteggono gli ebrei sia a Tunisi sia nella Francia occupata e non consentono che vengano arruolati per il lavoro obbligatorio, o costretti a portare la stella di David».

Il feldmaresciallo Kesselring, otto anni dopo la fine della guerra, ancora manifestava il rincrescimento per non essere ricorso più spesso all'impiego di bombardamenti contro i civili italiani. Approvò o diresse personalmente le principali azioni di repressione, comprese quelle contro la popolazione inerme. Nel suo primo ordine di servizio come comandante in capo in Italia annunciava: «Proteggerò ogni comandante che ecceda le abituali limitazioni nella severità dei metodi adottati contro i partigiani». Finita la guerra arrivò a dire che dagli italiani avrebbe meritato un monumento. Gli rispose il professor Piero Calamandrei, rettore dell'università di Firenze, fondatore della rivista «Il Ponte», che compose un testamento a ignominia, oggi inciso in una grande lastra di marmo nel municipio di Cuneo. Non so valutare che effetto possano avere oggi queste parole sicuramente cariche di retorica, dettate dal dolore e dall'indignazione vivissima del momento. Io le lessi da ragazzo e da allora il loro significato per me non è cambiato. Le riporto come furono scritte, *in memoriam*:

LO AVRAI CAMERATA KESSELRING
IL MONUMENTO CHE PRETENDI DA NOI ITALIANI
MA CON CHE PIETRA SI COSTRUIRÀ
A DECIDERLO TOCCA A NOI
NON CON I SASSI AFFUMICATI DEI BORGHI INERMI
STRAZIATI DAL TUO STERMINIO
NON CON LA TERRA DEI CIMITERI
DOVE I NOSTRI COMPAGNI GIOVINETTI
RIPOSANO IN SERENITÀ
NON CON LA NEVE INVIOLATA DELLE MONTAGNE
CHE PER DUE INVERNI TI SFIDARONO
NON CON LA PRIMAVERA DI QUESTE VALLI
CHE TI VIDE FUGGIRE
MA SOLTANTO CON IL SILENZIO DEI TORTURATI
PIÙ DURO D'OGNI MACIGNO
SOLTANTO CON LA ROCCIA DI QUESTO PATTO
GIURATO FRA UOMINI LIBERI CHE VOLONTARI SI ADUNARONO
PER DIGNITÀ NON PER ODIO

DECISI A RISCATTARE LA VERGOGNA E IL TERRORE DEL MONDO
SU QUESTE STRADE SE VORRAI TORNARE
AI NOSTRI POSTI CI RITROVERAI
MORTI E VIVI CON LO STESSO IMPEGNO
POPOLO SERRATO INTORNO AL MONUMENTO
CHE SI CHIAMA ORA E SEMPRE
RESISTENZA

X

LA PIÙ BELLA DAMA DI ROMA

A Roma più luoghi richiamano, anche se talvolta a torto, il nome esecrato dei Borgia. A distanza di cinque secoli dai fatti, la memoria delle scelleratezze commesse da quella famiglia è infatti tanto più viva quanto più intrisa di raccapriccianti dicerie e di leggende, sia pure innestate su un fondo di verità. Lungo via Cavour, 200 metri a monte di via degli Annibaldi, si alza sulla sinistra un minaccioso palazzo semicoperto di rampicanti e con la facciata ornata da un balconcino. L'edificio è conosciuto come «palazzetto dei Borgia». La sua parte più antica è stata inglobata nell'ex convento di San Francesco di Paola, adiacente all'omonima chiesa. Su quel balcone si apre una finestra ad arco che risale al XVI secolo, d'aspetto molto romantico, alla quale si può facilmente immaginare affacciata una Giulietta o anche una Lucrezia, per avvicinarci al nostro tema. Dalla strada parte una ripida scalinata che culmina in un passaggio oscurissimo anche in piena estate, luogo adatto agli agguati e agli assassinii. A metà del budello, sulla destra, si apre un portale a sesto acuto pesantemente ferrato. Da qui, dice la leggenda, sarebbe uscito il secondogenito di Rodrigo Borgia, don Juan, duca di Gandia, per sparire nel nulla, quasi certamente ucciso da suo fratello Cesare, il futuro «Valentino». L'intero prospetto dell'edificio che dà su via Cavour ha conservato l'aspetto di antico castello adatto alle mitizzazioni basso-romantiche, ma nessuna prova certa esiste che la famiglia Borgia abbia mai risieduto fra quelle mura. Secondo un'altra voce popolare, invece, il palazzetto sarebbe legato ai Borgia perché appartenuto a Vannozza Cattanei, amante *en ti-*

tre di papa Alessandro VI (Rodrigo Borgia). Ma questa è una storia complessa che racconterò fra poco.

Una leggenda ancora più antica potrebbe aver rafforzato la sinistra fama del luogo. Si diceva infatti che il vicolo su cui il palazzo si affaccia fosse il famigerato *vicus sceleratus*, teatro di un agghiacciante fatto di sangue. Servio Tullio, sesto re di Roma, ebbe due figlie entrambe di nome Tullia. Tullia maior, moglie di un certo Arunte, diventò l'amante del cognato Lucio (marito della sorella Tullia minor), di cui s'era invaghita. Lucio diventerà re e con il nome di Tarquinio il Superbo sarà il settimo e ultimo monarca di Roma. Tullia maior, vera Lady Macbeth *ante litteram*, organizza un complotto nel corso del quale vengono assassinati il suo povero marito Arunte, la sorella minore e lo stesso re suo padre. Non solo: visto cadere il sovrano, l'infernale creatura balza su un cocchio e passa sulle povere spoglie schiacciandole sotto le ruote, come mostra una celebre incisione di Bartolomeo Pinelli. Era il VI secolo a.C. e se c'è un vicolo che merita la denominazione di *sceleratus* è sicuramente quello, teatro di un parricidio così efferato.

L'altro luogo legato ai Borgia si trova, con assai maggiore pregnanza, in Vaticano, situato al primo piano del palazzo apostolico (sotto le stanze di Raffaello). È l'appartamento di papa Alessandro VI, che aveva qui la sua abitazione con una serie di sale, dette «stanze segrete», dove risiedette anche Giulio II (Giuliano Della Rovere) prima di trasferirsi al piano superiore, stanco di avere davanti agli occhi, negli affreschi del Pinturicchio (e dei suoi aiuti Pier Matteo d'Amelia, Antonio da Viterbo detto il Pastura e Tiberio d'Assisi), l'immagine di quel «marrano di cattiva e sciagurata memoria», come chiamava il suo predecessore. Stanze malfamate, che rievocano un'epoca torbida della quale furono protagonisti, oltre ad Alessandro VI, le sue donne, Vannozza Cattanei e Giulia Farnese, i figli Cesare, Lucrezia, Juan e Jofré, e una vasta cerchia di cortigiani, mercenari e sicari.

La sequenza degli ambienti si apre con la sala detta delle Sibille, continua con la sala dei Profeti, del Credo, delle Arti Liberali, dei Santi e dei Misteri della Fede. Le prime sono collocate all'interno della torre Borgia, le altre a seguire, tutte comunque cariche di memorie torbide e testimoni di avvenimenti turpi. Nella sala delle Sibille venne assassinato Alfonso d'Aragona, marito di Lucrezia, nonché il giovane Perotto, uno dei suoi amanti. Sempre qui si prepararono veleni micidiali per eliminare gli avversari. Il Pinturicchio ha ritratto i protagonisti di quegli eccessi e di quei crimini. Papa Alessandro VI compare inginocchiato, in atteggiamento pio, nella sala dei Misteri della Fede, la sua amante Vannozza potrebbe essere l'*Annunziata*; Giulia Farnese, la giovanissima amante del maturo papa, potrebbe avere i lineamenti della *Madonna con Bambino* raffigurata sopra la porta nella sala dei Santi. Questa attribuzione, benché incerta, è parsa verosimile: Giulia era la favorita del pontefice, ossia del committente dei lavori, ed è ragionevole credere che il pittore, di sua volontà o dietro richiesta, l'abbia qui ritrattta. Sempre qui sarebbe effigiata Lucrezia giovinetta nelle vesti di Caterina d'Alessandria intenta a disputare con i dottori, la stessa scena che Masolino da Panicale ha dipinto in una cappella della basilica di San Clemente. A poca distanza possiamo vedere Cesare, vestito alla turca, insieme a sua sorella Lucrezia. Naturalmente Pinturicchio, pur piegandosi ai voleri del pontefice, non rinunciò al suo stile; lo si nota nelle fitte riprese di temi dell'antichità: grottesche, geroglifici, riferimenti all'astrologia e ai miti egizi presenti in varie sale a cominciare da quella delle Sibille, nonché dai temi pagani, di varia provenienza, inseriti nella sala dei Santi. Nella sala dei Santi è anche raffigurata l'immagine del toro, emblema araldico di Alessandro VI ed elemento decorativo predominante nell'intero appartamento. (Oggi alcune delle stanze ospitano una collezione d'arte religiosa moderna che papa Paolo VI vi fece istallare nel 1973.)

I Borgia, però, più che nei luoghi a loro dedicati dalla voce e dall'immaginario popolari, sopravvivono nella memoria per ciò che commisero o che venne loro attribuito, e per la straordinaria combinazione, nella leggenda, di due figure opposte e complementari: un uomo di forza e di dominio come Alessandro VI e una donna nella quale il fascino della *femme fatale* si mescola all'innocenza della fanciulla costretta dalle circostanze a spogliarsi d'ogni virtù. Parlo ovviamente di sua figlia Lucrezia. Da lei, infatti, bisogna cominciare.

«Lucrezia Borgia è la figura più sciagurata fra le donne nella storia moderna. È forse tale perché fu la più colpevole? Ovvero le tocca soltanto portare il peso di un'esecrazione che il mondo per errore le ha inflitto?» La questione che Ferdinand Gregorovius pone all'inizio delle sue pagine su Lucrezia è ancora irrisolta e c'è da credere che tale resterà. È passato assai più d'un secolo da quando il grande storico di Roma ha scritto quelle parole, ma la documentazione che riguarda Lucrezia è ancora la stessa. La domanda non ha una risposta definitiva perché quelle carte alludono, lasciano intravedere, parlano per frasi monche; e anche quando le frasi non sono monche, ignoriamo in quale misura le gelosie, le rivalità politiche, i contrastanti interessi abbiano contribuito a influenzarle. Basandosi su quelle carte Victor Hugo ha rappresentato Lucrezia come un mostro morale, e come tale ne ha diffuso l'immagine nei teatri d'Europa con il dramma a lei dedicato. Altri biografi, fra questi Geneviève Chastenet, ne hanno fatto quasi un'eroina, vittima delle circostanze e dell'esecranda famiglia nella quale era venuta al mondo. Alexandre Dumas nel suo *I Borgia* ne tratteggia invece questo fosco e colorito ritratto:

La sorella era degna compagna del fratello. Libertina per fantasia, empia per temperamento, ambiziosa per calcolo, Lucrezia bramava piaceri, adulazioni, onori, gemme, oro, stoffe fruscianti e palazzi sontuosi. Spagnola sotto i capelli biondi, cortigiana sotto la sua aria candida, aveva il viso di una madonna di Raffaello e il cuore di una Messalina.

Restiamo, per quanto possibile, ai fatti. Lucrezia nacque a Subiaco il 18 aprile 1480 da Vannozza Cattanei (*Vanotia de Captaneis* è scritto in un documento notarile), amante del cardinale Rodrigo Borgia, futuro papa Alessandro VI. Suo padre scelse quel nome bellissimo in ricordo della più casta delle matrone romane, la quale, ancora molto giovane, un giorno era stata violata da Sesto, figlio del re etrusco Tarquinio il Superbo. Dopo aver narrato ai familiari l'oltraggio subito, l'infelice s'era uccisa sotto i loro occhi innescando, con quel gesto estremo, una serie di eventi che portarono alla fine della monarchia. Si trattava, dunque, d'un nome impegnativo per la figlia di un uomo come lui, agitato da colossali ambizioni.

Rodrigo era nato il 1° gennaio 1432 a Jativa, in Spagna, nei pressi di Valencia (il nome originario della famiglia era Borja), e aveva quarantotto anni quando nacque Lucrezia. Figli ne aveva già avuti parecchi e da varie donne; da Vannozza in particolare due: nel 1475 Cesare, il primogenito, il futuro «Valentino», che servirà da modello al Machiavelli per il suo *Principe*; e nel 1476 Juan. Seguiranno poi Lucrezia e, nel 1481, Jofré. Quando aveva diciassette anni era stato chiamato a Roma dallo zio cardinale Alfonso Borgia, ed era cresciuto nelle stanze e fra i segreti del Vaticano scalando la gerarchia così rapidamente che a ventiquattro anni lo zio, nel frattempo diventato papa con il nome di Callisto III, l'aveva fatto cardinale. Coraggioso, astuto e manovriero nelle trattative, ignaro di ogni moralità che non fosse quella simulata per accrescere il suo potere, fu manipolatore di conclavi e grande elettore di alcuni papi prima di diventarlo egli stesso.

Rodrigo Borgia incarna esattamente lo stereotipo dell'uomo cinquecentesco, forse più del suo primogenito Cesare. Di fisico vigoroso, non bello e tuttavia seduttivo per forza di temperamento e d'ingegno, era dotato di una sensualità così accesa da meritare la definizione che di lui dette il vescovo di Modena: «Il più carnale homo». Diventò cardinale e poi papa (nel 1492, anno della scoperta dell'America) perché quello era l'ambiente nel quale s'era formato. Avrebbe potuto, con uguale fortuna e bravura, essere un grande condottiero o uno dei tanti principi e signori di quell'Italia piccola e rissosa, piena di meraviglie e di ferocia, di cui Roma era il centro, se non politico, certo simbolico e il Vaticano una delle tante corti, sede di una monarchia non dinastica, retta dal papa come un qualunque Stato secolare, e fra i maggiori che la penisola contasse, confinante a nord con la repubblica di Venezia e a sud con il regno di Napoli.

Roma però era diventata una città miseranda, priva di qualunque memoria del suo passato, disseminata di segni via via più diffusi di mollezza morale, con una vita spirituale a sua volta immiserita e con una corte papale che partecipava della generale rilassatezza dei costumi. La religione era ridotta a forma e pompa per intimidire gli altri principi e tenere a bada il popolino. Preti e cardinali mantenevano una o più concubine «a maggior gloria di Dio», come scrive lo storico Stefano Infessura, mentre il maestro di cerimonie pontificio Johannes Burchard notava che i monasteri femminili erano ormai «quasi tutti lupanari» poco o nulla distinguendo le religiose dalle *meretrices*, una situazione che, come vedremo, avrà importanti conseguenze sulla vita di Lucrezia.

Scrive Ferdinand Gregorovius nella sua *Storia della città di Roma nel Medioevo*: «Il tempo in cui Lucrezia nacque era orribile. Il papato spogliatosi di ogni santità sacerdotale, la religione materializzata, l'immoralità senza freni né limiti. La più selvaggia lotta intestina infuriava nella città, in modo particolare nei quartieri Ponte, Parione e Regola, ove quotidianamente stuoli di partigiani, eccitati dagli assassinii, scendevano in armi per le vie».

E tuttavia in quel disordine, in quel tumulto spesso sanguinoso, cominciavano a intravedersi i segni di quello che sarà il Rinascimento. Se ne avvide Guicciardini che nella sua *Storia d'Italia* scrive: «Perché manifesto è che (da poi che l'Impero romano, disordinato principalmente per la mutazione degli antichi costumi, cominciò, già sono più di mille anni, a declinare, alla quale con maravigliosa virtù e fortuna era salito) non aveva giammai sentito Italia tanta prosperità, né provato stato tanto desiderabile, quanto era quello, nel quale sicuramente si riposava l'anno 1490, e gli anni che a quello e prima e poi furono congiunti».

Lucrezia diciassettenne assisté, presente tutta la corte pontificia, allo scoprimento della *Pietà* scolpita dal giovane Michelangelo, che al tempo aveva ventitré anni. Secondo Gregorovius la straordinaria scultura «in quelle tenebre morali appare come una purissima fiamma di sacrificio accesa da un grande e serio spirito nel profanato santuario della Chiesa». Mentre in Vaticano si andavano consumando misfatti e crimini, papa Alessandro VI, padre di Lucrezia, chiamava a corte alcuni dei più fecondi ingegni del tempo. Bramante dipingeva lo stemma dei Borgia nella basilica di San Giovanni in Laterano. Copernico otteneva la cattedra di astronomia alla Sapienza. Il massimo genio dell'epoca, Leonardo da Vinci, si poneva al servizio del crudele Cesare come ingegnere per la costruzione di fortezze. Pinturicchio e Perugino affrescavano gli appartamenti papali e il primo ritraeva il papa nell'atto di adorare una Vergine che aveva i lineamenti di Giulia Farnese, sua giovanissima amante. Questa era l'atmosfera dell'epoca, nello stesso tempo sublime e corrotta.

E la madre di Lucrezia, Giovanna o Vannozza? Esiste un suo ritratto alla Galleria Borghese, opera di Girolamo da Carpi. L'amante del cardinale era una donna di languida e ardente bellezza, chiara di capelli come sarà sua figlia, con labbra carnose, naso diritto. Dicono che fosse arrivata al rango di favorita dopo aver cominciato come cortigiana. Secondo Gregorovius «fu piena di focosa sensualità e senza questa dote non avrebbe tanto acceso un Rodrigo Borgia. Similmente il suo spirito, comunque privo di cultura, doveva possedere un'energia non comune». Qualità dovette certo averne se per quasi quindici anni seppe legare a sé un uomo inquieto e potente come Rodrigo. Per coprire la relazione e dare in qualche modo legittimità ai suoi figli (ufficialmente fatti passare per nipoti), il cardinale e poi papa la fece maritare un paio di volte con uomini compiacenti, che si acconciarono a fare da mariti putativi, pronti ad allontanarsi con discrezione ogni volta che il marito carnale si faceva vivo. In ogni caso Vannozza diede un figlio anche a uno dei due, Giorgio de Croce, o per lo meno il bambino a questi venne attribuito.

Per l'educazione di Lucrezia Rodrigo scelse però un'altra donna, una figura piuttosto ambigua, che avrà un peso rilevante nella formazione della ragazza, diventandone in pratica la vera madre. Il suo nome è Adriana da Mila, figlia di don Pedro, nipote del papa Callisto III e cugino di Rodrigo, di cui fu dunque cugina lei stessa. Sentendo così fortemente i legami del sangue, il cardinale volle insomma che la formazione della figlia prediletta restasse all'interno della famiglia d'origine. Adriana aveva sposato Ludovico Orsini, signore di Bassanello, e da questa unione aveva avuto un figlio, chiamato Orso (o

Orsino); era intima di Rodrigo forse più della stessa Vannozza, ne riceveva le confidenze, gli elargiva consigli nella sua
bella casa di Monte Giordano, nei pressi di ponte Sant'Angelo. L'infanzia della figlia del papa passò fra questa casa e il
convento di San Sisto, all'inizio della via Appia, definito dal
pontefice «loco religioso et honestissimo».

Lucrezia era bella, lo confermano varie testimonianze, soprattutto degli ambasciatori presso la corte papale: «Il naso è
profilato e bello, aurei i capelli; gli occhi chiari, la bocca alquanto grande, candidissimi i denti; il collo schietto e bianco,
ornato con decente valore. In tutto l'esser suo continuamente
allegra e ridente». Sappiamo anche che era «di statura media e
di gracile aspetto», afflitta da frequenti e forti cefalee e da certi ricorrenti dolori ai fianchi accentuatisi con gli anni, che
qualche storico della medicina ha interpretato come sintomi
di una forma tubercolare. Aveva anche lo stesso mento sfuggente del padre, messo in evidenza in alcuni profili e medaglie. Ma è menda lieve rispetto al resto. Era bella, e come ogni
fanciulla si rese presto conto di esserlo. Ebbe un'educazione
superficiale, apprese a suonare qualche strumento, amò molto
la danza, che diventava in lei un'esibizione di grazia; suo padre – come il tetrarca Erode con Salomè – quando lei ballava la
fissava incantato.

La sua prima uscita ufficiale avvenne nel dicembre del 1487
quando aveva sette anni. Il giorno 17 si celebrarono a Roma
con gran fasto le nozze fra Maddalena de' Medici, figlia del
Magnifico Lorenzo, e Franceschetto Cybo, figlio di papa Innocenzo VIII (Giovanni Battista Cybo). La sposa aveva quattordici anni, lo sposo quaranta; gran cerimoniere della giornata
fu Rodrigo, in quel momento vicecancelliere vaticano, più che
felice di ricevere il corteo nuziale nel suo fastoso palazzo e di
esibire la sua deliziosa figliola.

Questo Franceschetto era un debosciato nottambulo, correva dietro alle puttane ed era pieno di debiti di gioco che ripa-
gava vendendo sfacciatamente le indulgenze. Maddalena al
contrario era una fanciulla delicata, che era stata allieva del
Poliziano. Tra Maddalena e Lucrezia nacque una certa amici-

zia che possiamo immaginare quasi infantile nonostante la giovane fiorentina, due anni dopo le nozze, fosse già madre. La vera amicizia che accompagnerà Lucrezia è però un'altra. Nel 1488 Adriana da Mila fidanzò suo figlio Orso, orbo di un occhio, con la quattordicenne Giulia Farnese che era dunque maggiore di Lucrezia di sei anni. Nonostante fosse poco più che un'adolescente, Giulia era così avvenente e sprigionava una tale sensualità che i romani la soprannominarono «Giulia la Bella», ma anche, per dileggio, quando più tardi divenne l'amante di Rodrigo Borgia, «la Sposa di Cristo». Curioso, o forse voluto, che di lei non esista alcun ritratto che la identifichi con certezza: possiamo solo immaginare, fantasticare della sua bellezza. Molti hanno creduto di riconoscerla in una delle numerose dame con liocorno della pittura rinascimentale; alcuni in una bella figura femminile inginocchiata nella *Trasfigurazione* di Raffaello; altri nell'allegoria della Giustizia sdraiata ai piedi di Paolo III nel monumento funebre del pontefice in San Pietro oppure, come accennavo, nella *Madonna con bambino* del Pinturicchio. Ma sono tutte ipotesi. Sappiamo però che Giulia aveva «niger oculus», così come neri erano i capelli bellissimi. Da altre fonti apprendiamo che brillava per «gratia» e «allegrezza», unendo così alla prestanza fisica un carattere piacevole e gioviale. Riferiscono poi le dame di corte che nel suo letto voleva lenzuola di seta nera che esaltavano, per contrasto, la sua carnagione perlacea così rinvigorendo la matura sensualità del papa. Le gote imporporate lasciavano intuire il suo ardore.

Quando Rodrigo la vide si accese subito di passione. Lei aveva quindici anni, lui cinquantotto, ma era il cardinale più potente di Roma e non si poteva nemmeno pensare di resistergli. Giulia, infatti, non resistette. In capo a pochi mesi tutti a Roma sapevano. Quando il Borgia salì al soglio, Burchard apertamente scrisse che la fanciulla era diventata «la concubina del papa». Giulia, Adriana e Lucrezia avevano intanto preso alloggio in una nuova dimora a Santa Maria in Portico, nei pressi di San Pietro (demolita quando si eresse il colonnato del Bernini). La prossimità delle abitazioni permetteva al cardinale, diventato papa, di recarsi a trovare con discrezione la sua giovanissima amante. Strano e torbido ménage quello delle tre donne. Adriana, che di Giulia era la suocera, e Lucrezia, che dell'alto prelato era la figlia, assistevano e coprivano i traffici carnali di Rodrigo con la ragazza. Le tre donne convivevano circondate da molti agi e godendone, se dobbiamo credere a questa deliziosa scena d'interno lasciataci dal fiorentino Lorenzo Pucci, destinato a diventare anch'egli un potente cardinale. Scrive Lorenzo a suo fratello Giannozzo: «Madonna Giulia si è ingrassata e fatta bellissima. In mia presenza si sciolse i capelli e se li fece acconciare; le andavano sin giù ai piedi; nulla di simile io vidi mai. Ha la più bella capigliatura che possa immaginarsi. Portava al capo un cuffione di rensa, con sopra una reticella leggera come fumo con certi profili di oro: pareva davvero un sole. Gran cosa avrei pagato perché foste presente per chiarirvi di quello che più volte avete desiderato. Aveva un fodero indosso alla napoletana e così anche madonna Lucrezia, che poco dopo andò via a cavarselo. Tornò poi in veste foderata, pressoché tutta di raso paonazzo».

Fino a quel momento i Farnese erano stati una modesta famiglia di signori dell'alto Lazio. «I Farnese» ha scritto Gregorovius «agivano in Etruria, piccola dinastia di feudatari rapaci.» Fu Giulia a cambiare le sorti della famiglia facendola entrare nella storia. Il papa seppe infatti compensare i favori della giovanissima amante nominando cardinale (a venticinque anni) suo fratello Alessandro Farnese che sarà poi papa a sua volta con il nome di Paolo III.

Uno scambio di lettere fra Giulia e Rodrigo durante un periodo di lontananza fa capire di quale complessa natura psicologica fosse il loro rapporto. Scrive Giulia: «Essendo assente da Vostra Santità, e dipendendo da quella ogni mio bene e ogni mia felicità, non posso con nessuno mio piacere e soddisfazione gustare tali piaceri perché dove è il mio tesoro è il cuore mio». Risponde Rodrigo: «Noi comprendiamo la perfezione tua della quale veramente mai siamo stati in dubbio e vorremmo che così come noi conosciamo chiaramente questo, così tutta tu fossi destinata e senza mezzo e dedicata a quella persona che più d'ogni altra ti ama».

C'è adorazione nelle parole di Rodrigo, tipiche di un uomo

anziano che ha perso la testa per una ragazza tanto più giovane, ma s'affaccia anche una preoccupata gelosia, cioè il timore che Orsino, in fin dei conti marito legittimo di Giulia, ritiratosi con grande discrezione nei possedimenti di Bassanello a preparare certe sue milizie, ricompaia nella sua vita. Così infatti accadde. A un certo punto parve a Rodrigo che lei avesse di nuovo incontrato suo marito o che almeno ne avesse l'intenzione. La gelosia del papa esplose in questa incredibile lettera:

> Julia ingrata e perfida ... non ci potevamo in tutto persuadere che usassi tanta ingratitudine e perfidia verso di noi avendoci tante volte giurato e data la fede di star al comando nostro e non accostar Orsino, che adesso voglia fare al contrario e andare a Bassanello con espresso pericolo della tua vita: non potrò credere che tu lo faccia per altro se non per impregnarti un'altra volta di quello stallone.

Nella parte finale, furibonda fino al grottesco, il cardinale proibisce a Giulia di recarsi nel feudo di suo marito:

> sub poena excomunicationis late sententiae ed maledictionis eterne te comandamo che non debi partir ... ni manco andar a Bassanello per cose concernente lo stato nostro..

Un principe della Chiesa, in un latino rudimentale fuso con un italiano sgrammaticato, minaccia la sua amante di scomunica temendo che possa essere messa incinta dal legittimo marito.

Quando si svolgono questi fatti Giulia ha circa vent'anni e Lucrezia tredici o quattordici. Rodrigo ha già fidanzato e sfidanzato la figlia un paio di volte, sempre a proprio piacimento e secondo suoi calcoli politici. La prima volta era accaduto quando lei aveva undici anni, anche se nel contratto matrimoniale si prevedeva che le nozze sarebbero state «celebrate e consumate» solo dopo due anni e mezzo. Scrive Gregorovius: «A sé d'intorno [Lucrezia] vedeva vizi mostrarsi nudi e impudenti, tutt'al più coperti di certa dignitosa vernice; cupidigia di onori e di denaro che non rifuggiva da qualunque delitto; una religione fatta più pagana dello stesso paganesimo; un culto ecclesiastico nel quale preti, cardinali, il fratello Cesare, il padre, tutti quei santi personaggi la cui maniera di vivere era a lei nota perfettamente e nel più intimo suo fondo, avevano a compiere con pompa e decoro i misteri della Divinità. Tutto questo vedeva Lucrezia».

Infine arrivò il momento delle nozze. L'uomo scelto da suo padre, sempre per convenienza politica, era Giovanni Sforza, giovane di ventisei anni, già vedovo di una Maddalena Gonzaga morta di parto. Il contratto di nozze venne firmato il 2 febbraio 1493; Lucrezia aveva tredici anni e portava in dote 31 mila ducati più altri 10 mila in abiti e gioielli. Le nozze si celebrarono in giugno e furono come la figlia del papa meritava: sontuose. La sposa indossava un abito di colore violetto con guarnizioni in oro e perle stretto fino alla vita e largo e fluttuante dalla vita in giù. Un cordoncino dorato sosteneva e metteva in risalto il seno ancora acerbo. Lo strascico era sorretto da una piccola schiava nera. Giulia Farnese, amica e, potremmo dire, «matrigna» (aveva appena dato al papa una figlia, Laura), apriva un corteggio di centocinquanta dame romane. Il papa, bianco sul trono pontificio, aspettava il corteo circondato da una dozzina di cardinali nelle loro vesti scarlatte. Alla sua sinistra aveva preso posto il primogenito Cesare, che in quel momento ricopriva la carica di arcivescovo. In seguito suo padre lo farà cardinale.

La festa serotina fu all'altezza del resto. L'ambasciatore di Ferrara, in un rapporto al suo signore, si premurò di stendere lo sterminato elenco dei doni: fra gli altri, «Ascanio offrì il suo regalo consistente in un apparecchio di credenza in argento dorato quasi del valore di 1000 ducati; il cardinale Monreale offrì due anelli uno zaffiro e un diamante assai belli e del valore di 3000 ducati; il protonotario Cesarini un bacile con boccale al prezzo di 800 ducati; il duca di Gandia una coppa ammontante a 70 ducati». Tutta la notte, conclude il puntiglioso ambasciatore, trascorsa in canti e danze con episodi di licenza certo suggeriti dall'imminente celebrazione di imeneo attesa da tutti. Per esempio, i confetti nuziali, contenuti in un centinaio di coppe, furono presi e gettati a manciate nelle generose scollature delle dame per il piacere di andarli poi a ripescare frugando nei corsetti.

Solo all'alba Lucrezia, che dobbiamo credere sfinita (ha tredici anni!), venne accompagnata nella camera nuziale, dove si verificò un assai discusso episodio. Lucrezia attese lo sposo accanto al talamo in compagnia di suo padre e del cardinale Ascanio Sforza. Si trattò di una breve e discreta visita di congedo? O i due si trattennero più a lungo per testimoniare dell'avvenuta consumazione? O addirittura sarebbe questa la prova che un rapporto incestuoso legava Alessandro VI alla sua figlia prediletta e che dunque si trattò di morbosa curiosità? Scrive Johannes Burchard: «Si raccontano molte altre cose che non scrivo; potrebbero essere vere, e se lo sono, le ritengo incredibili». Parole ambigue che non chiariscono e al contrario alludono, accrescendo le ombre.

Geneviève Chastenet ha fatto una ricerca sull'episodio e ha concluso che, rimanendo presente nel momento in cui i due sposi si spogliavano e si mettevano a letto, Alessandro VI non faceva che rispettare l'usanza delle famiglie reali, e cita a conforto la scena accaduta due anni prima in occasione delle nozze di Alfonso d'Este con Anna Sforza: «Gli sposi furono messi a letto e ... andammo tutti loro intorno, motteggiandoli. Madama Anna, la sposa, conservò il buonumore; tuttavia a tutt'e due loro sembrava strano vedere il letto circondato da tante persone che dicevano qualche parola scherzosa, com'è d'uso in simili casi».

Uso o abuso, è un fatto che la notte di nozze non dovette andare come ci si aspettava. Forse la ritrosia della sposa-bambina, forse lo scrupolo di Giovanni, che aveva il doppio dei suoi anni, forse lo sfinimento per l'estenuante giornata. È un fatto che in settembre il papa richiama il giovane, che s'era rifugiato nella sua signoria di Pesaro spaventato da una pestilenza, scrivendogli: «Stipuliamo che a partire dal 10 o 15 del prossimo ottobre quando l'aria sarà più fresca e sana, tu venga presso di noi per la piena consumazione del matrimonio con detta moglie tua».

Più o meno quattro anni durò la sgangherata unione, poi i piani del pontefice cambiarono. Nel 1497 Alessandro VI ritenne opportuno stringere alleanza con Spagna e Regno di Napoli e pensò che Lucrezia potesse diventare ancora una volta il suo strumento. Per liberare la giovane donna, il papa progettò di scioglierne in qualche modo il matrimonio, com'era in suo potere fare. Il figlio Cesare, più spiccio, propose semplicemente di uccidere il povero Giovanni e, come si faceva di solito, gettarne il cadavere nel Tevere. Il cronista Pietro Marzetti, nelle sue *Memorie di Pesaro*, racconta che una sera, mentre Lucrezia si trovava nella sua stanza in compagnia di un certo Giacomino, cameriere del marito, le venne annunciato suo fratello Cesare: «Giacomino, per ordine di lei, si nascose dietro a una spalliera. Cesare parlò liberamente con la sorella e disse fra l'altro che si era dato ordine di ammazzare Giovanni Sforza. Andato questi via, Lucrezia disse a Giacomino: "Hai sentito? Va' e faglielo sapere"». Il cameriere ubbidì all'istante e Giovanni «gettatosi su un cavallo turco a briglia sciolta venne in ventiquattro ore a Pesaro ove il cavallo cadde morto».

Alla fine la linea del pontefice prevalse su quella sanguinaria di Cesare. Il matrimonio, nel quale s'era insinuato dell'affetto a giudicare dall'episodio appena citato, venne decretato nullo in quanto «non consumato». Il papa stesso annunciò la notizia a sua figlia, che da quel momento tornava ufficialmente vergine, come lei stessa confermò in un documento ove dichiara non esservi stati «congiungimenti carnali né copula ed essa era pronta a sottoporsi alla visita di un ostetrico». L'esperienza dovette però essere dolorosa per la delusione, la vergogna, la violenza subita dai suoi familiari, e per la fine traumatica di qualcosa che forse aveva finito per assomigliare all'amore.

Quella tragicommedia si avviava alla conclusione quando si verificò un altro evento, questa volta decisamente drammatico. Mentre rientrava di notte e da solo, don Juan, duca di Gandia, il secondogenito dei fratelli Borgia, venne misteriosamente assassinato. Era appena uscito da una cena che sua madre Vannozza aveva dato in una vigna acquistata nei pressi di San Pietro in Vincoli. La voce comune, mai smentita, attribuì il delitto a suo fratello Cesare, ingelosito dalla tenerezza che il papa mostrava nei confronti del figlio cadetto o forse per un motivo ancora più torbido, e cioè perché Juan aveva insistito affinché Lucrezia tornasse nel convento di San Sisto a Caracalla, dov'era già stata da bambina, così sottraendosi all'influenza del Valentino. Alessandro VI rimase sgomento alla notizia che quel suo figliolo era stato ucciso in modo così barbaro, pugnalato a morte nel buio della strada e poi gettato nel fiume proprio nel punto in cui una grossa fognatura scaricava i suoi liquami.

Mentre andava avanti la causa per l'annullamento del matrimonio con Giovanni, Lucrezia riceveva in convento le visite assidue di un certo Pedro Caldes, detto Perotto, giovane di ventidue anni, primo cameriere del pontefice. I colloqui dovettero diventare così affettuosi che un giorno Lucrezia si scoprì incinta, stato che la poneva in un imbarazzante contrasto con la sua posizione ufficiale di «vergine». La situazione era resa ancora più complicata dal fatto che Giovanni Sforza, riluttante all'idea di passare per marito impotente, scrisse a suo zio Ludovico il Moro assicurandolo che sua moglie lo «haveva conosciuto infinite volte ma che 'l papa non gliel'ha tolta per altro se non per usare con lei». Giovanni è fra i primi a spargere la voce, poi largamente diffusa, che fra Alessandro e sua figlia ci fossero rapporti carnali.

Quando, nel dicembre di quel 1497, Lucrezia comparve davanti al tribunale ecclesiastico per convalidare la sua condizione di *virgo intacta*, la rituale visita ostetrica venne omessa per evitare l'imbarazzo di dover constatare una gravidanza ormai avanzata. Andò meno bene al giovane Perotto. Un giorno che passava per un corridoio dei palazzi vaticani s'imbatté casualmente in Cesare. Appena lo vide, Perotto intuì da un lampo nello sguardo ciò che stava per accadere e cominciò a correre gridando a perdifiato, inseguito dall'altro che aveva subito estratto il pugnale. La corsa ebbe termine nella sala delle udienze, dove l'atterrito cameriere si gettò ai piedi del pontefice implorando protezione. Non bastò. Cesare si avventò su di lui trafiggendolo con tale impeto che «il sangue saltò in faccia al papa» macchiandogli di rosso la bianca tonaca. Le pugnalate non furono però sufficienti a finire il disgraziato. Portato morente nelle segrete di Castel Sant'Angelo, dopo alcuni giorni venne trovato cadavere sul greto del Tevere. Qualche mese più tardi, in marzo, Lucrezia (ormai diciottenne) partorì un maschietto, indicato con il nome generico di «infante romano», che le fu subito tolto. Era il figlio di Perotto? La voce popolare lo attribuì piuttosto all'incesto consumato con il papa suo padre. Ci volle qualche anno perché la donna riuscisse ad assicurare al bambino legittimità e un certo reddito.

Alessandro VI assisteva agli orrori da cui era circondato con la sagace freddezza dell'uomo politico che bada solo ai propri fini. Amava suo figlio Juan e un altro figlio, Cesare, gliel'aveva assassinato; amava il giovine Perotto, forse un suo amasio, e sempre Cesare l'aveva scannato davanti a lui. Restava Lucrezia, la prediletta; restava Cesare, di cui aveva imparato ad apprezzare il genio e a temere la crudeltà; restavano le sue trame, che occorreva alimentare con mosse opportune.

A questo punto l'interesse del pontefice si appuntò su un rampollo della dinastia napoletana, Alonso o Alfonso (figlio naturale di Alfonso II) che, trasformato in genero, avrebbe consolidato l'alleanza fra papato e aragonesi. Il progetto di Alessandro VI s'articolò addirittura in due tempi: la prima mossa erano le nozze di Lucrezia e Alfonso; la seconda, il matrimonio fra Carlotta, figlia del re di Napoli Federico, e il suo proprio figlio, Cesare, che a questo fine sarebbe stato restituito allo stato laicale. Questo piano mirava a una sorta di embrione di Regno d'Italia sotto l'egida dei Borgia. Cesare fu affascinato dal progetto; Machiavelli sarà fra i pochi a coglierne l'importanza strategica. Tutto andò però in fumo perché Federico non se la sentì di mettersi in casa un uomo così inquietante; quanto a Carlotta andava ripetendo che non aveva alcuna voglia di farsi chiamare «la cardinala». Cesare rimase offesissimo dal doppio rifiuto.

Andò meglio con Lucrezia. Quando finalmente incontrò il promesso don Alfonso, che di anni ne aveva diciassette, rimase, dicono, assai colpita. Lei portava in dote 40 mila ducati, lui era stato fatto duca di Bisceglie. Qualche tempo dopo, l'ambasciatore di Mantova presso il pontefice potrà scrivere al suo signore: «Sedotta dalle sue attenzioni e dalla sua bellezza, madonna Lucrezia ha per il marito un'autentica passione».

Il 13 agosto 1498 Cesare si spoglia della dignità cardinalizia apprestandosi a partire per la Francia, dove Luigi XII gli ha promesso il titolo di duca di Valenza (il Valentinois, nel Delfinato), nonché la mano di una principessa francese. Re Luigi ha le sue buone ragioni per una tale generosità. È sua intenzione sposare Anna di Bretagna, ma per farlo deve prima liberarsi del vincolo con la moglie precedente, Giovanna di Francia, e solo il papa può annullare quell'unione. (Non tutti hanno il temperamento irruento di Enrico VIII d'Inghilterra che, quando vorrà sposare Anna Bolena, taglierà d'un sol colpo il vincolo con la moglie spagnola Caterina d'Aragona e con Roma.) Alessandro VI, che a quel figlio, per amore o per paura, non sa più negare nulla, gli consegna la bolla con la quale il re di Francia è autorizzato a sposare la sua nuova fiamma.

Il 1° novembre 1499 Lucrezia dà alla luce un figlio maschio al quale viene imposto il nome del nonno: Rodrigo. Il battesimo è celebrato in gran pompa nella cappella Sistina (che non era beninteso quella di oggi, ma una cappella che Sisto IV aveva fatto edificare in San Pietro). Per Lucrezia sembra arrivato un momento relativamente felice. Fra l'altro ha esteso i suoi domini perché il padre le ha fatto assegnare le proprietà confiscate alla ribelle famiglia dei Caetani: Sermoneta, Ninfa, Norma, Cisterna, San Felice Circeo. Jacopo Caetani, rinchiuso in carcere, protesta contro questa spoliazione con tale vigore che il papa si vede costretto a metterlo a tacere con il veleno.

All'epoca il pugnale, le bastonature, l'annegamento erano abituali strumenti di assassinio. Il veleno ne costituiva la variante raffinata, subdola, incruenta. I veleni più diffusi erano in genere un perfezionamento di quelli già noti ai romani e agli arabi. Tra i vegetali c'erano i vapori tossici dell'alloro, che la Pizia di Delfi aspirava in piccole quantità prima di pronunciare i suoi oracoli, e il nepente, miscuglio di più piante, soprattutto giusquiamo e mandragora, anch'esso già noto alla mitologia: Giasone se n'era avvalso per addormentare il drago a guardia del vello d'oro, Ulisse per sottrarsi agli incantesimi della maga Circe. Apprezzato anche il distillato di funghi velenosi fra i quali l'*Amanita phalloides* che Agrippina aveva usato per uccidere l'imperatore Claudio. Fin dal Medioevo erano in uso gli infusi ricavati da noccioli di mandorle e ciliegie, contenenti amigdalina, una sostanza che, mescolandosi nello stomaco con i succhi gastrici sviluppa il micidiale acido cianidrico. Poi c'erano ovviamente i veleni animali, a cominciare dal sangue mestruale che si diceva provocasse demenza, per continuare con il veleno dei serpenti, la bile di leopardo che aveva un'azione simile al veleno della vipera, il sudore di cavalli e asini che provocava putrefazione intestinale. Ma il veleno dei veleni era, già allora, l'acido arsenioso, simile nell'aspetto alla farina e allo zucchero, che non altera il sapore dei cibi ai quali viene mescolato, provoca sintomi apparentemente «naturali», tanto più se somministrato in piccole dosi nel tempo, e può anche essere cosparso su indumenti o lenzuola e agire per assorbimento cutaneo. Non a caso il popolare «arsenico» è il veleno preferito anche in molti «gialli» contemporanei, e negli anni Sessanta del Novecento i servizi segreti degli Stati Uniti pensarono di usarlo per assassinare Fidel Castro.

Re Federico non aveva voluto dare sua figlia a Cesare temendo di essere sbalzato dal trono. Cesare Borgia non era però tipo da darsi facilmente per vinto; quel reame, giura, lo conquisterà per conto di re Luigi di Francia, da cui ora è protetto. Il 1499 volge agli sgoccioli e l'anno che sta per giungere sarà giubilare, Roma si riempirà di pellegrini venuti da tutta Europa. (Fra loro, per la cronaca, ci sarà anche un monaco tedesco, un certo Martin Lutero, che resterà inorridito dalla visione di ciò che accade in Vaticano.) La città s'appresta a vivere il consueto caos, la ressa nei luoghi sacri, gli agguati e i borseggi, quando non gli omicidi. Secondo Marin Sanudo, che scrisse uno sterminato diario degli eventi, «ogni giorno qui si trovano cadaveri di morti assassinati, quattro o cinque per notte, perfino vescovi».

Cesare Borgia intanto, come luogotenente del re di Francia e vicario della Chiesa, ha assoggettato vari signorotti delle Romagne. Tornato a Roma, è stato abbracciato con ostentazione e apparente calore dal padre. In vista delle sue mire sul Regno di Napoli, il cognato Alfonso diviene un intralcio. Scrive Gregorovius: «Il matrimonio della sorella con un principe da Napoli era diventato ostacolo ai disegni di Cesare il quale aveva già in mente per Lucrezia un altro matrimonio per lui stesso più vantaggioso. Ma il matrimonio con il duca di Bisceglie non era rimasto infecondo, per conseguenza non poteva essere sciolto. Onde Cesare decise uno scioglimento radicale e violento». Infatti, il 15 luglio 1500, in una calda notte d'estate, con il sagrato di San Pietro gremito di pellegrini che dormono all'aperto, Alfonso esce dal Vaticano, dove ha lasciato la moglie, per andare a casa. Sono quasi le undici di sera, lo accompagna solo un servitore. Di colpo, «sulla scala di San Pietro uomini mascherati, armati di pugnali, gli sono addosso. Ferito gravemente al capo, al braccio, alla coscia, il principe riesce a trascinarsi sino all'appartamento del papa. Alla vista del marito tutto grondante sangue, Lucrezia cade svenuta».

Chi ha organizzato l'attacco? L'ambasciatore di Venezia scrive: «Non si sa chi abbia ferito il duca; ma si dice sia stata la medesima persona che ammazzò il duca di Gandia e lo gettò nel Tevere». Il poeta Vincenzo Calmata, ancora più esplicitamente, scrive alla duchessa di Urbino: «Chi abbia fatto far questo, da ognuno si estima il duca Valentino». Alessandro VI intuisce meglio d'ogni altro chi sia l'autore del crimine: ordina che il giovane Alfonso sia curato in Vaticano e gli concede una scorta di sedici uomini. Per parecchi giorni il ragazzo rimane fra la vita e la morte, poi la sua fibra vince e lentamente comincia a ristabilirsi, vegliato da Lucrezia e dalle sue più fidate damigelle. Un giorno Cesare annuncia a sua sorella che intende visitare il ferito. Lucrezia acconsente, ma al colloquio saranno presenti l'ambasciatore veneziano e lo stesso pontefice: colloquio teso quanto si può immaginare fra il mandante d'un tentato omicidio e la sua vittima. Ci furono battute aspre, frasi sibilate da entrambe le parti.

Nel tardo pomeriggio del 18 agosto, trentatré giorni dopo il primo attentato, Cesare torna alla carica. Accompagnato da alcuni sgherri comandati da tal Micheletto Corella, penetra nelle stanze di Alfonso scacciandone a forza tutti i presenti. Lucrezia, che ha capito e ha paura, corre verso gli appartamenti di suo padre invocando soccorso. Micheletto balza sul giovane convalescente, gli stringe un laccio alla gola e lo strangola sotto il gelido sguardo del Valentino. Quando Lucrezia torna accompagnata da uomini del papa, le impediscono di vedere il corpo del marito. Le dicono che lo sventurato, debole per le ferite, è scivolato ed è morto per emorragia. Con imperturbabile e allusiva precisione Burchard annota nel suo diario: «Il 18 di questo mese di agosto, l'illustrissimo Alfonso d'Aragona duca di Bisceglie, che la sera del 15 luglio era stato gravemente ferito e dopo l'attentato era stato portato nella torre dove era guardato con la massima cura, poiché sembrava non voler morire in seguito alle ferite, fu strangolato nel proprio letto». Per Lucrezia il colpo è terribile. Per giorni interi giace a letto delirante per la febbre. Nel tentativo di rianimarla il pontefice, che teme, perdendola, di dover rinunciare alle mosse successive, ordina che ogni giorno le sia portato il figlioletto Rodrigo di pochi mesi. La presenza del bambino dà alla madre un certo sollievo, anche se la giovane donna (è appena ventenne) continua a languire e, affermano i testimoni, la sua bellezza molto ne risente. Alessandro VI la invia allora, accompagnata da una piccola corte, nel castello di Nepi che egli stesso le ha donato. Lo scorrere del tempo fa il resto. Scrive Gregorovius: «Il padre, probabilmente nel settembre o nell'ottobre, la richiamò a Roma e presto dovette darle di nuovo la sua grazia, tanto più che il fratello [Cesare] aveva lasciato la città. Ed era corso appena qualche mese che già l'anima di Lucrezia era tutta piena di altre splendide immagini dell'avvenire, dietro le quali lo spettro dell'infelice Alfonso si dileguò».

Ad accelerare il ristabilimento della sventurata contribuisce forse il nuovo progetto nuziale che il papa sta preparando e di cui la figlia viene sommariamente informata. Lucrezia, ormai donna matura, anche se molto giovane, mostra una certa accondiscendenza nei confronti di un altro matrimonio con un uomo sconosciuto. Il candidato è Alfonso d'Este, erede al titolo di duca nella nobile città di Ferrara, che ha fama di uomo risoluto. Il ferrarese può rappresentare per Lucrezia una buona difesa contro le ambizioni di suo padre e la ferocia di suo fratello. D'altra parte, la nuova corte alla quale sembra destinata è lontana da Roma, dagli intrighi, dal sangue così facilmente sparso dalla sua famiglia.

Se si accetta la tesi che Lucrezia sia stata più che altro una vittima delle circostanze, si può anche immaginare che nelle nuove nozze ella abbia visto il mezzo per tagliare finalmente ogni legame con l'orrore della corte papale retta da suo padre. Ma è davvero così? È difficile dissipare le ombre della sua vita. Gli episodi nei quali scorgere la mostruosità morale di cui parla Hugo non mancano certo; d'altra parte Gregorovius, che sull'argomento è certamente più attendibile, scrive: «Non fosse stata figlia di Alessandro VI e sorella di Cesare, difficilmente sarebbe stata notata nella storia del suo tempo, ovvero sarebbe andata perduta nella moltitudine, come donna seducente e assai corteggiata. Pure nelle mani di suo padre e di suo fratello diventò strumento e vittima di calcoli politici, ai quali non ebbe forza di opporre resistenza».

Bisogna considerare che Lucrezia non conobbe altro mondo oltre a quello nel quale era stata allevata: la sua fu un'educazione tipica di una principessa, e gli esempi che vide intorno a sé, a cominciare dal padre che, quando lei era bambina, le arrivava in casa per mettersi a letto con Giulia, la sua compagna di giochi, dovettero suggerirle una visione morale molto approssimativa, che era del resto la stessa di ogni altra corte cinquecentesca. Non c'era principe o duca o signore del tempo, non solo in Italia, che non avesse il palazzo pieno di figli, legittimi e naturali, e non scegliesse la «favorita» del momento fra le dame di corte, pulzelle o maritate che fossero. Questi erano i canoni di comportamento, la cosiddetta «normalità». Anche oggi sono frequenti l'adulterio, il concubinaggio, la bigamia, le nascite fuori da un'unione sancita sia pure solo dalla consuetudine; allora, nelle famiglie di qualche rango, questa era la norma poiché i matrimoni avevano finalità patrimoniali o dinastiche e il cosiddetto «amore» (qualunque cosa poi voglia dire) era un lusso consentito, talvolta, ai più umili. Gli altri, i nobili, i regnanti, avevano preoccupazioni diverse, incentrate appunto su concetti chiave come ricchezza, possesso, potere. Trovarsi poi in un letto o in un altro, purché con le dovute garanzie, rimaneva tutto sommato una questione secondaria.

Garanzie, dunque. Abbondanti garanzie sono ciò che il duca Ercole d'Este chiede per acconsentire alle nozze di Alfonso con Lucrezia, dovendo vincere in primo luogo le resistenze all'interno della sua stessa famiglia. La figlia Isabella Gonzaga, marchesa di Mantova, e la cognata Elisabetta Gonzaga, duchessa di Urbino, si dichiarano nettamente contrarie all'unione. Pesano nel giudizio i precedenti di Lucrezia, un insieme di mariti, amanti, aborti, vedovanza, che sono francamente troppo anche per i canoni molto elastici della moralità corrente. Alla fine del novembre 1501, per di più, comincia a circolare una lettera anonima che costituisce una vera e propria requisitoria nei confronti della famiglia Borgia, di papa Alessandro VI, di suo figlio Cesare e, indirettamente, di Lucrezia. Secondo alcuni storici l'autore del *pamphlet* sarebbe stato addirittura l'imperatore Massimiliano d'Austria, che temeva l'unione fra i Borgia e gli Este. È un fatto che la lettera appare indirizzata «Al magnifico signore Silvio Savelli, presso il serenissimo re dei Romani», cioè presso Massimiliano, che aveva per l'appunto il titolo di imperatore del Sacro Romano Impero.

Tra le molte accuse, lo scritto afferma pure che

ormai dal papa tutto è oggetto di scambio venale: dignità, onori, congiungimenti in matrimonio e scioglimenti, divorzi e ripudii della sposa ... a Roma e nella dimora pontificia non c'è delitto o scelleratezza che non si compia pubblicamente, a voler riferire gli assassinii, le rapine, gli stupri e gli incesti non si finirebbe di enumerarli per quanti sono ... Tante sono le sozzure di figli e figlie, tante le meretrici e le folle di lenoni che si danno convegno nel palazzo di Pietro che in qualsivoglia postribolo o lupanare si vive in maggior pudicizia. Nel primo giorno di novembre, solenne festività di tutti i santi, cinquanta meretrici cittadine furono convitate a palazzo, a dare uno spettacolo scelleratissimo e odiosissimo; e affinché non manchino episodi ancora più scandalosi, nei giorni successivi si ebbe lo spettacolo di una cavalla che sotto gli occhi del pontefice e dei suoi figli suscitò negli stalloni lanciati su di lei un tale ardore venereo da portarli a un parossismo di furia.

E così avanti per molte pagine fino alla chiusa, che non reca una firma ma un luogo: «Dato a Taranto, dall'accampamento reale, il XV novembre 1501», indizio che doveva far pensare a una missiva spedita dal campo di Consalvo di Cordova, impegnato, appunto a Taranto, nell'assedio al figlio di re Federico di Napoli.

Gli episodi delle cinquanta meretrici e degli stalloni in calore, ai quali la lettera fa riferimento, li conferma anche un'altra fonte. Scrive Johannes Burchard che una sera, a una delle consuete feste date dal papa,

> presero parte cinquanta meretrici oneste, di quelle che si chiamano cortigiane e non sono della feccia del popolo. Dopo la cena esse danzarono con i servi e con altri che vi erano, da principio coi loro abiti indosso, poi nude. Terminata la cena, i candelieri accesi che erano sulla mensa furono posati a terra, e fra i candelieri furono gettate delle castagne che le cortigiane nude raccoglievano muovendosi carponi, a quattro zampe. Il papa, il duca e Lucrezia erano presenti e osservavano. Infine furono esposti mantelli di seta, calzature, berrette e altri oggetti, da assegnare in premio a coloro che avessero conosciuto carnalmente più volte le dette cortigiane, ed esse nelle medesima sala furono pubblicamente godute.

È quanto di più vicino alla definizione di «orgia» si sia mai potuto leggere. E quelle scene, degne di un imperatore romano della decadenza, sarebbero avvenute all'interno dei sacri palazzi. Alcuni giorni dopo, sempre il Burchard, riferisce anche l'altro episodio delle due giumente portate all'interno dei palazzi vaticani:

> Furono poi lasciati liberi quattro stalloni, senza finimenti, che corsero verso le giumente e dopo essersi battuti a morsi e a calci, con altissimi nitriti si misero a montarle ... Il papa era alla finestra della sua camera e madonna Lucrezia gli stava accanto. Tutti e due videro quanto descritto sopra con grandi risa e divertimento.

Queste voci che si rincorrevano per l'Italia agitavano alquanto il duca Ercole, il quale continuava a indugiare sia perché contrastato dalle opposizioni familiari al progetto sia, probabilmente, nella speranza che l'attesa facesse lievitare la dote. A metà dicembre 1501 i suoi inviati a Roma sono in grado di assicurargli che

> la dote sarà in tutto 300 mila ducati, oltre ai donativi che di giorno in giorno madonna riceverà. Primieramente 100 mila ducati contanti; poi argenteria per più di 30 mila ducati, gioielli, panni di raso, biancheria finissima, ornamenti e finimenti per muli e cavalli; il tutto per altri 160 mila ducati. Ha, fra l'altro, una balzana del valore di 15 mila ducati e 200 camicie, delle quali molte del valore di oltre 200 ducati ciascuna, con frange d'oro e perle ... Per la preparazione del corredo si è a Roma e a Napoli lavorato e venduto più oro tirato in sei mesi che nei due anni passati. Il numero dei cavalli che il Papa dà per compagnia alla figliola toccherà il migliaio ...

Di fronte a quelle cifre e a quegli appannaggi Ercole d'Este, noto per la sua avidità, si decide a passar sopra alla cattiva reputazione della futura nuora, anche perché un'alleanza politica con il papa gli sembra più conveniente di qualunque altra ipotesi. Il 9 dicembre 1501, la scorta d'onore, guidata da suo figlio, cardinale Ippolito d'Este, lascia Ferrara e si dirige a Roma per andare a prendere la sposa. Furono necessari quattordici giorni di cavallo, nel gelo invernale, per raggiungere la città di Pietro, ma il ricevimento sarà splendido, forse il più fastoso che Alessandro VI abbia organizzato dopo quello per la sua incoronazione. Nei sotterranei del Vaticano, intanto, i tesorieri di Ferrara contano a uno a uno i ducati della dote, accertandone non solo il numero, ma anche il peso; poteva accadere infatti che le monete d'oro venissero, come si diceva, «tosate», cioè grattate leggermente per ricavarne polvere d'oro da rivendere a parte. La dote nuziale viene quindi chiusa in appositi bauli sigillati, in attesa della spedizione.

Nello stesso tempo l'immagine di Lucrezia cambia radicalmente agli occhi sia di Ippolito sia degli altri inviati di Ercole. Un via vai di messaggeri porta al duca d'Este l'ottima notizia che la futura nuora è donna «che ha ottima grazia in ogni cosa con modestia venustà e onestà»; «siamo penetrati dalla sua bontà e decenza, dalla sua modestia e discrezione»; «si hanno ottime ragioni per essere soddisfatti di questa illustre dama, perfetta nelle maniere e nei costumi» e via di questo passo. Ottima dote, ottima sposa: non si poteva chiedere di più.

Il matrimonio era già stato celebrato per procura quattro mesi prima, ma il papa vuole che il rito si ripeta in forma solenne. Il 30 dicembre Lucrezia arriva in San Pietro alla luce delle fiaccole, al centro di un imponente corteo chiuso da cento paggi con abiti tessuti d'oro. Un altro figlio di Ercole, don Ferrante, le pone al dito l'anello nuziale; poi Ippolito, elegantissimo nella scarlatta veste cardinalizia, le porge uno scrigno pieno di gioielli per un valore di circa 70 mila ducati, come calcola a occhio e croce Antonio Pallavicini, cardinale di Santa Prassede.

Il giorno dopo, i festeggiamenti continuarono e in piazza San Pietro si ebbe anche una corrida con un torero d'eccezione, il principe Valentino, il quale trafisse ben due tori dopo arditissime evoluzioni, che strapparono grida di piacevole sgomento agli spettatori.

Il 6 gennaio 1502, non avendo ancora ventidue anni, Lucrezia lascia per sempre Roma e parte per la sua nuova città e una nuova vita. Noi la lasciamo a questo punto, con il papa settantenne che le invia, commosso, un ultimo saluto dalla loggia. Un leggero nevischio turbina nell'aria grigia dell'inverno. Un seguito di cavalieri romani la scortano lungo la via Flaminia, fino al ponte Milvio. Lì giunti si fermano e l'imponente corteo nuziale dei ferraresi s'allontana fino a svanire nel bianco del nevischio.

Per chi fosse curioso di sapere come si conclusero le vicende dei nostri personaggi aggiungo che a Ferrara Lucrezia conobbe gli anni più gloriosi (forse addirittura i più lieti) della sua vita ereditando, alla morte del suocero nel 1505, il titolo di duchessa. Suo marito forse l'amò, comunque l'unione fu allietata, come si usa dire, dalla nascita di alcuni figli che in parte sopravvissero. Lucrezia diventò patronessa delle arti e degli artisti.

Un famoso poeta, Pietro Bembo, le dedicò versi adoranti, segno d'un amore che forse fu anche carnale. Tra le carte dell'artista venne poi trovata una ciocca di capelli di lei, un pegno carico di affettuose allusioni. Superata la trentina cominciò a ritirarsi di frequente in un convento, anche se dal marito Alfonso aveva avuto delega ad amministrare la città in caso di sua assenza. Lucrezia morì per setticemia a soli trentanove anni il 24 giugno 1519, dopo aver dato alla luce l'ennesimo figlio, una bambina nata morta. Due giorni prima aveva scritto a papa Leone X una commoventissima lettera invocandone la benedizione:

Santissimo padre e Beatissimo Signor mio, con ogni possibile reverenza d'animo bacio i santi piedi di Vostra Beatitudine ... Dopo che per una difficile gravidanza ebbi molto sofferto per più di due mesi partorii, come a Dio piacque, il 14 di questo mese, sul far del giorno, una bambina; speravo, liberatami col parto, che anche il mio male si dovesse alleviare. Ma è successo il contrario; sicché m'è forza cedere alla natura. Tanto è il dono che il nostro Creatore clementissimo m'ha fatto, che ho coscienza della fine della mia vita e sento che fra poche ore ne sarò fuori.

... come cristiana benché peccatrice mi sono ricordata di supplicare Vostra Beatitudine che si degni darmi qualche suffragio del tesoro spirituale con la sua Santa Benedizione.

In Ferrara il 22 giugno 1519, nella 14ª ora, Vostra umile serva,

Lucrezia d'Este

Suo padre Alessandro VI era già morto nel 1503, poco tempo dopo che la figlia amata aveva lasciato Roma. Nel 1507 era morto anche il fratello Cesare, il Valentino, a trentadue anni, trovando una fine degna della sua vita di geniale e sinistro avventuriero. Abbandonato dal re di Francia e svanito il sogno del Regno di Romagna, era passato al servizio del re di Navarra Giovanni d'Albret, suo cognato, che lo aveva mandato a combattere contro Luigi di Beaumont sotto le mura di Viana, nei pressi di Pamplona. Lì ebbe luogo un furioso assalto notturno, durante il quale Cesare venne attirato in un tranello, o forse volontariamente vi si gettò, spinto da quella «tristitia» che, fra cento eccessi, ne aveva caratterizzato la vita. Rimasto isolato dai suoi soldati, si era battuto contro numerosi nemici ed era stato prima ferito, poi disarcionato e infine trafitto dalle picche, spogliato della bella armatura e gettato in un fosso, cadavere nudo di colui nel quale Machiavelli aveva visto il possibile unificatore della penisola italiana.

Raggiunta dalla notizia della sua fine mentre stava sbrigando affari di Stato a Ferrara, Lucrezia aveva commentato con alcune scarne parole di ostentata rassegnazione, o forse ambiguità: «Quanto più cerco di conformarmi con Dio, tanto più egli mi manda a visitare. Ringrazio Iddio, sono contenta di ciò che gli piace».

XI

SPUNTA LA BORGHESIA

Il monumento più controverso di Roma è sicuramente il Vittoriano o Altare della Patria, in piazza Venezia: montagna di marmo abbagliante, immensa scenografia, luogo denso di simboli che restano, per molti, incomprensibili come altri aspetti dello Stato, della storia (anche recente), della memoria collettiva. Fin dall'inizio la sua vicenda ha avuto aspetti poco limpidi e si è poi ulteriormente complicata giacché, al significato originale del monumento, un altro se ne è sovrapposto, provocando una mescolanza di eventi e di richiami di intensità e natura diversi.

Per cominciare, il nome, «Vittoriano», non allude alla vittoria ma a Vittorio, cioè a Vittorio Emanuele II, lì raffigurato in bronzo, a cavallo, fiero, arcigno, bellicoso, poggiato in cima a un colossale piedistallo al centro dell'intera scena. Era morto di polmonite nel 1878, quando non aveva nemmeno sessant'anni, il re. Il monumento, in origine, era stato progettato per lui. E così la statua, di dimensioni tali che nella pancia del cavallo, pochi giorni prima dell'inaugurazione, sedici operai avevano banchettato e brindato. Una celebre foto li ritrae mentre levano sorridendo i bicchieri verso l'obiettivo. Poi la situazione cambiò e una decina d'anni dopo l'inaugurazione del complesso, il «gran re» dovette adattarsi a condividerne lo spazio con un'altra grande figura, quella del Milite ignoto, una presenza destinata, soprattutto dopo la caduta della monarchia nel 1946, a oscurare la sua.

Il Vittoriano venne aperto il 4 giugno 1911, in una mattinata che all'inizio era stata piovosa, anche se si era alle soglie dell'estate. Più tardi arrivò il sole e la famiglia reale, le autorità dello Stato, i ministri e gli alti ufficiali, poterono salire senza intoppi la scalea e raggiungere il palco predisposto sulla prima piattaforma. Le dame sfoggiavano cappellini adatti alla stagione, i principini erano vestiti alla marinara, venne aperto qualche ombrellino. Intorno facevano ala sindaci, reduci, reparti militari, le bande con gli ottoni che brillavano al sole, e una gran folla.

Per una radicata abitudine nazionale, nemmeno in quell'occasione erano mancate le polemiche: i socialisti avevano espresso le loro riserve sull'opportunità del monumento, i repubblicani avevano indetto per il pomeriggio una manifestazione separata, ai piedi della statua di Garibaldi al Gianicolo, cui presero parte migliaia di persone; i massoni diffusero invece un aspro manifesto anticlericale nel quale segnalavano come il nuovo monumento si ergesse «al cospetto del Vaticano sempre vigile e in agguato», quasi contraltare laico rispetto alla inquietante cupola di San Pietro.

All'inaugurazione del Vittoriano uno degli interventi più significativi fu quello del sindaco di Roma Ernesto Nathan, massone anch'egli, mazziniano, anticlericale e progressista. Nathan era nato a Londra e solo intorno ai quarant'anni era diventato cittadino italiano. Eletto sindaco della capitale, uno dei migliori che la città abbia avuto, si era impegnato negli aiuti all'edilizia popolare e all'istruzione dei più umili. Quella mattina disse fra l'altro: «La mole imponente sorta sul colle capitolino per l'Altare della Patria non è un monumento solo al re, simboleggia la Terza Italia! E mentre in mezzo al Campidoglio sorge la statua equestre di Marco Aurelio, imperatore vindice del diritto, in quello or ora scoperto troneggia quella del re Galantuomo, vindice della fede nazionale».

Così inaugurato, il Vittoriano diventò il fulcro di un anno memorabile, aperto dalle feste del cinquantenario del Regno d'Italia e chiuso in settembre dalla guerra di Libia (sulle note di *Tripoli, bel suol d'amore*). Fra le grandi opere realizzate in occasione del giubileo nazionale c'erano il nuovo palazzo di Giustizia, il viadotto che unisce villa Borghese al Pincio scavalcando a notevole quota la strada del Muro Torto, e poi le grandi mostre, a cominciare da quella internazionale di Belle

Arti a valle Giulia, che comportò la costruzione di numerose accademie straniere oltre al grande edificio che diventerà la Galleria nazionale d'arte moderna (detta familiarmente «GNAM»). Nel 1911 vengono eretti anche due nuovi ponti, il Flaminio (a una sola campata in cemento armato, ardito per i tempi) e il Vittorio Emanuele, che uniscono la città vecchia ai nuovi quartieri sulla riva destra del fiume, oltre alla bellissima passeggiata archeologica. Viene completata anche piazza dell'Esedra con la bella fontana delle Naiadi, si restaurano Castel Sant'Angelo e le terme di Diocleziano, si urbanizza la vasta zona fra vigna Cartoni e le pendici di Monte Mario per ospitarvi l'Esposizione del cinquantenario e preparare l'area dove sorgerà il futuro quartiere Mazzini. Mettendo da parte questioni di stile o di gusto, non c'è dubbio che mai più ci sarà un'amministrazione capace di fare altrettanto per preparare la città a un evento internazionale, anche se bisogna ricordare che, già nel dicembre 1870, lo straripamento del Tevere aveva convinto il governo ad avviare la costruzione dei famosi muraglioni per imbrigliare i capricci del fiume.

Un'altra presenza, oltre a quelle dei numerosi partecipanti, aleggia quella mattina sul Vittoriano, immateriale ma avvertibile, anzi ingombrante: quella di Giosue Carducci. Il bardo della Terza Italia, poeta nazionale se mai ce ne fu uno, era repubblicano (ma non ostile alla monarchia), anticlericale e massone. Il monumento gli assomiglia e lui assomiglia ai tempi che il monumento esprime. L'idea di «libertà» che il poeta torna più volte a cantare è la stessa che appare, concitata, sanguinosa, circondata dal fragore e dal fumo, nel famoso quadro di Delacroix *La libertà che guida il popolo*: eroici soldati che avanzano malamente bendati, un vecchio fuciliere, un Gavroche impavido nei suoi dodici anni come la piccola vedetta lombarda di *Cuore*; intorno, le armi e i vessilli strappati al nemico; davanti a tutti lei, la Libertà, bella, giovane, ardimentosa, a seno nudo, che leva alto, sul sangue e sul fango, il tricolore (di Francia, in quel caso).

Te giova il grido che le turbe assorda
e a l'armi incalza a l'armi i cuor cessanti,

te le civili su la ferrea corda
ire sonanti:
e sol fra i casi de la pugna orrendi
e flutti d'aste e fulminose spade
nel vasto sangue popolar discendi,
o libertade.

Si tratta dello stesso spirito che spinge Carducci a scrivere
l'*Inno a Satana*, a costo di provocare furibonde polemiche:

Te invoco, o Satana,
re del convito.
Via l'aspersorio,
prete, e il tuo metro!
No, prete, Satana
non torna indietro!

Anche in questo caso è polemica antiromantica: la ragione,
il progresso, il futuro che incalza, lo spirito positivo dei tempi
contro i fumi, siano quelli dell'incenso o quelli ancor più per-
niciosi di brumose metafore «manzoniane»:

Salute, o Satana,
o ribellione,
o forza vindice
de la ragione!

Carducci canta un'Italia che non c'è più, ammesso che sia
mai esistita. Le sue sono visioni frementi di ardore civile,
fiamme della fantasia oggi così palesemente datate da spingere alla commozione o al sorriso. Il Vittoriano esprime lo stesso
pathos, restituisce nel marmo il medesimo spirito.

«A un certo punto della sua storia» aveva scritto il quotidiano socialista «Avanti!» nel marzo di quell'anno «la borghesia
italiana sente il bisogno di offrirsi all'ammirazione delle altre
borghesie nazionali e di se stessa.» Si può pensare ciò che si
vuole del monumento, che infatti è stato via via paragonato a
una torta nuziale o a un'abbagliante macchina per scrivere, resta il fatto che nei primi anni del secolo quella era l'immagine
che le nazioni d'Europa credevano di dover dare di se stesse,
quello il gusto dominante, lo spirito dell'epoca. Il mastodontico palazzo di Giustizia di Bruxelles gli somiglia, come gli so-
migliano il Walhalla presso Ratisbona, l'Altes Museum di Ber-

lino, l'Opera Garnier a Parigi, l'arco del palazzo dello Stato maggiore a Pietroburgo, molti edifici monumentali lungo il Ring a Vienna, e come gli somiglierebbero tanti edifici di Berlino se non fossero finiti in briciole sotto i bombardamenti. Per quanto riguarda il Vittoriano, non c'è dubbio che la sua inaugurazione nel 1911 fu l'occasione per mostrare alle altre nazioni che anche il piccolo Regno d'Italia, nonostante le molte contraddizioni e gli immensi ritardi che lo caratterizzavano, ambiva a unirsi al «concerto» continentale.

Il cantiere per la costruzione del monumento, aperto nel 1885, aveva ingoiato milioni (dell'epoca) e scandali. Il suo architetto, Giuseppe Sacconi, nato in provincia di Ascoli Piceno nel 1854 (morirà nel 1905 prima di vedere finito il suo *opus magnum*), lo volle rivestito di botticino, un marmo candido contrastante con il caldo travertino romano bruciato dal sole. Le cave di questo materiale si trovavano a Rezzato, in provincia di Brescia e sulla scelta aveva molto influito l'onorevole Giuseppe Zanardelli, eletto nella zona. Da Brescia cominciò a scendere verso Roma una montagna di blocchi che venivano via via accumulati presso la stazione ferroviaria di Trastevere e lì lavorati e squadrati prima d'essere avviati al cantiere.

Nemmeno le fotografie riescono a restituire le proporzioni dell'immane scasso che si dovette aprire sul fianco del Campidoglio per creare un'idonea sede d'appoggio al monumento. Durante gli scavi vennero alla luce numerosi resti romani, in parte salvati, in parte incorporati nelle fondazioni. Uno dei ritrovamenti più curiosi fu lo scheletro fossile di un elefante preistorico che dormiva il suo sonno eterno in un letto d'argilla. Alcune ossa furono trasferite al Gabinetto geologico dell'università, le altre rimasero dov'erano.

Prima ancora dello scasso c'erano state le demolizioni, che avevano coinvolto anche la mirabile torre di Paolo III (ne restano alcune foto) e il viadotto che la univa al palazzetto Venezia. Fu anche abbattuto in buona parte il convento dell'Ara Coeli, un'amputazione netta eseguita a perfetta regola d'arte, ma non per questo meno dolorosa. Ancora oggi si può avere un'idea di che cosa rappresentò quell'intervento: sulla prima terrazza del Vittoriano si apre un camminamento, che segna, per così dire, il confine fra la nuova costruzione e l'antica; lì è visibile l'impressionante cicatrice, non interamente suturata, fra i due manufatti.

Una ventina d'anni più tardi, a partire dal 1931 e in vista del decennale della marcia su Roma, Mussolini farà operare ben altri sventramenti. Per aprire la via dell'Impero verranno abbattuti un intero quartiere fra il Vittoriano e il Colosseo e una parte della collina Velia. Caddero sotto i picconi appartamenti, piccoli negozi, botteghe artigiane: un tessuto fitto di case modeste cedette il posto a un'arteria destinata a diventare palcoscenico per le parate militari.

L'idea di onorare un «milite ignoto» in rappresentanza di tutti i caduti, fu del colonnello Giulio Douhet, che inaugurò così un'usanza poi largamente ripresa anche all'estero. Nell'agosto del 1921 il Parlamento approva una legge in base alla quale si prevede di tumulare «la salma di un soldato ignoto» senza troppo discutere e, per una volta, all'unanimità. La decisione apre un rituale allo stesso tempo glorioso e macabro, intriso di retorica e di strazio. La Grande guerra è finita da pochi anni e una commissione mista di ufficiali, sottufficiali e soldati appositamente nominata prende a visitare vari cimiteri di guerra allo scopo di esumare delle salme. Si scartano quelle che risultano identificabili dalla piastrina di riconoscimento o anche solo dalle mostrine reggimentali e se ne scelgono sei che vengono rinchiuse in altrettante bare tutte uguali. Fra queste, il 28 ottobre del 1921, una popolana triestina, Maria Bergamas, madre di un disperso, ne indica una gettandovi sopra il suo velo nero. Sarà quella da traslare a Roma; le altre cinque verranno tumulate nella cattedrale di Aquileia. Durante il rito Maria, sorretta da quattro decorati di medaglia d'oro, stringe fra le mani un fiore bianco ed è previsto che getti quello sulla bara prescelta. Ma si sbaglia, equivoca, è travolta dall'emozione: non sappiamo. Gettando, invece del fiore, il suo velo nero di *mater dolorosa* perfeziona però il gesto, sottolineando inconsciamente la profondità di un lutto che non potrà essere consolato.

Il treno che trasporta la bara di quel soldato sconosciuto, guidato da ferrovieri decorati al valore, attraversa l'Italia fra due ali ininterrotte di folla, molti inginocchiati, i più con le lacrime agli occhi, le donne spesso in prima fila – dolenti, luttuose, partecipi – in una delle più sentite commemorazioni collettive mai avvenute nella storia del paese. Il convoglio è composto di sedici vagoni che via via si colmano di corone e di fiori. Quello che trasporta la bara reca il verso dantesco «L'ombra sua torna ch'era dipartita» e le date MCMXV-MCMXVIII. All'arrivo a Roma si svolgono le esequie solenni. Poi, la mattina del 4 novembre, la bara viene trasportata fino al monumento dove sarà tumulata. Sul frontone della basilica di Santa Maria degli Angeli è la scritta: «Ignoto il nome / folgora il suo spirito, dovunque è l'Italia; / con voce di pianto e d'orgoglio / dicono innumeri madri: / è mio figlio». Il 4 novembre viene dichiarato per legge festa nazionale.

Oggi il Vittoriano è soprattutto il suo monumento, povero fante contadino venuto chissà da quale parte d'Italia, morto senza volere né sapere, accecato dal buio della terra. Ma è anche la sede di alcuni notevoli musei, fra cui quello della Marina e quello del Risorgimento, ricchissimo di oggetti e memorabilia: la pistola di Nino Bixio, lo stivale di Garibaldi forato ad Aspromonte da una palla e la medesima palla estratta dalla ferita, le foto dei Mille, i busti, le sciabole, le gloriose bandiere, i diari, le memorie di un'epopea dalla quale tutti veniamo, anche se il sentimento di quel comune passato sembra, talvolta, fare difetto.

C'è stato un tempo in cui si progettava di abbattere il Vittoriano e si sono udite proposte per utilizzarlo in modo diverso o per lasciarlo invadere dalla vegetazione così da trasformarlo in un bosco marmoreo. A me pare che stia bene così, lo trovo, anzi, bello. Resta, quale che sia il giudizio, una specie di testamento alle ambizioni dell'Italia neonata e fotografa quello che il Regno avrebbe voluto essere «da grande». È la gigantografia di uno spirito nazionale in erba, una dedica a futura memoria nella quale non è sempre facile riconoscersi, purtroppo.

Non tutti hanno un'idea di che cosa fosse Roma nei primi anni del Novecento. Le trasformazioni che l'arrivo degli «italiani» e poi la designazione della città a capitale hanno comportato, furono enormi. La piccola breccia aperta dalle cannonate di La Marmora, cento metri a ovest di porta Pia, ebbe in sé un significato più simbolico che militare, ma d'improvviso fu come se, grazie a quella modesta apertura, nell'antica città fosse entrata aria nuova. Roma aveva rotto il suo isolamento di secoli e nel volgere di pochi anni, si potrebbe quasi dire di mesi, la sua vita cambiò in modo che alcuni giudicarono traumatico.

Tutto muta: la popolazione, che di colpo comincia ad aumentare; il tessuto urbano, che s'espande ricoprendo di case e di strade i terreni che fino a poco tempo prima erano stati vigna, boscaglia e pascolo. Cresce il reddito e quindi cambiano i costumi. Mutano la lingua e i divertimenti, gli orari del lavoro e dell'ozio, perfino i delitti.

Nei primi due anni dopo porta Pia la popolazione cresce del 10 per cento; negli anni successivi l'incremento seguirà una curva ascendente di andamento costante. In trent'anni (censimento del 1901) i cittadini romani aumentano del 150 per cento, arrivando a sfiorare il mezzo milione di abitanti. Meno della metà (46 per cento) sono nati a Roma. Attraverso la breccia arrivano funzionari e impiegati, commercianti e professionisti, politici e giornalisti, un buon numero di speculatori che hanno fiutato gli affari che si possono realizzare utilizzando, per lo più, denaro pubblico. La stessa «plebe» cambia o sta per cambiare; scrive un cronista: «La plebe d'oggi non è quella di cent'anni fa e neppure quella di mezzo secolo fa. Il tempo cambia tutto e l'onda incessante della civiltà penetra dappertutto e neppure il prete poté arrestarla alle porte di Roma».

Ma il cambiamento più grande è che, in ritardo di un buon secolo sulle altre capitali, anche Roma comincia ad avere una borghesia. Sotto il dominio papale la popolazione cittadina era fatta di nobili, preti e plebei. Con l'arrivo dei piemontesi e di un'adeguata amministrazione dello Stato, si forma un ceto intermedio che sarà protagonista d'altri cambiamenti, che vanno dal costume alla politica all'editoria e allo spettacolo.

In una garbata cronaca dell'epoca ho trovato il profilo di un interno «borghese»: «La guardarobiera con il suo largo grembiule bianco intenta a stirare i colletti duri del nonno con il ferro da stiro a carbone; il bottone d'oro che fissava il colletto della camicia e che regolarmente sfuggiva di mano. Il bottone mi fece pensare a mio padre che passeggiava per casa con il piegabaffi che gli immobilizzava le labbra ... mentre mia madre, seduta in matinée davanti alla specchiera, pettinava le sue lunghe trecce». In questo acquerello familiare circola già un'aria torinese o se si vuole parigina, insomma un'aria europea.

Fra le ambizioni della borghesia c'è la ricerca di un «buon partito», cioè di un conveniente matrimonio per le figlie. Per molto tempo la grande vetrina del caffè Ronzi & Singer, all'angolo fra il Corso e piazza Colonna, sarà chiamata «campo vaccino» per la mostra ostentata che interessate matrone vi facevano delle ragazze in età da marito. E si diffonde la voga delle mogli «straniere»: «Vengono ragazze russe scialbe, flebili, ardenti, e inglesine alte, colte, ricche, povere e stravaganti, alcune per pescare un marito profittando della mania che ora penetrò persino nel ceto dei travetti di sposare con immaginazione milionaria qualche straniera purchessia». Già, i «travetti», un gallicismo che designa la massa degli impiegati pubblici, quelli che daranno a Roma, nel bene e nel male, una delle sue caratteristiche. «Travettismo, ovvero pezzenteria gallonata dei ministeri» osserverà un feroce critico.

Naturalmente anche la nascita della città moderna ebbe un prezzo. Il più doloroso, proprio per la sua spettacolarità, fu la criminale distruzione di villa Boncompagni Ludovisi. Bisogna fare un grande sforzo per immaginare oggi l'area di via Veneto e delle strade adiacenti da porta Pinciana fin oltre il palazzo Margherita (attuale sede dell'ambasciata degli Stati Uniti) interamente ricoperta di un parco secolare, ornato di statue e tempietti di tale maestà e bellezza da far esclamare a Henry James, come ho già ricordato: «*I've never seen anything so beautiful*». L'area venne lottizzata dai proprietari. Un pessimo esempio che sarebbe stato sicuramente imitato dai principi Borghese se alcuni vincoli provvidenziali, pur se tardivi, sulla loro villa non l'avessero impedito.

Nella prefazione ho accennato al piccolo libro *Dame al Macao*

di Alberto Arduini, raffinatissimo antiquario romano con negozio prima in via Frattina, poi in piazza di Spagna, porta a porta
con la Keats-Shelley Memorial. «L'unico romano citato nel *Jour-
nal* di Gide» scrisse di lui con malizia Ennio Flaiano chiaramente alludendo all'omosessualità dello scrittore francese. La Roma
che Arduini racconta esprime probabilmente un desiderio più
che fotografare una realtà. Ma una città con quei connotati, una
stampa visionaria come quella che Arduini descrive è esistita,
se non altro nella letteratura. Bisogna tornare indietro di
trent'anni e dal 1911 retrocedere al 1881, al momento cioè in cui
vi mette per la prima volta piede un diciottenne che di suo si
sarebbe chiamato Rapagnetta, se il padre non fosse stato adot-
tato da un parente assumendone in via definitiva il cognome:
d'Annunzio. Ricordando il momento del suo arrivo, il giovane
Gabriele così descrive Roma in quegli anni febbrili:

Era il tempo in cui più torbida ferveva l'operosità dei distruttori e dei
costruttori. Insieme con nuvoli di polvere si propagava una specie di
follia edificatoria, con un turbine improvviso ... Fu allora, dappertutto,
come un contagio di volgarità. Nel contrasto incessante degli affari, nella furia quasi feroce degli appetiti e delle passioni, nell'esercizio disordinato ed esclusivo delle attività utili, ogni senso estetico, ogni rispetto
del passato fu deposto.

Roma attrae il giovane poeta, o forse dovrei usare un verbo
dei suoi: lo ammalia. D'Annunzio si guarda attorno, uscendo
dal suo modesto alloggio al 12 di via Borgognona, e gli pare
che tutto sia bello, degno d'esser raccontato. S'iscrive alla facoltà di Lettere, che era poi lo scopo del suo soggiorno nella
capitale, ma frequenta molto di più i salotti e le redazioni dei
giornali che le lezioni. Poche settimane dopo il suo arrivo,
«Cronaca bizantina», periodico alla moda, gli pubblica un sonetto. Le dimore e le ville romane, i dintorni della città, tutto
l'attrae. Soprattutto lo affascinano le donne, che accendono un
temperamento molto portato alla sensualità. Nel febbraio
1883 conosce Maria Hardouin di Gallese, se ne innamora e tre
mesi dopo, a conclusione di una passeggiata serotina a villa
Borghese, fanno l'amore. Il poeta s'affretta a riferire tutto in
un poemetto, *Il peccato di maggio*:

Or così fu; pe'l bosco andando. Era sottile
la mia compagna e bionda. Su la nuca infantile
due ciocche ...

I due passeggiano allacciati, inteneriti, consapevoli, bisogna
supporre che qualcosa sta per succedere. E infatti succede:

... La testa
in dietro a l'improvviso abbandonò. Le chiome
effuse le composero un serto ov'ella, come
per morire, si stese. Un irrigidimento
quasi un gelo di morte, l'occupò. Lo spavento
m'invase ...
Ma fu morte
breve. Tornò la vita ne l'onda del piacere.
Chino a lei su la bocca io tutto, come a bere
da un calice, fremendo di conquista, sentivo
le punte del suo petto insorgere, al lascivo
tentar de le mie dita, quali carnosi fiori ...

Eccetera. Più che una poesia è una radiocronaca. Ma proprio perché si tratta in fondo di descrivere un amplesso di
«poveri amanti», consumato al riparo di un cespuglio su un
prato di villa Borghese, si vede di quali poderose capacità im-
maginative e di trasfigurazione il giovane scrittore sia dotato.
Seguirono opportune nozze riparatrici. A suo modo, Gabriele
amò la moglie. A suo modo però, cioè trasformando il matrimonio in un legame di comodo, separato dalla sua vita d'artista nonché dai numerosi legami con altre donne.

Se eleggiamo lo scrittore a cronista degli anni fra i due secoli, possiamo constatare quanto velocemente a Roma la vita
di certe classi diventi moderna, disinibita, licenziosa. Ecco la
cronaca di una donna che si sveste, studio di femminile sensualità:

Incomincia con gesti lenti e languidi, talora esitanti, soffermandosi
ad ogni poco, quasi per tender l'orecchio. Si toglie le fini calze di seta ...
quindi scioglie di su la spalla il nastro che trattiene l'ultima spoglia, la
camicia più sottile e più preziosa ... quella neve fluisce lungo il petto,
segue l'arco delle reni, si ferma un attimo ai fianchi; cade poi d'un tratto
ai piedi, come un fiocco di spuma ...

Il poeta fornisce alla nascente borghesia romana (e nazionale) la materia prima sulla quale costruire le sue fantasie erotiche. Descrivendo certe atmosfere, contribuisce anche a crearle. Così accade quando quelle visioni trasferisce nel suo capolavoro narrativo *Il piacere*, che è del 1889. Per il conturbante personaggio della protagonista Elena Muti ha in mente due modelli, vale a dire Olga Ossiani, giornalista napoletana che si firmava con lo pseudonimo di Febea e sua prima amante dopo il matrimonio, ed Elvira Natalia Fraternali, di un anno più anziana di lui, con la quale ebbe un rapporto caratterizzato da una rispondenza sensuale totale e quasi illimitata. Elvira, da lui ribattezzata Barbara o Barbarella, diventata Leoni a seguito di un breve matrimonio infelice, è la donna che, fra le tante, meglio seppe indovinare e soddisfare le sue predilezioni. Fra l'aprile e il giugno 1887 i loro convegni amorosi sono quasi quotidiani. Avvengono negli studi di due amici di Gabriele, il primo in via San Nicola da Tolentino, l'altro in via de' Prefetti. Cinque anni dura l'appassionato rapporto. Ecco uno stralcio tratto da una delle centinaia di lettere inviate alla donna da Gabriele:

> Quando io ripenso ai baci che io ti dava su tutto quanto il corpo, sul seno piccolo ed eretto, sul ventre perfetto come quello d'una vergine statuaria, su la rosa ch'è calda e viva e soave alle labbra come la tua bocca, su la coscia che ha la mollezza del velluto e il sapore d'un frutto succulento, su le ginocchia che tu invano mi contendevi ridendo e contorcendoti e nella piegatura delle ginocchia che è così delicata e fresca e infantile, e su la schiena tutta dorata e sparsa d'acini d'oro e segnata da un solco dove la mia lingua correva rapida e umida nella carezza e sui lombi e sui fianchi di meravigliosa bellezza, e su la nuca e fra i capelli e su le lunghe ciglia palpitanti e su la gola, quando io ripenso a tutta quell'onda di gioia che mi attraversava le vene soltanto nel guardarti ignuda, mi sento rabbrividire e ardere e tremare ...

Che differenza dai rustici amplessi brutali consumati solo pochi decenni prima dai popolani del Belli. Quei gesti primitivi sono rimpiazzati dalle delizie della seduzione, ai grossolani indumenti della plebe si sostituiscono i fruscii, i profumi, le penombre. Comincia con d'Annunzio un culto della sensualità che accompagnerà il corso del tempo adeguandosi al costume o anticipandolo.

Nei suoi studi Pietro Pancrazi ha delineato con precisione il genere di vita e di eventi che d'Annunzio descrive: «I ricevimenti, le vendite all'asta, la caccia alla volpe, le strade, le botteghe, i concerti, le accademie di scherma, il brillare argenteo della corte, le piume che ornano i grandi cappelli delle "dame tiberine" formano la massa corale del suo [di Roma] grande balletto».

A quegli «esterni» corrispondono scene di «interni» altrettanto connotate dal tempo. Nel suo saggio dal titolo *D'Annunzio arredatore*, Mario Praz scopre che questi interni e i loro arredi compongono un quadro dalle tinte fortemente contrastanti: vasi cinesi, bronzi pseudorinascimentali, strumenti musicali, avori, armi, frammenti d'altari barocchi, busti, sarcofaghi, stemmi, velluti, bracieri di metallo, tappeti, pelli d'animali, armi africane, mensole, paraventi, ventagli, palme. D'Annunzio mette in scena ambienti e arredi che contribuiranno a formare il gusto di buona parte della borghesia italiana per i decenni successivi. Ma lo scrittore è anche il grande acquerellista della Roma incantata che vede, o immagina, intorno a sé. Ecco due istantanee estratte dal *Piacere*, una di pieno sole, una di pioggia:

Roma splendeva, nel mattino di maggio, abbracciata dal sole. Lungo la corsa, un fontana illustrava del suo riso argenteo una piazzetta ancor nell'ombra; ... Sul ponte apparve il Tevere lucido fuggente tra le case verdastre, verso l'isola di San Bartolomeo. Dopo un tratto di salita, apparve la città immensa, augusta, radiosa, irta di campanili, di colonne e d'obelischi, incoronata di cupole e di rotonde, nettamente intagliata, come un'acropoli, nel pieno azzurro.

...

Pioveva. Per qualche tempo egli rimase con la fronte contro i vetri della finestra a guardare la sua Roma, la grande città diletta, che appariva in fondo cinerea e qua e là argentea fra le rapide alternative della pioggia spinta e respinta dal capriccio del vento in un'atmosfera tutta egualmente grigia, ove ad intervalli si diffondeva un chiarore, subito dopo spegnendosi, con un sorridere fugace. La piazza della Trinità de' Monti era deserta, contemplata dall'obelisco solitario.

D'Annunzio non ignora che le oasi di raffinato benessere nelle quali fa muovere i suoi personaggi sono circondate da un mare di abiezione e di miseria. La periferia dove si affollano i nuovi immigrati e la campagna intorno a Roma sono an-

cora quelle descritte con cupo realismo dal Belli. Il suo esteti-
smo rifiuta di prendere in considerazione quegli aspetti della
vita se non per manifestare disprezzo; con scrupolo di cronista però li registra. Nella scena seguente Elena e Andrea, i due
protagonisti del *Piacere*, durante una passeggiata a cavallo
nell'agro romano, entrano a bere un bicchiere d'acqua in una
sperduta locanda:

> Tre o quattro uomini febbricitanti stavano intorno a un braciere qua-
> drato, taciturni e giallastri. Un bovaro, di pel rosso, sonnecchiava in un
> angolo, tenendo ancora fra i denti la pipa spenta. ... L'ostessa, una fem-
> mina pingue, teneva fra le braccia un bambino, cullandolo pesantemen-
> te. Mentre Elena beveva l'acqua la femmina le mostrava il bambino, la-
> mentandosi:
> – Guardate, signora mia! Guardate, signora mia!
> Tutte le membra della povera creatura erano di una magrezza mise-
> revole.

Un impulso deciso alla nuova vita che anima Roma lo dà la
regina Margherita, moglie (e cugina) di suo marito Umberto I.
Per un quarto di secolo, Margherita è il vero motore della
mondanità di Roma, e di sicuro la figura regale più adeguata
al ruolo che il Regno d'Italia abbia avuto, la prima «regina» in
una città che per secoli ha conosciuto solo dei «re» maschi e
scapoli. Margherita inaugura i nuovi ospedali, dà ricevimenti
ambitissimi, passa in carrozza per il Corso acclamata dalla folla, concede la sua protezione a scrittori e poeti. A dispetto delle sue idee conservatrici, svolge, a favore del Regno, della dinastia sabauda e della stessa Roma, un impagabile lavoro,
diremmo oggi, di costruzione dell'immagine e di relazioni
pubbliche.

Trascinata dal suo esempio e stimolata dal complesso delle
vicende nazionali, la vita romana si movimenta nel tentativo
d'adeguarsi a quella delle altre capitali del continente. Sorgono nuovi quartieri e nel mare di fabbricati destinati a una popolazione che aumenta a vista d'occhio non mancano nemmeno alcune stravaganze stilisticamente valide. L'architetto
(autodidatta) Armando Brasini, con i materiali recuperati dalle demolizioni del centro storico, edifica una specie di «castel-

laccio» (via Flaminia 489), un complesso medievaleggiante di torri, pinnacoli, guglie e contrafforti, dimora vicina più alle immaginazioni fiabesche che al vero Medioevo, come del resto aveva fatto in Francia, solo pochi decenni prima, Eugène Viollet-le-Duc reinventando i canoni del gotico nei suoi radicali restauri.

Un'operazione per molti versi analoga fa Gino Coppedè realizzando, nei primi anni Venti del Novecento, un intero piccolo quartiere costituito di una quarantina di palazzine e villini collocati in un quadrilatero di circa 30 mila metri quadrati a fianco di via Tagliamento. In una città dall'edilizia spesso disordinata come Roma, il «quartiere Coppedè» si distingue per l'unitarietà del segno e la razionalità del progetto urbanistico. Portando alle conseguenze estreme lo stile detto «eclettico» diffusosi negli anni fra i due secoli, Coppedè s'è inoltrato in una specie di geniale bric-à-brac, dando al suo progetto un'accentuata connotazione fantastica: pinnacoli, guglie, veroni, torrette, portali ferrati, lampade pesantemente sbalzate per l'illuminazione pubblica. I palazzi detti «degli ambasciatori» sono collegati da un grande arco con un mascherone che incornicia teatralmente piazza Mincio, al cui centro sorge la fontana delle Rane, che a sua volta rielabora il tema della più celebre fontana delle Tartarughe in piazza Mattei. Un credenza popolare indica questo sito come luogo di raduno delle streghe. Il «Palazzo del ragno» venne così battezzato per il disegno a mosaico del portale; il ragno è visto come silente e infaticabile tessitore, dunque simbolo di operosità e come tale ripetuto nelle decorazioni. Il «Villino delle fate» è arricchito da affreschi che evocano in modo fiabesco una Firenze rinascimentale più immaginata che reale. Non è difficile individuare nelle varie costruzioni i modelli ai quali l'architetto s'è rifatto: castelli medievali, chalet svizzeri, magioni vittoriane, una sorta di divertita miscela che il secolo da allora trascorso ha arricchito di una suggestiva patina.

Dall'Inghilterra arrivano gli sport e i divertimenti equestri e l'alta borghesia e la nobiltà bianca, vale a dire la nuova aristocrazia creata dal Regno, così definita per distinguerla dalla nobiltà detta «nera», creata cioè dai papi, cominciano a frequentare i campi di corse delle Capannelle, di Tor di Quinto, di Villa Glori. La lugubre e deserta campagna s'anima d'improvviso per qualche battuta di caccia alla volpe. In città s'aprono circoli (di scacchi, di caccia) e nascono salotti esclusivi. A Roma, invasa da un gran numero di forestieri, convivono ormai due corti, quella papale e quella dei Savoia, e due diplomazie; e la nobiltà romana per qualche decennio si divide fra due fedeltà che molti sentono inconciliabili: il trono e l'altare. Nel gennaio 1875 il papa, ormai prigioniero di posizioni reazionarie, esorta i nobili ad astenersi dalle «pubbliche faccende»: «Statevene alle case vostre» dice Pio IX (Giovanni Mastai Ferretti) «e attendete alle cure domestiche». La maggior parte dei nobili a lui fedeli accoglie l'invito: Aldobrandini, Altieri, Barberini, Borghese, Chigi, Corsini, Lancellotti, Massimo, Orsini, Patrizi, Rospigliosi, Salviati, Soderini, Theodoli. Altri invece si adeguano al nuovo regime: Boncompagni Ludovisi, Cesarini Sforza, Colonna, Doria, Odescalchi, Santafiora.

Queste polemiche si attenuarono, ma solo parzialmente, con la morte del papa che, per fatalità, venne preceduta di poche settimane da quella di Vittorio Emanuele II. Il re, che era stato scomunicato dopo la presa di Roma, si spense al Quirinale il 9 gennaio 1878, attaccato anche da morto dai giornali cattolici più estremisti. Quando il papa morì, il 7 febbraio, il clima pareva così teso che il cardinale Manning, arcivescovo di Westminster, temendo il peggio propose di tenere il conclave a Malta. A Roma circolarono anche voci insistenti di possibili rappresaglie che i massoni avrebbero tentato durante l'esposizione pubblica della salma. In realtà non accadde nulla; i timori, però, furono reali, tanto che il mantenimento dell'ordine pubblico fu affidato a un battaglione di fanteria e furono in molti a voler rendere un ultimo saluto al pontefice, anche se ognuno a suo modo. Il funzionario di polizia Giuseppe Manfroni testimonia nelle sue memorie che mentre il popolo dei fedeli si metteva pazientemente in fila per rendere omaggio al papa morto, da una porticina laterale entravano nella basilica «dame di corte, segretari generali ed alti funzionari dei mini-

steri, senatori e deputati con le loro famiglie», oltre naturalmente ai vari esponenti della nobiltà papalina.

L'estraneità dei nobili «neri» al nuovo Stato era comunque
destinata a diminuire: prima o poi tutti capirono che il papa,
privo di potere, poteva promettere solo lontane beatitudini ce-
lesti, mentre con il nuovo regime diventava possibile combi-
nare ottimi affari immediati, soprattutto vendendo a peso d'o-
ro le antiche proprietà agricole, ora edificabili.

In questi anni aumenta anche la richiesta di spettacoli e di
intrattenimenti e poiché non tutti possono ovviamente essere
ricevuti a corte o nei palazzi nobiliari, si aprono alcune sale
pubbliche, che la città in pratica non aveva mai avuto. Nascono, all'inizio degli anni Ottanta, i primi café-chantant e nasce,
con loro, la figura della «kellerina» e della «sciantosa». Per un
certo periodo ai café-chantant si contrappone il caffè-concerto
nel quale l'orchestrina è protagonista esclusiva. Da una nota
sui «Concerti» del 1893 apprendiamo che in quei locali «le
canzonette romanesche fanno furore. Al Cornelio, ora ridotte
inappuntabilmente per orchestra dal bravissimo maestro Alberto Cavanna, sono e saranno sempre fragorosamente ap-
plaudite dallo scelto pubblico». Alla regina Margherita, benia-
mina degli italiani, vengono dedicati un salone di spettacolo e
una pizza napoletana, la margherita, appunto. Una sala viene
intitolata anche al re Umberto. Per il resto, i locali di varietà si
rifanno ai soliti nomi esotici: Alhambra, Trianon, Olympia,
Eden, Kursaal, Alcazar.

La peculiarità del café-chantant è che le poltrone per il pubblico sono sostituite da tavolini per le consumazioni sparsi in
un décor di velluti e specchiere, sotto un soffitto ornato di ca-
rezzevoli allegorie a stucco. Di conseguenza, mentre il fantasi-
sta o la «sciantosa» eseguono il loro numero in palcoscenico,
in sala c'è via vai di camerieri e animata conversazione. Questo clima facilita gli scambi fra platea e palco, fra pubblico e
«artisti». Il café-chantant è un luogo familiare e animatissimo,
popolare dispensatore di un erotismo blando e tuttavia sufficiente ad appagare le modeste velleità trasgressive d'una pacifica borghesia che pare tratta da una novella di Maupassant.

Proprio per la loro grande popolarità, i «café» ebbero anche i loro accaniti detrattori. In un «Almanacco italiano» del 1899 leggiamo che «il caffè-concerto ha recato immenso danno al teatro. Ha viziato il gusto, ha deteriorato per anco l'indole dei teatri medesimi». (Più o meno le accuse che, rispetto al cinematografo, si muovono oggi alla TV.)

Nel novembre 1880 un dinamico impresario, Domenico Costanzi, apre il nuovo teatro dell'Opera nel quartiere detto «De Merode»: duemiladuecento posti a sedere, la tecnologia di scena più avanzata del tempo, luci sfarzose, ampi foyer. A inaugurarlo, la sera del 27, è la *Semiramide* di Rossini. Il pubblico ammette che non c'è confronto con i vecchi teatri romani ancora in funzione (Tor di Nona, Argentina, Valle), si lamenta solo che «il Costanzi», come viene chiamato, sia stato costruito lassù, arrampicato in cima a via Nazionale, lontano da tutto.

Anche la vita culturale s'infittisce. L'antica università della Sapienza viene potenziata, l'Accademia musicale di Santa Cecilia e l'Accademia dei Lincei si rinnovano, in via Panisperna viene aperta una facoltà scientifica destinata a un glorioso avvenire, le mostre d'arte trovano sede nel nuovo palazzo delle Esposizioni di via Nazionale, mentre s'intensificano gli scavi e le sistemazioni delle zone archeologiche.

Intendiamoci, al fondo Roma resta quella città scettica e incolta che è sempre stata e che ancora è, con la sua gente allo stesso tempo facinorosa e indolente. Per di più, a proposito di alcune delle opere pubbliche si diffondono dicerie su speculazioni e scoppiano autentici scandali. Tutto sommato, però, la «Terza Roma», quella di Umberto I e di Giolitti, cioè a cavallo dei due secoli, si mostra culturalmente più vivace e adeguata ai tempi rispetto non solo a quella papale, ma anche alla capitale fascista e, soprattutto, alla Roma democristiana del secondo dopoguerra.

A un ultimo aspetto, fra i tanti che caratterizzano questo periodo, vorrei accennare: i grandi processi. La cronaca nera e giudiziaria, come sempre accade, è un potente rivelatore della realtà che si nasconde sotto quella ufficiale. La nascita della nuova Roma, accompagnata da un travolgente cambiamento di abitudini, da un rapido aumento della popolazione e dalla messa in cantiere di innumerevoli opere pubbliche e private, non poteva non lasciare traccia significativa negli annali della giustizia.

Lo scandalo più clamoroso degli ultimi anni dell'Ottocento è senza dubbio quello della Banca romana. Il suo presidente, Bernardo Tanlongo, era stato nominato senatore proprio alla vigilia della denuncia di un clamoroso imbroglio. S'era scoperto che la banca, autorizzata insieme a poche altre a stampare banconote, ne aveva messo in circolazione una doppia serie con gli stessi numeri. Era questa la parte più appariscente di un vasto giro truffaldino. Quando si finì di portarlo alla luce, si vide che l'imbroglio coinvolgeva non soltanto i massimi dirigenti dell'istituto, ma anche altri banchieri e politici e giornalisti.

Il 21 gennaio 1893 il «Corriere della Sera» così descriveva Bernardo Tanlongo, protagonista dello scandalo: «Non è stato donnaiolo, non ha mai giocato, è agli antipodi di ogni eleganza, la sua frugalità rassomiglia da vicino all'avarizia». Tanlongo, detto familiarmente «Sor Bernà», aveva settantatré anni, vestiva sempre panni logori ed era cresciuto nella Roma del «papa-re» dove aveva appreso ogni sorta di maneggi, diventati ancora più fitti in seguito alla febbre edilizia scoppiata dopo il 1870. Nella Roma di Garibaldi s'era aiutato facendo la spia dei francesi; mutata l'aria, aveva cercato di tenersi buoni sia i gesuiti sia i massoni. Prestava i denari della banca con oculata saggezza, vale a dire badando più che altro al proprio tornaconto. Poi aggiustava di nascosto i bilanci ma quando si rese conto che i trucchi contabili non erano più sufficienti a nascondere lo spaventoso deficit di 28 milioni di lire, cominciò, complice il cassiere della banca e il proprio figlio, a firmare banconote doppie.

La vera «assicurazione» su cui contava erano però le carte di cui rigurgitavano i suoi cassetti. Quando il «Corriere della Sera» lo intervistò alla vigilia dell'arresto, parlò chiaro: «Se mi si vuole chiamare responsabile di colpe non mie, io sarò costretto a fare uno scandalo». In Parlamento Crispi e Giolitti, che si odiavano, capirono il messaggio e fecero a gara per darsi l'un l'altro la colpa di aver saputo e taciuto sugli imbrogli. Il risultato, non stupefacente, fu che a fine luglio 1894 Tanlongo venne assolto, a conferma che in prigione finiscono i gonzi, i ladri di polli e i malaccorti che non hanno preparato in tempo opportune difese per le proprie malefatte. Questa vicenda rimane, nel campo del crimine finanziario, un evento ancora significativo, anticipatore della nostra corrotta «modernità».

Grande interesse suscitarono anche alcuni processi per delitti privati o semiprivati, in genere a sfondo sessuale. Esemplare, fra questi, lo scandalo politico-coniugale che portò all'uccisione di Raffaele Sonzogno, direttore del foglio «La capitale». Molto seguito fu pure il processo per l'assassinio della «contessa Lara», pseudonimo con cui firmava i suoi versi estetizzanti e «dannunziani» la poetessa Eva Cattermole Mancini. Figlia di un inglese e di una russa, Lara teneva una rubrica intitolata «Il salotto della signora» su «La Tribuna illustrata», ma era nota soprattutto per una burrascosa e intensa attività amorosa. Sposata giovanissima, s'era separata dal marito quando questi aveva ucciso in duello una sua fiamma, da lei presto sostituita con numerosi altri amanti. Alla fine uno di questi l'assassinò.

Fra i processi che più accesero l'interesse dei giornali e stuzzicarono la curiosità del pubblico ci fu sicuramente quello noto come «processo Fadda». Se ne occupò perfino Carducci con un componimento a caldo poi incluso nella raccolta *Giambi ed epodi*. «Ai dibattimenti delle Assisi» scrisse l'indignato poeta «tenuti in Roma per l'assassinio del capitano Fadda, commesso dal cavallerizzo Cardinali, istigante e complice la Raffaella Saraceni moglie del capitano e amante del cavallerizzo, dal 20 settembre al 21 ottobre 1879, assisteva fra la folla immensa un numero grandissimo di signore e signorine della migliore società, come si dice, romana.» Scandalizzato da quell'eccesso d'interesse così morbosamente motivato, Carducci scaglia versi roventi contro l'ipocrisia delle numerose donne presenti nell'aula del dibattimento: «Voi sgretolate, o belle, i pasticcini / tra il palco e la galera». Oppure, andando più in là e diventando ancora più esplicito: «studiate, e gli occhi mobili dan guizzi / di feroce ideale, / gli abbracciamenti de' cavallerizzi / tra i colpi di pugnale».

Questa è stata Roma negli anni fra l'entrata dei bersaglieri a porta Pia e l'inaugurazione del monumento a Vittorio Emanuele II, durante i quali la vecchia città fece finalmente il suo ingresso nell'era moderna, pur conservando molti dei suoi tratti peculiari, compresi alcuni vistosi difetti nel comportamento collettivo dei suoi abitanti. La lettura delle cronache la rivela, tutto sommato, né migliore né peggiore delle altre grandi città europee, però con un connotato aggiuntivo di ansia e di timore, quasi che si volesse rimediare in fretta al tempo perduto mentre il resto del mondo correva incontro al suo futuro.

Se si guarda a quegli uomini e a quei fatti dalla comoda posizione di «posteri», si vedono con chiarezza, anche se allo stato nascente, molti dei tratti che ancora la distinguono. Nel corso di quei quarant'anni Roma cambiò pelle, si dette (e la nazione con lei) una classe dirigente laica, una rappresentanza politica, un ceto medio che per secoli era mancato e dunque delle attività produttive reali: piccole, faticose grandezze e notevoli miserie che l'hanno fatta diventare quello che è oggi.

Nei luoghi dove si combatté per difendere la Repubblica romana sono ancora visibili le tracce di quell'avventura effimera e gloriosa. Per cinque mesi, dal 9 febbraio al 3 luglio 1849, la Repubblica parve dare concretezza istituzionale a sogni e aspirazioni di una generazione di patrioti accorsi da molte regioni italiane. Quando si sale sulla collina del Gianicolo, già i nomi delle strade evocano la memoria dei protagonisti e dei caduti: Dandolo, Sterbini, Bassi, Induno, Armellini, Saffi, Dall'Ongaro, Casini, Daverio, Mameli...

Su via Garibaldi, superati un paio di tornanti, ci si può fermare a San Pietro in Montorio. È una chiesa gremita di capolavori, con la curiosità aggiuntiva che presso l'altare maggiore è sepolto, senza lapide, il corpo di Beatrice Cenci. Fuori, sulla destra, sorge il tempietto bramantesco che la coppia reale Ferdinando e Isabella di Spagna volle far edificare verso la fine del Quattrocento nel luogo dove, secondo la tradizione, sarebbe stato crocifisso san Pietro. Una leggenda, naturalmente, dovuta forse al fatto che di lassù s'abbraccia Roma in una delle più suggestive vedute: l'apostolo, prima del supplizio, avrebbe avuto la possibilità di fissare per l'ultima volta l'Urbe. Il toponimo Montorio deriva, per contrazione, da «monte d'oro», nome d'origine popolare dovuto ai riflessi color paglierino di cui al tramonto s'accendevano le argille della collina.

Nella fiancata sinistra della chiesa è incastonata una palla di cannone, ultimo toccante residuo del furioso bombardamento d'artiglieria che precedette lo sfondamento delle linee difensive, approntate dai sostenitori della Repubblica romana. Poco oltre, più o meno dove ora sorge l'ossario in memoria di quei caduti, sacrificatisi al grido di «O Roma o morte», si trovava una batteria repubblicana a difesa della città. All'interno dell'ossario sono tumulate, fra le altre, le ceneri di Goffredo Mameli. Venne colpito nella villa chiamata «il Vascello» e sulle prime sembrò solo una brutta ferita alla gamba. Invece, sopraggiunse la cancrena e nemmeno l'amputazione dell'arto riuscì a salvargli la vita. Quando i suoi compagni s'incolonnarono per lasciare Roma, passando sotto l'ospedale dei Pellegrini, dove il poeta era in agonia, intonarono l'inno da lui composto e musicato dal maestro Novaro: «Fratelli d'Italia...». Aveva ventidue anni.

All'altezza di largo Berchet, nel muro di villa Sciarra, che chiude una breccia, c'è un curioso residuo di quei mesi travagliati. Accostate l'una all'altra si possono vedere due lapidi marmoree. Quella di sinistra, in italiano, è del 1871 e ricorda il sacrificio dei patrioti che difesero la Repubblica romana; quella di destra, in latino, è del 1850 e celebra il rapido restauro delle mura per cancellare ogni traccia della breve avventura, nonché il contributo alla riconquista della città fornito dalle truppe francesi.

Pochi metri dopo porta San Pancrazio, prima della biforcazione di via Aurelia Antica, appare sulla destra ciò che rimane del muro di cinta del Vascello, villa diventata leggendaria giacché fu uno degli ultimi baluardi della resistenza ai francesi. Bisogna guardare questi luoghi immaginandoli com'erano allora: una distesa di prati, orti, vigne, giardini. Qua e là la maestosa mole di una villa come appunto il Vascello e, poco più oltre, villa Doria Pamphili, il cui terreno, subito dopo l'ingresso, sale per un tratto verso l'arco detto «dei Quattro Venti». Quel breve percorso oggi festoso, pieno di bambini, di innamorati, di gente che corre o fa ginnastica, nelle giornate di cui sto per parlare s'inzuppò, si può dire senza retorica, di sangue. L'arco infatti, disegnato dall'architetto Andrea Busiri Vici nel 1856, è stato eretto dove una volta sorgeva villa Corsini, quasi interamente distrutta dalle artiglierie francesi durante la battaglia. Di quella costruzione s'erano subito impossessati gli assalitori, che sfruttarono la posizione elevata piazzandovi dei poderosi cannoni d'assedio. Fra il Vascello e villa Corsini infuriò la fase finale dello scontro violentissimo. I repubblicani erano asserragliati al Vascello e lungo le mura di Urbano VIII, martellate dall'artiglieria. Ben otto brecce vennero aperte nella recinzione che delimita villa Sciarpa e attraverso quelle le truppe francesi fecero irruzione. Ma c'era voluto un mese e molti morti da entrambe le parti perché Roma cedesse.

Ricorda quell'epopea anche la passeggiata del Gianicolo, sotto la volta frondosa dei platani. I lati del viale sono ornati dai busti di alcuni dei tanti volontari protagonisti delle imprese risorgimentali e della difesa della città. Al centro del piazzale che conclude il cammino sta il maestoso monumento equestre a Garibaldi, opera di Emilio Gallori, del 1895. Pochi anni più tardi, nel 1932, venne eretto un monumento anche a sua moglie Anita, che fu commissionato a Mario Rutelli. Dal 1904 ogni giorno, allo scoccare del mezzodì, un cannone ottocentesco collocato su una piazzola sotto la balconata del piazzale, ricevuto un segnale ottico dalla torre del Campidoglio, esplode un colpo molto sonoro, coronato da un buffo pennacchio di fumo.

Vale la pena di raccontarla la storia della Repubblica romana, per quel tanto di avventuroso, di tragico, di anticipatore che contiene, per i segnali di cui è carica, facili da cogliere e interpretare alla luce degli avvenimenti successivi. Ma anche per gli errori che furono commessi, anch'essi chiaramente identificabili ai nostri occhi. Velleità, slanci, equivoci, ardore ideale, scontri, illimitata generosità, utopie, visioni e divisioni: in quei pochi mesi di vita della Repubblica, negli atti, nelle leggi emanate, nei comportamenti dei protagonisti, è possibile scorgere un concentrato di quella che sarà, dopo il 1948, la vita politica di un'altra repubblica, la nostra.

Per ricostruire la breve esistenza della Repubblica romana bisogna cominciare il racconto qualche anno prima del suo inizio, nel 1846 quando, il 16 giugno, monsignor Giovanni Maria Mastai Ferretti, vescovo di Imola, viene eletto papa e prende il nome di Pio IX. Giubilo, scampanio, popolani in festa, felicitazioni delle corti europee. Quando, il 1° giugno

1846, era morto il suo predecessore Gregorio XVI (Bartolomeo Cappellari), duemila sudditi papali languivano nelle carceri e lo Stato pontificio era, nell'intera penisola, quello che maggiormente pativa di arretratezze sociali, conservazione di privilegi, miseria diffusa nelle classi più umili. Perfino l'Austria di Metternich aveva fatto sapere, al momento del nuovo conclave, che era tempo di eleggere un papa di vedute un po' più ampie. Pio IX rappresentò una ragionevole soluzione di compromesso.

È un cinquantaquattrenne di bell'aspetto, dalla conversazione gioviale e con qualche sprazzo di umorismo, debole in teologia, ancor più debole nel giudizio politico, eccellente violinista. Sulle prime sembra voler mantenere qualche promessa di riforme: un mese dopo l'elezione decreta un'amnistia per i condannati politici, si circonda di prelati giovani e all'apparenza aperti, permette una certa libertà di stampa, concede al comune di Roma una costituzione. Il 17 aprile 1848 ordina l'abbattimento delle porte del ghetto e la parificazione degli ebrei agli altri cittadini, decisione in sé meritevole, che però esige una precisazione. Una prima emancipazione degli ebrei c'era stata nel 1798 quando la *Révolution* era, per breve tempo, arrivata dalla Francia fino a Roma. Ma fu un evento effimero e, infatti, ben presto le limitazioni erano tornate. Durerà poco anche il provvedimento del 1848: infatti, al rientro di Pio IX dall'esilio di Gaeta, nella primavera 1850, il ghetto viene ripristinato. Secondo lo studioso valdese Giorgio Bouchard, lo spavento provato dal papa durante il soggiorno a Gaeta era stato tale da fargli coltivare il sogno di una restaurazione che s'ispirasse alla controriforma, e includesse anche provvedimenti contro gli ebrei. Ci vorranno i «piemontesi», nel 1870, perché gli ebrei romani diventino davvero liberi.

Nei primi mesi del suo regno il nuovo papa piace. Fra l'altro, avvia un programma di lavori pubblici che riducono la disoccupazione e, di conseguenza, la diffusa criminalità. In Italia si comincia ad acclamarlo: «Viva Pio IX!». Perfino l'austero Mazzini lo incita da Londra a porsi a capo del movimento di riscatto nazionale senza timore di confondersi, lui così intransigente, con il «neoguelfismo» di Gioberti. L'entusiasmo, se era sincero, fu mal riposto; se era strumentale per incoraggiare il papa sulla via delle riforme, fallì.

Nel 1848 l'Europa intera viene percorsa da moti rivoluzionari: in Piemonte Carlo Alberto è costretto, nei primi giorni di marzo, a concedere lo Statuto e, alla fine dello stesso mese, a dichiarare guerra all'Austria. Roma è scossa da inquietudini: che cosa farà il papa? Scenderà in campo contro «i barbari»? Pio IX preferisce non farlo e in una famosa allocuzione proclama che, come rappresentante di un Dio di pace, non può prendere parte a guerre fra popoli. Le sue truppe, già in marcia verso i confini settentrionali dello Stato della Chiesa, vengono richiamate.

Intanto, la situazione precipita. In settembre il papa affida il governo a Pellegrino Rossi, uomo di prim'ordine, pari di Francia, professore d'economia politica, inviato a Roma come ambasciatore e qui nominato conte per la sua abilità diplomatica. Rossi accetta l'incarico. Ha davanti a sé un sentiero strettissimo: deve cercare di ridare autorità e immagine al regno pontificio, nello stesso tempo creare un'amministrazione meno arretrata e avviare alcune indispensabili riforme economiche. Se c'era un uomo in grado di portare a termine un incarico così arduo era probabilmente lui. Purtroppo, non ebbe il tempo di provarcisi perché, appena due mesi dopo la nomina, il 15 novembre, mentre saliva lo scalone del palazzo della Cancelleria apostolica per inaugurare la sessione del Parlamento, due o tre facinorosi lo pugnalano a morte. Fra gli assassini c'era, forse, Luigi Brunetti, figlio di Angelo, meglio noto come Ciceruacchio. (Segnalo come una curiosità che nel monumento a lui dedicato, in Lungotevere Ripetta, dove Angelo è raffigurato nel momento in cui gli austriaci stanno per fucilarlo, lo scultore Ettore Ximenes gli ha messo accanto il figlio Lorenzo, mentre manca l'altro figlio, Luigi appunto. L'artista venne criticato per l'omissione, che diventerebbe però comprensibile se dovuta all'ombra di un assassinio di cui Luigi non fu mai capace di sbarazzarsi.)

Subito dopo l'assassinio di Rossi, Pio IX si chiude nel palazzo del Quirinale, assediato dalla folla. Si tratta di una rivolta confusa, senza un fine politico riconoscibile. Viene chiesto a gran voce che il papa dichiari guerra all'Austria, che abolisca i privilegi, che dia vita a una costituente italiana, che apra alle riforme sociali. La gente si agita e gli svizzeri aprono il fuoco. Ma i rivoltosi, dopo un primo sbandamento, si organizzano; fra loro ci sono anche numerosi soldati e guardie civiche e dalle parole si passa definitivamente alle armi, con ripetuti tentativi di assalto al palazzo, durante uno dei quali il segretario del pontefice resta ucciso. Pio IX decide di abbandonare la città. Nella notte del 24 novembre, con l'aiuto dell'ambasciatore bavarese Karl von Spaur, travestito da semplice prete e qualificandosi come precettore della famiglia, fugge a Gaeta, nel Regno delle due Sicilie.

A Roma resta il nuovo governo presieduto da monsignor Emanuele Muzzarelli, con Giuseppe Galletti ministro dell'Interno. Muzzarelli, un prete di stampo liberale, si trova ad affrontare una situazione economica spaventosa: in cassa non ci sono nemmeno i soldi per la gestione ordinaria. Per dare un'idea del grado di arretratezza finanziaria dello Stato basti pensare che il prestito con interesse è proibito in quanto assimilato all'usura. Il risultato è, ovviamente, quello di alimentare un circuito clandestino di prestiti a interessi altissimi.

Muzzarelli si comporta come molti avrebbero fatto, compreso il povero Pellegrino Rossi se gli fosse stato consentito: media, si barcamena, emette dei buoni del Tesoro per far fronte alle prime necessità di cassa, promette riforme, comprese quelle che sa di non poter attuare. Cerca di governare, insomma. Ma non è facile, anche perché da Gaeta il papa, che ancora risente del trauma della rivolta e della fuga, dichiara che gli atti del nuovo governo non avranno comunque valore. Da Roma gli si risponde che, fuggendo, ha dato vita a una situazione istituzionale nuova che, di fatto, delegittima il suo stesso potere. Il 26 dicembre il governo fa approvare la convocazione di un'Assemblea costituente. Due giorni dopo il Parlamento viene sciolto e le elezioni, le prime a suffragio universale (maschile) e diretto, sono indette per il 21 gennaio 1849.

Di fronte al precipitare degli eventi il papa commette l'ennesimo errore politico: da Gaeta nomina una Commissione governativa presieduta dal cardinale Castracane, quasi un governo in esilio. Inoltre, vieta ai «buoni cristiani», minacciandoli di scomunica, di partecipare alle elezioni, che definisce «atto sacrilego». Di fatto allontana dal voto i moderati, con il risultato che dalle urne – che vedono una percentuale piuttosto alta di votanti: 50 per cento, con punte del 70 – esce un'assemblea nella quale prevalgono gli estremisti. Siamo quasi al termine di questa veloce rassegna dell'antefatto: il 5 febbraio s'inaugura la Costituente, il 9 febbraio si proclama solennemente in Campidoglio (120 voti a favore, 10 contrari, 12 astenuti) il «Decreto fondamentale» in cui è scritto: «Il papato è decaduto di fatto e di diritto dal governo temporale dello Stato romano. La forma del governo dello Stato romano sarà la democrazia pura e prenderà il glorioso nome di Repubblica romana». Bandiera della repubblica è il tricolore italiano. Era, ripeto, il 9 febbraio 1849. Cinque mesi sarebbe durata l'effimera impresa.

Subito dopo la commozione, le lacrime, lo slancio verso il più radioso avvenire, cominciano tra i promotori dell'impresa i problemi di governo. La formula scelta dalla Costituente è il triumvirato. Nella popolazione la sfiducia è tale che i commercianti non accettano in pagamento né i buoni del Tesoro né le banconote: in pratica ha corso legale solo la moneta sonante. Si tenta di rimediare con alcuni provvedimenti urgenti, che meglio sarebbe definire disperati. Il 21 febbraio l'Assemblea vota l'incameramento dei beni ecclesiastici: beni mobili e immobili, depositi, arredi sacri, preziosi, per un valore complessivo di circa 120 milioni di scudi. Il provvedimento, peraltro insufficiente, suscita grande scalpore. Si decreta inoltre un prestito forzoso che obbliga chiunque disponga di una rendita superiore ai 2000 scudi a cederne «temporaneamente» una percentuale (da un quinto fino a due terzi) allo Stato. Infine, s'impone il «corso forzoso» delle banconote, con pene severe per chi le rifiuti.

Comincia male la Repubblica, anzi, comincia malissimo, dando vita a una nuova forma istituzionale che prevede il consenso popolare, dopo secoli in cui le masse sono state tenute lontane da ogni forma di partecipazione alla vita pubblica che non fossero processioni, donativi, riti sacri. Ma comincia anche peggio se si pensa che da Gaeta Pio IX continua a invocare l'intervento delle maggiori potenze cattoliche perché lo aiutino a ristabilire il suo dominio temporale. Il cardinale Antonelli, che funge da segretario di Stato, invia alle cancellerie di Spagna, Francia, Austria e Regno delle due Sicilie un messaggio in cui, fra l'altro, si legge: «Le cose dello Stato pontificio sono in preda di un incendio devastatore per opera del partito sovvertitore di ogni sociale costituzione, che sotto speciosi pretesti di nazionalità e d'indipendenza nulla ha trascurato di porre in opera per giungere al colmo delle proprie nequizie. Il decreto detto fondamentale offre un atto che da ogni parte trabocca della più nera fellonia e della più abominevole empietà». E conclude: «[Il papa] si rivolge di nuovo a quelle stesse potenze, specialmente a quelle cattoliche, che con tanta generosità di animo hanno manifestato la loro decisa volontà ... nella certezza che vorranno con ogni sollecitudine col loro morale intervento affinché Egli sia restituito alla sua Sede». Il cardinale parla di «morale intervento», ma ciò a cui allude è l'intervento armato, e così, infatti, il messaggio viene interpretato.

Intanto la Repubblica cerca di sopravvivere fra cento problemi e cento contrasti che dividono anche coloro che l'hanno voluta. I provvedimenti economici, che giocoforza si è dovuto prendere, incontrano molte difficoltà d'attuazione: l'esproprio dei beni ecclesiastici dà fiato alla corrente massimalista e anticlericale, mentre i meno abbienti, che s'aspettavano un miglioramento immediato, rimangono delusi. Nello stesso tempo è necessario aumentare le spese militari per fronteggiare un attacco che tutti prevedono imminente. Intanto, al Nord, Carlo Alberto subisce a Novara, nel marzo 1849, una nuova sconfitta (dopo quella di Custoza del luglio 1848) da parte degli austriaci. È chiaro che nemmeno da lui la Repubblica potrà aspettarsi un aiuto.

C'è chi sostiene, e personalmente sono d'accordo, che proprio da questa condizione disperata la breve esperienza della Repubblica romana trasse la sua grandezza, non tanto per la concezione romantica, che considera con favore i più deboli quando siano sopraffatti dall'aggressività o dalla prepotenza, bensì per ragioni propriamente giuridiche: in circostanze meno drammatiche, forse, una Costituzione tanto avanzata come quella che la Repubblica si dette non avrebbe potuto nascere. In marzo si forma il triumvirato formato da Giuseppe Mazzini, Carlo Armellini e Aurelio Saffi. Si comincia a discutere il contenuto della Costituzione ed è subito chiaro che, soprattutto Mazzini, vuole imprimere a quell'esperienza straordinaria, e che prevede breve, connotati politici straordinari, quasi sconfinanti nell'utopia. Si spiegano così da una parte i provvedimenti di pratica urgenza, dall'altra l'impostazione avanzatissima, e per i tempi quasi impensabile, della nuova carta costituzionale. In aprile si decide di destinare ad abitazioni per i più poveri gli immobili ecclesiastici sequestrati; la Repubblica cerca in questo modo di stimolare la partecipazione di coloro che, non solo in fatto di alloggi, l'amministrazione pontificia aveva sempre tenuto ai margini della vita sociale. Si tenta anche di ridurre la disoccupazione, causa prima della dilagante criminalità. Vero motore delle riforme è Mazzini: in un paese meno immemore, la sua sarebbe una figura venerata quanto quella di Lincoln negli Stati Uniti o, su un diverso piano, di Montesquieu in Francia. Ma è destino che solo i grandi paesi sappiano tenere viva la memoria dei propri padri.

Nell'ideologia mazziniana la Repubblica «è anzitutto principio d'amore, di maggior incivilimento, di progresso fraterno con tutti e per tutti, di miglioramento morale, intellettuale, economico per l'universalità dei cittadini». L'assioma del grande patriota è che la rivoluzione debba essere fatta «dal popolo e per il popolo»; la sua idea è che dopo la Roma dei Cesari, che aveva unificato politicamente il mondo antico, e la Roma dei papi, che lo aveva unificato con il cristianesimo, debba essere la «Terza Roma» a guidare gli uomini verso la fratellanza universale nella libertà dei cittadini e nell'indipendenza. Consapevole che l'esperienza non avrà lunga vita, Mazzini vuole che resti almeno scritto nella Costituzione a quale alta moralità politica si siano ispirati. La Repubblica è il primo Stato europeo a proclamare, nell'articolo 7, che «dalla credenza religiosa non dipende l'esercizio dei diritti civili e politici»; è la prima a eliminare la pena di morte facendo propri quei diritti umani indicati negli articoli dal 2 al 21 della dichiarazione dei diritti dell'uomo e del cittadino, approvata dall'assemblea costituente francese nel 1789. La carta fondamentale più avanzata d'Europa dice fra l'altro: «Il regime democratico ha per regola l'eguaglianza, la libertà, la fraternità. Non riconosce titoli di nobiltà né privilegi di nascita o di casta» (art. 2). «I Municipi hanno tutti uguali diritti. La loro indipendenza non è limitata che dalle leggi di utilità generale dello Stato» (art. 5). «Il Capo della Chiesa Cattolica avrà dalla Repubblica tutte le guarentigie necessarie per l'esercizio indipendente del potere spirituale» (art. 8). E per quanto riguarda i diritti e i doveri dei cittadini stabilisce: «Le pene di morte o di confisca sono proscritte»; «Il domicilio è sacro; non è permesso entrarvi che nei casi e nei modi determinati dalla legge»; «La manifestazione del pensiero è libera»; «L'insegnamento è libero»; «Il segreto delle lettere è inviolabile»; «L'associazione senz'armi e senza scopo di delitto è libera»; «Nessuno può essere costretto a perdere la proprietà delle cose, se non per causa pubblica, previa giusta indennità», eccetera. Mai nessuno aveva formulato regole così avanzate. Chi ha qualche familiarità con la Costituzione della Repubblica italiana, promulgata nel 1948, sa che alcuni di questi principi, un secolo dopo, vi sono stati trasferiti di peso.

A Gaeta, intanto, Pio IX si muove per organizzare un possibile ritorno sul trono appellandosi sia alle potenze europee sia al clero. Rivolgendosi in febbraio al corpo diplomatico dice:

Precipitati i sudditi pontifici, per opera sempre della stessa ardita fazione nemica funesta della umana società, nell'abisso più profondo di ogni miseria, Noi come principe temporale, e molto più come Capo e Pontefice della Cattolica Religione, esponiamo i pianti e le supliche della massima parte dei nominati sudditi pontifici, i quali chiedono di vedere sciolte le catene che li opprimono. Domandiamo nel tempo stesso che sia mantenuto il sacro diritto del temporale Dominio della Santa Sede.

In un'allocuzione al Sacro Collegio dei cardinali tenuta nel successivo aprile, ammonisce:

Chi non sa che la città di Roma, sede principale della Chiesa cattolica, è ora divenuta, ahi! una selva di bestie frementi, ridondante di uomini d'ogni nazione, i quali o apostati o eretici, o maestri, come si dicono, del

Comunismo o del Socialismo, ed animati dal più terribile odio contro la
verità cattolica, sia con la voce sia con gli scritti, sia in qualsivoglia altro
modo si studiano con ogni sforzo d'insegnare e disseminare pestiferi errori d'ogni genere, e di corrompere il cuore, e l'animo di tutti, affinché in
Roma stessa, se sia possibile, si guasti la santità della religione cattolica?

Invano Camillo Benso, conte di Cavour, s'affanna a ripetere
che proprio l'interesse spirituale consiglierebbe al pontefice di
abbandonare le anacronistiche pretese di un potere temporale.
Più volte il futuro presidente del Consiglio piemontese tornerà sul tema, argomentando, rassicurando, invitando alla ri-
flessione. Ancora nel marzo 1861, quando la Repubblica romana è ormai lontana memoria, in un discorso alla Camera
dei deputati esclama: «Tutte quelle armi di cui deve munirsi il
potere civile in Italia e fuori diverranno inutili quando il pontefice sarà ristretto al potere spirituale. Epperciò la sua autorità, lungi dall'essere menomata, verrà a crescere assai più
nella sfera che sola le compete». Agli inviti alterna le rassicu-
razioni: «Qualunque sia il modo in cui l'Italia giungerà alla
città eterna, vi giunga per accordo o senza, giunta a Roma, appena avrà dichiarato decaduto il potere temporale, essa proclamerà il principio della separazione, ed attuerà immediatamente il principio della libertà della Chiesa sulle basi più
larghe».

A Pio IX quelle garanzie non bastano. Ciò che il papa reclama è proprio che non vengano separati il potere spirituale della sua cattedra e quello temporale del suo trono. Il motto che
Cavour ritiene rassicurante, «libera Chiesa in libero Stato», lo
spaventa quanto le più torbide insurrezioni popolari. Seguia-
molo in questo suo tormentato itinerario. L'8 dicembre 1854 il
papa proclamerà il dogma dell'Immacolata Concezione, con
una decisione che susciterà grandi perplessità, non solo nel
mondo protestante. Il pontefice sa di venire in questo modo
incontro alla religiosità popolare, come dimostrano, fra l'altro,
le «visioni», di poco successive, della pastorella Bernadette
Soubirous a Lourdes. Dieci anni dopo, nell'esatto anniversario
di quella proclamazione, viene promulgata l'enciclica *Quanta
cura*, cui è allegato il famigerato *Sillabo* dove si condannano
senza mezzi termini il progresso, il liberalismo, la civiltà mo-

derna e la libertà, compresa quella di pensiero. Secondo il papa devono considerarsi gravi errori: il divorzio; l'abolizione del potere temporale dei pontefici; il ritenere che il cattolicesimo non sia l'unica religione di Stato; la separazione fra Chiesa e Stato; la tolleranza per il pubblico esercizio di altri culti; l'aperta manifestazione di qualunque opinione o pensiero non conformi alle direttive del clero; l'idea che il papa debba adeguarsi alla moderna civiltà. Errore definito «funestissimo» è poi il socialismo. Il pontefice vede i pericoli delle società liberali e ne è quasi ossessionato, si rende conto che la modernità si accompagna all'indifferenza religiosa. In una sua enciclica lamenta in modo accorato:

Chi non vede e pienamente capisce come l'umana società, sciolta dai vincoli della religione e della vera giustizia, non possa certamente prefiggersi altro, fuorché lo scopo di procacciare ed aumentare ricchezze né seguire altra legge nelle sue azioni, se non l'indomita cupidigia dell'animo di servire ai propri comodi e piaceri.

Sono parole che oggi sappiamo in gran parte profetiche. La cupidigia e l'opacità dei valori sono fra le caratteristiche delle società contemporanee in Occidente, dominate dal denaro e dalla frenesia dei consumi. Identificato il possibile male, papa Mastai indica però la cura sbagliata e reclama il puro ritorno a un assolutismo ormai divenuto improponibile. Le sue posizioni saranno coronate dalla proclamazione dell'infallibilità papale nel concilio Vaticano I del 1870, la cui composizione verrà calibrata in modo che vi prevalgano i vescovi favorevoli al dogma, mentre gli oppositori subiscono pressioni e addirittura minacce. Il teologo dissidente Hans Küng ha di recente scritto che quel concilio fu «più simile al congresso d'un partito totalitario che a una libera assemblea di liberi cristiani». Molti vescovi contrari al documento lasciano Roma prima della votazione finale. Il testo approvato afferma fra l'altro: «I dogmi e i principii definiti dal papa sono indiscutibili di per sé [*irreformabiles esse ex sese*] e non in quanto esprimano il consenso della Chiesa». Venti storici tedeschi di matrice cattolica abbandonano la Chiesa. È il luglio 1870. Pochi giorni dopo scoppia la guerra franco-prussiana e il concilio viene sospeso. Non riprenderà mai più.

Ciò che invece avrà un seguito sono le posizioni espresse con tanto appassionato calore da Pio IX. Il suo successore, papa Leone XIII (Vincenzo Gioacchino Pecci), nell'enciclica *Libertas* del 1888, torna sui diritti fondamentali dell'individuo per affermare: «Non è assolutamente lecito invocare, difendere, concedere un'ibrida libertà di pensiero, di stampa, di parola, d'insegnamento o di culto come se fossero altrettanti diritti che la natura ha attribuito all'uomo». Per completezza d'informazione bisogna dire che questo pontefice sarà anche autore della famosa enciclica sociale *Rerum novarum*, per la quale passerà alla storia come «il papa dei lavoratori».

La diffidenza verso i diritti dell'individuo, che erano stati conquista della rivoluzione in Francia, continua anche dopo di lui. Uno dei successori, Pio XI (Achille Ratti), dichiarerà tranquillamente, e siamo già in pieno Novecento: «Se c'è un regime totalitario, totalitario di fatto e di diritto, è il regime della Chiesa, perché l'uomo appartiene totalmente alla Chiesa, deve appartenerle, dato che l'uomo è creatura del buon Dio ... E il rappresentante delle idee, dei pensieri e dei diritti di Dio, non è che la Chiesa». Del resto, lo stesso Giovanni Paolo II (Karol Wojtyła), che pure ha operato con tanto vigore in difesa della pace, è colui che nell'enciclica *Evangelium vitae* ha affermato – e in seguito più volte ribadito – che «la democrazia, a onta delle sue regole, cammina sulla strada di un sostanziale totalitarismo» quando vota in contrasto con l'etica sostenuta dalla Chiesa, una frase rivelatrice su quale debba essere l'autorità ultima e sovrana nel campo dei diritti dell'individuo.

Torniamo alla Repubblica romana. Il 25 aprile, mentre colonne di soldati napoletani muovono da sud, reparti francesi al comando del generale Oudinot sbarcano a Civitavecchia e si mettono in marcia lungo la via Aurelia, convinti che i romani si arrenderanno senza combattere. Il 28 aprile i triumviri inviano un'accorata e nobile lettera (oggi conservata fra i «cimeli» dell'archivio capitolino) al comandante francese:

Au nom de Dieu, au nom de la France et de l'Italie, Général, suspendez votre marche. Évitez une guerre entre frères. Que l'histoire ne dise pas: la république française a fait, sans cause, sa prémière guerre contre la république italienne! Vous avez été, évidemment, trompé sur l'état de notre pays; ayez le courage de le dire à votre Gouvernement et attendez-en de nouvelles instructions. Nous sommes decidés de répousser la force par la force. Et ce n'est pas sur nous que rétombera la responsabilité de ce grand malheur.

(In nome di Dio, in nome della Francia e dell'Italia, Generale, interrompa la sua marcia. Eviti una guerra tra fratelli. Che la storia non possa dire: la Repubblica francese ha fatto, senza motivo, la sua prima guerra contro la Repubblica italiana! Lei è evidentemente stato male informato sulla condizione del nostro paese; abbia il coraggio di riferirlo al suo Governo e ne attenda nuove istruzioni. Noi siamo decisi a respingere la forza con la forza. La responsabilità di questa grande sciagura non ricadrà certo su di noi.)

Parole che, ovviamente, non producono alcun effetto. Due giorni dopo c'è un primo attacco dalla parte del Gianicolo. Quel colle rappresenta l'estremità meridionale di una modesta dorsale che comincia con Monte Mario e prosegue con l'altura del Vaticano. Una struttura collinare che si affaccia sulle anse del Tevere e sulla città storica, una terrazza suggestiva come panorama, ma anche molto utile dal punto di vista militare. Lungo quella direttrice sono arrivati a Roma gran parte dei viaggiatori, dei pellegrini, nonché dei «barbari» che volevano aggredire l'antica capitale dell'impero. Nel Medioevo l'itinerario preferito era la via Francigena, coincidente per lo più con la Cassia. Questa strada presentava però un inconveniente: arrivati a ponte Milvio l'attraversamento del Tevere poteva risultare difficoltoso a causa delle disordinate piene del fiume. Proseguire in cresta era preferibile. Lì, infatti, correva la via Trionfale, scelta anche da molti viaggiatori ottocenteschi nel loro grand tour. Nei tempi antichi un ulteriore vantaggio di questo itinerario era rappresentato dalla facilità con cui si raggiungeva il «guado» dell'isola Tiberina e il ponte Sublicio, unica possibilità, allora, di passare sull'altra sponda.

Il 30 aprile, dunque, le avanguardie francesi attaccano. Si

aspettano una resistenza poco più che simbolica e sono sorpresi dalla determinazione degli italiani. In una sola giornata di combattimenti cinquecento sono i morti e i feriti fra gli attaccanti. A Roma sono accorsi volontari da molte regioni della penisola: numerosi i lombardi, i piemontesi, i veneti, i romagnoli. Gli scontri, compresi violenti corpo a corpo, avvengono all'interno di villa Doria Pamphili e lungo l'Aurelia. Di fronte a una resistenza più tenace del previsto, gli assalitori si ritirano, inseguiti dai volontari, e si giunge a un armistizio.

Fra le curiosità di quella breve guerra crudele si può segnalare la novità rappresentata dalla documentazione fotografica dei combattimenti. Per la prima volta, a scontri ormai conclusi, si pensò a documentare gli esiti del conflitto sia fotografando il teatro delle azioni, sia facendo «posare» i soldati francesi. Vediamo così le macerie del casino Corsini, di villa Savorelli, del Vascello; vediamo i soldati intenti a preparare il rancio accanto a un cannone o mostrare l'equipaggiamento o montare la guardia.

Nel frattempo altre due colonne, una composta da truppe austriache e l'altra, come già detto, da soldati del Regno di Napoli, si dirigono verso Roma. I primi devono affrontare la resistenza di Ancona, che ne ritarda l'avanzata, mentre i napoletani sono battuti da Garibaldi a Velletri. L'accerchiamento sembra al momento scongiurato, anche se in città tutti sono consapevoli che si tratta solo d'una breve tregua.

Ci si è chiesti spesso per quali motivi il generale Oudinot, dopo quella prima sconfitta, abbia continuato ad attaccare dalla parte del Gianicolo che era la più munita, quando avrebbe potuto sfruttare vie d'accesso meno rischiose. Per la verità altri tentativi ci furono: i francesi gettano un ponte di barche alla Magliana e attaccano ponte Milvio, dove riescono a sfondare, a dispetto della strenua resistenza dei difensori che finiscono per asserragliarsi sui Parioli. Arrivati davanti a porta del Popolo, però, si fermano. Oudinot concentra il grosso dei 30 mila uomini di cui dispone fra porta Portese e il Gianicolo, in quello che è oggi il quartiere di Monteverde. Questa tattica era probabilmente dovuta al timore del generale di incappare, se fosse entrato prematuramente in città, in barricate e combattimenti strada per strada, con pericolosi e sfibranti agguati di cecchini. A capo della «commissione delle barricate» era stato nominato Enrico Cernuschi, un giovanissimo lombardo che aveva già fatto le sue esperienze a Milano, durante le Cinque Giornate, e che, per ironia della sorte, parteciperà alla difesa di Parigi nei giorni della Comune. (A Parigi, una strada e il Museo d'arte orientale da lui stesso allestito sono appunto intitolati al suo nome, come ho raccontato nel mio precedente libro dedicato ai «segreti» della capitale francese.) La scelta del Gianicolo, pur presentando molte difficoltà, consente agli attaccanti, una volta conquistata la posizione, di dominare la città dall'alto, al riparo da insidiose azioni di guerriglia.

Il 19 maggio viene fissata una tregua fra i combattenti, ufficialmente per evacuare i francesi residenti a Roma, in realtà per permettere l'arrivo dei rinforzi. È previsto che l'armistizio termini il 4 giugno. L'atto è firmato dal visconte Ferdinand de Lesseps, incaricato dei rapporti diplomatici, l'uomo che più tardi preparerà il progetto per il taglio del canale di Suez. Ma violando quei patti, Oudinot ordina l'attacco nella notte fra il 2 e il 3 giugno. Accamperà come pretesto che la tregua riguardava solo la città all'interno delle mura, non i suoi dintorni. La sorpresa riesce e i francesi occupano l'altura di villa Corsini che diventerà, durante i giorni più crudi dell'assedio, un'ottima postazione per le loro batterie. Nel tentativo di riconquistarla, Garibaldi (da poco nominato generale di brigata) perderà in una sola giornata novecento uomini fra morti e feriti, una cifra spaventosa, che dà un'idea della durezza degli scontri. Roma risente dell'assedio: i rifornimenti sono difficoltosi, notevoli i disagi e i rischi, molti i feriti che scendono dagli avamposti del Gianicolo.

Accanto al triumvirato politico è all'opera anche una specie di stato maggiore femminile che sovrintende agli ospedali, formato da tre donne eccezionali: Margaret Fuller Ossoli, Enrichetta Pisacane e la principessa Cristina di Belgiojoso. Cristina è colei che, secondo Balzac, avrebbe ispirato a Stendhal la figura della Sanseverina nella *Certosa di Parma*. È bella, seducente e sensuale, consapevole di accendere il desiderio negli uomini, viene considerata da molti quasi una cortigiana. È stata sposata, è separata e ha avuto innumerevoli amanti, fra i quali Liszt e Musset.

Per giorni proseguono i tentativi di contrattacco degli italiani, tutti sanguinosissimi e senza esito. Garibaldi, compresa la situazione, crea una seconda linea di difesa avvalendosi delle mura aureliane, che lo aiuteranno a resistere per qualche settimana. Nel frattempo le batterie francesi continuano a martellare le mura con tiri concentrati che aprono ampie brecce. Gli italiani sono costretti a ritirarsi e, dalle posizioni via via conquistate, i colpi degli assedianti raggiungono la città. Alcuni monumenti vengono danneggiati, qualche granata cade su piazza Santa Maria in Trastevere, causando vittime fra i civili. Quando cedono le mura di porta Portese diventa chiaro che la fine è imminente.

Nei tentativi di contrattacco muoiono il sergente triestino Giacomo Venezian e vengono feriti il capitano Gorini, il cremonese Cadolini, poco più che un ragazzo, il pittore Girolamo Induno. Fra le morti più commoventi c'è quella di Luciano Manara, ferito mentre tenta una disperata resistenza a villa Spada. Sarà Emilio Dandolo a lasciare lo straziato racconto delle sue ultime ore. Scrive a un certo punto: «Mi pregò di portare in Lombardia il suo corpo insieme a quello di suo fratello. Scorgendomi piangere mi domandò: "Ti rincresce ch'io muoia?". E vedendo che io non rispondevo, soffocato dai singhiozzi, aggiunse sommessamente ma con la più santa rassegnazione: "Anche a me... dispiace"». La salma dell'eroe viene portata dai suoi bersaglieri per le vie di Roma fino alla chiesa di San Lorenzo in Lucina, dove padre Ugo Bassi tiene l'elogio funebre ricordandolo come «uno dei più forti figli che la Patria abbia perduto».

Il bombardamento delle artiglierie ha raggiunto una tale violenza che viene inviata a Oudinot, per via consolare, una nota di protesta. «Un tal sistema d'attacco» vi si legge «non solo mette in pericolo le vite e le proprietà dei cittadini neutrali e pacifici, ma ancor quelle delle donne e dei fanciulli innocenti.» Si prega il generale di desistere «da un ulteriore bombardamento per risparmiare la distruzione alla città dei monumenti, la quale è considerata come sotto la protezione morale di tutti i paesi civili del mondo». A Parigi le forze di sinistra manifestano contro la spedizione, in difesa della minuscola repubblica. I cortei non spaventano però il governo e, quanto a Oudinot, ha solo fretta di concludere: gli assalti e i tiri dell'artiglieria proseguono.

L'appoggio politico dato in Francia alla spedizione militare non era stato privo di equivoci, come si vide con il passare dei mesi. Nell'ottobre di quell'anno, dunque a cose già ampiamente concluse, si aprì un dibattito durante il quale presero una posizione fortemente critica su ciò che era accaduto a Roma sia il ministro degli Esteri Alexis de Tocqueville sia il grande Victor Hugo. Con accenti diversi espressero entrambi il loro sconcerto per la repressione papale e per il fatto che la restaurata amministrazione pontificia volesse imporre un puro e semplice ritorno all'*ancien régime*, dimenticando perfino quanto era stato concesso con lo statuto del 1848. A Roma, disse Hugo che inizialmente era stato favorevole all'intervento, non c'è mai stata una legislazione nel senso proprio del termine, ma solo «un coacervo e un caos di leggi feudali e monastiche» tenute insieme per lo più da «un conclamato odio al progresso». Quando i deputati, compresi i liberali, avevano approvato la spedizione, mai si sarebbero aspettati un esito del genere: «L'Assemblea costituente» aggiunse lo scrittore «votò la spedizione di Roma nello scopo dell'umanità e della libertà che indicavagli il presidente del Consiglio, votò onde fare equilibrio alla battaglia di Novara, onde mettere la spada della Francia laddove andava a cadere la sciabola dell'Austria ... onde non si dicesse che la Francia era assente quando l'umanità da una parte e l'interesse della sua grandezza dall'altra la chiamavano, onde tutelare in una parola Roma e gli uomini della Repubblica romana contro l'Austria».

Presidente della Repubblica francese è Luigi Napoleone, nipote di Napoleone Bonaparte, che solo nel 1852, dopo il colpo di Stato, si farà proclamare imperatore dei francesi con il nome di Napoleone III. «Napoléon le Petit», lo definirà sprezzante Victor Hugo con irridente richiamo al suo grande zio. Come accade a molti, Luigi Napoleone da giovane aveva fatto pratica rivoluzionaria. In Italia aveva aderito alla carboneria e partecipato poco più che ventenne, nel 1830, ai moti di Romagna. Arrivato però alle soglie del massimo potere, quest'uomo mediocre sente d'aver bisogno dell'appoggio cattolico ed è soprattutto per tale ragione che si decide in favore dell'intervento. L'altra, non meno importante motivazione, richiamata in parte da Hugo, è la paura di lasciare all'Austria il merito d'aver salvato il potere temporale del papa, il che, teme Luigi Napoleone, potrebbe danneggiare gli interessi francesi nell'intera penisola. Accade così che la stessa Francia, che aveva voluto imporre a Roma una repubblica alla fine del XVIII secolo, mezzo secolo dopo usi le armi e la repressione per cancellarne una seconda, nata spontaneamente. Sono le avventure e le contraddizioni della politica.

Al terzo tempo dell'intera vicenda si assisterà nel 1870 quando, sconfitto a Sedan nel corso di quella guerra franco-prussiana che aveva provocato l'interruzione del concilio, Napoleone III sarà costretto a ritirare i reggimenti lasciati a difesa di Roma. È il momento auspicato da Cavour: il 20 settembre, in una limpida giornata autunnale, i bersaglieri del generale Cadorna entrano in Roma.

Così riporta la notizia «La Gazzetta» uscita nel pomeriggio di quel giorno fatale: «Da Roma, 20 settembre. Questa mattina le truppe italiane, poste sotto l'immediato comando del generale Cadorna, aprivano alle 5.30 il fuoco contro le mura di Roma fra porta Pia e porta Salaria. Contemporaneamente la divisione Angioletti operava contro la porta San Giovanni e la divisione Bixio contro la porta San Pancrazio. Alle 10 antimeridiane le nostre truppe, dopo viva ma breve resistenza, entravano nella città. I soldati pontifici cessarono il fuoco inalberando la bandiera bianca su tutte le batterie del papa. Fu spedito un parlamentario al quartier generale del comandante in capo Cadorna». Il giorno seguente un brevissimo comunicato del ministero della Guerra precisava le perdite: «21 morti, 117 feriti, 9300 prigionieri». Secondo altre fonti le perdite furono di 32 italiani, 20 pontifici. Pochi giorni dopo, il 2 ottobre, il territorio dello Stato pontificio venne annesso con un plebiscito al Regno d'Italia.

Questo, però, accadrà molti anni dopo. Invece nel 1849 la Repubblica romana resiste come può. Le ville dove sono asserragliati i difensori sono ormai ridotte a cumuli di rovine, le mura sono rotte da brecce, gli stenti e i rischi dell'assedio hanno sfiancato la popolazione. Mazzini, con forza visionaria, progetta di chiamare il popolo alle armi e di riconquistare alla baionetta le posizioni perdute. Lo dissuade Garibaldi che, in quanto a visionarietà, non scherza nemmeno lui; in questo caso, però, valuta con maggiore esperienza militare e più realismo la situazione, compreso lo stato d'animo ormai rassegnato dei combattenti. Eppure, si deve registrare ancora qualche episodio di quasi incredibile valore proprio al Vascello, ormai in completa rovina.

Il giorno 26 giugno gli zuavi francesi, preceduti da un micidiale fuoco d'artiglieria, tentano l'assalto, ma un pugno di uomini riesce a respingerli. Il 27 si deve abbandonare villa Savorelli subito all'interno di porta San Pancrazio. Il 29, la festa di San Pietro è celebrata in sordina, ma a sera la cupola della basilica viene illuminata per mostrare al nemico con quale serenità l'assedio sia affrontato. In quella stessa notte, al cessare di un furioso temporale, tre colonne di francesi cominciano a penetrare nella città. Garibaldi, che s'è aggirato nelle prime linee fra villa Savorelli e porta San Pancrazio, dà l'ordine di abbandonare le posizioni.

Il giorno successivo Mazzini, in Campidoglio, si rivolge all'Assemblea prospettando tre possibili soluzioni: capitolare, continuare la difesa con barricate strada per strada, uscire tutti e tentare di far insorgere le province. Si decide di convocare Garibaldi per ascoltare il suo parere. Il generale si presenta sporco di polvere e di sangue e viene salutato dai presenti in piedi. Parla lentamente, sembra commosso, ammette che ogni resistenza è inutile, annuncia che lascerà la città con quanti volontari vorranno seguirlo: «Dovunque noi saremo, là sarà Roma e la Patria, in noi ridotta, vivrà».

Nel pomeriggio una deputazione del municipio si reca dal generale Oudinot per trattare la resa. Le condizioni imposte sono però talmente dure che vengono respinte e il triumvirato delibera di lasciare che i francesi occupino Roma senza condizioni. L'armistizio viene firmato il 30 giugno e prevede che i francesi entrino in città tre giorni dopo. Garibaldi convoca le truppe in piazza San Pietro e alla folla immensa che lo acclama dice: «Io esco da Roma: chi vuol continuare la guerra contro lo straniero, venga con me. Da chi mi segue pretendo amore, gagliardia di patria, prove di cuore arditissime. Non prometto paghe, non ozi molli. Acqua e pane quando se ne avrà. Varcata la porta di Roma, un passo fatto indietro sarà un passo di morte».

Intorno alle 20, avendo radunato circa 4000 uomini con 800 cavalli e un cannone, la strana armata composta di garibaldini, bersaglieri lombardi, studenti, finanzieri e dragoni pontifici che si erano uniti ai volontari italiani s'avvia. Il 3 luglio, verso mezzogiorno, drappelli di fanteria francese scendono dal Gianicolo occupando Trastevere, Castel Sant'Angelo, il Pincio e piazza del Popolo. Verso le 16, davanti a un'immensa folla, il generale Giuseppe Galletti, presidente dell'Assemblea, dal balcone del Campidoglio proclama solennemente costituita la Repubblica romana leggendone la Costituzione. La sera del 4 un battaglione di cacciatori delle Alpi occupa il Campidoglio e invita l'Assemblea a uscire. I deputati firmano una protesta collettiva che recita: «In nome di Dio e del popolo degli Stati romani che liberamente ci ha eletti suoi rappresentanti; in nome dell'articolo V della Costituzione francese, l'Assemblea costituente romana protesta in faccia all'Italia, alla Francia e al mondo civile, contro la violenta invasione delle armi francesi nella sua residenza, avvenuta oggi 4 luglio 1849 alle ore 7 pomeridiane». È l'ultimo grido. Dal punto di vista giuridico, la Costituzione muore poche ore dopo essere nata.

Di fronte ad alcuni atti ostili da parte della popolazione, il generale Oudinot fa diffondere in città un manifesto che si apre con queste parole:

Abitanti di Roma! L'esercito mandato dalla Repubblica francese sul vostro territorio ha per fine di restituire l'ordine desiderato dalle popolazioni. Pochi faziosi e traviati ci hanno costretto a dare l'assalto alle vostre mura; ci siamo impadroniti della città; adempiremo al debito nostro. Fra le testimonianze di simpatia che ci hanno accolto dove erano incontestabili i sensi del vero popolo romano, si sono levati alcuni rumori ostili che ci hanno condotto nella necessità di reprimerli immediatamente. Ripiglino animo, le genti per bene, e i veri amici della libertà; i nemici dell'ordine e della società sappiano che se mai si rinnovassero dimostrazioni aggressive provocate da una fazione straniera, essi saranno severamente puniti.

La storia della Repubblica romana termina qui, ma forse qualcuno sarà curioso di sapere che fine abbia fatto la strana colonna guidata dall'irrequieto Garibaldi. Gli uomini puntano verso Tivoli poi, con un largo giro, proseguono per Terni, Todi, Orvieto, Città della Pieve, Cetona, Arezzo. È un lungo peregrinare senza meta apparente. Al loro sopraggiungere molte città (Orvieto e Arezzo, per esempio) chiudono le porte o vietano l'ingresso. Le file progressivamente si assottigliano, al termine della lunga marcia i 4000 uomini iniziali saranno ridotti a poco più di 100. Anita, incinta e ammalata, si muove a cavallo compromettendo in modo definitivo la sua salute. La sera del 31 luglio Garibaldi lascia San Marino e, dopo aver marciato l'intera notte e il giorno successivo, raggiunge Cesenatico, dove disarma il presidio austriaco e, imbarcatosi con gli uomini residui su tredici bragozzi da pesca, salpa all'alba del 2 agosto alla volta di Venezia. Ma il tentativo di fuga non riesce. Le fragili imbarcazioni sono sorprese dalla flotta austriaca a Punta di Goro. Otto legni si arrendono, gli altri cinque, fra cui quello su cui si trova il generale, riescono a fuggire e la mattina del giorno successivo approdano fra Magnavacca e Volano, dove si disperdono dividendosi in piccoli gruppi.

Anita è così grave che dev'essere trasportata a braccia. La sera del 4 agosto muore. Garibaldi non può nemmeno seppellirla perché ha gli inseguitori alle calcagna. Travestito da contadino, si allontana.

XIII

IL DELITTO DI VIA PUCCINI

A Roma nemmeno un quartiere piuttosto recente come i Parioli si sottrae al peso e alle memorie della storia. Il toponimo indicava una vasta zona di colline tufacee lungo la via Flaminia, nota fin dall'antichità anche per le grotte abitate in prevalenza da stregoni e indovini. Lì, nottetempo, le matrone romane si recavano, accompagnate da qualche ancella che apriva la strada con una lucerna, a chiedere un oroscopo o un filtro che accendesse un amore o garantisse la fecondità, oppure, al contrario, le liberasse da una gravidanza indesiderata. Sui fianchi delle colline, coperte come oggi da una fitta vegetazione, i maghi accendevano i loro fuochi, facevano bollire i loro intrugli come le streghe del Macbeth e, dopo aver incassato il dovuto, consegnavano le pozioni magiche e congedavano le poverine, sfinite dalla veglia e, pare, da qualche nerbata che a ogni buon conto quelli assestavano per rendere il rito più efficace.

Su un'altra collina, alle spalle dei Parioli, si trova invece un giardino chiamato «Villa Glori» o «Parco della Rimembranza» per essere stato teatro di un episodio del Risorgimento. La villa venne disegnata nei primi anni Venti dall'architetto Raffaele De Vico con l'idea di creare un gradevole luogo di passeggiate nel verde di pini, querce, ippocastani e ulivi. Anche la collina di villa Glori, come quella dei Parioli, ha natura tufacea ed è perforata da grotte, alcune delle quali risalgono addirittura al periodo preistorico. Fra le grotte, quasi tutte interrate, c'è anche un ipogeo solo parzialmente scavato, probabilmente una tomba di età imperiale.

Il 20 ottobre 1867 una compagnia di settanta garibaldini con alla testa i fratelli Enrico e Giovanni Cairoli approda ai piedi della collina. I valorosi sono arrivati in barca da Terni scendendo il Tevere. Portano armi per rifornire i patrioti, che pare stiano preparando una sommossa contro il regime pontificio. Ma l'insurrezione popolare non scoppia e gran parte della popolazione rimane inerte, mentre le truppe pontificie hanno facilmente ragione degli sparuti focolai di rivolta. Allo sbarco, i gendarmi del papa accolgono i garibaldini a schioppettate ed è una strage. Enrico viene ucciso e Giovanni morirà dopo qualche mese a seguito delle ferite riportate.

Nel 1886 il poeta Cesare Pascarella (1858-1940) dedicherà a quell'impresa bella e infelice venticinque sonetti (*Villa Gloria*) dedicati a Benedetto Cairoli, fratello dei due caduti, esponente di spicco della sinistra storica, tre volte presidente del Consiglio fra il 1878 e il 1882. Carducci, portato spesso all'eccesso, commentandoli affermò che «Non mai poesia di dialetto italiano era salita a quest'altezza». Tolta di mezzo l'enfasi, si deve riconoscere la notevole forza narrativa del Pascarella, come si può giudicare dal primo sonetto che trascrivo:

A Terni, dove fu l'appuntamento,
Righetto ce schierò in una pianura,
e lì ce disse: «Er vostro sentimento
lo conosco e non c'è da avé pavura;
però, dice, compagni! Ve rimmento
che st'impresa pe' noi nun è sicura,
e Roma la vedremo p'un momento
pe' cascà morti giù sott'a le mura.
Per questo, prima de pijà er fucile,
si quarcuno de voi nun se la sente,
lo dica e sòrta fora da le file».
Dice: «Nun c'è nessuno che la pianta?».
E siccome nessuno disse gnente,
dopo pranzo partissimo in settanta.

Dal punto di vista amministrativo (se fossimo a Parigi parleremmo di «arrondissement») villa Glori si trova nel quartiere Parioli, mentre viale Parioli e via dei Monti Parioli si trovano nel quartiere Pinciano: piccole stranezze toponomastiche. Il quartiere Pinciano, che comprende villa Borghese, il Giardino zoologico (oggi chiamato «Bioparco») e villa Balestra, è una zona con un'estesa superficie di verde. Nei suoi confini sono compresi la Galleria nazionale d'arte moderna, il Museo etrusco a Valle Giulia, la Galleria Borghese, alcune catacombe (San Valentino e Sant'Ermete). Potrei includere nell'elenco il nuovo auditorium disegnato da Renzo Piano, ma uscirei dai limiti del Pinciano per «sconfinare» di nuovo nei Parioli.

Agli inizi del Novecento la zona era stata destinata a palazzine e villini tutti dotati di giardino. L'area venne così assumendo un notevole pregio residenziale, il che scatenò forti spinte speculative, cui non seppero resistere le amministrazioni comunali del dopoguerra (che alle spinte erano particolarmente sensibili). Il quartiere ha così acquisito un carattere ibrido. Per esempio, in via Archimede, nel lato che scende verso piazza Euclide, si addensano palazzi anche di nove piani; per contrasto, ci sono piccole enclave, come quella rappresentata da via Rubens, via Sassoferrato e via Dolci, che hanno mantenuto il carattere originale con bei giardini affacciati su strada.

Il quartiere ha il pregio di offrire, anche in alcune costruzioni recenti, alcuni notevoli esempi di buona architettura, fra cui vorrei citare l'edificio di Clemente Busiri Vici del 1928, al civico 41 di via Paisiello; poco lontano, al numero 38, la soprelevazione di una palazzina del 1949 di Mario Fiorentino e Volfango Frankl che, con un esperimento più curioso che riuscito, tentano l'innesto di quattro piani in stile anni Cinquanta su una base novecentesca; la bella palazzina del grande architetto Luigi Moretti, detta «il Girasole», al 64 di viale Bruno Buozzi, sempre del 1949; in via dei Monti Parioli, all'angolo con via Ammannati, il bel villino di Federico Gorio, del 1957, detto «Casa del maresciallo». Proseguendo per via Rubens, ci s'inoltra sul fianco della collina lungo la Salita dei Parioli. Alla prima curva c'è una casa unifamiliare addossata alla collina, opera dello studio Monaco-Luccichenti (1952), bella, solitaria, ideale come meta di una romantica passeggiata notturna. Ai piedi della collina, dal lato di villa Glori, si apre piazza Euclide, spazio piuttosto caotico, ma che va segnalato per la presenza di una singolarissima chiesa dedicata al Sacro Cuore Immacolato di Maria. L'eccentrico architetto Armando Brasini la concepì nel 1923, ma per varie vicissitudini l'edificio venne eretto solo trent'anni dopo, risultando di uno sfacciato monumentalismo fuori tempo, tanto più che la prevista cupola non è mai stata costruita, per mancanza di fondi o non si sa per quale altra ragione. Alla base, di retorica imponenza, viene così a giustapporsi una gracile copertura che accentua la mancanza di proporzione fra i vari elementi.

Lasciando questa parte del quartiere e spostandosi verso un'altra zona del Pinciano, s'incontra la breve via Puccini, che unisce corso d'Italia a via Pinciana, strada che richiama nel nome, come l'intero quartiere, la *Gens Pincia*, antica proprietaria del colle. La via è fiancheggiata da solidi edifici borghesi dei primi del Novecento, case di rappresentanza che possono ricordare quelle del XVI arrondissement a Parigi o dei migliori quartieri residenziali di Bruxelles. Sul lato occidentale queste palazzine si affacciano sugli alti pini della villa e della Galleria Borghese: dal punto di vista residenziale è quanto di meglio Roma possa offrire. Proprio qui è accaduto uno dei più sconvolgenti fatti di sangue del dopoguerra, un delitto che ha caratterizzato l'epoca in cui venne commesso, e che vale la pena di raccontare anche per le sue numerose e ancora attuali ripercussioni.

L'allarme alla questura arrivò verso le 22 di domenica 30 agosto 1970. Stranamente, era stata una giornata quasi autunnale, rara per la stagione. L'informatore segnalava un delitto al quartiere Pinciano, via Puccini 9, in una delle case abitate dall'alta borghesia. Valerio Gianfrancesco, capo della Sezione omicidi della Squadra mobile, fu il primo ad accorrere. Si trattava della sontuosa dimora del marchese Casati Stampa di Soncino: attico, superattico e giardino pensile con vista su villa Borghese. Molto tempo dopo, in un'intervista a Ezio Pasero del «Messaggero», l'investigatore ricostruirà in questi termini il suo intervento: «Appena giunse la segnalazione in questura, ci precipitammo in quello splendido attico. Ovviamente, senza supporre le cause dell'accaduto. Io anzi, a giudicare dai nomi, dalla zona e dal lusso dell'abitazione, arrivai pensando piuttosto a un tentativo di rapina o magari di sequestro finiti tragicamente. Fui il primo a entrare nello studio e a vedere quello spettacolo orribile: la donna riversa su una poltrona con lo sguardo ancora incredulo, il marchese sul pavimento accanto al fucile e il ragazzo contorto dietro un tavolino rovesciato».

Chi erano i tre protagonisti della tragedia? La donna si chiamava Anna Fallarino divenuta, per matrimonio, marchesa Casati Stampa di Soncino. L'uomo accanto al fucile era, appunto, il marchese Camillo, per gli amici «Camillino»; quanto alla terza vittima, definita dal commissario «il ragazzo», si chiamava Massimo Minorenti, studente fuori corso, venticinque anni, romano, «picchiatore fascista» secondo alcuni, semplice «attivista del Movimento sociale» secondo altri. Considerata la scena, il movente parve subito evidente: tipico delitto motivato dalla gelosia. Lei, una bella donna di quarantun anni; lui, il marito, un uomo d'aspetto nobile, quasi calvo, magro; e poi il giovane ventenne, chiaramente «l'altro». In realtà, come a poco a poco si accertò, il movente era e non era quello. La storia era molto più intricata e i sentimenti che legavano e dividevano quelle tre persone molto più complessi.

Di tutti i crimini di sangue commessi a Roma nel dopoguerra, questo di via Puccini è rimasto, forse, il più memorabile per le circostanze in cui maturò, per la contorta personalità dei coniugi Casati, per i retroscena che emersero nei giorni successivi al delitto e che, per una volta, è pienamente giustificato definire «torbidi». Infine, per le conseguenze e il clamore che quelle morti ebbero quando si trattò di definire la destinazione della cospicua eredità.

Qualcuno ricorderà certamente i fatti, quanto meno a grandi linee: per mesi i giornali continuarono a pubblicare fotografie (quelle pubblicabili, almeno), a svelare nuovi particolari, a scovare nuovi testimoni, ad avanzare nuove ipotesi sulla furia del marchese Camillo dopo undici anni di convivenza con Anna. Furia improvvisa? Chissà. Vedremo che accessi di collera ce n'erano già stati, brevi, repentini, ma violentissimi.

In ogni caso, il delitto di via Puccini ci interessa anche per lo sfondo che ebbe, perché l'esistenza dei protagonisti rievoca Roma e i suoi costumi negli anni che seguirono le angustie della guerra, quando cominciava a diffondersi il benessere portato dal boom economico e l'agiatezza sembrava d'im-

provviso una meta alla portata di chiunque avesse sufficiente
abilità o fortuna o spregiudicatezza per raggiungerla. O, talvolta, anche solo la bellezza.

Anna Fallarino aveva puntato proprio su questo, la bellezza. Era bella negli occhi, nel volto regolare, nel fisico ben modellato anche se un po' pesante dalla vita in giù. Quelli però erano gli anni delle «maggiorate» e anche questo piaceva. Era nata il 19 marzo 1929 ad Amorosi, zona nella quale il cognome Fallarino è piuttosto diffuso. Siamo in Campania, in provincia di Benevento. Amorosi si trovava sulla direttrice di ritirata delle truppe del Reich e Anna, appena adolescente, era stata sfiorata dalla guerra. La sua è una famiglia della più piccola borghesia. Il padre è un modesto impiegato, e il suo matrimonio non è dei più riusciti. Quando ha sedici anni e la guerra è appena finita, Anna emigra a Roma, la grande città dove una bella ragazza ha molte possibilità d'affermarsi, di cercarsi un avvenire, di trovare, come si diceva allora, «un buon partito». Va ad abitare dallo zio Mario, maresciallo di Pubblica sicurezza, al 43, interno 5, di via Milano. La strada fa angolo con via Nazionale, a pochi metri dal palazzo delle Esposizioni, a metà strada fra piazza Venezia e piazza Esedra (o della Repubblica) che ha al centro la bella fontana delle Naiadi ornata da quattro donne di procace bellezza, un po' come Anna.

Il caso volle che nell'appartamento di fronte a quello dello zio Mario, all'interno 4, abitasse un giovanotto di nome Remo, figlio di un macellaio specializzato in cacciagione. Remo ha i sogni modesti che gli consentono la sua condizione e gli anni in cui vive. Chi ha conosciuto quel periodo sa di che cosa era fatta Roma, ancora immersa nel suo passato, come istupidita dalla guerra nonostante la Liberazione fosse arrivata all'inizio di giugno 1944. Prima che cominciasse un po' di benessere, nella capitale, come nel resto d'Italia, vigeva ancora l'economia della penuria, fatta di abiti rivoltati, di file alle fontanelle per un fiasco d'acqua fresca, di poche e rare automobili considerate un indiscutibile segno di ricchezza. È la Roma che Dino Risi racconterà in *Poveri ma belli*. Molti giovani, tuttavia, ritroveranno le loro esperienze in *Domenica d'agosto* di Luciano

Emmer, un film in cui non succede niente, dove il senso degli eventi è nel loro stesso svolgersi e «vacanza» significa salire sul trenino elettrico per Ostia Lido con una borsa piena di panini (non si chiamavano ancora sandwich) ripieni di frittata o di cicoria.

La mobilità da un quartiere all'altro è molto scarsa. C'erano romani nati nelle borgate create dal fascismo che non avevano mai messo piede in centro. E il «centro», cioè il reticolo fitto di strade attraversato dalla fettuccia di via del Corso, vuoto di auto, conservava un aspetto quasi ancora ottocentesco. Ciò che Italo Calvino ha scritto nelle *Città invisibili* riproduce perfettamente anche la Roma di quegli anni: «Ma la città non dice il suo passato, lo contiene come le linee di una mano, scritto negli spigoli delle vie, nelle griglie delle finestre, nei corrimano delle scale, nelle antenne dei parafulmini, nelle aste delle bandiere, ogni segmento rigato a sua volta di graffi, seghettature, intagli, virgole». Anche la capitale era così, con il passato iscritto, graffiato, immobile nei cento piccoli dettagli della sua superficie.

All'inizio degli anni Cinquanta, quando Anna, la domenica pomeriggio, va sottobraccio al suo Remo a guardare le vetrine eleganti di via Condotti, Roma è ancora una città che regala atmosfere d'altri tempi. L'aria è trasparente, la luce in certe giornate chiare d'inverno ha un nitore di porcellana, la forza «monumentale» dei luoghi sembra più intensa nelle vie deserte, dove la circolazione delle automobili è quasi una rarità. È possibile che Anna e Remo siano andati a ballare nel cortile di qualche caseggiato di periferia, alla Garbatella o al Tuscolano, o su un galleggiante ormeggiato in riva al Tevere, dove c'è una pista da ballo coperta da un tetto di cannuccia, poveri festoni di carta e lampadine verniciate di rosso e di blu che dovrebbero dare una nota di allegria. Un tenorino dalla voce esile, accompagnato da due o tre elementi, canta motivi pieni di signorinelle clorotiche che sognano l'amore, o di donne fatali ammantate di esotismo: «Laggiù a Copacabana, la donna è regina, la donna è sovrana». Nelle proiezioni della fantasia c'era anche, immagine potente di cinematografica sensualità, la *Gilda* di Rita Hayworth che balla sulle note di *Amado mio*.

L'educazione sentimentale delle ragazze come Anna avveniva in genere attraverso settimanali a fumetti che si chiamavano «Grand Hotel» o «Zazà» ed erano pieni di storie incantate: la protagonista, una ragazza qualunque, dattilografa o commessa, incontra l'anima gemella, che può essere un avvocato o, meglio ancora, un giornalista o addirittura un pilota di aerei; nel racconto s'intravede un futuro luminoso, il massimo che si possa desiderare. Una canzoncina di pochi anni prima lo descriveva fino nei dettagli logistici: «Una casettina in periferia, una mogliettina giovane e carina, tale e quale come te ... senza esagerare, sarei certo di trovare tutta la felicità».

Quei giornaletti hanno anche storie severamente ammonitrici, in cui la ragazza sventata cade nelle mani di un mascalzone, viene prima sedotta nonostante il suo debole, ma invitante rifiuto, e poi abbandonata appena rimane incinta. Allora, nessuno parlava di contraccezione, gli aborti si facevano sul tavolo della mammana o all'estero per chi poteva, i vescovi equiparavano il matrimonio civile al «concubinaggio», il «divorzio» era possibile solo per i ricchi e si chiamava «annullamento della Sacra Rota». Anna Fallarino conoscerà entrambi questi mondi così diversi: le esclusioni prima, i privilegi poi.

Quando saprà della tragedia di via Puccini l'ex fidanzato Remo dirà: «Siamo stati fidanzati tre anni. Avremmo dovuto sposarci, poi non se ne fece più niente. Non riesco a credere che sia finita così. I giornali parlano di orge, di perversioni, di cose strane che avrebbe fatto con il marchese. Io la ricordo com'era allora: una ragazza semplice, capace di badare a se stessa. Posso ricordarla solo così e voglio dirlo a tutti adesso che parlano di lei come dell'ultima delle donne. Anna non sarebbe mai diventata così se qualcuno non l'avesse traviata».

La ragazza segue una trafila abbastanza comune: trova lavoro come commessa in un negozio d'abbigliamento: stende sul bancone i vari capi di vestiario cercando di convincere le clienti all'acquisto e le più soddisfatte le fanno scivolare in mano una piccola mancia. Potrebbe accontentarsi, la «casettina di periferia» è ormai a portata di mano. Lei però ha un pensiero fisso: come riuscire a mettere a frutto la sua bellezza. Nei concorsi di Miss Italia si affermano ragazze alle quali non ha nulla da invidiare. Quando le vede sfilare nei cinegiornali che precedono il film, con quei bei costumi da bagno bianchi attillati, le coppe tese dal turgore del seno, i tacchi alti che danno slancio alle gambe, Anna sa che al loro posto non sfigurerebbe. Pensa, anzi, di meritare più di tante altre i mazzi di fiori, i flash dei fotografi, la coroncina da reginetta sulla fronte, l'abbraccio casto e benaugurante di un sottosegretario. Si tratta solo di trovare il modo di arrivare a quel mondo perché lì passa la strada che porta al cinema, alle spiagge di lusso, ai motoscafi sullo sfondo di piazza San Marco, ai drink colorati sulla terrazza dei grandi alberghi con il ghiaccio che tintinna nei calici di cristallo.

Con fatica, perché certo parte da molto lontano, trova qualche occasione per sfilare come modella, impara a camminare rigida nel portamento, i piedi ben allineati uno davanti all'altro, muovendo appena i fianchi, che sono generosi e basta poco per farli risaltare. E riesce ad arrivare fino al cinema: quando, nel 1949, Mario Mattoli gira l'ennesimo film con Totò, *Tototarzan*, le fanno avere una particina da generica; è poco più di niente, ma lei pensa che a volte basta niente per cominciare. Alla pellicola partecipano Giovanna Ralli, Sophia Loren che si fa ancora chiamare Sofia Lazzaro (comunque è un passo avanti rispetto a Scicolone) e un giovane Tino Buazzelli. Anna s'intravede per pochissimi secondi accanto a Totò. La sua carriera cinematografica finisce lì, ma non si può escludere che, se avesse insistito, avrebbe potuto farsi notare. La sua bellezza mediterranea dalle misure generose incontra il gusto di anni che vogliono donne dalle carni sontuose dopo la fame e i lutti della guerra.

Non insiste, probabilmente perché nello stesso anno di uscita di *Tototarzan*, il 1950, Anna, poco più che ventenne, trova di meglio: un giovane industriale di ventotto anni, rampollo di un'agiata famiglia romana, l'ingegner Giuseppe Drommi, detto Peppino, che frequenta i salotti più in voga e conduce il tipo di vita che fino a quel momento lei ha solo sognato. Quando usciva con Remo, doveva tornare a casa al massimo alle 21. Parlando del loro rapporto, Remo farà capire che non c'era verso di toccarla nemmeno con un dito e che, per chissà quali ragioni, furono i genitori di lei a premere perché si lasciassero. Quando si fidanza con Peppino, Anna è più o meno ancora a quel punto. Cominciano quasi subito a parlare di matrimonio e lei gli spedisce bigliettini che dicono: «Prego tanto la Madonnina che ci faccia sposare presto». Succederà. Si sposeranno in chiesa con l'abito bianco, i confetti, i chicchi di riso, gli applausi, le lacrime e tutto il resto. Peppino Drommi è amico di lunga data del marchese Camillino, ma questo, per il momento, Anna non lo sa, e ignora il peso che quell'amicizia avrà sulla sua vita.

Dieci anni dura il matrimonio. Non ci sono figli, ma c'è una vita di agi e di un benessere che nella famiglia Fallarino nessuno ha mai conosciuto. Quando Anna racconta ai suoi le cose che ha fatto, gli abiti che ha comperato, i luoghi che ha visto, quelli non credono alle loro orecchie. È un cambiamento che corrisponde alla più generale trasformazione in corso a Roma e in Italia: Anna Fallarino vive il suo boom personale rispecchiandolo in quello del paese, che proprio in quegli anni, fra cento contraddizioni e quasi senza avvedersene, passa da una civiltà patriarcale ed essenzialmente agricola al rango di potenza industriale di primo piano. La mutazione avrà le sue conseguenze non solo nell'economia, ma pure nel costume, compreso quello sessuale; e anche questo è un aspetto di cui tenere conto nella vicenda alla quale Anna Fallarino in Drommi sta andando incontro.

La vita, le radici, i riferimenti culturali, i modelli di comportamento di Camillo Casati Stampa di Soncino sono completamente diversi. «Camillino» cresce in seno a una famiglia di antico lignaggio. Nel 1848, durante le Cinque Giornate di Milano, Gabrio Casati presiede il governo provvisorio; più tardi sarà ministro della Pubblica istruzione, attuando una riforma della scuola rimasta in vigore fino al 1923. Sorella di Gabrio era Teresa, andata sposa a Federico Confalonieri, esponente del liberalismo lombardo, condannato a morte dagli austriaci, rinchiuso nello Spielberg (il terribile carcere in cui patì anche Silvio Pellico), in seguito graziato proprio per l'abile intervento di sua moglie. Una ricerca approfondita ha trovato fra gli ascendenti di Camillino perfino la monaca di Monza di manzoniana memoria.

Fra gli antenati di Camillo figura anche un suo omonimo. È l'uomo che agli inizi del Novecento sposa Luisa Amman, di origini austriache, donna di travolgente personalità. Filippo Tommaso Marinetti la definirà «la più grande futurista del mondo», Jean Cocteau «il bel serpente del paradiso terrestre», Gabriele d'Annunzio dirà di lei: «È la sola donna che mi abbia mai sbalordito». Bella, alta, occhi verdi, stravagante e ardita, Luisa Casati frequentò i maggiori artisti europei degli anni Venti e Trenta – d'Annunzio, Cocteau, Marinetti, Man Ray, Cecil Beaton – dei quali fu musa ispiratrice, amica, talvolta amante. Adorava gli abiti neri, e così infatti la dipinse Giovanni Boldini in un fiammeggiante ritratto, perché diceva che il nero esaltava il pallore del suo volto arricchendone d'un torbido languore la bellezza. Alle ardenti profferte del «Vate» nazionale oppose per molto tempo un netto rifiuto, mentre si concedeva ad altri tanto meno «degni» di lui. Infine cedette e il loro rapporto durò una decina d'anni: Luisa fu una delle donne che salivano al Vittoriale a riscaldare gli anni più avanzati del poeta. Quando morì, nel 1957, era in completa rovina, avendo dissipato le sue sostanze in folli spese e feste sfarzose. Rimase memorabile quella che dette a Venezia in piazza San Marco, per l'occasione affittata tutta intera dal comune lagunare.

Poco o niente era rimasto al nostro Camillo, nato nel 1927, di un passato familiare così sfolgorante. Forse solo la consapevolezza del nome che però, non accompagnata da altre qualità, tendeva a volte a trasformarsi in una ingiustificata arroganza. Dirà di lui sua moglie Anna: «Camillo ha cominciato la sua guerra personale con i camerieri fin da bambino. Pare che avesse il vezzo di prendere i domestici a calci negli stinchi». Dopo la tragedia l'impeccabile maggiordomo Felice riferirà: «Il marchese era un uomo pieno di contraddizioni. Noi domestici lo ricordiamo ineccepibile, un gran signore nelle maniere. ... Per esempio talvolta egli trovava sconveniente rivolgere direttamente la parola alla servitù e allora ci parlava per interposta persona, anche se ci trovavamo a un passo da lui. Una volta si comportò così anche con mia moglie Oliviera, che era cameriera personale della marchesa e guardarobiera; lei rimase piuttosto male. La mandò a chiamare per farle un rimprovero e la fece rimanere lì davanti a lui, ferma impalata; poi convocò la marchesa e fu a quest'ultima che finalmente parlò». Rivolgendosi alla moglie, Camillo disse: «Bisogna far sapere a Oliviera che ha sbagliato. Desidero che l'errore non si ripeta». Anna si rivolse alla sbigottita domestica e ripeté: «Hai sbagliato! Il marchese desidera che l'errore non si ripeta più». La poveretta scappò via in lacrime. In un'altra occasione il marchese picchiò a sangue un cameriere che l'aveva svegliato troppo presto, e la cosa finì in pretura. Vedremo quali conseguenze avrà la sera della tragedia questo concitato rapporto con il personale domestico.

Amico e frequentatore della nobiltà nera romana, Camillo, che aveva fatto i suoi studi in un collegio svizzero, trascorreva le giornate dividendosi fra due amori, la caccia e le parole crociate, passione quest'ultima che coltivava con assiduità ovunque fosse. Disponeva di varie dimore: l'appartamento di via Puccini a Roma, la casa di vacanza nell'isola di Zannone, nel Parco nazionale del Circeo, l'altro sontuoso appartamento a Milano, le tenute di Velate Milanese, Cinisello Balsamo, Muggiò, Nova Milanese, Trezzano sul Naviglio, Gaggiano, Bareggio. A Cusago le vastissime proprietà comprendevano un castello visconteo; poi c'era la villa settecentesca di Arcore, in Brianza, impreziosita da una collezione di quadri del Quattrocento e del Cinquecento e da una biblioteca di 10 mila volumi. La routine movimentata e spenta del marchese è appena ravvivata da qualche stravaganza. Ricorda uno dei suoi domestici: «Nei periodi in cui soggiornava a palazzo Soncino, a Milano, il marchese scendeva in strada portandosi appresso una borsa con dentro delle uova sode, entrava in un bar di piazza Santa Maria Beltrade, e restava lì tutto il giorno: chiacchierava con gli avventori, mentre mangiava le sue uova bevendo champagne ... La sera rientrava a palazzo, ma non mancava di lasciare nel locale 100 mila lire di mancia».

A quest'affabilità oziosa s'alternavano repentini scatti di autentico furore. Una volta, rivelò il maggiordomo Felice, doveva uscire in auto dal cortile del condominio di via Puccini a marcia indietro e un'altra vettura ostacolava un po' la manovra, pur senza impedirla. Il marchese si spazientì e con uno spaventoso scatto di nervi prese a investire più volte l'altra auto con la sua Rover 3000. Andava avanti un paio di metri poi s'avventava a marcia indietro a tutto gas contro l'ostacolo: «Digrignava i denti, metteva paura. Ripeté la manovra numerose volte fino a quando vide l'altra macchina ridotta a un cumulo di rottami». Il giorno dopo pagò senza fiatare il conto dei danni.

Non intendo raccontare la vita del marchese Camillo, ma solo dare rilievo ad alcuni elementi per capire meglio la tragedia che metterà fine alla sua storia e all'esistenza di altre due persone. Nel 1950, primo Anno santo del dopoguerra, più o meno nello stesso mese in cui Anna sposa il suo ingegnere, Camillo sposa Letizia Izzo, una ballerina napoletana che l'anno dopo gli darà una figlia, Annamaria. Nel 1970, al momento del dramma, la ragazza ha diciannove anni e anche questo è un dettaglio che avrà la sua importanza. All'epoca, infatti, si diventava maggiorenni al compimento dei ventun anni.

Nel 1958 accade un episodio che, per quanto ne sappiamo, mette per la prima volta due uomini in competizione agli occhi di Anna. Siamo a Cannes, Costa azzurra, in un grande albergo di solida tradizione; è in corso una di quelle feste che, allora molto più di oggi, avevano il sapore del grande evento, dando a chi vi partecipava la sensazione di essere ammessi a un esclusivo privilegio. È presente, fra gli altri, Porfirio Rubirosa, un nome che sembra inventato e che invece appartiene a uno dei più noti e fortunati *tombeur de femmes* degli anni Cinquanta. Anna è elegante e molto bella. Rubirosa, come gli altri, la nota; lui però non s'accontenta, come gli altri, di guardare. S'avvicina e comincia a conversare con lei con quella fatua e piacevole fluidità che solo una lunga esperienza e una grande sicurezza sanno dare. Parlando poggia con familiarità una mano sulla spalla nuda della donna. Un gesto di esagerata confidenza che scatenerà un'accesa reazione. Ma per capire meglio perché accadde ciò che accadde, bisogna prima sapere qualcosa di più sul personaggio.

Porfirio era un dominicano di modesta statura, ma di aspetto molto gradevole. Soprattutto, era dotato di poderosi strumenti amatori e di un'eccezionale capacità di «resistenza». Gli americani lo avevano brutalmente definito «*the Rolls-Royce of genitalia*», i latinoamericani, in forma più velata, «*el rey de todos los playboys del mundo*». Porfirio era un nome da opera buffa settecentesca per un uomo nato nel 1909 che, in mancanza di meglio, aveva intrapreso una blanda carriera militare nel suo paese, dominato dal feroce dittatore Trujillo, il quale, un certo giorno, incarica il brillante capitano di andare all'aeroporto a prendere sua figlia diciassettenne, Flor de Oro (altro nome perfetto per la situazione). La ragazza rientrava in patria dopo gli studi liceali in Francia. Tempo poche settimane, i due sono sposati. Il matrimonio durò poco ma, molti anni dopo, Flor de Oro confidò a un'amica che le era occorsa una settimana per rimettersi dalla prima notte di nozze, tale era stato l'entusiasmo dello sposo.

Rubirosa ebbe tutto quello che un uomo può, edonisticamente, desiderare: palazzi e auto da corsa, denaro e cavalli. Soprattutto decine di donne fra le più belle del mondo, disposte a tutto per colui del quale i settimanali latinoamericani scrivevano che «*exudaba una sensación de romance y aventura*». Fra le tante si contano Eva Perón, Zsa-Zsa Gabor, Jayne Mansfield, Veronica Lake, Ava Gardner, Marilyn Monroe, Susan Hayward, Danielle Darrieux, Dolores Del Rio. Fra i suoi numerosi matrimoni ci furono nel 1947 quello con Doris Duke, ereditiera di una colossale fortuna accumulata dalla sua famiglia con il tabacco; poi quello con Barbara Hutton, nipote di Frank Winfield Woolworth, un'altra delle donne più ricche del mondo, che, come regalo di nozze, gli fece trovare un bombardiere B-25 riadattato per uso civile. Uno dei motti preferiti da Porfirio, perfettamente calato nelle parte, era: «La maggior parte degli uomini si accanisce ad accumulare denaro, io a spenderlo».

Ma era in gran parte teatro. In realtà, Rubirosa sapeva benissimo quale ruolo stava interpretando in anni in cui si aveva molto bisogno di dimenticare la guerra e che parevano fatti apposta per imprese di quel tipo. Un giornalista, Taki Theodoracopulos, raccontò: «Quando si ubriacava, "Rubi" prendeva una chitarra e cantava *Soy sólo un chulo*», che potremmo tradurre «Sono solo un poveraccio». L'ultimo matrimonio andò meglio degli altri, almeno come durata. Quando aveva poco meno di cinquant'anni, Porfirio sposò Odile Rodin, che di anni ne aveva diciassette e aveva intrapreso la carriera di attrice. Le nozze si celebrarono nell'ottobre 1956 e, nonostante i trentun anni di differenza, andarono bene. Porfirio morì a Parigi nel 1965. Potremmo dire che morì in modo coerente con la sua vita: dopo aver festeggiato per tutta la notte la vittoria della sua squadra di polo nella Coppa di Francia, mise in moto la sua bella Ferrari e salutò festosamente gli amici. Erano le 7.30 del mattino. Poco dopo si schiantava contro un albero del Bois de Boulogne.

Si può, dunque, capire l'inquietudine di Peppino Drommi nel vedere la mano di Porfirio indugiare sulla nuda spalla di sua moglie. Nemmeno la presenza di Odile poteva rassicurarlo. Più ancora di lui fu però il marchese Camillo a inquietarsi. Peppino s'avvicina al «*rey de los playboys*» e gli intima di togliere quella mano, Porfirio gli sorride benevolo e continua come se niente fosse a parlare con Anna. Camillo intanto, in preda a uno dei suoi improvvisi accessi di collera, è balzato in piedi. Peppino sferra il primo pugno, Rubirosa (che fra l'altro è un pugile dilettante) reagisce; Camillo gli si scaglia contro a sua volta. È una rissa, come al cinema: tavolini rovesciati, bicchieri in frantumi, tutti che gridano, belle donne sgomente, un certo sotteso divertimento.

Si è scritto che la prima scintilla fra Anna e Camillo sia scoccata grazie al rustico duello celebrato in suo onore in quel grande albergo della Costa Azzurra. È possibile. In ogni caso, pochi mesi dopo quell'episodio Camillo avvia presso la Sacra Rota la pratica di annullamento del suo matrimonio con la Izzo. L'operazione è costosissima: l'ex marchesa, per farsi da parte e reggere il gioco davanti al tribunale ecclesiastico, vuole una cifra enorme e anche un posto nella tomba della famiglia Casati. Pare che abbia detto: «Sono nata fra i poveri, voglio finire sottoterra con i ricchi». Parole degne di un'epigrafe. Comunque, il posto nella cappella Casati a Muggiò lo ebbe.

Anche Peppino Drommi recita compunto la sua parte per l'annullamento davanti alla Sacra Rota; si risposerà qualche tempo dopo con Patrizia de Blanck, un'ex valletta del *Musichiere*. Nell'aprile 1959 Camillo e Anna si sposano civilmente in Svizzera. Il 21 giugno 1961 il marchese Camillo perfeziona in chiesa le sue nozze con Anna, che diventa così anche davanti a Dio la marchesa Casati Stampa di Soncino.

Che matrimonio fu quello di Camillo con Anna? La vera natura del rapporto venne alla luce solo dopo la strage; se qualcuno già sapeva, o aveva addirittura partecipato al loro curioso ménage, seppe tenere il segreto.

L'appartamento di via Puccini si sviluppava su due piani, il terzo e il quarto del palazzo. La porta d'ingresso era al terzo piano, dove si trovavano anche la stanza da letto, lo spogliatoio con il bagno e il salotto, in un angolo del quale era collocata la scrivania del marchese. Sempre al terzo piano c'era una camera per gli ospiti, la «sala da gioco», la stanza dei domestici. Al piano superiore, il quarto, si trovavano invece un ampio salone, la sala da pranzo, altri locali per la servitù, l'uccelliera e un grande locale tappezzato con i trofei di caccia del marchese, tutti doverosamente impagliati e inchiodati alle pareti: non solo uccelli, ma anche volpi, cervi, caprioli, cinghiali. In un angolo la vetrina dei fucili, chiusi a chiave, ben oliati e lustri, pronti all'uso.

Il 30 agosto 1970, giorno della strage, fra i primi a entrare nell'appartamento ci fu l'agente di polizia Domenico Scali che, intervistato, disse: «Il primo corpo che vidi fu quello di Anna Fallarino. Mi sembrò ancora viva. Era seduta sul divano con le gambe incrociate sopra uno sgabello. Aveva le mani in grembo e il volto sereno. La nota stonata era una macchia scura di sangue sulla camicetta. Vicino a lei, accanto al divano, c'era il giovane Minorenti. Giaceva raggomitolato per terra, con indosso una maglietta leggera e dei pantaloni, seminascosto da un tavolino con cui aveva tentato, a quanto pare, un'estrema difesa ... Avanzai e vidi anche il terzo corpo, quello del marchese. Non era un bello spettacolo, la testa era per metà sfigurata dal colpo di fucile. L'arma, un Browning calibro 12, giaceva abbandonata su una poltrona. Doveva aver usato quella poltrona per puntarsi il fucile sotto il mento».

Il commissario Valerio Gianfrancesco, che dirigeva le indagini, ricorda: «Nella sala non c'era tanto sangue, tolto il particolare macabro dell'orecchio del marchese che penzolava dalla cornice di un quadro, dove l'aveva scagliato il proiettile. Alla donna, dall'abito che era stato squarciato da uno dei colpi, sporgeva un seno dalla cui ferita usciva una sostanza bianca e densa, che non riuscivo a capire cosa fosse. Chiamai il medico legale, un vecchio amico, per farglielo notare. "Non ti preoccupare" mi disse lui "è solo silicone." Io ero incredulo, era la prima volta che vedevo una cosa del genere».

Anna Fallarino è stata una delle prime italiane a rifarsi il seno, operazione che rappresentava allora un'assoluta novità. Ma la scoperta più importante fatta dal commissario fu un'altra: il diario di Camillo Casati. «Si trovava sulla scrivania dello studio dov'era avvenuto il delitto. Un diario delle dimensioni di una cartellina portadocumenti, con la copertina in pelle verde, scritto a mano dal Casati con grafia chiara. Fu una scoperta importante: la sua lettura, insieme al ritrovamento delle fotografie, ci permise di ricostruire gli antefatti e quindi di avere una spiegazione di ciò che era accaduto. Ma era anche una scoperta delicata, da gestire con grande riservatezza, per i nomi che conteneva e per i dettagli di certi resoconti, assai più scabrosi delle poche frasi che sono state pubblicate dai giornali.»

Con maniacale precisione e ricchezza di particolari, il marchese raccontava nel diario i rapporti avuti da sua moglie con operai, militari, bagnini, camerieri. Incontri da lui stesso organizzati e, in qualche caso, compensati in denaro. Una pratica che era cominciata il giorno stesso del matrimonio, nell'albergo prenotato per la loro prima notte. Quando nella stanza entra un cameriere che porta dello champagne, il marchese socchiude la porta del bagno dove Anna sta facendo la doccia. L'uomo sulle prime non capisce, poi afferra la situazione ed entra. Da quella notte, per undici anni, quello fu il loro rapporto: «Oggi Anna ha fatto l'amore con un ragazzo in modo così efficace che anch'io, da lontano, ho partecipato alla sua gioia»; «Oggi Anna ha incontrato un aviere. Era giovane e bellissimo. È stato un incontro fantastico. Anna era felice e ha partecipato intensamente»; «Siamo stati sul litorale di Fiumicino, in molti la guardavano. Abbiamo scelto un giovane. È stato appagante. Lo abbiamo ricompensato con 30 mila lire»; «A Fiumicino nudissimi. Anna bella spaparanzata. Dopo passa un aviere nuovo ... tutto divino»; «Mi piace quando sei a letto con un altro, sento di amarti ancora di più»; «Oggi Anna ha fatto l'amore con un soldatino. Mi è costato 30 mila lire ma ne valeva la pena».

Insieme al diario gli investigatori trovarono decine, centinaia di foto che avevano come unico soggetto Anna nuda, ritratta ora in pose «artistiche», ora in figurazioni decisamente oscene, con in primo piano i dettagli che ciascuno può immaginare.

Il meccanismo mentale del marchese Camillo, piuttosto semplice e alquanto diffuso, venne spiegato in un'intervista dallo psicoanalista Emilio Servadio in questi termini: «Si chiama "voyeurismo" ed è il desiderio di assistere, di vedere, di osservare. L'accentuazione, in altre parole, di ciò che un celebre studioso americano ha chiamato "spinta visiva". È un fenomeno che ha origini lontane, perché sono i bambini che, a una certa età, sviluppano una curiosità che si risolve nel voler vedere, sapere, guardare. Se questa tendenza non viene superata nello sviluppo psicosessuale, può rimanere come componente importante della sessualità di un individuo anagraficamente adulto, il quale avrà il morboso desiderio di vedere quello che, sul piano sessuale, fanno altre persone». Questi soggetti, proseguiva il professor Servadio, hanno anche un'accentuata componente masochistica, un tipo di masochismo che lo studioso definisce «morale».

Preso atto della spiegazione psicoanalitica, ci si può però chiedere come mai un uomo che per undici anni ha alimentato il suo vizio con evidente soddisfazione, a un certo punto si sia ribellato a una situazione da lui stesso creata per il proprio piacere. A questa domanda la risposta di Servadio fu: «La chiave dell'enigma (e per me la soluzione del "caso") sta in questo: il masochista, contrariamente a quanto si crede, non è un individuo che si lascia maltrattare *ad libitum*, cioè secondo i desideri e i capricci dell'altra persona. Il masochista è sempre un regista, un programmatore di situazioni. Andiamo alle origini:

Leopold von Sacher-Masoch, che ha dato il nome a questa perversione, scriveva alla sua donna, Wanda von Dunajew: "Verrò
da te all'ora tale, tu sarai vestita con un paio di stivali alti e neri, avrai un frustino in mano e mi dirai: 'Schiavo, inginocchiati,
perché io sono la tua regina'". Lo scriveva lui; dunque, dettava
lui il programma; e se la partner, a un certo punto, si fosse dimenticata del suo ruolo e non gli avesse dato quelle tante fru-
state, Masoch si sarebbe ribellato in maniera terribile. Come fece, in effetti, quando tentò di strangolare la moglie, trovata in
una situazione che non era quella programmata».

A incrinare il meccanismo creato dai coniugi Casati fu una
novità: Anna, dopo decine di uomini accettati per compiacere
suo marito, forse addirittura come segno del suo amore per
lui, per la prima volta scelse da sola un partner e se ne inna-
morò. Con il giovane Minorenti la donna non si «accoppiava»
come con gli altri: faceva l'amore.

I due s'erano conosciuti a una festa, avevano cominciato a
vedersi e un pomeriggio erano andati insieme in un albergo
dalle parti di viale Liegi: incontri fugaci, per la prima volta
clandestini dopo tanti uomini ai quali Anna s'era concessa in
presenza del marito.

Se il meccanismo mentale di Camillo è abbastanza semplice
da spiegare, quello di Anna lo è molto meno. Perché s'era pre-
stata a quel gioco? Addirittura dalla prima notte di nozze?
C'era stato un accordo esplicito fra loro? O s'erano intesi senza nemmeno bisogno di parlare? Se lui era un *voyeur*, lei era
forse (in senso clinico) un'esibizionista? Non conosciamo la risposta e la stessa opinione del professor Servadio appare in
questo caso più discutibile: «Mi sembra evidente che la signora trovava il suo godimento, oltre che possibili vantaggi economico-sociali, nel lasciarsi strumentalizzare dal marito. Non
c'è solo questo: è dimostrato che nella donna la stessa componente masochistica o sadica è più facilmente rilevabile che
non nell'uomo. Quindi può essere che lei ricavasse un piacere
diretto dalle situazioni torbide, anormali, in cui veniva inseri-
ta dal marito. Prendiamo il farsi fotografare nuda, per esempio, o in pose lascive: fa parte di quella disposizione alla perversione che la donna ha più dell'uomo».

Se di vantaggi «economico-sociali» si fosse trattato, Anna se li era già assicurati con le nozze. La «liquidazione» della prima moglie era stata sostanziosa, e la sua avrebbe potuto esserlo ancora di più: una rottura non consensuale del legame non era nell'interesse del marchese. D'altra parte ci fu la testimonianza dei due domestici, Felice e Oliviera, che riferirono d'aver udito i due litigare spesso a voce altissima, di aver visto la padrona piangere e almeno una volta di averla sentita sfogarsi con parole che di colpo trasformavano la «marchesa» nella povera ragazza di Amorosi che era stata: «Meglio mangiare pane e cipolla e vivere come un pezzente dalle mie parti che accettare le regole di questo mondo corrotto, abitato da gente che fa venire la nausea. Se continua così un giorno o l'altro pianto tutto e torno al mio paese».

Questo è un aspetto della personalità di Anna e dell'intera vicenda. L'altro, quasi opposto, è che una donna non si lascia fotografare per centinaia di volte in pose così impudiche, non si lascia possedere per decine di volte dal primo sconosciuto, se non ha dentro di sé una propensione naturale a quel tipo di giochi erotici o, volendo usare un termine più crudo, a quelle perversioni. Oppure, altra possibile ipotesi, se non cova dentro di sé una sconfinata infelicità.

Parlando di perversioni Sigmund Freud ci ha lasciato un'opinione che dà da pensare: «L'onnipotenza dell'amore» ha scritto «forse non si rivela mai con tanta forza come in queste sue aberrazioni». È un'«onnipotenza» che esige un prezzo molto alto perché, come ha spiegato Franco De Masi in un saggio sulla perversione pubblicato nell'opera *I concetti del male*, si manifesta nella «degradazione dell'oggetto d'amore che trasforma la persona in una cosa». Si ritiene comunemente, e forse è vero, che il «perverso» è colui che mette in pratica ciò che la maggior parte delle persone si limita a immaginare («Il perverso non è altro che l'eccesso di ciò che noi siamo» ha detto Georges Bataille), ma qui sta appunto la differenza e, si potrebbe sostenere, la premessa della tragedia. Franco De Masi e Leopold von Sacher-Masoch affermano la stessa cosa: la perversione vive di proprie regole precise, una delle quali è la degradazione a «cosa» dell'oggetto d'amore. Nel momento in cui Anna comincia a scegliere e a decidere per conto suo e abbandona lo stato di «cosa», la regola è spezzata e la tragedia ha inizio.

Scrive Anna al giovane Massimo dall'isola di Zannone: «Sono molto triste. Di solito amo molto quest'isola, ma quest'anno la odio ... penso che un tuo scritto mi renderebbe felice. Se puoi, scrivi la busta a macchina e come mittente metti Sartoria Botti, corso Italia 21, Roma. Ora debbo lasciarti, Camillo sta rientrando. Ti abbraccio forte, la tua Anna». Quando si faceva possedere sulla sabbia di Fiumicino sotto gli occhi del marito, Anna era complice di un gioco ribaldo; qui invece («debbo lasciarti, Camillo sta rientrando») siamo nel classico «tradimento», la donna si comporta come una qualunque Emma Bovary. Pochi giorni dopo, siamo nella primavera del 1970: «Unico amore mio, ti scrivo mentre Camillo è comodamente seduto in poltrona ad ascoltare la radio. Cosa posso dirti più che di adorarti tanto, tanto, tanto. Penso con grandissima emozione al giorno in cui potremo essere di nuovo insieme, noi due soli, una settimana o anche un solo giorno tutto per noi. Ciao, mio grande amore». Bovarismo, appunto.

Negli stessi giorni, o poco dopo, Camillo si rende conto della piega che la cosa sta prendendo e annota, amareggiato, nel diario: «Che delusione! Vorrei essere morto e sepolto. Che schifo, che piccineria. Il voltastomaco, ecco quello che mi ha dato Anna. Dico, perdere la testa per un ragazzo assolutamente insignificante come Massimo, il quale, se non avesse i capelli che lo camuffano, sarebbe proprio zero». Fosse o no uno «zero», questo Massimo è un bel ragazzo, un po' perdigiorno, un po' playboy di provincia, studente fuori corso di Scienze politiche senza aver dato neppure un esame, che frequenta i locali notturni, milita nella gioventù neofascista, si atteggia a giocatore professionista di poker anche se perde spesso e ha firmato molte cambiali. In compenso ha una certa fortuna con le donne, come dimostra fra l'altro la sua relazione con una ballerina di colore, Lola Falana, che ha avuto successo in TV. Pare che la sua aspirazione fosse di aprire un «autosalone» o forse un locale notturno; è un ambiente che conosce, pensa di potersela cavare, con l'aiuto di Anna e, naturalmente, di Camillo. Dunque, rompendo le regole del gioco, anche lui rischia e sarebbe certamente stato più cauto se non fosse stato emotivamente coinvolto.

Anna cerca di prendere il marito nella sua stessa rete. Non nasconde l'avventura con Massimo, ma tenta di farla passare per una variante del gioco consueto. Non si lascia spiare mentre fa l'amore con lui, ma gliene riferisce: «Anna ha avuto a cena il suo amore con un amico, mi ha raccontato. Però credo che mi nasconda al suo solito l'80 per cento. Che peccato!». Non potendo pretendere da sua moglie la «fedeltà» in senso tradizionale, Camillo vorrebbe almeno la «fedeltà» alle loro regole, cioè un resoconto dettagliato degli incontri. Scrive nel diario: «Anna mi è completamente caduta, ma la malattia che ho per lei mi lega. Non riesco a dormire e lo vorrei tanto. Ma come faccio quando lei va a letto e mi dice: "Tengo la linea del telefono finché non dormo" e poi fa una telefonata, ne riceve un'altra, ne fa un'altra ancora, e non mi dice nulla, e io sono in salotto a struggermi? ... Io non sopporto più questa situazione. Vorrei tanto separarmi da lei, ma non ce la faccio». E qualche giorno dopo: «Io sto lentamente morendo, internamente e ho perso in tutto ... Io non sopporto più questa situazione».

Lui sa. Lei ne è consapevole e vede in quale stato di depressione e di rancore Camillo sia ridotto. Forse per venirgli incontro o per allontanare quella che sente come una minaccia, il 26 agosto, quattro giorni prima della fine, acconsente ad andare con lui a Fiumicino e ancora una volta si fa possedere sotto i suoi occhi da un militare di passaggio.

Sabato 29 agosto il marchese Camillo è a Valdagno, ospite degli amici Marzotto, per partecipare a una battuta di caccia. Da lì telefona più volte a casa e parla con Anna. La moglie gli dice che sta cenando insieme a Massimo e ad altri tre amici. Nell'ultima telefonata, verso mezzanotte, Anna ammette che se ne sono andati tutti tranne Massimo e il suo amico Aurelio. Camillo sospetta che il primo passerà la notte con la moglie: minaccia di tornare a Roma e di ammazzarli. I Marzotto dichiareranno che il marchese, dopo quella conversazione, si coricò sconvolto. Le cose andarono, però, in modo diverso. Anna, Massimo e Aurelio hanno intuito che la resistenza di Camillo sta per spezzarsi. Il marchese sembra fuori di sé, per telefono ha intimato a tutti di uscire di casa, ha definito Massimo un «pappone» e ha dato appuntamento alla moglie per il giorno dopo: esige un chiarimento. Molto spaventati, Anna e i due giovani chiedono ospitalità a un quarto amico. Alle 11 del mattino di domenica, la marchesa telefona a un suo cugino, vicequestore a Napoli e gli chiede di accompagnarla all'appuntamento con il marito, ma il poliziotto rifiuta. In un concitato susseguirsi di mosse scoordinate, Massimo telefona a un avvocato di sua conoscenza e gli descrive sommariamente la situazione. Il consiglio del legale è di grande buon senso: non andate all'appuntamento. Anna, ormai terrorizzata, scrive un biglietto di resa a Camillo: «Devi perdonarmi se ho sbagliato, ma ti prometto che chiuderò subito con Massimo e ritorneremo uniti come prima». Un cameriere è incaricato di consegnarlo appena il marchese metterà piede in casa.

Pomeriggio di domenica, ore 18.30. Da via Puccini un domestico telefona ad Anna per informarla che il marchese è rientrato e aspetta lei e Massimo come d'accordo. La donna, titubante, chiede di parlare direttamente con il marito. Camillo, al telefono, sembra calmo, la rassicura, dice di voler solo chiarire la situazione. Mentre Anna e Massimo prendono gli ultimi accordi con i due amici che dovranno accompagnarli all'appuntamento, il marchese chiama il maggiordomo, gli ordina di far entrare la moglie e il suo accompagnatore, di chiudere la porta e di non disturbarlo per nessuna ragione al mondo.

Sono circa le 19, Anna e Massimo si avviano con una Cinquecento; li segue una Rover con a bordo gli amici del giovane. Camillo intanto, alla scrivania, scrive questo biglietto: «Muoio perché non posso sopportare il tuo amore per un altro uomo. Quel che faccio lo devo fare. Perdonami. E qualche volta vienimi a trovare». Chiude il biglietto in una busta sulla quale scrive «Ad Anna». Le due auto stanno percorrendo il Lungotevere quando Camillo apre l'armadietto dei fucili, sceglie un Browning calibro 12 e infila nel caricatore cinque cartucce da cinghiale. Le auto arrivano in via Puccini; Anna e

Massimo salgono; gli amici, nella Rover, restano in strada ad aspettare. Non sappiamo quale fu il prologo della tragedia, comunque fu brevissimo. Se Camillo aveva pensato di suicidarsi, facendolo magari davanti ad Anna e al suo amante, come l'ultimo biglietto lascia credere, cambiò repentinamente idea. Forse fu l'ira ad accecarlo, forse le frasi che si scambiarono nel silenzio del salotto lo convinsero che Anna aveva mentito, che nulla sarebbe più stato come prima, che l'aveva definitivamente perduta. Le prime fucilate sono per la moglie. Il marchese è un buon tiratore, e comunque da quella distanza non può sbagliare: esplode due colpi e la colpisce al braccio e in pieno petto. Lei è seduta su una poltrona e lì resta, fulminata. Anche questa circostanza, come vedremo, avrà la sua importanza. Massimo cerca scampo correndo come impazzito per la stanza. La prima palla lo prende alla schiena; subito prima o subito dopo, afferra un tavolinetto per farsene scudo, ma il secondo colpo lo centra alla testa. Camillo, ormai pazzo anche lui, s'avvicina ad Anna. Da una distanza di pochi passi le spara un ultimo colpo alla gola. Adesso ha esaurito le cartucce; ne infila altre due nel caricatore, punta il calcio contro la spalliera di una poltrona e la bocca del fucile sotto la gola. Tira il grilletto e la testa gli esplode insieme alla cartuccia.

I due amici rimasti in strada hanno udito l'eco degli spari e un rumore di vetri rotti. Decidono, quindi, di salire e suonano alla porta. Anche i domestici hanno sentito tutto, ma quando quelli chiedono di andare a vedere che cosa stia succedendo, rispondono di avere ordini rigorosi: non possono entrare a nessun costo in salotto. Sono circa le 20 e nella stanza i tre sono morti. I due amici scendono e uno telefona alla sorella di Anna, a Rocca di Papa, riferendole i loro dubbi e la loro angoscia. La donna parte subito per Roma e quando li raggiunge in via Puccini sono circa le 21.30. Tutti insieme tornano di sopra, ma il maggiordomo non si lascia convincere a fare alcunché. Solo dopo molte insistenze, si decide finalmente ad aprire la porta del salotto.

Lo spettacolo nella stanza lo conosciamo, così come conosciamo, o immaginiamo, il seguito: il medico, l'ambulanza, la polizia, l'inchiesta, la curiosità morbosa alimentata dalle foto, dalle indiscrezioni (nei giorni successivi i giornali romani aumentarono di 500 mila copie la tiratura), dalle tante domande senza risposta: Massimo sapeva della doppia vita di Anna? Lei pensava davvero di ricominciare con un uomo di sedici anni più giovane? Il rapporto con Camillo fu di complicità o di sudditanza? Se il marchese aveva progettato di suicidarsi, che cosa lo spinse invece alla strage? Nessuno rispose allora a queste domande, tanto meno sarebbe possibile rispondere oggi. Come accade quasi sempre nei rapporti d'amore, il segreto che teneva insieme i tre protagonisti morì con loro.

La storia ebbe però un seguito che vale la pena di ricordare. Alcune settimane dopo l'eccidio, il notaio Carlo Pantalani rese pubblico il testamento olografo del marchese Casati Stampa, nel quale, fra l'altro, si leggeva: «Nomino mia erede universale mia moglie Anna Fallarino che mi ha reso tutti gli anni in cui mi è stata vicino, felicissimo, e che ho sposato in chiesa il 21 giugno 1961. A mia figlia Annamaria, di Letizia Izzo, spetterà la legittima, con in più l'assicurazione di 100 milioni e il quadro raffigurante la Madonna col Bambino». I parenti di Anna impugnano il documento assumendo che, se la sera del 30 agosto la loro congiunta fosse morta anche un solo secondo dopo il marito, l'eredità dei Casati Stampa toccherebbe a loro. Li assiste in questa delicata vicenda un certo avvocato Cesare Previti, nato a Reggio Calabria nel 1934, simpatizzante neofascista come suo padre Umberto, commercialista, buon amico della sorella di Anna. Le perizie medico-legali stabiliscono, però, che i colpi hanno ucciso la marchesa all'istante, che il suicida Camillo quindi è morto dopo, e che per conseguenza l'erede è la figlia di primo letto Annamaria, nata a Roma il 22 maggio 1951. Il Tribunale dei minori affida la ragazza a un tutore fino al compimento della maggiore età. A quel punto l'avvocato Previti, benché rappresenti gli interessi dei Fallarino, contatta la giovane Annamaria offrendole la propria assistenza. Sconvolta dalla tragedia, lei accetta. Emilia Izzo, sua zia materna e unica congiunta vivente, chiede al Tribunale di Roma di essere nominata tutrice della nipote minorenne. Davanti al magistrato, però, Annamaria dichiara di non voler essere affidata alla zia bensì al senatore Giorgio Bergamasco (nato a Milano nel 1904 e appartenente al partito liberale). Il pretore di Milano Antonio De Falco l'asseconda, trascurando l'articolo del Codice civile che prevede la nomina del tutore, preferibilmente, «fra gli ascendenti o fra gli altri prossimi parenti o affini del minore». Il ruolo di protutore, cioè di avvocato della minore e suo rappresentante in caso di conflitto d'interessi con il tutore stesso, è esercitato dall'avvocato Previti.

L'ereditiera, scossa dalla perdita del padre (e in quelle circostanze), frastornata dalle incombenze legali e dall'assedio dei media, lascia l'Italia. Vivrà stabilmente a Brasilia dopo aver sposato Pier Donà Dalle Rose. Passano i mesi, la marchesina, divenuta maggiorenne, si emancipa dal tutore. Bergamasco, ora ministro nel gabinetto Andreotti, è nominato suo procuratore generale «rimossa ogni limitazione di mandato», vale a dire con amplissimi poteri; l'ex protutore Previti resta suo avvocato. Pressata da tasse arretrate e scadenze di imposte di successione, nell'autunno del 1973 Annamaria incarica l'avvocato di vendere la villa di Arcore e relativo parco, con espressa esclusione di arredi, pinacoteca, biblioteca, e delle circostanti proprietà terriere. Nella primavera del 1974 l'avvocato Previti le telefona a Brasilia, annunciandole trionfante di avere concluso «un vero affare». Ha venduto la villa di Arcore al completo, compresi cioè quadri (tele del Quattrocento e del Cinquecento oltre a un magnifico ritratto di Anna Fallarino, opera di Pietro Annigoni, giudicato dai critici opera notevolissima), biblioteca (10 mila volumi antichi), arredi, un parco immenso, per 500 milioni di lire. Dal Brasile Annamaria non si rende conto che la cifra tanto sbandierata corrisponde a quella di un buon appartamento nel centro di Milano.

Pochi giorni dopo, il costruttore edile Silvio Berlusconi (è lui l'acquirente) s'insedia nella sontuosa villa. Non versa subito i 500 milioni pattuiti. Pagherà in comode e lunghissime rate annuali coincidenti con le scadenze fiscali di Annamaria Casati, nonché con le numerose pendenze verso l'erario del suo defunto padre Camillo. Di anno in anno, e fino al 1980, la proprietà di Arcore, di cui l'intraprendente «palazzinaro» ha preso possesso nel 1974, resterà intestata ad Annamaria Casati, che continuerà quindi a pagare anche la tassa di proprietà. Nell'atto di vendita, sottoscritto il 2 ottobre 1980, la villa è descritta in questi termini: «Casa di abitazione con circostanti fabbricati rurali e terreni a varia destinazione». Poco tempo dopo la «casa di abitazione» pagata 500 milioni a rate, sarà ritenuta dalla Cariplo garanzia sufficiente per un finanziamento di 7 miliardi e 300 milioni di lire.

Si potrebbero aggiungere altri episodi inquietanti, ma non sarebbe più la storia romana cominciata negli anni Cinquanta da cui eravamo partiti: si trasformerebbe in una torbida storia italiana del XXI secolo ed è quindi opportuno interromperla qui.

XIV

LA VITA AL DI LÀ DEL MURO

Via del Portico d'Ottavia è fra le strade romane più cariche di suggestioni e di memorie. Una delle sue estremità fronteggia, sul Lungotevere, il ponte Fabricio detto anche «Quattro Capi» e, in tempi più remoti, *«pons Judaeorum»*. Qui, sulla destra, c'è una chiesetta dedicata a San Gregorio della Divina Pietà, una denominazione che fa riferimento alla possibile nascita, nei luoghi, di Gregorio Magno. L'edificio è antico, anche se l'aspetto attuale è settecentesco. Il suo principale motivo d'interesse è la targa murata sopra la porta dove compare, in latino e in ebraico, un passo del profeta Isaia che recrimina la malvagia perseveranza degli ebrei: «Ho steso tutto il giorno le mani verso un popolo ribelle che cammina per una via non buona seguendo i propri pensieri; un popolo che mi muove di continuo a sdegno». San Gregorio della Divina Pietà, che si trovava proprio di fronte a una delle porte del ghetto ebraico, era utilizzata per le prediche forzate con le quali si cercava di convertire gli «sventurati giudei» al cattolicesimo. Quattro o cinque volte all'anno, gli ebrei del ghetto erano convogliati verso le chiese più vicine (oltre a questa, Sant'Angelo in Pescheria, Santa Maria del Pianto e altre ancora) nel tentativo di convincerli ad abbandonare la loro religione. Chi voleva evitare di assistere alle funzioni religiose doveva pagare una multa; chi durante la predica s'addormentava veniva riscosso dalle robuste nerbate assestate dalle guardie svizzere presenti con compiti di sorveglianza.

Pochi passi più in là, fra la chiesa di Sant'Angelo e il teatro di Marcello, la strada s'allarga diventando quasi uno spiazzo. Una lapide sul muro di un antico edificio ricorda che proprio in quel punto, il 16 ottobre 1943, vennero concentrati i camion nazisti che avrebbero trascinato via gli ebrei romani, una pagina infame del nazifascismo sulla quale tornerò. Poco oltre si apre un arco maestoso, cui fa da sfondo una grande porta inquadrata da colonne. L'arco è ciò che rimane dell'antico portico d'Ottavia. La porta introduce alla chiesa di Sant'Angelo in Pescheria, detta anche «*in foro piscium*». Del resto anche la strada oggi nota come via del Portico d'Ottavia in tempi remoti si chiamava via della Pescheria.

L'origine della chiesa è antichissima: l'edificio risale, infatti, al tempo di Bonifacio II, ossia al 530, o forse di Stefano III, cioè al 770. Uno di questi due papi volle che fosse incastonato fra i resti del portico utilizzando come pronao i propilei del grandioso monumento, costituito da una gigantesca costruzione quadrata arricchita da più di trecento colonne, fatta edificare da Augusto in memoria della sorella nel 33-23 a.C. su una più modesta struttura preesistente. Oltre ad agevolare l'ingresso del pubblico nel vicino teatro di Marcello, la zona porticata era luogo d'incontro e di ritrovo e racchiudeva nel suo perimetro due templi, due biblioteche (una greca e una latina) e numerose opere d'arte, fra le quali la statua bronzea di Cornelia, madre dei Gracchi, la prima donna in memoria della quale sia stata eretta a Roma una statua onoraria. (Catone lo ritenne un gesto intollerabile e protestò con forza, ma invano.) Fra i ruderi è stata anche ritrovata la magnifica statua muliebre nota come «*Venere dei Medici*», il che dà un'idea della qualità delle opere che il portico conteneva.

La chiesa di Sant'Angelo è celebre non solo per la sua collocazione unica al mondo, incastonata com'è in un antico monumento, ma anche perché da qui, nella notte di Pentecoste del 1347, Cola di Rienzo, dopo essersi raccolto in preghiera e mentre la campana della chiesa suonava a martello, partì armi in pugno per conquistare il Campidoglio e riportare Roma all'antica grandezza repubblicana. Pochi metri a destra dell'edificio, un'elegante piccola facciata seicentesca illeggiadrita da stucchi segna l'ingresso dell'oratorio di Sant'Andrea dei Pescivendoli.

Ci si può chiedere, prima di procedere verso le altre sorprese che ci attendono, da che cosa dipendano i richiami così numerosi ai pesci. Il motivo è il più ovvio. Sulle rive dell'isola Tiberina venivano sbarcati quelli pescati direttamente nel fiume oppure arrivati a Roma, per via fluviale, dal vicino Tirreno. Il trasporto avveniva durante la notte, dalle prime luci dell'alba cominciava la vendita sia all'ingrosso sia a singoli clienti. Come banchi d'esposizione venivano adoperate lastre di marmo staccate dalle pareti dei templi, usanza che andò avanti a lungo, come testimoniano le fotografie di fine Ottocento.

Inoltrandosi per via del Portico d'Ottavia, ci si imbatte, all'altezza del civico 25, in una straordinaria testimonianza di riutilizzo di luoghi e di materiali. Nella bottega che lì si apre, gli stipiti e l'architrave sono costituiti da antichi marmi romani finemente lavorati, mentre le mura che la contengono appartengono alla duecentesca torre medievale dei Grassi, anche loro commercianti di pesce: una bottega che vende e opera nel XXI secolo, ricavata in un edificio medievale ornato da marmi del I secolo, è qualcosa che credo sia possibile solo a Roma. Procedendo, si aprono sulla destra due strette vie parallele (via di Sant'Ambrogio e via della Reginella) che rendono bene l'idea di che cosa fosse il ghetto prima che il vecchio, insalubre quartiere venisse distrutto e quasi completamente riedificato, operazione avviata a partire dal 1888.

Sorpassate le due stradine, si giunge a un palazzo d'angolo eretto più o meno negli anni in cui Cristoforo Colombo scopriva l'America. L'edificio è noto come «Casa di Lorenzo Manilio» o «dei Manili». Sulla facciata l'illuminato proprietario volle che fossero inseriti importanti reperti marmorei con iscrizioni in latino e in greco. Il buon Manilio intendeva contribuire al risveglio urbanistico dell'Urbe adornando la sua casa, *«ad forum Judaeorum»*, con sculture romane quali, per esempio, un rilievo funerario con quattro busti e un bellissimo altorilievo con un leone che abbatte un daino. L'insieme testimonia di una commovente vocazione umanistica.

Appena girato l'angolo su piazza Costaguti, ci s'imbatte in una cappelletta settecentesca nota come «tempietto del Carmelo», altro luogo deputato alle prediche coatte per la conversione degli ebrei. Via del Portico d'Ottavia si conclude in uno slargo che corrisponde all'antica piazza Giudea, posta subito all'esterno di un'altra delle porte d'accesso alla zona segregata del ghetto. La cinquecentesca fontana che la orna, non particolarmente bella, è opera di Giacomo Della Porta. Dello stesso artista, a poca distanza da qui, in piazza Mattei, c'è l'aggraziata fontana delle Tartarughe, una delle più leggiadre che esistano a Roma.

Sulla sinistra si apre uno slargo irregolare chiamato piazza delle Cinque Scole, a ricordo di altrettante sinagoghe qui un tempo esistenti, ossia del tempio, siciliana, castigliana, nova e catalana. Ci sarebbe molto altro da dire a proposito della piazza, a cominciare dalla tenebrosa altura detta «Monte dei Cenci» (dovuta ai sottostanti ruderi romani) che la chiude, per continuare con la chiesa incompiuta di Santa Maria del Pianto, dedicata a una Madonna affrescata in un'edicola del portico d'Ottavia. Secondo la leggenda l'effigie avrebbe cominciato a versare lacrime a causa di un omicidio commesso proprio sotto i suoi occhi.

Ferdinand Gregorovius trovava particolarmente appropriato che ai margini di questo quartiere segnato dalla mortificazione sorgesse una chiesa dedicata al pianto. Nella sua opera, che risale al 1853, ci offre una vivida descrizione del miserando spettacolo che all'epoca il ghetto offriva al visitatore:

Entriamo ora in una delle strade del ghetto e troveremo Israello davanti alla sua catapecchia in pieno lavoro. Gli ebrei siedono sulle porte o fuori, nei vicoli, dove vi è appena un po' più di luce di quella che penetra nelle stanze umide e affumicate. E dividono stracci, e cuciono. Non è descrivibile il caos di stracci e di cenci che si accumula colà. È come se tutto il mondo ridotto in pezzi e in stracci giacesse ai piedi degli ebrei. Ce ne sono accatastati davanti alle porte, di ogni foggia e di ogni colore: frange dorate, frammenti di broccati di seta e di velluti, pezzi di stoffa rossa, azzurra, turchina, gialla, nera, bianca, vecchi, laceri, macchiati. Non ho veduto mai un simile vecchiume. Gli ebrei potrebbero rivestire come Arlecchino tutto il creato. Essi ora siedono là, immersi in quel mare di stracci, come se cercassero tesori, o almeno qualche frammento di broccato in oro.

Dire del ghetto di Roma significa parlare della più antica comunità ebraica d'Occidente, sopravvissuta a secoli di persecuzioni e di equivoci: dominazione romana, Medioevo, Inquisizione, papato, nazifascismo. Per anni e generazioni il ghetto è stato un concentrato d'umanità «compressa», esempio di ogni abiezione e di ogni eroismo, simbolo stupefacente della capacità d'adattamento dell'uomo alle più inverosimili condizioni di convivenza. Per secoli gli ebrei romani hanno vissuto in queste quattro strade, stretti come nella stiva d'una nave, con le vie invase da un lezzo insopportabile, afflitti da bisogni che era loro proibito soddisfare, a tratti perseguitati secondo le convenienze politiche o religiose – e in alcuni casi il capriccio – dei papi.

La prima notizia storicamente accertata della presenza di ebrei a Roma risale al 159 a.c., quando giunge nella capitale un'ambasceria che, a nome del condottiero israelita Giuda Maccabeo, cerca di stringere con i governanti romani un patto di amichevole alleanza. Con qualche riluttanza e alcune ambiguità l'accordo viene concluso facendo degli ebrei il primo popolo orientale che sigla un trattato (quasi) paritario con la più grande potenza imperiale esistente. Nel periodo repubblicano e imperiale i rapporti di quel popolo con le autorità romane conoscono alti e bassi, che però nemmeno nei periodi peggiori diventano vere persecuzioni. Ci sono attriti, ci sono equivoci, come per esempio a proposito della circoncisione rituale, che i romani confondono con la castrazione e che perciò vorrebbero proibire. Ci sono, ovviamente, le guerre. Pompeo Magno conquista Gerusalemme nel 63 a.c.; circa un secolo dopo, nel 70 d.C., Tito saccheggia e distrugge il Tempio di Salomone segnando la fine della nazione giudaica, che risorgerà dalle ceneri solo nel 1948, dopo un vuoto durato quasi duemila anni.

Quell'evento disastroso verrà talvolta interpretato come una vendetta divina, consumata attraverso le armi di Roma, per l'uccisione di Gesù Cristo. Il bottino trafugato da Tito, trasportato nella capitale, darà vita al più grande museo della Roma imperiale. Un pannello dell'arco del condottiero, all'inizio della via Sacra, ricorda la spoliazione del Tempio e il furto del candelabro sacro. Il tesoro resterà a Roma fino a quando i re barbari Alarico e Genserico non metteranno a sacco la città rubandolo.

I rapporti degli ebrei con gli imperatori romani conoscono, si diceva, fasi alterne, anche se prevale in genere la tolleranza, tipica dell'atteggiamento romano verso le religioni straniere.

Ottimo, per esempio, era stato il rapporto con Giulio Cesare, difensore dei loro diritti, che aveva perfino consentito la ricostruzione delle mura di Gerusalemme, in parte distrutte durante l'assedio di Pompeo. Scrive Svetonio nella *Vita di Cesare* che, alla sua morte nel 44 a.C., «una moltitudine di stranieri fece lamentazioni intorno alla pira funebre, ciascuno secondo il proprio costume, in particolare i giudei che tornarono sul posto per molte notti di seguito».

Una delle massime testimonianze arrivate dall'antichità greco-latina è quella dello storico greco romanizzato Dione Cassio. Interessante è leggere, nella sua *Storia romana*, quale singolare caratteristica della religiosità ebraica lo avesse colpito: «Riconoscono solo un unico dio che adorano con zelo fanatico. A Gerusalemme non gli hanno mai eretto una statua; lo ritengono infatti un essere inesprimibile e invisibile e lo adorano con una passione che si cercherebbe invano in altri popoli ... il giorno del dio Saturno [Shabbàt, cioè sabato] lo dedicano a questo dio». Con grande acutezza Dione Cassio concentra in due sole parole la spiritualità ebraica, che è pura astrazione intellettuale: un dio inesprimibile e invisibile. Anche Tacito, nei suoi *Annali*, era arrivato alla stessa conclusione: «I giudei concepiscono un solo dio e solo con il pensiero: per essi sono empi coloro che con materie corruttibili rappresentano immagini degli dei secondo le forme umane». Non si potrebbe trovare contrasto più netto con la sfarzosa religiosità romana, che erigeva statue e copriva di ghirlande e di doni molto terreni ogni possibile divinità e spesso, nell'eccitamento delle cerimonie, finiva per adorare non lo spirito del dio, ma il suo simulacro. (Questa caratteristica pagana si ritroverà in parte anche nel cristianesimo, quanto meno in alcune delle sue manifestazioni più chiassose.)

Nel complesso, dunque, gli ebrei riescono a stabilire una convivenza dignitosa con Roma, salvo alcune sanguinose eccezioni. È con l'imperatore Costantino, nel IV secolo, che gli editti cominciano a definirli una setta turpe, bestiale, perversa.

Quanto all'atteggiamento dei papi nei loro confronti, sarà mutevole. Un esempio di equilibrata tolleranza lo dette Gregorio Magno, in soglio dal 590 al 604. Con un luminoso brocardo, che risente della grande civiltà giuridica romana, stabilì che «come gli ebrei non possono arrogarsi di compiere nelle loro sinagoghe alcunché oltre a ciò che la legge consente, così non devono subire alcun danno a causa di ciò che è loro permesso». Altri pontefici, però, saranno meno tolleranti. E verso gli ebrei resteranno vivi a lungo un costume e un'attitudine di rifiuto.

Fra le tante testimonianze di questa condizione, alcune delle quali vedremo più avanti, cito subito un eloquente sonetto di Giuseppe Gioacchino Belli, datato 4 maggio 1833, che descrive con rude franchezza un'oltraggiosa consuetudine. Il titolo è *L'omaccio de l'ebbrei*, dove il gioco di parole è fra «omaggio» (poiché di questo si tratta) e «omaccio» nel senso di uomo cattivo. Il poeta si riferisce a una procedura di cui così dà testimonianza d'Azeglio nei *Miei ricordi*: «Il primo giorno di carnevale si fa in Campidoglio una funzione che merita d'essere conosciuta. Il Senato s'aduna col Senatore seduto sul suo trono; ed a lui si presenta in ginocchio il Rabbino con la deputazione del Ghetto, portando un indirizzo con ampie e umilissime dichiarazioni di devozione e sudditanza del popolo eletto al Senato romano. Data lettura dell'indirizzo, il Senatore fa col piede l'atto d'allungare un calcio al Rabbino che si ritira pieno di gratitudine». Ed ecco l'episodio nei versi del Belli:

Ve vojjo dì una bbuggera, ve vojjo:
Er giorno a Rroma ch'entra carnovale,
Li Ggiudii vanno in d'una delle sale
De li Conzervatori a Ccampidojjo;

E ppresentato er palio [tributo] prencipale
Pe rriscattasse da un antico imbrojjo,
Er Cacamme [Haham, rabbino maggiore] j ordissce un bell'orzojjo
De chiacchiere tramate de morale.

Sta moral' è cch'er Ghetto sano sano
Giura ubbidienza a le Legge e mmanate
    [emanate: anche questo è un gioco di parole]
Der Zenato e dder Popolo Romano.

De cuelle tre pperucche incipriate,
Er peruccone, allora, ch'è ppiù anziano
Arza una scianca [dà un calcio] e jj arisponne: «Andate».

Eppure, a dispetto di ogni difficoltà, ci sono in ogni epoca ebrei che riescono ad affermarsi, per esempio nella mercatura, in particolare nel traffico delle ambite rarità orientali. La grande sinagoga scoperta a Ostia Antica ha rivelato che la locale comunità, piuttosto numerosa, era dedita in particolare al commercio marittimo. Altri ebrei diventano banchieri e arrivano a finanziare le imprese papali così come, in anni più remoti, avevano fornito i capitali per le campagne imperiali. La gestione degli affari della famiglia di Tiberio, per esempio, era affidata ai capi della comunità alessandrina. Si tratta, però, di eccezioni; il grosso della colonia ebraica romana, concentrata in un primo tempo in Trastevere, esercita per lo più piccoli commerci, spesso ambulanti. Non mancano i pittori e qualche attore; uno di loro, un certo Alituro, presentò a Poppea Giuseppe Flavio, autore di opere sulla storia del popolo ebraico. Giovenale parla di donne ebree che si guadagnano da vivere interpretando i sogni. Le testimonianze letterarie, le iscrizioni funebri, qualche raro documento tramandano insomma il ritratto di una comunità operosa, ricca d'ingegno, in genere ben integrata, quanto meno tollerata, solo raramente osteggiata o derisa.

I rapporti fra la Chiesa e gli ebrei romani peggiorano a partire dalla riforma protestante. Il dilagare del luteranesimo in Europa spinge il papato a una forte azione repressiva. Paolo III (Alessandro Farnese), che nel 1540 aveva riconosciuto ufficialmente la Compagnia di Gesù, nel 1542 istituì il supremo tribunale inquisitoriale romano noto anche come Sant'Uffizio. A presiederlo fu chiamato il severissimo cardinale Gian Pietro Carafa. Nel 1553 le autorità ecclesiastiche ordinarono che, per il capodanno ebraico, venisse distrutto il Talmud e che si facesse in Campo de' Fiori un gran rogo di libri ebraici a partire da quelli religiosi: era l'inizio di un periodo cupo, destinato a protrarsi molto a lungo.

Nel maggio 1555 Carafa sale al soglio con il nome di Paolo IV e le cose decisamente peggiorano. L'ambasciatore di Venezia così lo descrive al suo governo in un primo dispaccio: «Questo papa ha un temperamento violento e focoso ... è impetuoso nel disbrigo degli affari e non vuole che qualcuno lo contraddica». Nel 1559 il papa fa pubblicare l'*Index librorum prohibitorum* nel quale vengono censurati perfino una parte della Bibbia e alcuni scritti dei Padri della Chiesa. L'Inquisizione sarà il suo tribunale preferito. Ancora lui, nemmeno due mesi dopo l'elezione, il 17 luglio 1555, emana la bolla *Cum nimis absurdum* con la quale i giudei vengono duramente colpiti e concentrati nel ghetto:

Sia nell'Urbe che in ogni altra città, nelle terre e nei luoghi della Chiesa romana, tutti gli ebrei dovranno vivere esclusivamente in una stessa e unica strada o, se non fosse possibile, in due, tre, o quante ne fossero necessarie; questi spazi dovranno essere contigui e nettamente distinti da quelli dove si trovano le abitazioni dei cristiani ... dovranno avere una sola entrata e una sola uscita.

Il primo ghetto italiano era stato istituito a Venezia nel 1516; quarant'anni dopo, la bolla di Paolo IV lo rende un'istituzione giuridicamente regolata fin nei dettagli. L'esclusione degli ebrei non si traduce solo nel concentrarli in un luogo determinato, ma anche nell'imporre loro uno sgargiante segno di identificazione, al doppio scopo di renderli riconoscibili e di perpetuarne la pubblica umiliazione (è una lezione che i nazisti applicheranno con diligenza):

Uomini e donne saranno tenuti e vincolati all'obbligo di indossare bene in vista un cappello o qualunque altro segno evidente di colore blu, in modo tale che questi non possano venire nascosti o dissimulati. Non possono essere esonerati da quest'obbligo con il pretesto dell'alto rango, dell'eccellenza del titolo, o del privilegio; né possono acquisire esoneri o dispense.

Il ghetto romano era separato dal resto della città da un alto muro, il che gli meritò le denominazioni popolari di «serraglio», «claustro» o «reclusorio degli ebrei». I cinque portoni d'accesso esistenti a partire dal 1603, dovevano essere chiusi un'ora dopo il tramonto da Pasqua a Ognissanti, due ore dopo nel resto dell'anno. Venivano aperti al sorgere del sole, in coincidenza con i primi rintocchi delle campane. L'esiguità dello spazio (3 ettari circa) e il crescente affollamento fecero aumentare in altezza gli edifici e ridurre la superficie delle abitazioni; non era insolito che una o due famiglie condividessero una sola stanza. Gli stretti vicoli, dove il sole arrivava a stento, rendevano insalubri gli ambienti. Ad aggravare le cose s'aggiungeva il fatto che le abitazioni prospicienti il Tevere (allora privo dei muraglioni di contenimento) venivano allagate dalle ricorrenti piene del fiume e dai rigurgiti delle fognature. Le famiglie sopravvissero esercitando piccoli mestieri artigianali (conciatori di pelli, merciai, calzolai); oppure piccoli commerci: in primo luogo stoffe (quando non stracci), ma anche vino e granaglie. Fra i pochi mestieri che le bolle papali consentivano ci furono quelli del rigattiere e del prestatore di denaro su pegno.

La zona prescelta per concentrarvi gli ebrei è quella oggi delimitata dal Lungotevere, da via del Portico d'Ottavia e dalla piazza delle Cinque Scole. Per tre secoli gli ebrei romani brulicarono in quelle stradine avendo come «corso» del loro recinto la strada della Rua, che correva sul tracciato dell'attuale via Catalana. Negli anni ci fu qualche ampliamento dello spazio a seguito dell'aumento degli abitanti, così come ci fu un incremento nel numero delle porte d'accesso che arrivarono a otto. Come stabiliva l'ordinanza di Paolo IV s'era scelto di recintare quella zona in parte perché offriva un confine naturale lungo il fiume, ma anche perché parecchi ebrei, dopo una primitiva permanenza in Trastevere, s'erano spontaneamente spostati sulla riva sinistra, in prossimità dell'isola Tiberina. A rendere omogenea la popolazione di quell'area bastarono i trasferimenti dei pochi cristiani, che vennero ricollocati altrove. Dal punto di vista commerciale, peraltro, il quartiere presentava caratteristiche strategiche. A metà del Cinquecento circa, al termine della guerra gotica tra ostrogoti e bizantini, che aveva portato disastrose spoliazioni e saccheggi, la città s'era in certo modo ritirata nei luoghi dai quali, in origine, la sua espansione era cominciata, come il leggero declivio fra l'isola Tiberina e il Campidoglio. Qui, infatti, il fiume facilitava l'arrivo dei rifornimenti, l'abbondanza di ruderi consentiva di adattare a dimora una qualche rovina romana e la presenza di un mercato sul Campidoglio stimolava gli acquisti e gli scambi. I luoghi dove poi sorse il ghetto erano quindi, dal punto di vista logistico, ideali: i grandiosi resti fortificati del teatro di Marcello ne delimitavano il confine sudorientale, ciò che restava dei due imponenti portici (quello di Ottavia e quello di Filippo) si prestavano a una molteplice riutilizzazione, le rovine di diversi templi potevano essere usate come cave di materiali. Soprattutto vantaggiosa era la collocazione, a mezza strada fra gli approdi tiberini e il mercato del Campidoglio, favorevole alle operazioni commerciali e finanziarie.

Molte erano le restrizioni severe che le varie ordinanze papali di volta in volta imponevano. Agli ebrei era proibito avere balie o servi cristiani; i medici ebrei non potevano curare i cristiani o essere chiamati «*dominus*» da un cristiano; era proibito lavorare in pubblico la domenica ed esercitare alcun commercio, salvo quello delle merci usate («*strazziariae seu cenciariae*»). Fra le molte imposizioni c'era anche il divieto di possedere proprietà immobiliari. Per le abitazioni del ghetto, infatti, era previsto che gli abitanti pagassero un affitto ai proprietari cristiani o allo Stato. Erano invece consentiti i prestiti di denaro (più raramente la compravendita di gioielli), che potevano avere consistenza e finalità diverse. Si andava dai piccoli anticipi su pegno per minute esigenze familiari fino a vere operazioni finanziarie, anche di notevole portata.

Di un prestito a metà fra questi due estremi si parla in un episodio che ha come protagonista un avo del pittore Amedeo Modigliani. Costui si trasferì a Roma con la famiglia, attirato dalla vivacità dei commerci. Uomo agiato, forse banchiere, più probabilmente gestore di un banco di pegni, aveva fra i suoi clienti un importante cardinale in affanno finanziario, al quale aveva avuto occasione di prestare del denaro. La questione si risolse con tale reciproca soddisfazione che l'imprudente Modigliani pensò di poter sfidare il divieto papale investendo il ricavato di quell'affare in una certa vigna sulle pendici dei colli Albani. Quando la cosa si riseppe, gli uomini della curia ordinarono all'insolente giudeo di disfarsi immediatamente del terreno, minacciandolo di pesanti sanzioni. Aver salvato dal disonore un principe della Chiesa non era titolo sufficiente per l'acquisto di una proprietà terriera. Modigliani obbedì, ma subito dopo trasferì la famiglia a Livorno, unica città italiana, insieme con Pisa, a non aver mai espulso o segregato i suoi ebrei. E a Livorno, nel 1884, nasceva il pittore Amedeo.

Le operazioni finanziarie di grande portata avevano ovviamente tutt'altro respiro rispetto a questo episodio e, prima che i rapporti fra le due comunità peggiorassero, andarono avanti per secoli con generale soddisfazione. Tali traffici si svolsero in prevalenza nel Medioevo, ma ancora nel 1524, durante il pontificato del volubile Clemente VII (Giulio de' Medici), opera in Vaticano un finanziere ebreo, Daniel da Pisa, fra i più influenti banchieri dell'epoca, insignito del titolo di «*mercatores romanam curiam sequentes*», che comportava vari vantaggi fra i quali l'esenzione dai dazi nel territorio del Patrimonio di San Pietro.

I prestiti a questo livello erano gestiti in qualche caso direttamente, più spesso con l'intermediazione di operatori fiorentini legati alla curia, che provvedevano poi ad associare uno o più finanzieri «*judei de Urbe*». Come ha notato Ariel Toaff nel suo saggio *Gli ebrei di Roma* «la curia faceva ricorso ai banchieri ebrei romani per mantenere il controllo sul settore creditizio locale e, attraverso quello, muovere le leve della politica comunale». La comunanza di interessi, diventata in qualche caso molto stretta, rafforzò ovviamente i legami fra i banchieri e la curia trasformando così il rapporto in un vero vincolo societario. Sappiamo, per esempio, di un contratto stipulato con il comune di Todi che, in caso di violazione dei patti da parte del comune, prevedeva il pagamento di un'ingente penale per metà ai «*judei de Urbe*» e per l'altra metà alla curia di Roma. Una delle più intraprendenti compagnie ebraiche romane, quella di Fosco della Scola, arrivò a concedere mutui a numerose comunità del Patrimonio di San Pietro, dall'alta Sabina al ducato di Spoleto, da Perugia alla marca di Ancona.

L'istituzione del ghetto a metà del XVI secolo incrudisce ovviamente i rapporti, ma la crisi della comunità romana era cominciata per la verità già parecchio tempo prima. La seconda metà del Trecento fu caratterizzata da una dura congiuntura economica a seguito della devastante pestilenza raccontata, fra gli altri, dal Boccaccio. Roma fu colpita in modo particolare dalla crisi. La peste, la carestia, le alluvioni del fiume, uno stato di endemica anarchia, la violenza diffusa depressero fortemente le condizioni di vita e convinsero quanti potevano ad abbandonare l'Urbe per cercare altrove miglior fortuna. Quel secolo tremendo, segnato fra l'altro dallo scisma d'Occidente (1378), che travagliò la Chiesa per lunghi anni, vide anche l'avventura significativa ed effimera di Cola di Rienzo.

Cola era nato «in mezzo agli ebrei» in via della Fiumara (in seguito distrutta durante la ristrutturazione del quartiere). Ancora oggi, in via San Bartolomeo dei Vaccinari, così chiamata in ricordo di un'antica chiesetta frequentata dai conciatori di pelli, una targa indica che «nei pressi» c'era il luogo natale del tribuno romano. Siamo alle spalle della chiesa di San Tommaso de' Cenci, a un passo dalle vecchie sinagoghe. Lì Cola trascorse la prima giovinezza. La sua biografia è raccontata in un documento straordinario, la *Vita di Cola di Rienzo* di un autore rimasto sconosciuto, uno dei testi più alti giuntici dal Medioevo, scritto in una lingua vivacissima, che è anche il ritratto spietato di una città ottenebrata dalla ferocia. Scrive l'ignoto autore: «Cola de Rienzi fu de vasso lenaio. Lo patre fu tavernaro, la matre ebbe nome Maddalena, la quale visse de lavare panni e acqua portare. Fu nato nello Rione della Regola. Sio avitazio fu canto fiume, fra li mulinari, nella strada che vao alla Regola, dereto a santo Tomao, sotto lo tempio delli Iudei».

Queste umili origini gli pesarono, tanto che da ragazzo dava a intendere d'esser figlio illegittimo dell'imperatore Arrigo VII. Testardo, ambizioso, infatuato della gloria scomparsa di Roma, «moito li dilettava le magnificenze de Iulio Cesari raccontare. Tutta die se speculava nello intagli de marmo li quali iaccio intorno a Roma. Non era aitri che esso che sapessi leiere li antiqui pataffii».

Cola riesce a studiare, diventa notaio; appena trentenne è inviato ambasciatore ad Avignone per implorare papa Clemente VI (Pierre Roger) di fare ritorno a Roma. Il pontefice rifiuta: troppi torbidi in città, troppo incerta la situazione politica avvelenata dalle continue lotte fra baroni. È però colpito dalla figura e dall'eloquenza dell'uomo e lo rimanda a Roma con il titolo di «notaio della Camera capitolina». È il primo passo d'una carriera politica molto brillante, anzi, troppo brillante. Cola ha in mente un'utopia umanistica: vuole restaurare le glorie antiche dell'Urbe, fare di Roma la capitale del mondo.

Per realizzare questo sogno deve ridurre alla ragione i baroni che si contendono il potere sbranandosi a vicenda, in primo luogo i Colonna. Ma ha bisogno di alleati, fra cui gli ebrei. Per ingraziarsene il favore compie un gesto spietatamente spettacolare. Quasi dimenticati, giacevano in prigione a Roma alcuni assassini condannati a morte per aver ucciso a Perugia, quattro anni prima, un banchiere ebreo e sua moglie. Fra le prime misure, una volta al governo, Cola decreta la loro esecuzione, rendendo in tal modo giustizia alla comunità e ottenendone così l'appoggio. Quando si tratterà di suonare a stormo le campane della chiesetta di Sant'Angelo in Pescheria, di cui ho parlato sopra, sarà proprio un ebreo a farlo: «Una notte e uno die sonao a stormo la campana de Santo Agnilo Pescivennolo. Uno judìo la sonava».

Che qualcosa non funzionasse nella concezione che Cola aveva dello Stato si capì quando, il 1° agosto 1347, con una fastosa cerimonia, si proclamò tribuno e si fece attribuire l'altisonante e grottesco titolo di «*Candidatus Spiritus Sancti miles, Nicolaus severus et clemens, liberator Urbis, zelator Italiae, amator orbis et tribunus augustus*». A Roma organizzò complicate cerimonie, maestosi cortei, elaborati banchetti. La sua stessa figura era uno spettacolo quotidiano, con abiti sempre nuovi e sempre più splendidi, quasi come un Nerone redivivo: si lasciò travolgere a tal punto dalla sua stessa messinscena da apparire «un asiano tiranno».

Davanti a tali pretese il papa cominciò a insospettirsi, mentre i comuni dell'Italia centrale, che Cola avrebbe voluto federare, accolsero con diffidenza il progetto. Il suo disegno fallì. I Colonna fomentarono la rivolta e, a dispetto della sua teatrale eloquenza, nel 1350 il tribuno dovette fuggire. Quando fece ritorno a Roma nel 1354, in un patetico tentativo di riprendere le redini del governo, non poté più contare nemmeno sull'appoggio degli ebrei, che avevano scoperto la velleitaria debolezza del suo ideale politico. Divenne arrogante, crudele senza ragione, capriccioso; più si scopriva debole, più s'intestardiva nel delirio. Quando il popolo, durante una sommossa, lo assalì sul Campidoglio, avrebbe voluto morire con le armi in pugno, come in un bassorilievo antico «a modo de perzona magnifica e de imperio». Ma era uomo anche lui e «come tutti li altri temeva dello morire». Allora si mascherò, si tagliò la barba, si spogliò delle sue insegne, si tinse la faccia di nero: «Forticaose la varva e tenzese la faccia de tenta nera. Era là da presso una caselluccia dove dormiva lo portanaro. Entrato là, tolle uno tabarro de vile panno, fatto allo muodo pastorale scampanino. Quello vile tabarro vestìo».

Mascherarsi da pecoraio non gli serve. Viene riconosciuto e trascinato nel luogo dove s'amministra la giustizia: «Là addutto, fu fatto uno silenzio. Nullo omo era ardito toccarelo». Per un'ora intera dura l'incredibile scena di Cola, muto a braccia conserte, circondato da una folla che vorrebbe ucciderlo e non osa. Fino a quando «Cecco dello Vecchio impuinao mano a uno stuocco e deoli nello ventre». È come se si fosse spezzato un incantesimo: dopo la prima stoccata comincia la gragnola, il suo corpo viene trafitto da cento colpi «come fussi criviello», percosso, trascinato per i piedi, mutilato orribilmente. Lo appendono a un balcone, dove resta due giorni e una notte, vilipeso, fatto segno a lanci di pietre. Poi viene di nuovo trascinato fino al mausoleo d'Augusto: «Là se adunaro tutti li Iudiei in granne moltitudine: non ne remase uno. Là fu fatto uno fuoco de cardi secchi. In quello fuoco delli cardi fu messo. Era grasso. Per la moita grassezza da sé ardeva volentieri. Staievano là li Iudiei forte affaccendati, afforosi, affociti [con le maniche rimboccate]. Attizzavano li cardi perché ardessi. Così quello cuorpo fu arzo e fu redutto in polve: non ne rimase cica». Fra i tanti romani che s'erano visti traditi dalle mancate promesse di Cola c'erano soprattutto gli ebrei e non deve quindi troppo sorprendere il loro macabro furore nel bruciare il corpo del tribuno, riducendo in cenere il suo sconciato cadavere.

Per lunghi decenni, e potrei dire per secoli, le vicende della comunità ebraica romana conobbero alti e bassi economici, mentre le relazioni con la curia rimasero improntate a formale rispetto e reciproca diffidenza: consistenti questioni finanziarie, come abbiamo visto, consigliavano a entrambe le parti prudenza e un atteggiamento collaborativo. Per di più, gli archiatri pontifici furono spesso ebrei e, anzi, più volte il papa attribuì all'ebreo, al quale affidava la propria salute, anche il governo della comunità romana perché, forte del suo prestigio professionale, meglio potesse agire. La comunità, infatti, conobbe anche notevoli e prolungati dissidi interni, accese rivalità per l'attribuzione delle cariche, rifiuto netto di accogliere profughi da altri paesi, per esempio quelli provenienti dalla Spagna dopo l'espulsione decretata nel 1492 da Isabella la Cattolica, la regina che aveva fornito le caravelle a Cristoforo Colombo.

Secondo Ariel Toaff il panorama intellettuale della comunità ebraica romana nel XV secolo «era deprimente e non migliorerà affatto nei secoli successivi». Il colpo finale lo dette il sacco della città a opera dei lanzichenecchi nel 1527. A quegli spaventosi avvenimenti seguì un impoverimento generale che si rivelò, da ogni punto di vista, catastrofico, come testimonia il medico e letterato spoletino (ma di origine romana) David de Pomis:

Nell'anno 5287 [1527] l'oro fino è scomparso per lasciare il posto al metallo più vile. Quando i lanzichenecchi hanno posto al sacco Roma, la città potente e celebrata, la soldataglia dell'imperatore ha depredato ogni nostro avere, costringendoci a fare bancarotta.

Fra i papi più aperti e illuminati va ricordato Sisto V, al secolo Felice Peretti, che rimase in soglio dal 1585 al 1590, e che fu uno dei pochi ad adoperarsi per la città aprendo strade e bonificando campagne. Agli ebrei concesse di potersi dedicare a qualsivoglia arte o mestiere, li esentò dall'obbligo di portare un segno distintivo e permise loro di erigere scuole e sinagoghe secondo il bisogno della comunità. Dopo di lui le cose tornarono al peggio e bisognerà arrivare alla fine del XVIII secolo perché i segni del mutamento, sia pure fra molte contraddizioni, prevalgano. Quando gli ebrei francesi, primi in Europa, ottengono nel 1791 l'emancipazione, anche a Roma si comincia a sperare. Purtroppo, però, nel biennio 1798-99 tutti i romani, non solo gli ebrei, soffrono confuse vicende che vedono i governi alternarsi e cambiare orientamento nel giro di pochi mesi: Pio VI (Giovanni Angelo Braschi) in fuga davanti all'esercito napoleonico e poi deportato Oltralpe, truppe francesi che invadono la città, un'effimera repubblica che nasce e tramonta. Sarà Napoleone a decretare l'istituzione di un «concistoro israelitico». Ma anche lui deve tenersi buono il papa, dal quale vuole essere incoronato e quindi più di tanto non può fare.

La sua parabola è comunque breve. Il Congresso di Vienna e la restaurazione (1814-15) riportano a Roma il potere assoluto del papa. Per gli ebrei questo significa il ritorno negli angusti confini del ghetto. Pio IX (Giovanni Mastai Ferretti), salito al trono nel 1846, dette prova nei primi anni di una certa liberalità: abolì l'obbligo dell'omaggio in Campidoglio da parte di rappresentanti dell'Università ebraica, mise fine alle prediche coatte, che peraltro avevano dato risultati insignificanti. Soprattutto, nella notte del 17 aprile 1848, ricorrenza della Pasqua ebraica, ordinò che i portoni del ghetto, richiusi ogni sera per tre secoli, venissero abbattuti. Non durò molto nemmeno questo. Dopo la parentesi della Repubblica romana (di cui si è parlato nel capitolo *Fratelli d'Italia*), Pio IX torna in città profondamente cambiato; l'uomo che riprende le redini dello Stato e della Chiesa è amareggiato dai mutamenti, inquieto sull'avvenire, disgustato dal libero pensiero e da certi atteggiamenti che giudica un intollerabile sfrenamento dei costumi. Ne risente il processo di unità italiana, ne risentono anche gli ebrei, nei confronti dei quali ricominciano umiliazioni e angherie. Pur se le porte del ghetto non vengono più chiuse, si ribadisce la proibizione di possedere beni immobili «anche a titolo di investimento ipotecario» e di esercitare commerci con i cristiani, s'impone il pagamento di tributi, ricominciano i battesimi forzati.

Proprio su un caso di battesimo forzato si verificò un incidente gravissimo. Alle 8 di sera del 20 giugno 1858, cinque gendarmi, guidati da un frate dell'Inquisizione, irruppero nella casa della famiglia ebraica Mortara, a Bologna, e portarono via Edgardo, un bambino di sei anni che, a loro dire, due anni prima era stato battezzato in segreto dalla domestica cristiana Anna Morisi quando, gravemente ammalato, s'era temuto per la sua vita. Il bambino fu portato a Roma nella Casa dei catecumeni, dove ebbe un'educazione cristiana, facendosi poi sacerdote. Il caso sollevò ovunque un gran clamore: intervennero autorevoli personalità e perfino rappresentanti di governi stranieri per protestare contro la violenza commessa. Il piccolo Mortara fu portato a passeggio nelle strade più povere e sozze del ghetto romano perché vedesse a quale triste destino era stato sottratto. Tutte le comunità ebraiche d'Italia protestarono, eccetto quella romana, per intuibili ragioni di prudenza, che tuttavia non bastarono a metterla al riparo dall'ira del pontefice. Il 2 febbraio 1859, all'incirca sei mesi dopo i fatti, una sua delegazione venne ricevuta in udienza da Pio IX. Il segretario Sabatino Scazzocchio aveva appena finito il suo indirizzo di saluto quando il pontefice lo investì: «Certo, certo, bella dimostrazione di sudditanza avete dato l'anno passato quando, per il caso Mortara, avete messo in subbuglio l'intera Europa». Il segretario tentò di replicare, ma il papa, furente, gli tolse la parola rinfacciandogli con accenti sempre più aspri: «Voi, proprio voi avete versato olio sul fuoco, voi avete soffiato sull'incendio ... queste sarebbero le dimostrazioni di riconoscenza per i tanti benefici che avete ricevuto da me. Ma attenzione, io potrei farvi del male, molto male, potrei costringervi a tornare nel vostro buco ... ma tanta è la mia bontà, è così forte la pietà che provo per voi che vi perdono, anzi devo perdonarvi».

Abraham Berliner riporta queste parole nella sua *Storia degli ebrei di Roma*, sulla base di appunti presi a caldo da uno dei partecipanti all'udienza. E aggiunge che il pontefice, subito pentito per quello sfogo di collera, a incontro terminato si rivolse al maestro di Camera indirizzando «parole lusinghiere al segretario Scazzocchio con voce sufficientemente alta perché i delegati, che si trovavano già in corridoio, potessero udirle».

Già durante l'udienza comunque i toni s'erano molto rabboniti, grazie soprattutto alla prudenza dei delegati che via via avevano preso la parola. Né il papa usò più parole così ingiuriose nelle occasioni successive. Resta però che, a ogni incontro, Pio IX non mancò di ribadire, anche se con toni meno aspri, la sua riprovazione per l'errore mortale di un popolo considerato «deicida». Il 29 maggio 1868 per esempio si tenne un'udienza durante la quale i delegati ringraziarono il pontefice per l'assegnazione di undici medaglie d'argento ai medici ebrei «in riconoscimento della loro abnegazione durante l'epidemia di colera». Nella sua replica papa Mastai disse fra l'altro: «Colui che innalza abbatte con i suoi prodigi, possa Egli illuminare la vostra mente affinché onoriate il papa come sovrano e pastore, poiché soltanto Lui, soltanto Dio, può operare il prodigio della vostra conversione».

Bisognerà aspettare il Regno d'Italia perché gli ebrei romani ottengano il pieno riconoscimento dei loro diritti. Il 13 ottobre 1870 (venti giorni appena dopo la «breccia») due di loro, Samuele Alatri e Settimio Piperno, vengono nominati consiglieri comunali e altri nove entrano a far parte del Parlamento nazionale. Il Regno d'Italia rende insomma gli ebrei cittadini a pieno titolo. Si trovano ebrei fra i professori universitari, i magistrati, gli ufficiali, le alte cariche dello Stato. E se ne trovano anche fra i combattenti: già ce n'erano stati fra i garibaldini e fra i difensori della Repubblica romana del 1849; altri ce ne saranno fra le truppe che sbarcheranno in Libia nel 1911, altri ancora nelle trincee della Grande guerra.

A partire dal 1885 si cominciano a demolire le case del ghetto. È un'operazione di risanamento accompagnata, per dire la verità, anche da alcune non limpide speculazioni finanziarie, ma questo a Roma (e anche altrove) è pratica, possiamo dire, consueta. Strade più larghe e dimore dignitose prendono il posto dei malsani abituri d'un tempo. Sul Lungotevere Cenci nel 1904 s'inaugura il Tempio israelitico, opera degli architetti Osvaldo Armanni e Vincenzo Costa, in uno stile che apertamente richiama l'arte assiro-babilonese: da allora la sinagoga maggiore, con la sua cupola a padiglione su tamburo quadrato, fa parte del profilo di Roma. Al suo interno sono stati conservati alcuni elementi decorativi delle antiche scole, per esempio i seggi e le edicole opera dei marmorari romani del Seicento. Anche l'Arca proviene dalla vecchia scola castigliana. Nell'interrato oggi si allestiscono mostre ed esposizioni permanenti sulla vita della comunità.

Trent'anni andò avanti questa pacifica convivenza, mentre molti ebrei abbandonavano il ghetto per trasferirsi in altri quartieri della città, trent'anni alla fine dei quali Benito Mussolini, capo del governo e del fascismo, ruppe la tregua con uno dei più vergognosi fra i suoi provvedimenti: le leggi razziali del 1938. Perché Mussolini si macchiò di quel delitto? Quale ne fu la logica politica? Gli storici sono concordi nel dire che Hitler non fece su di lui alcuna pressione diretta, anche se in Germania, dopo le leggi di Norimberga del 1935, il processo di emarginazione civile degli ebrei s'era molto accentuato.

Il capo del fascismo ritenne forse utile creare il fantasma di un «nemico» per consolidare il suo regime, tanto più potendo sfruttare il vento dell'antisemitismo che aveva ripreso a soffiare in Europa, non solo nella Germania nazista, ma anche in Austria, Polonia, Ungheria e Romania. In Italia venne costruita una campagna antisemita attraverso giornali e riviste «specializzate» che ripubblicarono fra l'altro, nel 1937, i celebri *Protocolli dei savi anziani di Sion*, con la prefazione di Julius Evola: un falso storico clamoroso e tuttavia utile al regime per alimentare un odio che la grande maggioranza degli italiani non provava affatto. Ma suscitare dal nulla il «nemico ebreo» aveva anche altri scopi come, per esempio, distrarre l'attenzione (e le inquietudini) degli italiani dalle imprese coloniali, che non avevano risolto nemmeno uno dei tanti problemi del paese; evocare la «purezza della razza» serviva fra l'altro a combattere il pericolo delle unioni miste che i rapporti dei militari con le indigene delle colonie rischiava di creare. Così una legge severissima del dicembre 1937 puniva con «la reclusione da uno a cinque anni» il cittadino italiano che «nel territorio del Regno o delle Colonie tiene relazione d'indole coniugale con persona suddita dell'Africa Orientale Italiana».

Il 13 luglio 1938 venne pubblicato il *Manifesto della razza*, una teorizzazione della «razza italiana» alla cui redazione aveva contribuito lo stesso Mussolini. Il testo, presentato come un «manifesto degli scienziati razzisti» e firmato da un gruppo di «studiosi fascisti» proclamava per assiomi che:

La popolazione dell'Italia attuale è di origine ariana e la sua civiltà è ariana ... È una leggenda l'apporto di masse ingenti di uomini in tempi storici ... Esiste ormai una pura razza italiana ... Questo enunciato è basato sulla purissima parentela di sangue che unisce gli italiani di oggi alle generazioni che da millenni popolano l'Italia ... È tempo che gli italiani si proclamino francamente razzisti.

La conclusione era esplicitata nelle ultime righe: «Gli ebrei non appartengono alla razza italiana». Il 6 ottobre 1938 il Gran Consiglio del fascismo (lo stesso organo che cinque anni dopo rovescerà Mussolini) emanava una «Dichiarazione sulla razza» che prefigurava i concreti provvedimenti sanciti con regio decreto legge del 17 novembre 1938 n. 1728:

Divieto di matrimonio fra italiane e italiani e appartenenti a razze non ariane; espulsione degli ebrei dal Partito nazionale fascista; divieti per gli ebrei di essere possessori o dirigenti di aziende di qualsiasi natura o essere possessori di oltre cinquanta ettari di terreno; divieto di prestare servizio militare; allontanamento dagli impieghi pubblici e dalle scuole del Regno; speciale regolamentazione per l'accesso alle professioni ...

Enzo Collotti, nel suo *Il fascismo e gli ebrei*, ha cercato di capire se nel comportamento di Mussolini ci furono anche delle componenti psicologiche. «C'era in lui probabilmente» scrive «nella fase di avvicinamento alla politica del Terzo Reich, il bisogno di scrollarsi un senso d'inferiorità ... riscopriva le origini romane del razzismo del popolo italiano e si diceva convinto che "siamo ariani di tipo mediterraneo, puri" ... spinse la campagna d'odio contro gli ebrei pur essendo perfettamente consapevole di ciò che stava avvenendo in Germania. Sapeva bene le implicazioni della lotta contro gli ebrei, la intraprese disposto ad affrontarla anche nei suoi aspetti più brutali.»

E gli aspetti brutali ci furono. Prima le umiliazioni, la miseria, l'esclusione dalla vita nazionale poi, dopo l'8 settembre 1943, le aperte persecuzioni dei nazisti culminate, sabato 16 ottobre 1943, nella drammatica razzia nel ghetto di Roma: 2091 ebrei, donne, vecchi e bambini compresi, vennero rastrellati, caricati su carri piombati, avviati verso le camere a gas di Auschwitz e Birkenau. *16 ottobre 1943* è il titolo del racconto, breve e splendido, in cui Giacomo Debenedetti ha ricostruito quel tragico evento.

Il sinistro preambolo della razzia c'era stato qualche tempo prima, il 26 settembre. La sera di quel giorno i presidenti della comunità romana e dell'Unione delle comunità erano stati convocati all'ambasciata germanica, dove il tenente colonnello delle ss Herbert Kappler, con apparente affabilità e sostanziale ferocia, aveva dichiarato gli ebrei di Roma due volte colpevoli: come italiani, per il tradimento verso la Germania; come ebrei, in quanto appartenenti alla razza eterna nemica dei tedeschi. Per conseguenza il governo del Reich imponeva una taglia di 50 chili d'oro da consegnarsi entro le ore 11 del successivo 28 settembre. Trentasei ore per trovare mezzo quintale d'oro. In caso di inadempienza, 200 ebrei sarebbero stati rastrellati e tradotti in Germania. Quando i rappresentanti delle comunità chiesero se all'occorrenza la cifra poteva essere integrata con del denaro, Kappler rispose che del denaro non sapeva che farsene e che, in ogni caso, se ne avesse avuto bisogno lo avrebbe fatto stampare.

Nel poco tempo disponibile ebbe inizio una gara di solidarietà alla quale concorsero non solo gli ebrei ma anche molti romani non ebrei. Scrive Debenedetti: «Il centro di raccolta era stato stabilito in un ufficio della comunità. La Questura, che da quest'orecchio finalmente cominciava a sentirci, aveva disposto un servizio d'ordine e di vigilanza. L'affluenza infatti era cominciata a diventare notevole. Al tavolo sedeva una persona di fiducia della comunità; accanto a lui un orafo saggiava le offerte e un altro le pesava». Anche il Vaticano si mosse, facendo ufficiosamente sapere che teneva a disposizione 15 chili d'oro, in caso di bisogno.

La quantità richiesta venne raggiunta (anche con qualche piccola eccedenza) e consegnata in tempo, anche se i tedeschi all'ultimo momento tentarono una truffa facendo sparire uno dei dieci pacchi da cinque chili nei quali l'oro era stato chiuso. Non ci fu bisogno di altri aiuti, ma questo adempimento non salvò gli ebrei romani dal rastrellamento del 16 ottobre.

Cominciò in un'alba quasi autunnale resa viscida dalla pioggia, fra sparatorie, grida affannate, lugubre vociare, rumore di porte sfondate con il calcio dei fucili: le scene d'ogni razzia, che Roma ha conosciuto tante volte nel corso della sua storia. Alle 5.30 del mattino quasi 400 tedeschi agli ordini di 14 ufficiali e sottufficiali – i fascisti italiani erano stati ritenuti non affidabili (titolo, in questo caso, di merito) per questa impresa –, vennero mobilitati nella caccia agli ebrei. Cento soldati circondarono il ghetto, gli altri vennero sguinzagliati verso indirizzi individuati in precedenza con l'aiuto di due commissari della polizia fascista, Raffaele Aniello e Gennaro Cappa. Scrive Debenedetti:

Dalla via del Portico d'Ottavia giungono lamenti mischiati a grida: la signora S. si affaccia all'angolo della via Sant'Ambrogio col Portico. Com'è vero che prendono tutti, ma proprio tutti, peggio di quanto si potesse immaginare. Nel mezzo della via passano in fila indiana un po' sconnessa le famiglie rastrellate: una ss in testa e una in coda sorvegliano i piccoli manipoli, li tengono suppergiù incolonnati, li spingono avanti col calcio dei mitragliatori, quantunque nessuno opponga altra resistenza che il pianto, i gemiti, le richieste di pietà, le smarrite interrogazioni.

In successive retate altri ebrei vennero catturati: in totale 1067 uomini, 743 donne, 281 bambini. Quei poveri esseri furono caricati su un convoglio piombato che partì da Roma lunedì 18 alle 14.05; l'arrivo ad Auschwitz avvenne alle 23 di venerdì 22, ma i prigionieri stremati, assetati, alcuni di loro morenti, furono tenuti chiusi nei vagoni fino all'alba del giorno dopo, una settimana esatta dalla loro cattura.

Le truppe che eseguirono quel triste compito erano state inviate a Roma per l'occasione; alcuni autisti dei camion vollero approfittare dell'opportunità per vedere San Pietro. E mentre i soldati, noncuranti del loro carico umano, si empivano gli occhi di quella maestà «dal di dentro dei veicoli si alzavano grida e invocazioni al papa, che intercedesse, che venisse in aiuto. Poi i camion ripartivano e anche quell'ultima speranza era svanita». Da parte del pontefice non ci furono reazioni, nonostante l'azione delittuosa si compisse quasi «sotto le sue finestre» come scrisse l'ambasciatore del Reich presso la Santa Sede von Weizsäcker. Il giorno 28 il diplomatico telegrafava soddisfatto al suo ministero che «nonostante le pressioni esercitate su di lui, il papa non si è lasciato indurre ad alcuna dichiarazione di protesta contro la deportazione degli ebrei di Roma».

Dal racconto di Debenedetti voglio citare due brevi episodi che documentano, con la spietata evidenza che assumono a volte i dettagli, quale fosse l'atmosfera e quanto contasse il capriccio del caso in quelle ore. Uno racconta di un giovanotto che ottenne di prendere un caffè prima d'essere ammassato con gli altri:

Con una specie di sorriso timido e stanco domanda al caffettiere: «Che faranno di noi?». Queste povere parole sono fra le poche lasciateci da coloro nell'andarsene. Ci fanno sentire la voce di un essere tornato per un momento nella nostra vita, fra noi, quando a lui vivo la nostra vita ormai non apparteneva più e già era entrato in quella nuova esistenza oscura e terribile.

Il secondo episodio è ancora più toccante nell'orrore che suscita:

Un'altra donna si credeva ormai in salvo: le avevano portato via il marito, male nascostosi nel cassone dell'acqua; lei con i quattro bambini, di cui due ammalati di difterite con febbre altissima, stava fuggendo ed era già arrivata a ponte Garibaldi. Vede passare un camion carico di parenti, caccia un urlo. I tedeschi le volano addosso, la agguantano, lei e i figli. Un «ariano» interviene e riesce a salvare una delle bambine, protestando che è sua. Ma quella si mette a piangere che vuole stare con mamma, viene rastrellata anche lei.

Di quei 2091 tornarono vivi 73 uomini e 28 donne, tutti profondamente segnati dalla disumana esperienza dei campi di sterminio. Il 23 marzo 1944 altri 75 ebrei romani vennero fucilati insieme a 260 innocenti alle Fosse Ardeatine, come racconto nel capitolo «*Ist am 24.3.1944 gestorben*».

L'ultima tragedia che ha come teatro il ghetto romano avvenne alle 11.55 di sabato 9 ottobre 1982. Quel giorno ricorreva Shemini 'Aṣeret, ultimo giorno della festa di Sukkot o delle Capanne. I fedeli stanno uscendo dalla sinagoga attraverso il piccolo cancello di ferro che dà su via Catalana. Un giovane d'aspetto mediorientale, fermo sul marciapiede opposto, infila la mano in una sacca, sorride, lancia una granata. Molti cadono, poi arrivano le sventagliate di mitra. Gli attentatori sono una decina, i poliziotti, subito sopraggiunti, rispondono, ma quelli riescono a fuggire. L'unico uomo del commando che si riuscirà a identificare è il giordano-palestinese Osama Abdel Al Zomar, che un tribunale italiano condannerà all'ergastolo. Il terrorista, però, s'è rifugiato in Grecia e la Grecia rifiuta di estradarlo. Alla fine del 1988 s'imbarcherà sul volo dell'Olimpyc Airways Atene-Tripoli e svanirà nel nulla.

Quel giorno a Roma si contarono 35 feriti e 1 morto: si chiamava Stefano Tachè e aveva tre anni, prima vittima della violenza antisemita in Italia dalla sconfitta del nazifascismo nel 1945.

XV

IL VENTENNALE CHE NON CI FU

Esiste a Roma un plastico bellissimo della città come si presentava più o meno al tempo di Costantino, cioè nel IV secolo. Il piano su cui poggia ha una diagonale di oltre 15 metri; vi sono ricostruiti con perizia i principali edifici: i circhi, i teatri, le terme, le basiliche, gli archi trionfali, le colonne coclidi, i fori, la distesa delle abitazioni. Lo si osserva dall'alto di una balconata ed è quanto di meglio ci sia per avere un'impressione «a volo d'uccello» dell'antica capitale, ritrovarvi nelle loro interezza le strutture di cui ora sopravvive qualche rudere, riscontrare, con sorpresa, che alcuni tracciati cittadini, come per esempio via del Corso, via del Babuino o la passeggiata archeologica, diciassette secoli fa erano tali e quali a oggi. Chiarissimi appaiono il tracciato dei 19 chilometri di mura, le torri di guardia, il lungo percorso dell'acquedotto Claudio, che attraversava Roma sulla direttrice est-ovest per rifornire d'acqua i palazzi imperiali. Di quell'opera imponente sono rimaste, all'interno della città, le ultime arcate, visibili in via di San Gregorio.

È un bell'oggetto il plastico; serve a capire, a orientarsi, a collocare in uno scenario preciso la passata grandezza, a controllare quanto dell'Urbe sia rimasto nella Roma di oggi. Fu preparato nel 1937 e si trova all'interno del Museo della civiltà romana nel quartiere dell'Eur, dove è ospitato anche un bel planetario che offre la possibilità d'avere ampie visioni del cielo sopra di noi.

Per un curioso paradosso, l'immagine della Roma più antica si trova proprio nel quartiere più moderno della capitale. Non che non siano stati creati altri complessi edilizi dopo di quello, anzi, nel dopoguerra Roma è letteralmente esplosa in ogni direzione. L'Eur rimane, però, la più grandiosa realizzazione urbanistica del Novecento, quella ideata con più cura, affidata ad alcuni dei migliori architetti dell'epoca per accogliere l'esposizione del 1942, che doveva celebrare il ventesimo anniversario della «rivoluzione fascista» del 1922. Nei progetti originali doveva chiamarsi «E42», sigla in cui la lettera «E» stava per esposizione e «42» indicava l'anno della celebrazione, il 1942 appunto. Hitler aveva assicurato a Mussolini che prima di quella data non ci sarebbe stata la guerra e il dittatore italiano s'era fidato. Accadde invece che il 1° settembre 1939 il Führer invase la Polonia e fra le tante cose che «saltarono» ci fu anche l'esposizione di Mussolini.

Il duce aveva avuto la prima idea della mostra nel 1935. Progettata per il 1942, l'esposizione avrebbe fatto seguito a quella di Parigi del 1937 e di New York del 1939. Con una differenza rispetto alle altre: gli edifici monumentali, espositivi, funzionali, di rappresentanza, avrebbero dovuto avere carattere permanente. Quindi non padiglioni realizzati con materiali effimeri destinati a durare solo qualche mese, ma robuste costruzioni in cemento armato o pietrame, solidamente rivestite, ideate per diventare un primo insediamento attorno al quale sarebbe via via sorto un nuovo quartiere a sudovest del vecchio centro cittadino, più o meno a metà strada fra Roma e il mare. Era un'idea a suo modo geniale, se non altro perché in forte anticipo sui tempi per quanto riguarda concetti come decentramento e dislocazione sul territorio. Il nuovo quartiere era stato pensato in anni in cui non era nemmeno immaginabile quanto intenso e caotico sarebbe diventato il traffico automobilistico nel dopoguerra. Creare in aperta campagna un polo capace di attrarre uffici e case d'abitazione significava ampliare il concetto di città, strappando Roma all'angustia delle sue stradine seicentesche, liberandola da un affollamento comunque destinato a crescere, proiettando verso l'esterno, «decentrandolo», il suo centro storico.

Il progetto sostanzialmente fallì e non solo per via del conflitto mondiale. Fallì perché lo sviluppo urbanistico negli anni dopo la fine della guerra è stato vorticoso, ha allargato la città in cerchi concentrici facendola espandere a macchia d'olio e lasciando che il «centro restasse al centro» con tutte le conseguenze sulla viabilità che i romani ben conoscono. Ma se il progetto è fallito, le tracce di ciò che l'Eur avrebbe potuto essere sono rimaste abbondanti e sempre più evidenti a mano a mano che il passare degli anni le ha trasformate in «storia».

Chi vuole davvero vedere l'Eur, e non soltanto guardarlo, dovrebbe cominciare, a mio parere, dal palazzo degli Uffici, il cui ingresso si trova in via Ciro il Grande, il solo edificio a essere stato completato anche negli arredi e nelle decorazioni prima dello scoppio della guerra. Sul frontone dell'imponente struttura si legge la scritta «La Terza Roma si dilaterà sopra altri colli lungo le rive del fiume sacro sino alle spiagge del Tirreno», a conferma delle intenzioni mussoliniane di estendere verso sudovest lo sviluppo urbano. Di fronte al portico una «fuga» di vasche è decorata da diciotto riquadri di mosaici in bianco e nero concepiti nel 1939 da Gino Severini, Giovanni Guerrini, Giulio Rosso. I soggetti, una commistione fra i miti della romanità e quelli imposti dal duce, sono tipicamente «fascisti»: la distruzione di Cartagine, Roma dea dei mari, Flora, Tempo, Vittoria, ma anche gioventù italica, bonifiche, costruzioni, e via dicendo. Chiude la prospettiva della «fuga» la statua di Fausto Melotti raffigurante un giovane nudo che si appoggia a un bastone. Il titolo doveva essere *Si redimono i campi* e doveva trattarsi non di una scultura isolata, ma di un gruppo di cui facevano parte altre due figure, una donna e un bambino. Le statue erano pronte, ma solo la prima giunse a destinazione poiché il treno che trasportava le altre incappò in un bombardamento aereo e si preferì farlo tornare indietro: oggi si trovano ancora in Versilia, nel capannone dove sono state scolpite.

Sempre all'esterno dell'edificio, colpisce il bassorilievo in travertino che occupa un'intera parete dell'androne. Lo concepì nel 1939 Publio Morbiducci ispirandosi alla tradizione del rilievo storico romano visibile nelle colonne coclidi Traiana e Antonina. Rappresenta la storia di Roma attraverso le opere edilizie: dal solco tracciato con l'aratro da Romolo alle realizzazioni di Cesare e dell'Impero; dalla distruzione del tempio di Gerusalemme (le leggi razziali fasciste erano state promulgate l'anno precedente) all'erezione dell'obelisco in piazza San Pietro; dalla costruzione dell'E42 (rappresentato dalla sua icona più nota, il «Colosseo quadrato», come è chiamato, in maniera quasi affettuosa, il palazzo della Civiltà del lavoro) fino a un Mussolini a cavallo che si erge battagliero sulle staffe. Curiosa è la vicenda dell'adiacente statua in bronzo che raffigura un giovane atleta con il braccio levato nel saluto «romano». Nelle intenzioni dell'autore, Italo Griselli, doveva rappresentare il Genio del fascismo. Nel dopoguerra gli vennero applicati dei primitivi guantoni da pugilatore in modo da giustificarne la posa, e gli fu data una nuova denominazione: *Genio dello sport.*

Gli arredi di questo edificio non sfigurerebbero in un museo delle arti applicate. Molti pezzi sono sopravvissuti alla guerra e alle molteplici occupazioni, prima da parte dei tedeschi, poi degli americani, infine dei profughi dalmati temporaneamente alloggiati qui: bellissimi tavoli da esposizione disegnati da Guglielmo Ulrich, la balaustra dello scalone in vetro massiccio, gli stipiti in marmo, le porte e i pavimenti in legno pregiato, le tarsie alle pareti, perfino le funzionali maniglie in alluminio concepite da Gio Ponti. In un salone del primo piano un'intera parete è occupata da un bel dipinto di Giorgio Quaroni, del 1940, che raffigura, ancora una volta, la fondazione di Roma sotto la protezione di una dea ammantata di rosso.

Anche i sotterranei del palazzo offrono qualche motivo d'interesse. In una sala sono custodite cinque enormi teste in bronzo: due di Vittorio Emanuele III e tre di Mussolini. Entrambi sono effigiati con e senza elmetto, e con diverse «gradazioni» di autorevolezza nei tratti. Poche stanze più in là, un locale, protetto da una spessa copertura in cemento armato, serviva da rifugio in caso di incursione aerea: stringe il cuore, ma vale la pena visitarlo, soprattutto per chi non ha idea di che cosa sia stato vivere sotto la minaccia dei bombardamenti sempre più frequenti a mano a mano che la guerra volgeva al peggio.

Il viale della Civiltà del lavoro è chiuso, invece, dalla mole del palazzo della Civiltà italiana, meglio conosciuto come «palazzo della Civiltà del lavoro» o anche, come già detto, «Colosseo quadrato». Quel cubo abbagliante ha finito per diventare l'icona dell'Eur, ma viene usato talvolta come «logo» dell'architettura italiana della prima metà del XX secolo. Venne costruito fra il 1938 e il 1943 dagli architetti Giovanni Guerrini, Ernesto Bruno La Padula e Mario Romano. La mole, rivestita in travertino, poggia su un podio al quale si accede, sul lato occidentale, attraverso una gradinata di particolare imponenza: quattro facciate identiche, lisce, senza un ornamento, un cornicione, un marcapiano; pura geometria, verticalità, volume. Un'astrazione metafisica per la quale s'è fatto, non a caso, il nome di Giorgio De Chirico: ogni facciata ripartita in sei piani, ogni piano scandito da nove archi a tutto sesto, per un totale di 216 archi che non vogliono rappresentare altro che il proprio vuoto nel pieno del travertino. Sul frontone campeggia la scritta, diventata anch'essa famosa, imitata e parodiata infinite volte: «Un popolo di poeti di artisti di eroi / di santi di pensatori di scienziati / di navigatori di trasmigratori». Le estremità della piattaforma di base sono occupate da quattro gruppi rappresentanti I Dioscuri, opera di Publio Morbiducci e Alberto Felci, che riprendono l'idea dei Dioscuri di piazza del Quirinale. Negli archi del piano terreno 28 statue illustrano metaforicamente arti, mestieri, valori: la musica, l'astronomia, la storia, la fisica, l'artigianato, l'eroismo, il genio militare e via dicendo.

Altre costruzioni notevoli del complesso espositivo sono la basilica dei Santi Pietro e Paolo, opera di Arnaldo Foschini e dei suoi collaboratori, collocata in posizione sopraelevata e molto visibile. La pianta è quadrata; la cupola è gettata in cemento armato, ha un diametro di 32 metri ed è la più grande di Roma dopo quella di San Pietro. Davvero una bella chiesa; soprattutto, uno degli ultimi esempi convincenti e appropriati di edilizia sacra. Gli anni del dopoguerra hanno infatti dato a Roma chiese di modestissima concezione, talvolta di imbarazzante bruttezza, quasi che il sacro, dopo tanti secoli di gloria, avesse smarrito le forme con le quali rappresentarsi.

Considerevole è anche il palazzo chiamato in origine «dei Ricevimenti e dei Congressi», capolavoro di Adalberto Libera, che fronteggia il «Colosseo quadrato». Libera (1903-1963) è stato un grande promotore del razionalismo in architettura, autore fra l'altro dell'insolita villa di Curzio Malaparte a Capri. La costruzione del suo palazzo dei Congressi venne interrotta a causa della guerra, ripresa al termine delle ostilità e finalmente completata nel 1954. Anche se realizzato fra alcuni contrasti e con varianti sulle quali l'autore non fu d'accordo, l'edificio, con la sua caratteristica copertura a vela, resta una delle opere più significative del Novecento italiano. Due ingressi, opposti e simmetrici, consentono di accedere alle diverse parti della struttura (Ricevimenti e Congressi). Tutto è felicemente coordinato: le quattordici colonne di granito prive di capitello, le alte vetrate, gli affreschi di Achille Funi (purtroppo incompiuti), la volumetria interna di tale grandiosità da poter contenere, si è calcolato, il Pantheon tutto intero.

Nel mezzo di via Cristoforo Colombo (allora via Imperiale), sulla sommità della collina dove si trova il palazzo dello Sport, avrebbe dovuto sorgere il palazzo della Luce, «fantastica visione fatta solo di vetro, di luce e d'acqua: faro sfolgorante al di sopra di tutta l'Esposizione, che ne costituirà, con il suo contenuto modernissimo d'immaginazione e di tecnica, una delle note più caratteristiche», come recita la descrizione del progetto. Ma la struttura non venne mai realizzata. Allo stesso modo si dovette rinunciare all'avveniristico arco (detto «arcone» e inteso come «simbolo di pace e di universalità») progettato da Adalberto Libera: con la sua incredibile «luce» di 200 metri lineari, poi estesi a 320, e con una «freccia» (altezza massima dal suolo) di 103 metri avrebbe dovuto chiudere in modo maestoso l'orizzonte verso il mare del complesso espositivo. Scartata l'idea di costruirlo in cemento armato, si pensò di erigerlo in alluminio, ma si dovette rinunciare anche a questa seconda soluzione per insormontabili difficoltà tecniche.

Ho dato solo qualche cenno sommario. L'Eur è lì a disposizione di chiunque voglia vederlo (vederlo davvero, intendo) con i suoi abbaglianti edifici sopravvissuti alle immense disavventure della guerra e del primo dopoguerra, sopravvissuto, si potrebbe dire, alla sua stessa travagliatissima storia: le alterne vicende e le polemiche che ne hanno accompagnato il progetto e la costruzione, in cui fattori tecnici e difficoltà pratiche si sono mescolati a necessità politiche e rivalità personali. Subito dopo che Mussolini ebbe concepito l'idea di organizzare a Roma una grande esposizione universale che illustrasse la civiltà italica, si pose il problema di dove collocarla. Si pensò, fra le altre, alle zone di villa Borghese, del Gianicolo e del Foro italico (allora Foro Mussolini) nella zona nord della città. Poi si fece lentamente strada l'idea di sistemare l'esposizione più a sud, grazie anche alle insistenze del segretario generale del governatorato di Roma, Virgilio Testa, fautore di uno sviluppo urbano in direzione del mare. Cominciarono allora a circolare, fra gli altri, i nomi della Magliana e del Lido di Ostia. Alla fine prevalse, anche per ragioni di economicità dei lavori, la zona detta delle «Tre Fontane». Lo testimonia la relazione che l'industriale Vittorio Cini, nominato commissario generale dell'Ente esposizione universale di Roma, inviò nel novembre 1936 al capo del governo: «La zona a sinistra della via del Mare si estende sulle alture adiacenti al ponte della Magliana, fra il bosco di eucalipti delle Tre Fontane e la ferrovia Roma-Lido. I terreni sono anch'essi pianeggianti all'altezza di 30-40 metri, cioè in posizione dominante la valle del Tevere, con graziose e varie disposizioni degradanti a effetto sicuro per gli scenari pittoreschi e panoramici, con possibilità praticamente illimitate di sviluppo verso il mare».

La storia poco nota di questa parte di Roma è di straordinario interesse e basterebbe quasi, da sola, a illustrare attraverso quali peripezie militari e religiose si sia venuta formando, strato su strato, la città attuale. La valle delle Tre Fontane, con un'estensione di parecchie centinaia di ettari a ridosso della via Laurentina, ha avuto nel tempo nomi diversi. Nell'antichità era chiamata «*Ad aquas salvias*» (Acque salvie) probabilmente a causa di una sorgente o di un impianto termale. Qui, secondo la leggenda, sarebbe stato decapitato Paolo di Tarso. La testa, spiccata con forza dal colpo di spada, sarebbe rimbalzata tre volte sul terreno facendo scaturire a ogni balzo una sorgente: calda la prima, tiepida la seconda, fredda l'ultima.

Nel V secolo vennero erette tre edicole, ognuna con una fontana, da cui trasse origine l'attuale nome della località e, in seguito, di un'abbazia, retta da monaci greci, dove si venerava la reliquia del martire persiano Anastasio, alla quale s'aggiunse poi il corpo del martire spagnolo Vincenzo. Dopo il 1000 s'insediò in queste (allora) desolate campagne una comunità di cistercensi, capeggiata dal celebre Bernardo da Chiaravalle, che si sviluppò al punto da acquistare diverse proprietà nei Castelli romani, fra le quali Nemi, dove i monaci si rifugiavano per sfuggire alle calure dell'estate. Quando la zona venne abbandonata, il ristagno delle acque provocò l'impaludamento dei terreni e il diffondersi della malaria. Nel 1868, per volere di Pio IX, venne a insediarsi una nuova comunità monacale, i trappisti francesi, che avviarono vasti lavori di bonifica piantando anche numerosi eucalipti, dai quali l'attuale bosco.

Fra le chiese esistenti nella zona dell'abbazia, la più suggestiva se non la più bella è quella intitolata a Santa Maria Scala Coeli, eretta sul finire del Cinquecento da Giacomo Della Porta nel luogo dove, secondo una leggenda, sarebbero stati martirizzati sotto Diocleziano ben 10.203 legionari convertitisi al cristianesimo. Il nome della chiesa viene dalla visione che, forse in sogno, ebbe Bernardo da Chiaravalle: dopo aver pregato per la salvezza dell'anima di un peccatore, gli apparve una lunghissima scala lungo la quale lo sventurato stava salendo, e in cima lo attendeva benedicente la Madonna. Una cappella sotterranea che risale al XII secolo è consacrata all'evento.

Il 15 dicembre 1936, a seguito di un sopralluogo al quale prese parte, fra gli altri, il duce in persona, la scelta delle Tre Fontane venne approvata. Del progetto furono incaricati gli architetti Giuseppe Pagano, Marcello Piacentini, Luigi Piccinato, Ettore Rossi e Luigi Vietti, lo stesso gruppo che nel 1935 aveva disegnato la Città universitaria di Roma. Dai primi schemi planimetrici si capisce bene quale fosse il principio di base del progetto, ispirato alla pianta di Versailles, opera del grande architetto André Le Nôtre (1613-1700). Si notano, infatti, un grande piazzale d'ingresso dal lato della città, denominato «porta Imperiale»; un reticolo viario interno che riprende lo schema romano, con strade che si intersecano ortogonalmente disposte lungo due assi principali, detti rispettivamente «*cardo maximus*» e «*decumanus maximus*», che s'incrociano ad angolo retto; un lago in posizione centrale; una porta all'estremo opposto del piazzale d'ingresso, detta «del Mare». Sulla collina panoramica che domina la valle del Tevere spicca la bianca massa del «Colosseo quadrato», che fa coppia, dal punto di vista ideologico oltre che scenografico, con l'altro grande edificio dominante la valle e cioè la basilica dei Santi Pietro e Paolo. Si riprodusse così per l'E42 il doppio simbolo, laico e cattolico, costituito per la Roma storica dal Colosseo e dalla basilica di San Pietro. Caratteri dominanti dell'intero progetto sono la razionalità e il rigore geometrico sia dello schema generale sia dei singoli edifici. Anche in questo l'E42 si sarebbe nettamente distinto e, anzi, contrapposto alle viuzze contorte e anguste della Roma seicentesca e degli stessi quartieri d'inizio Novecento. Il rigore è accentuato dall'impiego di materiali «moderni» quali il vetro e l'alluminio che, come lo stesso travertino, danno alle superfici un prevalente colorito chiaro.

Durante il fascismo, il conflitto fra modernità e tradizione in architettura aveva assunto a volte toni molto aspri; l'E42 esprime un'idea di città razionalmente definita, ma senza cedimenti alle tendenze internazionaliste altrove dominanti. Marcello Piacentini, «capo progetto», riuscì a imporre una mediazione nella quale si conciliano modelli classici, certi motivi della «città ideale» di Leon Battista Alberti o di Leonardo, e alcune esigenze di monumentalità volute dal regime. Le raffigurazioni della «città ideale» d'epoca rinascimentale sono caratterizzate da una rigorosa simmetria e si fondano su una concezione razionale degli spazi e delle strutture. Il celebre dipinto di Urbino, intitolato *La città ideale*, mostra nel modo più vivido le qualità che questi spazi dovrebbero possedere. Il modello urbano tende verso esigenze di purezza, armonia ed equilibrio: vi si alternano vuoti e pieni, linee diritte e linee curve, chiese e palazzi, formando un insieme che diventò esempio e canone. L'E42 è il solo tentativo moderno di ricrearlo.

A ciò s'aggiunse un'ispirazione di tipo classico che dettò,

per esempio, le due esedre contrapposte del piazzale d'ingresso (oggi palazzi dell'Ina e dell'Inps) e gli alti colonnati del Museo della civiltà romana, mentre la grande piazza centrale (oggi piazza Guglielmo Marconi) richiamava, della città antica, lo spazio del foro o dell'agorà greca.

Gli architetti di regime sapevano bene ciò che stavano facendo. Avevano alle spalle esperienze sicuramente riuscite di architettura fascista, quali la Città universitaria, il Foro Mussolini, la stessa Cinecittà sulla via Tuscolana. Nati per esigenze e con finalità diverse, questi insediamenti avevano dimostrato, come ha notato l'architetto urbanista Enrico Guidoni, «il successo di una formula basata direttamente sulla forma artistica e sulla forza persuasiva della rappresentazione». Anche l'E42 nasceva come rappresentazione e teatro per uno spettacolo che avrebbe dovuto mettere sotto gli occhi del mondo le possibilità progettuali e la capacità dinamica dell'Italia di Mussolini.

D'altra parte, tutte le dittature del Novecento hanno fatto uso dell'architettura come strumento di propaganda politica. Vi sono ricorsi i dirigenti sovietici da Stalin in poi, ma anche Hitler con un progettista del calibro di Albert Speer che, con le sue realizzazioni dalla retorica impronta neoclassica, costruì il «monumento» del nazionalsocialismo. Il suo «Campo per le adunate Zeppelin», inaugurato a Norimberga nel 1935, ne costituisce uno degli esempi più significativi. Già nel 1934, però, la regista Leni Riefensthal (la stessa che filmerà con sinistra perfezione le Olimpiadi di Berlino del 1936) aveva girato un documentario su un raduno nazista a Norimberga avendo come sfondo uno scenario provvisorio di Speer. Il titolo dell'opera era *Triumph des Willens* (Trionfo della volontà). Hitler teneva molto al valore esemplare e di ammonimento che la «sua» architettura poteva offrire ai tedeschi e al resto del mondo. Lo confermò egli stesso nel 1937 in un intervento sulla rivista specializzata «Baubilde»: «Il nazionalsocialismo che al di sopra di queste società d'interesse pone la ben più grande collettività del popolo e della nazione ... dà la precedenza agli edifici di rappresentanza piuttosto che a quelli privati. Quanto maggiori sono le pretese che oggi lo Stato avanza nei confronti dei suoi cittadini, tanto più possente deve esso apparire ai loro occhi». Se Mussolini avesse meglio meditato, non dico il manifesto politico contenuto nel *Mein Kampf*, ma anche solo il minaccioso messaggio sottinteso in questo intervento sull'architettura, avrebbe evitato agli italiani (e a se stesso) indicibili tragedie.

Quelle comunque erano le linee guida, e il progetto dell'E42 va nella stessa direzione. Negli anni che precedono il secondo conflitto mondiale i due futuri alleati dell'Asse si scrutano e si pesano anche attraverso le rispettive architetture. La Germania, guadagnando 30 ori contro i 25 degli Stati Uniti, aveva stravinto le Olimpiadi di Berlino del '36 sullo sfondo di una scenografia senza precedenti. Ora Roma si prenota per l'edizione del 1944 (essendo stata soppressa quella del 1940 a causa degli eventi internazionali), per la quale si progetta di far sorgere a Ostia un'intera città olimpica.

Intanto però, con una geniale trovata pubblicitaria, viene lanciato lo slogan dell'imminente esposizione romana, battezzata «Olimpiade della civiltà». Se i tedeschi avevano dominato sui terreni di gara, Roma annuncia le sue intenzioni di rivincita sul ben più largo spettro costituito dall'insieme delle attività intellettuali. Un assaggio di tali intenzioni Hitler lo avrà durante la visita a Roma del 1938 per la quale Mussolini programma una serie di clamorose manifestazioni e iniziative, compresa la costruzione ex novo di una stazione ferroviaria (l'Ostiense).

L'E42 rientra in questo quadro complessivo, fa parte del carattere «imperiale» che l'Italia fascista tende a darsi dopo le imprese in Africa orientale. Sulla rivista «Casabella», che dirige, l'architetto e urbanista Giuseppe Pagano può scrivere, con apparente convinzione: «Quando Roma avrà realizzato questa città lanciata arditamente verso il domani potrà inorgoglirsi delle sue tradizioni e considerare l'architettura moderna come espressione concreta del rinnovato clima italiano». Non era dunque solo il duce a voler fare di queste nuove costruzioni una delle sue più efficaci armi propagandistiche. I più avvertiti fra gli architetti erano anch'essi pienamente consapevoli del valore politico che avrebbe assunto ciò che andavano ideando.

La maggior parte dei progetti riguardavano del resto opere permanenti, destinate a durare anche dopo l'esposizione, connotato di fondo sul quale tutti erano d'accordo. Il commissario generale dell'Ente, Vittorio Cini, dichiara in una conferenza stampa nel gennaio 1937 che la manifestazione, al contrario di quanto accadeva in genere, «non dovrà essere fine a se stessa ... bensì contribuire a risolvere importanti problemi urbanistici». Secondo Plinio Marconi, che scrive sull'«Illustrazione italiana» alla fine del 1938, «il dato organico fondamentale che distingue [questa esposizione] è la consistenza pratica e la durata del suo piano urbanistico». Una concezione che Piacentini in persona, sempre nel 1938, ribadisce su «Architettura»:

Il piano urbanistico dell'E42 ha un carattere tutto suo particolare che differenzia questa esposizione da tutte le altre finora realizzate nel mondo. È insieme il piano della grande manifestazione di civiltà che l'Italia offrirà nel Ventennale dell'Era Fascista, e il piano del nuovo quartiere monumentale di Roma, capitale dell'Impero ... Tecnicamente stabili e definitive saranno le piazze e le vie, con i loro accessori sotterranei, con le pavimentazioni, con i marciapiedi, con le alberature, con l'illuminazione; stabili saranno i parchi, i giardini, le fontane, le scalinate, le decorazioni (sculture, mosaici, bronzi), stabile il grande lago con le sue cadute d'acqua, i suoi zampilli, i suoi porticati e le terrazze, e stabili finalmente una gran parte dei fabbricati.

Questo «carattere stabile» non era in realtà una novità assoluta, come da più parti si diceva. Lo storico dell'architettura Ezio Godoli ha osservato che la tendenza ad approfittare di un'esposizione per erigere opere utili alla città era anzi alquanto diffusa anche se, per esempio nel caso di Parigi, si era trattato di edifici permanenti con una destinazione in prevalenza espositiva o museale. Tipico il caso del Grand e del Petit Palais, eretti nella capitale francese per l'esposizione del 1900; del ponte Alexandre III che li fronteggia sulla Senna, gettato per la stessa occasione; del Palais du Trocadéro eretto sul lato destro del fiume di fronte alla torre Eiffel per l'esposizione del 1878. (Per la cronaca, ricordo che sulla spianata di quel palazzo si fece fotografare Hitler nel 1940, una volta conquistata Parigi, così da avere la famosa Tour come sfondo.)

Un precedente di «stabilità» c'era stato anche nel nostro paese: nel 1911, in occasione del giubileo per il cinquantenario della proclamazione del Regno d'Italia, a Roma erano state realizzate una serie di opere permanenti, decisive per il successivo sviluppo della città. Tra esse c'erano il ponte che scavalca a notevole altezza il Muro Torto, unendo così villa Borghese al Pincio; il nuovo assetto della zona di Vigna Cartoni, dove sarebbero sorti piazza Don Minzoni e viale Bruno Buozzi; il palazzo di Valle Giulia che avrebbe ospitato la Galleria nazionale d'arte moderna e le numerose accademie straniere di belle arti, tuttora esistenti, che danno un carattere gradevolmente cosmopolita a quella parte di Roma; una serie di palazzine e villini (vincitori del concorso nazionale d'architettura) sul Lungotevere delle Armi fra ponte Risorgimento e ponte Matteotti; lo stesso ponte Risorgimento (allora ponte Flaminio), il primo a campata unica gettato sul Tevere, progettato dall'ingegnere francese François Hennebique (1842-1921), pioniere del cemento armato; infine, la sistemazione urbanistica complessiva dell'attuale quartiere Mazzini, compreso il tracciato a stella della piazza omonima, che riproduce (in piccolo) la concezione della parigina *Etoile*, all'inizio degli Champs-Elysées.

Anche l'esposizione del 1911 aveva dato, quindi, parecchi «risultati permanenti». Non era stato costruito ex novo un quartiere, cosa che avverrà invece con l'Eur, però ne erano state gettate le basi, i collegamenti, i principali assi viari. Come vari esempi dimostrano (da Barcellona a Colonia, da Bruxelles a New York), la scelta di fare dell'E42 l'occasione per una rilevante opera d'urbanizzazione rientrava in un orientamento diffuso negli anni Trenta.

L'Italia fascista si scontrava però con una difficoltà in più rispetto alla quasi totalità degli altri paesi. Infatti, il 3 ottobre 1935 truppe italiane guidate da Pietro Badoglio e Rodolfo Graziani avevano invaso l'Etiopia, dando l'avvio a una guerra che sarebbe durata sette mesi. Per piegare la resistenza indigena si dovette fare ricorso anche a massicci bombardamenti aerei e all'uso di gas asfissianti. Nel maggio 1936 Badoglio conquistava Addis Abeba; il 9 dello stesso mese Mussolini, dal balcone di palazzo Venezia, proclamava la fondazione dell'Impero. L'Etiopia entrava così a far parte dell'Africa orientale italiana (AOI), che già comprendeva Eritrea e Somalia. Subito dopo l'inizio dell'aggressione la Società delle Nazioni aveva inflitto al nostro paese alcune «sanzioni economiche» su impulso prevalente di un'Inghilterra che non vedeva di buon occhio l'espansione coloniale italiana. In realtà fu un provvedimento largamente attenuato dall'atteggiamento di Stati Uniti e Germania, che continuarono a venderci prodotti industriali e materie prime. Ci furono tuttavia delle difficoltà e, per quanto riguarda l'oggetto della nostra storia, questo significò penuria di materiali e necessità di adattare le idee alle condizioni di fatto. Nel bando di concorso per il palazzo della Civiltà italiana si poteva leggere, per esempio, che l'opera avrebbe dovuto realizzarsi «con il più largo impiego dei materiali da costruzione locali e con la limitazione al puro necessario dell'uso del ferro, e ciò in obbedienza alle direttive fissate per l'autarchia della nazione».

Data la scarsità di pregiate materie prime locali, fra le quali ferro e petrolio, l'invito significava dover impiegare la fantasia per utilizzare altri prodotti reperibili nel paese, riducendo così la dipendenza dall'estero. In pratica la maggior parte degli edifici dell'E42, o Eur che dir si voglia, vennero eretti in cemento armato rivestito di materiali di un certo pregio. A parte il travertino, di cui esistevano (ed esistono) abbondanti cave nella zona tiburtina a est di Roma, si impiegarono così succedanei del legno, quali faesite e masonite, oltre a vetro, pasta di vetro e vetrocemento (piastrelle di vetro annegate in una struttura cementizia) in grado di creare una superficie traslucida, linoleum soprattutto per i pavimenti, marmo artificiale ottenuto partendo dal gesso o dal cemento indurito con l'aggiunta di altre sostanze. Largo impiego ebbe l'alluminio sotto forma di leghe, quali l'alluman e l'anticorodal, definito «metallo giovane e moderno» e considerato «prodotto autarchico per eccellenza».

Un'ulteriore difficoltà rispetto ai piani grandiosi che si andavano elaborando scaturiva dal fatto che la zona delle Tre Fontane non era del tutto disabitata. Si trattava in realtà di terreni disseminati di cunicoli, pozzi, cave di tufo e di pozzolana, ma anche di rudimentali abituri assai simili alle primitive abitazioni esistenti nei territori delle colonie appena conquistate e infatti spregiativamente battezzati «villaggi abissini». Come le capanne dell'Africa orientale, anche queste baracche erano ricovero per misere famiglie di contadini e di sottoproletari che sopravvivevano in condizioni di estremo disagio. L'Italia fascista, alla ricerca di un'immagine imperiale, non poteva ovviamente tollerarne la presenza, perciò Mussolini dette ordine di far scomparire al più presto quei deplorevoli incomodi. Un suo appunto del giugno 1937 prescrive: «Al 15 luglio non debbono esservi più di queste baracche nella zona dell'esposizione che naturalmente verrà invasa da operai, da ingegneri da tutte le parti d'Italia e da stranieri. In quindici giorni si possono fabbricare altrove dieci, quindici baracche in muratura».

Così stabilendo, il duce ripeteva una soluzione che era già stata adottata nella prima metà degli anni Trenta quando s'erano dovuti collocare altrove, gli abitanti coinvolti dai grandi sventramenti del centro storico. Ingenti trasferimenti di persone c'erano stati, per esempio, nella zona dei fori o dell'attuale piazza Augusto Imperatore Erano così sorte le «borgate ufficiali rapidissime» (San Basilio, Gordiani, Tor Marancio, Pietralata, eccetera), specie di improvvisati villaggi fatti di baracche in muratura. La soluzione avrebbe dovuto essere provvisoria ma, diventata in pratica definitiva, aveva finito per connotare negativamente larghe fasce della zona suburbana. Nel dopoguerra le «borgate» sarebbero diventate scenario per i film neorealisti, e Pier Paolo Pasolini ne avrebbe descritto la tragedia, elevandole nello stesso tempo a dignità letteraria.

Un altro afflusso di abitanti coatti s'era registrato nelle «borgate» durante il 1930 quando, scaduto definitivamente il blocco degli affitti, era cresciuto in modo considerevole il numero degli sfrattati. Ma lo stesso fenomeno si era già verificato prima, in occasione del giubileo del 1911. Anche allora la zona del futuro quartiere Prati aveva dovuto essere «svuotata» creando così una certa quantità di «sfollati» per i quali s'era trovato ricovero in baraccamenti di fortuna nella zona di porta Metronia e lungo certi tratti delle mura aureliane. In anni più vicini a noi, il fenomeno si ripeterà nel 1960, quando si tratterà di eseguire opere soprattutto viarie, per le Olimpiadi.

Ma torniamo all'E42. Effettuato il censimento, si scoprì che si trattava in totale di un'ottantina di baracche, alcune adibite a rimesse per attrezzi agricoli o pollai, altre a vere abitazioni che davano alloggio a 24 famiglie, per un totale di 102 persone. Molte di queste, spiegava in un rapporto a Mussolini il governatore di Roma, Pietro Colonna, «coltivano un minuscolo fondo che serve a integrare la paga industriale». Mosso da una certa umanità, o preoccupato per gli eventuali disordini che avrebbe potuto provocare un trasferimento forzoso, il governatore aggiungeva: «Nel caso di sfratto immediato, le 24 famiglie verrebbero indubbiamente a trovarsi prive della fonte del loro pane ... in quanto esse non potrebbero più fare assegnamento per il loro sostentamento sui piccoli fondi di cui attualmente beneficiano ... qualora peraltro l'Eccellenza Vostra ritenesse necessario provvedere allo sbaraccamento entro il corrente mese di luglio, questa Amministrazione si studierà di attuare un provvedimento il meno dannoso possibile». Mussolini legge, riflette, annota nervosamente a margine con il lapis rosso: «Attendere! M.».

Fra le manifestazioni e le attività collaterali al progetto E42 bisogna segnalare un'iniziativa di rilevante importanza: gli scavi di Ostia Antica. Il litorale tirrenico, compreso quello prossimo alla foce del Tevere, era stato per secoli preda della malaria non meno delle famigerate paludi pontine. Tutti sapevano che l'antico porto di Roma aveva lasciato tracce imponenti, sepolte da secoli. Una certa inerzia, la quantità degli impegni e la scarsità dei fondi avevano fatto rinviare la possibile soluzione del problema. C'erano state delle campagne di scavi, ma non sistematiche, non sempre approfondite, soprattutto non adeguatamente finanziate.

Il primo a occuparsi in modo scientifico di Ostia fu il soprintendente Dante Vaglieri, un triestino dalla buffa, rotonda figura, dottissimo latinista, tenace lavoratore. Con i mezzi che l'epoca metteva a disposizione (di fatto, pala e piccone) Vaglieri avviò nel 1907 una prima vera campagna. Quando morì, nell'aprile 1913, gli scavi continuarono sotto la soprintendenza di altri capaci archeologi, fra i quali Italo Gismondi e Guido

Calza. I mezzi rimanevano però esigui e, di conseguenza, scarsi i risultati.

Nel 1937, in coincidenza con l'avvio dei lavori per l'E42 si comincia a pensare seriamente anche a Ostia. Il professor Calza presenta il «progetto di un piano completo e organico di tutte le opere riguardanti la zona degli scavi di Ostia», compreso il restauro e l'assetto delle rovine, e il corredo di verde. Lo scavo, scrive, «prevede la scoperta di rovine per una superficie di circa 18 ettari, vale a dire più di quanto è stato messo in luce (16 ettari) in venticinque anni. Essendo la superficie totale della città antica entro le sue mura di circa 50 ettari, risulta che Ostia, a scavo ultimato, verrebbe a essere scavata per più di due terzi».

Nel giro di quattro anni (1938-1942) venne compiuto un ottimo lavoro su un fronte di 400 metri per 300; un impegno che fra il marzo 1938 e il giugno 1939 permise di scavare 60 mila metri quadrati di superficie, con relativo asporto di 22 mila metri cubi di terra, praticamente a mano. Il professor Calza e l'ingegner Gismondi riportarono alla luce una fra le più grandiose vestigia dell'antichità, solo di poco inferiore a Pompei per l'interesse dei reperti. L'inviato del «Corriere della Sera» Alberici, commentando i risultati sul suo giornale, scriveva: «Una visita a Ostia Antica lascia un senso di stupore: si rimane sorpresi della sua vastità e della sua struttura, della solennità che si diffonde pur nella rovina, della sincerità con cui rappresenta la romanità».

La vicenda dell'antico porto di Roma è straordinaria. Con Augusto, l'insediamento originario, risalente ai tempi della monarchia di Anco Marzio, fu dotato di un teatro, un foro, un acquedotto. Poi venne la costruzione dei due porti, quello di Claudio e quello di Traiano, che accrebbero l'importanza del luogo facendolo diventare un fondamentale centro di smistamento delle merci che alimentavano l'Urbe, come testimoniano gli spaziosi e numerosi magazzini (in latino *horrea*). All'inizio del V secolo il braccio del Tevere che attraversava Ostia non era più navigabile e vaste zone della città (che aveva toccato i 50 mila abitanti) apparivano abbandonate. Chi si reca oggi a Ostia Antica fatica a immaginare che un tempo essa si affacciava sul mare. L'insabbiamento del fiume ha fatto avanzare di quasi 2 chilometri la linea costiera e lo stesso corso del Tevere con il tempo è cambiato, allontanandosi dal lato settentrionale dell'abitato.

Al contrario di Pompei, a Ostia non ci sono le ombre delle presenze umane a perpetuare l'eco d'una tragedia. Ci sono, però, numerosi resti di edifici pubblici, di case, di botteghe, ci sono le strade e le piazze a documentare la vita quale fu un tempo. Qualunque buona guida di Roma (ottima la «rossa» del Touring Club) elenca le tante cose notevoli. Ad alcuni luoghi voglio però accennare, anche per un debito di memoria. Proprio qui, un illuminato professore di liceo fece scoprire a me e ai miei compagni la bellezza della poesia latina. Due o tre volte portò la classe nel teatro antico di Ostia. Studiavamo le satire di Orazio, i più bravi ne leggevano qualche brano ad alta voce e anche i meno bravi capivano di essere di fronte alla grandezza o a un'eco della vita. Alcuni versi strepitosi di quei componimenti ancora mi risuonano nella mente, intatti dopo tanti anni, grazie a una tiepida mattinata di sole fra queste rovine.

Poi c'è il teatro, riedificato più volte e molto restaurato in epoca moderna, la cui suggestione, però, rimane inalterata grazie alle significative tracce, fra le colonne della scena, sulle gradinate della cavea (in parte ricostruite), negli ambulacri, di che cosa abbiano rappresentato i luoghi di spettacolo nella cultura e nella società romane.

Altro monumento notevole sono le terme di Nettuno, sul lato destro del teatro, costruite ai tempi di Adriano. Affacciate sul decumano, guardavano verso il Tevere, quando il fiume passava ancora da quelle parti. Ci sono almeno due bellissimi mosaici che vale la pena di ammirare: uno rappresenta Nettuno e Anfitrite, l'altro, sul lato orientale delle terme, raffigura i quattro venti e le quattro province (Sicilia, Spagna, Egitto e Africa) che rifornivano Roma. Poco lontano c'è la casa di Amore e Psiche che deve il suo nome a una scultura dei due amanti divini, ora trasferita nel locale museo. La *domus* è, per così dire, recente, risalendo al III secolo (l'epoca di Aureliano). I proprietari dovevano essere ricchi, giacché ornarono la loro dimora con mosaici policromi e marmi alle pareti e allietarono la *pax domestica* con un bel giardino interno. Sul lato sinistro del teatro c'è un mitreo, detto «dei Sette Cieli», molto ben conservato. Il culto del dio Mitra, un dio le cui origini si perdono nell'antica storia persiana, fu così importante da diventare, negli anni che precedono l'era cristiana, la religione più popolare a Roma, in alternativa a quella ufficiale. Diffusosi nella capitale dell'Impero per il tramite del mondo ellenico, prese piede anche nelle province settentrionali (Mesia, Dacia, Pannonia, Germania, Britannia) portatovi soprattutto dai soldati e dagli schiavi. Come molte religioni di origine orientale, anche quella mitraica aveva caratteristiche iniziatiche e segrete; i suoi santuari, detti «mitrei», furono sempre ricavati in ambienti sotterranei, per simboleggiare la grotta nella quale la divinità sarebbe nata. Il dio proteggeva l'applicazione del diritto, il rispetto dei patti, il bestiame, e gli uomini giusti, di cui garantiva la finale salvezza. L'atto centrale del culto era il sacrificio di un toro (reale o simbolico), la cui morte doveva promuovere la vita e la fecondità dell'universo. Ma la vittoria sul toro selvaggio rappresentava anche la vittoria dell'ordine sul caos e sulla barbarie. Momento culminante del rito era un'agape collettiva a base di pane e acqua, o forse vino. In alcuni mitrei era anche presente una cella, al di sotto della sala principale, chiamata «*fovea sanguinis*», fossa del sangue; veniva probabilmente utilizzata per una sorta di battesimo con immersione nel sangue del toro sacrificato, lì convogliato grazie ad appositi condotti.

Al termine del suo soggiorno terreno il dio, con l'aiuto del Sole, sarebbe stato assunto in cielo per continuare a proteggere da lassù gli esseri umani. I festeggiamenti annuali per la sua nascita avvenivano in coincidenza con il solstizio d'inverno, cioè intorno al 25 dicembre. Anche se diversi imperatori lo considerarono con benevolenza, il culto mitraico non divenne mai religione ufficiale dello Stato. Godette, però, di vasta fortuna, oltre che nell'esercito, nelle classi più modeste della società: gli schiavi, i liberti, gli operai, gli artigiani, i piccoli commercianti. Erano gli stessi strati sociali che, mossi da analoghe esigenze spirituali, s'interessavano all'altra grande religione monoteista del tempo, il cristianesimo, che infatti vide proprio nel culto mitraico il suo concorrente più diretto e pericoloso. Lo storico francese Ernest Renan così si è espresso al proposito: «Se il cristianesimo fosse stato fermato nel corso della sua espansione da una qualche malattia mortale, il mondo sarebbe stato mitraico».

Esistono indiscutibilmente forti somiglianze fra le due religioni sia nell'ispirazione sia negli eventi miracolosi sui quali sono costruite; qualcuno ha addirittura parlato (ma senza fornire una documentazione certa) della nascita di Mitra da una vergine. È vero, comunque, che le due comunità si guardarono con sospetto e si combatterono. A partire dal III secolo, tuttavia, i cristiani assorbirono dal culto di Mitra alcune caratteristiche e certi rituali, e alla fine ebbero il sopravvento prima con Costantino, poi, e in modo definitivo, con l'imperatore Teodosio I il Grande (347-395) che perseguitò il paganesimo in ogni sua espressione, dalla visita ai templi fino al culto domestico degli antenati, facendo del cristianesimo la vera religione di Stato e rendendo così la Chiesa una potenza anche temporale.

La diffusione di questa religione nella capitale dell'Impero è dimostrata dai numerosi mitrei tuttora esistenti a Roma. Oltre a quello sottostante alla chiesa di San Clemente (ne ho accennato nel capitolo *Le torri della paura*), ne ricordo almeno uno nel sotterraneo della piccola chiesa di Santa Prisca, all'Aventino. Vi si accede attraverso uno stretto passaggio ed è fra i pochi che ancora conservino degli affreschi che raffigurano i sette gradi d'iniziazione dei fedeli, una processione in onore del dio e il sacrificio del toro.

Che effetto fa oggi il quartiere dell'Eur? La scrittrice austriaca (ma romana d'adozione) Ingeborg Bachmann lo definì a suo tempo «un vuoto e macabro complesso di edifici». Forse l'opera non era ancora completata, forse le sue architetture parvero troppo distanti dalle forme, dagli stili e dalle rotondità barocche che uno straniero si aspetta di trovare a Roma. A me piace dell'Eur la dichiarata impronta metafisica (Michelangelo Antonioni la sfruttò per il suo film *L'eclissi*), anche se oggi è un po' appannata dal traffico e dalle insegne pubblicitarie. Resta ancora netta nei viali, nelle prospettive, negli incroci ortogonali l'impronta di quella «città ideale» che i progettisti avevano in mente, benché la vita vi abbia inciso i suoi segni e il suo marchio umanizzando i contorni, attutendo gli spigoli, stemperando il bianco dominante del travertino nel verde dei giardini, nel ceruleo delle acque, nel multicolore via vai delle auto.

Gli architetti che progettarono il complesso avevano presenti non solo i possibili modelli classici, ma anche le ultime esperienze novecentesche; sapevano come fare tesoro del lascito rinascimentale e furono capaci di avvalersi di quell'armonico senso della simmetria e della misura che fa parte del nostro retaggio in tutte le arti.

L'Eur ha poi la caratteristica di essere uno dei pochi luoghi laici in una città profondamente intrisa dalla presenza religiosa, protrattasi nei secoli. Solo in due occasioni, a Roma, si è provato a erigere un complesso nel quale la cifra civile prevalesse su quella religiosa. La prima volta lo fecero i «piemontesi» quando, dopo il 1870, misero mano al quartiere detto «Macao», intorno a piazza Indipendenza, al quale ho accennato nell'introduzione; la seconda volta lo hanno fatto i «fascisti» con l'Eur. Roma è Roma e non si discute, ma l'E42 resta il massimo tentativo fatto da straordinari architetti per avvicinarla a una qualsiasi metropoli europea.

Avvicinarla, ho detto, non renderla simile. Basta infatti distogliere per un attimo gli occhi dalle quasi astratte geometrie delle architetture dell'Eur, abbandonare i suoi viali e aggirarsi nei dintorni per imbattersi nelle meraviglie di cui in questo capitolo ho dato qualche cenno, dall'abbazia delle Tre Fontane agli scavi di Ostia Antica. Questa contiguità, questi cortocircuiti temporali, queste fulminee escursioni attraverso i secoli solo a Roma sono così frequenti e di tale portata. Un privilegio di cui i romani dovrebbero francamente ricordarsi un po' più spesso. E forse questo libro potrà aiutarli a farlo.

RINGRAZIAMENTI

Nei due anni e mezzo impiegati a scrivere queste pagine ho contratto numerosi debiti di riconoscenza per i suggerimenti, le informazioni, il tempo che molte persone, autorevoli e gentili, mi hanno prodigato o di persona o con le loro opere. Vorrei citare, ringraziandoli, i miei principali creditori. Per cominciare i romanisti Claudio Rendina e Armando Ravaglioli, nonché l'amico Giorgio Ruffolo. Sull'Altare della Patria sono stati di grande aiuto Aurelio Urciuoli, Maria Rosaria Coppola, Bruno Tobia. Sulla Roma seicentesca mi hanno orientato Giuliano Capecelatro e Laura Biagiotti, curatrice della Fondazione Marco Besso; sulla Repubblica romana del 1849, Giorgio Bouchard, Sergio Lepri, Antonio Thiery.

La ricerca dei documenti e delle testimonianze sull'attentato di via Rasella e il massacro delle Ardeatine è stata agevolata da Robert Katz, Alessandro Portelli, Gerhard Schreiber. Sono riuscito a ricostruire il mondo di Cinecittà grazie a Flaminio Di Biagi, Tullio Kezich, Dino Risi, Mario Verdone. Per le interpretazioni sul *Mosè* di Michelangelo mi hanno aiutato le ricerche di Antonio Forcellino; sulla Roma degli anni Sessanta e il delitto Casati, Vincenzo Cerami, Irene De Guttry, Giuseppe Fiori. Fondamentali i suggerimenti e le opere di Cesare D'Onofrio, Cristina Nardella, Giovanni Maria Vian per la Roma altomedievale.

Le storie e la storia del ghetto di Roma mi sono state illustrate da Abraham Berliner, Enzo Collotti, Ruth Liliana Geller, Stephanie Siegmund, Ariel Toaff. Le archeologhe Ida Sciortino e Laura Vendittelli mi hanno fatto vedere nella giusta prospettiva alcuni importanti monumenti e altrettanto ha fatto la dottoressa Francesca Balboni per i Fori. Notizie sulla chiesa e i sotterranei di San Pietro in Vincoli li devo a don Giacomo Saladino, mentre padre Morris Fearon mi ha descritto con grande competenza i freschi e le storie dei Santi Quattro Coronati. Mi hanno aiutato per le notizie sul quartiere dell'Eur e le sue appassionanti vicissitudini Renzo Ferri, Fabio Grisanti, Ida Viola.

Tutti questi suggerimenti sono confluiti nell'aiuto come sempre prezioso di Nicoletta Lazzari e di Pier Angela Mazzarino per l'editing del testo. Ad Anna Ramadori della sede romana di Mondadori sono debitore della generosa assistenza.

A tutti un grazie riconoscente, senza bisogno d'aggiungere che eventuali fraintendimenti ed errori sono soltanto miei. Sarei, anzi, grato a chi volesse segnalarmeli per una eventuale, futura riedizione.

FONTI ICONOGRAFICHE

Andrea Alteri: foto del palazzo degli Uffici all'Eur

Archivi Alinari, Firenze: tomba di John Keats; panoramica delle terme di Caracalla; tomba di Cecilia Metella; scavi in largo di Torre Argentina; Foro romano; porta Latina; porta San Sebastiano; teatro di Marcello; scorci di vita cittadina (ciabattino al lavoro e donna che stende); torre dei Conti; torre delle Milizie; torre della Scimmia; cortile della chiesa dei Santi Quattro Coronati; sala dei Santi, Musei Vaticani; Pinturicchio, *Disputa di santa Caterina d'Alessandria coi filosofi* (particolare); sala del Credo, Musei Vaticani; Pinturicchio, *Resurrezione*; celebrazione fascista all'Altare della Patria; tre cavallerizzi; festa campestre; villa «il Vascello»; veduta di una strada del ghetto ebraico

Archivio Bruni/Gestione Archivi Alinari, Firenze: Mussolini su un set cinematografico; donne che passeggiano davanti a un negozio in Campo dei Fiori

Archivio centrale dello Stato, ministero per i Beni e le Attività culturali, Roma: *buen retiro* di Ettore Muti

Bridgeman - Archivi Alinari, Firenze: Caravaggio, *Morte della Vergine*; Vincenzo Camuccini, *Morte di Giulio Cesare*; tomba di Giulio II; altare della chiesa di San Clemente; chiostro della chiesa di San Pietro in Montorio

Centro documentazione Mondadori: Camillo e Anna Casati; Massimo Minorenti; donne ebree durante il rastrellamento nel ghetto ebraico

Fototeca Storica Gilardi, Milano: uomini rastrellati dai nazisti dopo l'attentato di via Rasella; corpi dei trucidati alle Fosse Ardeatine; «Il diario della marchesa Anna Casati Fallarino»; rastrellamento nazista nel ghetto ebraico

Istituto Luce/Gestione Archivi Alinari, Firenze: Ettore Muti; l'attrice Anita Ekberg; primo ciak di *Scipione l'Africano*; quattro signore della borghesia che conversano

Olycom, Milano: particolare delle terme di Caracalla; interno della tomba di Cecilia Metella; mura aureliane; navata principale della chiesa di San Pietro in Vincoli; vista di Roma da una delle terrazze dell'Altare della Patria; Altare della Patria; «villino delle Fate» di Gino Coppedè

Raffaello Bencini/Archivi Alinari, Firenze: Caravaggio, *Martirio di san Matteo*; Caravaggio, *Conversione di san Paolo*; Caravaggio, *Crocifissione di san Pietro*

Remo Casilli/Grazia Neri: tomba di Gramsci

Team/Archivi Alinari, Firenze: l'ingresso di Cinecittà

© 2005 Foto Scala, Firenze: Caravaggio, *Madonna dei pellegrini*

Tutte le altre foto sono di proprietà dell'autore.

INDICE DEI NOMI E DEI LUOGHI

«I segreti di Roma»
di Corrado Augias
Arnoldo Mondadori Editore S.p.A.

Questo volume è stato impresso
nel mese di agosto dell'anno 2006
presso Mondadori Printing S.p.A.
Stabilimento NSM - Cles (TN)

Stampato in Italia - Printed in Italy